카산드라의 거울

❶

카산드라의 거울

①

베르나르 베르베르 장편소설

임호경 옮김 ┃ 홍작가 그림

열린책들

LE MIROIR DE CASSANDRE
by BERNARD WERBER

Copyright © Editions Albin Michel – Paris 2009
Korean Translation Copyright © The Open Books Co., 2010

이 책은 실로 꿰매는 정통적인 사철 방식으로 만들어졌습니다.
사철 방식으로 만든 책은 오랫동안 보관해도 손상되지 않습니다.

과거, 현재, 미래의
모든 예지자들에게

나의 할아버지, 이지도르를 추모하며

제1권

우리는 모든 것을 예측할 수 있다. 미래만 제외하고.

— 노자

장님들의 나라에서 애꾸눈이도 귀머거리는 아니다.

— 무명인

태어나기 직전, 천사는 손가락으로 아기의 입술을 누르고서 이렇게 속삭인다. 〈너의 전생들을 모두 잊어버리렴. 그래야 그 기억이 이 생에서 너를 번거롭게 하지 않는단다.〉 갓난아이의 입술 위에 인중이 찍혀 있는 것은 이 때문이다.

— 카발라

미래의 이야기

IL SERA UNE FOIS

1.

〈우리는 미래를 볼 수 있는가?〉

2.

청년이 철제문을 넘어선다.

그는 천천히 걸어가 몽파르나스 타워 꼭대기 옥상의 가장 자리에 선다. 발밑으로 210미터의 아찔한 허공. 검은 밤이다. 별들이 깜빡이고 있고, 높은 곳이라 차가운 돌풍이 윙윙 소리를 내며 몰아치고 있다. 그는 몸을 앞으로 굽힌다. 저 아래 어둠 너머에는, 빛을 발하는 곤충들같이 보이는 자동차들이 대오를 이뤄 조급하게 나아가고 있다.

오싹, 현기증이 인다.

그의 줄 달린 회중시계의 문자판에 이런 말이 쓰인다. 〈5초 후 사망 확률: 63%〉.

식은땀이 이마를 타고 내려와 등 쪽으로 주르륵 흘러 들어간다. 그는 침을 꿀꺽 삼키고 숨을 깊게 들이마신다. 하지만 이내 호흡이 불규칙해진다. 그는 몸을 좀 더 앞으로 굽힌다. 그러고는 아주 짧게 망설인 후, 허공에 몸을 던진다.

머리칼이 얼굴을 마구 때린다.

파리가 자랑하는 이 거대한 빌딩의 각 층을 지날 때마다, 회중시계 문자판의 퍼센트가 급속도로 올라간다. 〈5초 후 사망 확률: 69%〉.

빌딩 유리창들이 휙휙 지나간다.

72%.

추락하고 있는 그의 눈에 언뜻언뜻 포착되는 게 있다. 땅으로 곧장 떨어져 내리고 있는 그를 대형 창문 너머로 멍하니 바라보고 있는 사람들의 시선이다.

83%.

그는 둥지로 돌아가느라 위쪽으로 날아오르고 있는 비둘기 한 마리와 엇갈린다.

이제 땅과의 거리가 수십 미터밖에 되지 않은 곳에 이르렀을 때, 시계 문자판에 쓰인 숫자가 별안간 89%에서 31%로 바뀐다.

바로 그 순간, 추락 속도가 갑작스레 감소한다. 건축용 폴리스티렌 스펀지를 가득 싣고, 그 위에다 방수포를 덮은 대형 트럭 덕분이다. 이 거대한 자동차는 신호등의 빨간불을 무시하고 달려와 남자의 몸이 땅에 떨어지기 직전에 그 밑을 지났던 것이다.

덕분에 몸은 다친 곳 하나 없이 말짱하다. 약간은 멍한 기분으로 몸을 일으켜 보려 하는데, 다시 문자판의 숫자가 급속도로 올라간다. 〈5초 후 사망 확률: 98%〉.

그의 귀에 유조차의 브레이크가 마치 울부짖듯 길게 끌리는 소리가 들린다. 교차로 오른쪽 길에서 튀어나온 유조차는 미처 멈추지 못한다. 마치 슬로모션처럼 유조차는 철판들이 우그러지고 박살나는 굉음과 함께 폴리스티렌을 실은 트럭에 처박힌다.

유조차에는 인화성 액체가 가득 실려 있다. 모든 것이 폭발해 버리는 참혹한 불꽃놀이가 벌어진다.

3.

〈자, 이제 무슨 일이 일어나게 될까?〉

4.

「아주 흥미로운 문제예요. 안 그래요, 카첸버그 양? 몇 초 후에, 일 분 후에, 한 시간 후에, 하루 후에, 혹은 일 세기 후에 과연 무슨 일이 일어나게 될까요? 이건 양에게 묻고 있는 거예요. 미래를 알고 있노라고 감히 주장하는 양에게 말이에요.」

그는 큼지막한 웃음을 지어 보인다.

「동서고금을 막론하고, 사람들은 자신에게 일어날 일을 예측하려 해보았어요. 황새가 날아가는 모습을 관찰하기도 했고, 닭의 내장을 들여다보기도 했으며, 별을 세심하게 살피기도 했고, 그 밖의 온갖 것들을 다 해보았죠. 하지만 그 누구도 결코 미래를 읽어 낼 수 없었어요……. 그런데 카첸버그 양, 양은 아직 일어나지도 않은 어떤 사건들이 〈보인다〉고 믿고 있다고요? 그런가요?」

그는 매니큐어 칠한 긴 손가락들을 깍지 꼈다가 다시 푸는 동작을 반복한다.

「좋아요. 그럼 우리 한번 생각해 봐요. 카첸버그 양의 그 〈특이함〉의 정체를 알아내기 위해, 우선 양이란 사람을 한번 이해해 보자고요. 자, 그래서 두 번째 질문을 던지겠어요. 양은 자신이 정말 어떤 사람인지 알고 있나요? 그래요, 양 말이에요. 고개를 딴 데로 돌리지 마요! 나는 지금 다른 사람이 아니라, 바로 양에 대해 말하고 있다고요. 자, 어서 대답해 봐요. 양은 누구죠?」

순간, 소녀의 등이 가늘게 떨린다. 그녀의 깊은 속에서 탄식이 솟는다.

아! ……그걸 나도 알 수만 있다면…….

그는 그녀 쪽으로 몸을 기울인다.

「대답하고 싶지 않은 건가요, 아니면 대답할 수 없는 건가요? 대답할 수 없다면 내가 도와줄 수도 있을 거예요. 아직 모르고 있겠지만, 양의 삶은 어떤 커다란 비밀 위에 서 있어요. 자, 내가 그 비밀을 푸는 첫 번째 단서를 주겠어요. 양은 자기 이름에 담긴 깊은 의미가 뭔지 아나요?」

그는 한 음절 한 음절을 입속에서 굴리듯 하며 천천히 발음했다.

「카-산-드-라. 양의 이름은 카산드라예요. 이 이름을 들으면 뭔가 생각나는 게 없나요?」

그녀는 그를 물끄러미 쳐다본다. 정말이지 하찮은 인간이라는 느낌이 든다. 짧게 자른 은발 머리, 텅스텐 청색의 눈, 쭉 뻗은 코, 약지에 끼고 있는 문장(紋章)이 새겨진 반지…… 이 모든 것에서 멍청함과 자만심이 물씬 풍겨 난다.

그 역시 그녀를 물끄러미 관찰하고 있다. 그는 그녀가 매우 아름답다고 느낀다. 물결치는 듯한 검은 머리는 엉덩이까지 내려와 있고, 맑은 회색빛 눈의 시선은 얼마나 깊고 강렬한지, 눈이 마주치면 오히려 당황스러울 정도이다. 그는 그녀의 모든 것에서 여성성의 우아함과 강력한 힘을 느낀다.

「아, 이름…… 그것 참 중요한 거예요!」 그는 시선을 슬며시 딴 데로 돌리며 말을 잇는다. 「한번 붙으면 죽을 때까지 따라다니는 게 이름이죠. 그런데 부모들이란 대체 어떤 생각으로 인간 애벌레에게 이 이름 말고 저 이름을 덥석덥석 붙여 주는 걸까요? 이름이란 우리의 가장 깊은 곳에 새겨진 비밀 프로그램과도 같아요. 예를 들어 내 이름은 필리프Philippe예요. 내가 보고받은 바로는, 당신은 어원학에 특별한 열정이 있다면서요? 그렇다면 그리스어로 〈필로philo〉는 〈무언가를 좋아하는 사람〉, 그리고 〈이포hippo〉는 〈말〉을 뜻한다는 사실을 모르지는 않겠죠? 〈말을 좋아하는 사람〉…… 내가 바로 그래요. 나는 말들을 좋아해요. 나는 경마를 즐기고, 자주 돈을 따기도 하죠. 내 누이의 이름은 베로니크Véronique예요. 〈베로vero〉는 진실, 참, 진짜라는 의미고, 〈이코노스iconos〉는 이미지죠. 〈진짜 이미지〉…… 그래서 그녀는 사진작가가 되었어요. 또 재능도 상당하고요.」

그는 자신의 빛나는 논증에 자못 만족한 기색이다.

「하지만 이름은 부모가 안겨 주는 최초의 독사과가 될 수도 있지요. 제 새끼에게 샤를-앙리, 임마퀄레, 루르드, 제르트뤼드, 혹은 페르디낭 같은 이름을 붙여 주다니, 얼마나 잔인한 인간들인가요!」[1]

그는 긴 손가락들을 장난치듯 꼬무락댄다.

---

1 샤를-앙리: 파리 부유층 가문 남자 아이의 대표적인 이름 중 하나. 이름에서 풍기는 콧대 높은 속물 이미지 때문에 놀림의 대상이 되기 쉽다.

임마퀄레: 〈오점이 없는 여자〉라는 뜻. 성모 마리아의 〈원죄 없는〉 잉태를 가리킬 때 쓰이는 단어이기도 하다.

루르드: 루르드 지방의 성녀 베르나데트(성모 마리아의 발현을 목격한 뒤 호기심과 기적을 믿지 못하는 이들의 비난으로 고통받았으나, 후에 공식적으로 성모 발현이 인정되면서 성녀로 시성됨)를 가리키는 것일 수도 있고, 복수형의 단어지만 단수형과 같은 발음상 〈무거운 여자〉를 뜻할 수도 있다.

제르트뤼드: 촌스러운 구닥다리 여자를 연상케 하는 이름.

페르디낭: 유행이 지난 남자 이름.

「내게는 아인슈타인이라는 성(姓)을 가진 친구가 있었어요. 꽤 괜찮은 성 아니에요? 그런데 부모는 그 친구에게 프랑크라는 이름을 붙여 주었죠. 〈프랑크 아인슈타인〉…… 〈프랑켄슈타인〉…… 그는 천재도 될 수 있는 사람이었는데, 이 이름 때문에 괴물이 되도록 프로그래밍되어 버렸죠.」

그는 킬킬킬 웃음을 터뜨리더니, 별안간 뚝 멈춘다.

「그리고 너, 카산드라! 넌 천재야, 아니면 괴물이야?」

교장의 어법이 느닷없이 존댓말에서 반말로 바뀐다. 그녀는 눈 하나 깜짝하지 않고 그의 눈을 빤히 마주 본다. 그러는 그녀의 회색 눈동자는 바다처럼 커져 있다.

「야간 감독 교사의 보고서에 따르면, 괴물 쪽에 가깝다고 봐야겠군.」

그는 서류에 스테이플러로 붙어 있는 종이 두 장을 떼어 내어 천천히 읽는다.

「〈자정 무렵, 기숙생 카산드라 카첸버그는 요란한 비명을 발하여 기숙사 서관의 모든 기숙생들을 잠에서 깨웠습니다. 그러고는 며칠 뒤에 테러 사건이 일어날 거라고 떠들어 댔습니다. 조용히 자고 싶었던 기숙생 중 하나가 조용히 시키려 하자, 카산드라는 사납게 그 학생의 얼굴을 할퀴었습니다.〉 ……흠, 다음에는 양호실의 보고서가 있군. 〈기숙생 비올렌 뒤파르크는 부상으로 출혈이 있었습니다. 목과 뺨에 난 상처들은 스무 바늘의 봉합 수술을 요하며, 아마 평생 지워지지 않는 흉터를 남길 것입니다.〉」

사내는 종이를 탁 하고 데스크에 내려놓는다.

「괴물 카산드라, 넌 그 애 얼굴을 완전히 망가뜨려 놓았어. 자, 왜 그런 짐승 같은 행동을 했는지 한번 설명해 봐!」

소녀는 피가 엉겨 아직 자줏빛으로 물들어 있는 자신의 손톱을 내려다본다.

왜 날 가지고 그래. 그 멍청한 계집애가 미래를 우습게 보기에, 그 애의 한심한 눈높이에 맞는 교훈을 하나 주었을 뿐이야. 내가 열어 놓은 것은 단지 그 애의 뺨가죽만이 아니지. 난 그 애의 정신까지 열어 주었어. 그 애는 오히려 내게 고맙다고 해야 한다고.

교장이 그녀에게 다가온다.

「왜 대답이 없지? 그렇다면 어쩌면 내가 그 설명의 실마리를 제공해 줄 수 있을지도 몰라. 바로 〈말의 힘〉이야. 특히 네 이름과 같은 악명 높은 이름이 가진 힘은 실로 엄청나지.」

그는 뒷짐을 지고 한동안 방 안을 뚜벅뚜벅 걷는다.

「자, 원한다면 너의 유명한 동명이인인 고대의 카산드라의 이야기를 들려주지. 듣고 싶어?」

아니, 그딴 건 관심 없어!

「들어 보면 알겠지만, 기이하게도 네 경우와 일치하는 점이 많은 이야기야. 어쩌면 간밤에 일어난 사건도 이 이야기로 어느 정도 설명이 되겠지.」

교장은 카산드라를 똑바로 쳐다본다. 그녀는 교장의 시선을 피하지 않고 마주 본다.

「아, 맞아! 우리 집, 내 서재에 가서 얘기하면 더 낫겠군. 필요한 참고 자료가 거기에 다 있으니까.」

뭔가 기분 나쁜 예감에 등이 파르르 떨려 오지만, 그녀는 아무 말도 하지 않는다. 교장은 그녀 쪽으로 몸을 기울이고는 귀에다 대고 속삭인다.

「그러고 나서 네게 줄 깜짝 선물이 하나 있어……」

5.

그의 집에 가면 안 돼. 가면 안 된다는 느낌이야.

6.

교장의 집은 학교 옆에 붙어 있는 조그마한 단독 주택이다. 황토색 벽돌로 쌓은 벽들은 온통 담쟁이넝쿨로 덮여 있고, 지붕에는 기와를 이었다. 편지함에는 비스듬한 서체로 〈필리프 파파다키스 교장〉이라고 쓰여 있다.

대문에 들어서자 정원이 펼쳐져 있고, 자갈 깔린 소로가 집의 현관까지 이어지고 있다.

집 내부는 고풍스러운 스타일로 장식되어 있다. 골동품에 가까운 가구들, 질주하는 말들을 표현한 그림들, 어두운 색의 커튼, 하도 닳아서 무슨 색인지도 모르겠는 카펫.

집안 전체에는 퀴퀴한 장뇌(樟腦) 냄새가 배어 있다.

늙은 독신남의 집이군. 와서 요리나 설거지를 하거나, 침구나 옷가지 정리를 해준 여자는 한 명도 없었어. 심지어는 파출부 한 명 들어온 적 없었을 거야.

남자가 고서들로 가득 찬 서가를 뒤지는 동안, 그녀는 문가에 서서 꼼짝하지 않는다.

저 사람을 보면 어떤 미국 배우가 생각나. 이름이 뭐더라.

마침내 교장은 원하는 책을 찾아낸다. 〈카산드라의 저주〉라는 제목의 책으로, 표지에는 한 손에 뱀을 들고 황금 보좌에 앉아 있는, 하얀 토가 차림의 여자가 그려져 있다. 그는 책머리에 내려앉은 먼지를 훅 하고 불어 날린 다음, 원하는 부분을 찾으려 책장을 휘리릭 넘기기 시작한다.

「이 이야기를 들으면 큰 흥미를 느낄 거야.」

설마.

「자, 여기 있다. 우선, 네 이름의 뜻이 뭔가 하면…… 카산드라는 알렉산드라를 줄인 말이야. 그런데 역사적으로 유명한 카산드라는 단 한 명이지. 고대의 어떤 공주였어. 그러니까 이것은 기원전 1300년경, 지금으로부터 약 3천 년 전에 있었던 얘기지. 카산드라는 트로이의 왕 프리아모스의 딸이었어. 그녀의 어머니는 흑해 연안에 살던 아마존 부족 출신인 대사제 헤카베였고. 호메로스에 따르면, 카산드라는 프리아모스의 딸들 중에서 가장 아름다웠다는군.」

교장은 그녀를 뚫어지게 쳐다보며 반응을 살핀다. 그녀의 표정에는 조금의 변화도 없다.

자, 이제 끝난 모양이군. 그럼 난 가도 되는 거야?

「어느 날, 아폴론 신이 자신을 숭배하는 신전에 내려왔어. 거기서 카산드라를 보게 된 신은 그녀의 어머니 헤카베 왕비에게 이렇게 말했지. 〈난 이 아이가 마음에 든다. 하여 내가 이 애에게 한 가지 능력을 줄 터이다. 이것은 모든 능력 중에서도 가장 뛰어난 능력으로, 바로 예지 능력이다. 이 아이는 미래를 보게 될 것이야!〉 그리고 아폴론 신은 손가락 하나로 계집아이의 턱밑을 받쳐 올리면서 이렇게 말했어. 〈지금은 내게 고맙다고 할 필요가 없다. 감사를 표하고 싶거든, 좀 더 컸을 때 내가 일러 주는 대로 하면 된다.〉」

파파다키스는 이렇게 말하면서 자신도 카산드라의 턱에 손가락을 대보려 한다. 그녀는 뱀이라도 닿은 듯 발딱 몸을 젖혀 피한다.

젠장! 여기 오자고 할 때, 말을 듣지 말았어야 했어.

「……어른이 된 카산드라는」 교장은 그녀의 반응에 크게 개의치 않고 말을 잇는다. 「트로이에 있는 아폴론 신전의 사제가 되었어. 자기 어머니처럼 말이야. 어느 날, 아폴론은 약속했던 대로 그녀의 보답을 받기 위해 돌아왔지. 그리고 이렇게 말했어. 〈자, 이제 너의 신에게 감사의 뜻을 표할 때가 왔노라.〉 하지만 처녀는 거절했어.」

필리프 파파다키스는 자기 일인 양 분개하며 고개를 절레

절레 흔든다.

「상상이 돼? 미천한 인간이 신의 구애를 거절하다니! 너도 짐작했겠지만, 아폴론은 썩 기분이 좋지 않았어. 뭐, 당연한 일이지. 일개 계집아이에게 엄청난 선물을 주었잖아? 모든 사람이 꿈꾸는, 미래를 보는 능력…… 그런데 이 계집애는 감사할 마음이 전혀 없었어. 얼마나 배은망덕한 일이냐!」

그는 자신의 말이 그녀에게서 원하는 효과를 낳았는지 살펴려 잠시 뜸을 들인다. 그러면서 말 대가리 형상이 새겨진 반지 윗부분을 만지작거린다.

자, 이제 끝난 거야? 난 돌아가도 되는 거야?

「하지만 미(美)의 신은 관대함을 잃지 않으셨지. 그는 단지 이렇게 말씀하셨어. 〈오, 난 쉽게 앙심을 품는 신은 아니다. 내가 네게 준 것을 도로 빼앗지는 않겠다는 뜻이다. 어차피 한번 준 것은 준 것이니까. 따라서 경솔하게도 대가도 정해 놓지 않고 네게 준 선물을 도로 뺏는 대신에, 두 번째 선물을 주겠다. 앞으로 네가 무슨 말을 하든, 사람들은 네 말을 믿지 않게 될 것이야!〉 그리고 이 저주의 표시로 그녀의 입 안에다 침을 퉤 하고 뱉었어.」

교장은 검지에 침을 바르면서 책장을 설렁설렁 넘겨 간다. 그런 식으로 몇 페이지를 대충 훑어본 다음 이렇게 요약한다.

「그날부터 카산드라는 미래를 보게 되었지만, 아무도 그녀의 말을 믿으려 하지 않았지.」

소녀는 아무 말도 하지 않는다. 대신 방을 이리저리 살펴본다. 그녀의 정면에 있는 달력은 3월 3일을 표시하고 있다.

곧 봄이야…… 날씨가 화창해지겠지. 밖으로 나가서 나무와 풀과 꽃들의 냄새를 호흡할 수 있을 거야. 새들의 노랫소리도 들을 수 있겠지. 아, 그 모든 것들이 너무나 그립다! 난 여기서 시간을 허비하고 있어. 내겐 탁 트인 공간과 자연과

태양이 필요해. 공기와 빛이.

그녀는 다시 남자 쪽으로 시선을 돌린다. 그가 하고 있는 말은 더 이상 귀에 들어오지 않는다.

이 작자는 그 미국 배우와 많이도 닮았어. 그 배우 이름이 뭐였더라? 입에서 뱅뱅 돌기만 하네…… 「콜걸」과 「매시」에 나왔는데…….

남자는 계속 지껄이고 있다.

「그런데 너, 너도 고대에 살았던 네 동명이인처럼 미래를 본다고 주장하는 거야? 꿈도 야무지지. 혹 〈여자의 직감〉 정도라면 또 모르겠다.」

그가 책을 제자리에 꽂아 넣고는 몸을 그녀 쪽으로 기울인다. 사내의 입 냄새가 훅하고 끼쳐 온다.

아, 생각났다! 도널드 서덜랜드야. 문장이 새겨진 반지 덕분에 생각이 났어. 턱이 약간 더 뾰족하고 코가 좀 더 긴 것이 다를 뿐이야. 손가락도 이 사람이 약간 덜 가늘고.

그는 이글거리는 시선으로 그녀의 두 눈을 들여다본다.

「자, 이리 와봐.」 그는 명령한다.

그녀가 꼼짝도 하지 않자, 자기가 직접 일어나 다가온다.

그는 내 보호 방울의 경계선에 와 있어.

「아참! 선물을 잊고 있었군. 너희 여자애들이란 〈작은 선물〉을 필요로 하지. 아까 네게 약속했던 그 깜짝 선물 말이야. 정확히 말하자면, 내가 주는 거라곤 할 수 없지만.」

교장은 선반에서 마분지로 싸인 소포 꾸러미 하나를 집어 든다.

「아마도 널 사랑하는 누군가가 보낸 거겠지. 얼마 전부터 여기다 보관해 놓고 있었어. 딴생각은 없었고, 단지 네게 전달하는 걸 깜빡했을 뿐이야.」

거짓말! 일부러 그랬으면서.

그가 조그만 상자를 흔들자, 무언가 단단한 물체가 종이 상자에 부딪히는지 덜그럭거리는 소리가 난다.

「갖고 싶어?」

그녀 쪽에서는 글자가 거꾸로 보인다. 〈카산드라에게〉라고 적혀 있다. 발신인 난에는 급하게 쓴 듯이 보이는 〈d〉라는 글자 하나뿐이다.

「자, 고맙다고 안 해?」

소녀의 입술에 파르르 경련이 인다.

「고맙다고 말해. 그러지 않으면 안 주겠어.」

남자의 목소리는 차갑고도 위압적으로 변해 있다.

그는 한 걸음 더 다가온다.

내 보호 방울을 침범했어.

그녀의 몸이 경직된다.

그녀는 이번에는 물러서지 않는다. 그는 그녀가 움직이지 않는 것을 자신을 받아들이는 뜻으로 해석하고는 그녀의 손을 잡으려고 한다.

그래, 당신. 말 애호가라는 필리프 아저씨. 미국 권투 선수 마이크 타이슨의 신화에 대해서는 좀 아셔?

그녀는 달려들어, 그의 귓불을 와작 깨물어 버린다. 얼마나 오지게 깨물었던지, 그녀의 턱뼈에서 빠득하는 소리까지 난다. 카산드라는 머리까지 흔들어 가며 살점을 잘라 낸 다음, 잠시 망설이다가 퉤 하고 바닥에다 뱉어 버린다.

처음에는 너무도 놀라 멍하니 있던 필리프 파파다키스는 안구가 튀어나올 듯 눈을 부릅뜬 채 털썩 무릎을 꿇더니만, 피투성이가 된 귀를 부여잡고 울부짖는다. 벌써 소포를 주워 들고 잽싸게 방을 뛰쳐나간 소녀는 물건을 꼭 부여안고 뒤도 돌아보지 않고 내달린다. 고통이 가득한 비명 소리만이 끝없이 울리는 집을 뒤로하고서.

7.

이젠 다른 선택이 없어. 더 이상 이곳에 머무를 수 없어. 저 남자는 구역질이 나. 학교의 여자애들도 내가 미래를 봤다고 하니까 날 이상한 눈으로 보고 있고.

사람들이 날 사랑해 주지 않는 곳, 이런 곳에는 남아 있을 필요가 없어.

이렇게 도망가면 분명히 어떤 대가를 치르게 되겠지. 하지만 난 준비가 되어 있어.

옛 세계는 미련 없이 떠나 버려야 해. 언제나!

8.

짙은 잿빛의 구름들이 첩첩이 쌓여 가고 있다. 저녁이 서서히 내려옴에 따라 사방이 어둑해진다. 멀리서 천둥이 우르릉 댄다. 이따금 한 줄기 푸르스름한 번개가 지평선을 때린다.

카산드라는 마침내 숨을 몰아쉬며 멈춰 선다. 여기서 결정을 내려야 한다. 남쪽은 열기로 들끓고 있는 수도(首都), 북쪽은 저녁의 평온에 잠겨 있는 교외다.

그녀는 북쪽을 택하여 다시 달리기 시작한다. 학교에서 충분히 먼 거리라고 판단되는 지점에 이르자 마침내 잠시 쉬기로 하고, 지붕 덮인 버스 정류장의 벤치에 널브러지듯 주저앉는다. 두 눈을 감고 호흡이 가라앉을 때까지 기다린 다음, 희미한 가로등 불빛 아래에서 조그만 소포를 포장한 마분지를 급히 찢는다. 상자 하나가 나타난다. 상자 안에 흰 종이쪽지가 들어 있는데, 거기에 떨리는 필적으로 이런 글이 적혀 있다.

〈……카산드라는 소포를 열고 이상한 물건을 발견했다. 그녀는 이게 대체 뭐지, 하고 자문했다. 이 단계에서는 아직 모

르는 편이 그녀를 위해 나왔다……〉

글 앞에는 생략 부호 여섯 개가 찍혀 있고, 글 뒤에도 여섯 개가 찍혀 있다. 편지 쓴 이의 서명은 어디에도 보이지 않는다. 그 종이 아래에는 연보라색 새틴 보석함 하나가 있고, 그 안에는 검은 가죽띠가 달린 금빛의 손목시계 같은 것이 들어 있다. 그것의 문자판에는 간단한 문구 하나가 새겨져 있다. 〈5초 후 사망 확률: 〉

그 밑에는 지금은 꺼져 있는 조그만 액정 화면이 있는데, 그 안에 〈%〉라는 기호가 보인다.

오른쪽에는 조그만 단추 하나가 달려 있어, 보는 이의 호기심을 자극한다. 그녀는 꾹 눌러 본다.

그러자 액정 화면이 켜지면서 디지털 숫자 〈88〉이 나타난다. 액정 화면의 모든 표시 기능이 활성화되었다는 의미이다.

분과 초를 표시하는 곳은 보이지 않는다. 이 문자판은 00에서 99까지의 숫자만을 표시할 수 있을 뿐이다.

소포 포장지에는 단순한 고딕체 글자로 〈이롱델 학교, 카산드라 카첸버그〉와 그 주소가 적혀 있다.

발신자 난에는 d자 하나가 적혀 있다.

달랑 그것뿐이다.

d…… 혹시 그일까?

누군가가 멀리서 자신을 지켜보고 있는 것 같은 느낌이 든다. 불안감에 더 이상 버스 정류장에 앉아 있을 수 없게 된 그녀는 보도를 따라 다음 교차로까지 걸어간다.

편집증 환자처럼 굴 필요는 없지만, 잠시도 경계를 늦춰서는 안 돼.

그녀는 다시 손목시계를 들여다본다. 이만큼 이동했으니 문자판에 어떤 변화가 나타났는지 확인하려 함이다. 하지만 거기에는 여전히 〈5초 후 사망 확률: 88%〉가 표시되어 있다.

그렇게 시선이 손목시계에 못 박혀 있는 탓으로, 그녀는 주위를 살피지도 않고서 도로를 건넌다. 갑자기 끽 하는 브레이크 소리가 들리면서, 커다란 오토바이 한 대가 가까스로 그녀를 피한다.

「야! 뒈지기 싫으면 앞을 똑바로 보고 다녀!」 오토바이 운전자는 가운데 손가락을 불끈 치켜 올리며 고래고래 소리 지른다.

그녀는 이것이 좋은 경고라고 생각하고는, 아예 보고 싶은 생각이 안 들게끔 재킷 소맷부리를 내려 손목시계를 덮어 버린다.

그렇게 반 시간 정도를 헤맸을까, 이번에는 더욱 불안스럽게 느껴지는 또 다른 위협이 그녀 앞에 나타난다. 길 저쪽에 자동차 한 대가 서서히 모습을 드러내는데, 차체에 쓰인 〈경찰〉이라는 무시무시한 두 글자가 어렴풋이 보인다.

교장이 신고를 했군.

하늘이 한층 어두워지더니, 갑자기 폭우가 쏟아지기 시작한다. 카산드라는 걸음을 재우친다. 자동차가 그녀 쪽으로 천천히 다가온다. 거리는 텅 비어 있다. 행인도 없고, 자동차도 없다. 억수같이 퍼붓는 빗속에서 다가오는 저 차 한 대뿐이다.

그녀는 황급히 달려가 어느 나무둥치 뒤에 몸을 숨긴다. 그러고는 온몸의 발톱과 송곳니를 날카롭게 세워 공격할 준비를 하고서 기다린다.

그녀는 모든 사람이 지니고 있지만, 많은 사람이 사용하기를 꺼리는 그 원초적 무기들을 되찾은 것이다.

그녀는 자신을 현대 세계 한가운데 떨어진 혈거 시대 여자인 것처럼 느낀다. 그런데 이 원시성은 장애이기는커녕 하나의 힘으로 느껴진다. 비록 이 힘을 마음대로 제어할 수는 없지만.

내 과거에 대해서는 더 이상 질문하지 말자. 이제는 오직 앞일만을 생각하자.

벼락이 지평선 위를 환하게 밝히고, 검은 하늘에 관목 가지 형태의 번개를 그리며 눈을 부시게 한다. 빗줄기는 한층 굵어져 땅바닥을 요란하게 때린다. 미끄러지듯 다가온 경찰차는 어느덧 아주 가까운 곳에 와 있다. 카산드라에게는 또 다른 플라타너스 나무 뒤로 들어가 간신히 몸을 웅크릴 시간밖에 없다.

경찰차가 그녀가 숨어 있는 부근에 이르렀을 때, 열린 차창을 통해 보이는 한 사내가 손전등으로 보도를 비춘다. 소녀는 사내의 시선이 미치지 못하는 곳에 머물기 위해 나무둥치를 따라 천천히 몸을 옮긴다. 손전등의 빛줄기는 그녀의 몸을 살짝 스칠 뿐 잡아내지는 못한다.

나무가 그녀를 구해 주었다.

고마워, 나무야.

경찰차는 지나갔다.

벼락이 다시금 구름을 쪼개며 귀가 멍멍한 굉음을 낸다. 비가 더욱 거세게 쏟아진다. 소녀의 머리칼이 무거워진다. 옷들은 흠뻑 젖어 몸에 찰싹 들러붙는다.

보도 변의 철망 울타리와 그 울타리 너머로 보이는 것들 외에는, 주변에 몸을 숨길 만한 곳은 없다. 길 건너편에는 공터가 펼쳐져 있을 따름이다. 그리고 이 거리에 있는 것이라고는 보도와 가로수, 그리고 끝없이 이어지고 있는 철망 울타리뿐이다. 그녀는 울타리를 자세히 살펴본다. 철망 위에는 콘서트 포스터, 정치가들이나 서커스 스타들의 얼굴 사진 등이 덕지덕지 붙어 있다. 그 가운데에는 낙서로 더럽혀진 큼직한 간판이 하나 걸려 있는데, 거기에는 〈시쓰장〉이라는 아리송한 명칭이 새겨져 있고, 그 간판 아래에는 〈광고물 부착 금지〉라는 경고문도 붙어 있다. 철망 울타리의 윗부분은 철조망으로 덮여 있고, 거기에 비닐봉지들이 걸려 화환처럼 펄럭거리고 있다. 울타리 너머로는 나무들이 서 있는데, 아주 촘촘하게 심겨 있어 그 뒤쪽은 전혀 보이지 않는다.

또다시 들려오는 자동차 엔진 소리에 그녀는 고개를 돌린다. 전조등이 내쏘는 원뿔형의 흰 빛줄기들이 다가오면서 뿌연 비안개 속을 뒤지고 있다.

그들이 다시 오고 있어…….

손전등을 든 사내는 열린 차창 턱에 팔꿈치를 기댄 채, 매우 주의 깊게 좌우를 번갈아 살피고 있다. 문득 카산드라의 눈에 울타리 가운데 찢긴 틈이 들어온다. 그녀는 녹슨 철망을 잡아당겨 양옆으로 벌려 몸이 빠져나갈 구멍을 만드는 데 성공한다. 그 안에 몸을 던지고, 철망에 걸린 청바지를 빼내느라 몸부림을 친다.

결국 그녀는 수풀 뒤로 달려가 웅크려 간신히 몸을 숨기는 데 성공한다. 벌써 손전등의 빛줄기는 그녀가 몇 초 전에 있었던 장소를 비추고 있다.

경찰차는 그녀를 지나쳐 멀어져 간다.

하지만 카산드라는 알고 있다. 어쩌다 들어오게 된 이 장소가 어디인지는 몰라도 지금은 꼼짝 말고 여기에 숨어 있어야 한다는 사실을. 과연 경찰차는 방향을 틀어 다시 돌아오고 있다. 이번에는 한층 느린 속도로 천천히 다가온다.

저들은 내가 이 부근에 있다는 걸 알고 있어. 어딘가에서 내 자취를 발견한 게지.

손전등 빛줄기는 울타리 철망이 구부러져 있는 부분을 발견하지 못한다. 경찰차는 그냥 멀어져 간다.

하지만 그들은 돌아올 거야.

결국에는 울타리에 난 구멍을 발견하게 되겠지.

따라서 그녀에겐 다른 선택이 없다.

카산드라 카첸버그는 울타리의 저편, 미지의 세계 속으로 깊숙이 들어가야만 한다.

9.

난 내가 옳다는 걸 알고 있어. 그리고 다른 사람들은 모두 틀렸다는 것도.

10.

그녀의 몸은 무성한 잎사귀의 벽을 통과한다. 잎사귀들은 그녀를 어루만져 주고, 물기를 닦아 주고, 정성껏 빗질해 준다.

이렇게 촘촘하게 심긴 나무들의 울타리를 통과한 다음, 맑고 커다란 회색 눈의 소녀는 이번에는 가시나무 숲으로 들어선다. 그런데 갑자기 비가 뚝 그치더니, 안개가 지면을 뒤덮는다. 그녀는 이 짙은 운무를 헤치고 나아가면서 주변의 기이한 풍경을 발견해 간다.

카산드라는 지난밤에 이롱델 학교에서 일어났던 일이 좀처럼 잊히지가 않는다. 그녀가 비명을 지르며 벌떡 일어나, 테러 사건이 일어난다고 예고했을 때의 일 말이다.

왜 그들은 내 말에 귀를 기울이지 않지?

그들은 보긴 해도, 주의 깊게 보지는 않아.

그들은 듣긴 해도, 귀 기울여 듣지는 않아.

그들은 알긴 해도, 진정으로 이해하지는 못해.

갑자기 오른쪽에서 뭔가가 으르렁대는 소리가 들린다. 고개를 돌려 보니, 뿌연 안개 사이로 그녀를 노려보고 있는 두 개의 새빨간 점이 보인다.

그녀는 걸음을 재우친다. 으르렁대는 또 다른 소리가 들리고, 그 소리는 거칠게 헐떡이는 소리로 가끔씩 끊긴다.

여긴 어디지?

사방에 보이는 것이라곤 엉겅퀴, 찔레, 쐐기풀 같은 적의에 찬 나무와 풀뿐이다. 다시 고개를 돌려 보니 다섯 쌍의 새빨간 점이 그녀를 쏘아보고 있다. 그녀는 걸음을 빨리하려 해보지만, 높직한 덤불 탓으로 나아가기가 쉽지 않다. 이제 새빨간 눈의 네발 동물 여러 마리가 그녀를 뒤쫓아 달려오기 시작한다.

놈들이 달려들고 있어!

완전히 공황에 빠진 그녀는 짐승 떼에 쫓기며 장애물투성이의 장소를 죽어라고 내달린다. 호흡이 고통스러울 정도로 가빠 오더니, 갑자기 허벅지 근육이 뻣뻣해진다. 그러다 발끝이 나무뿌리에 걸려 버리고, 무릎을 꿇고 풀썩 네 발로 엎어져 버린다.

이제 주위에는 새빨간 눈들이 빙 둘러서 있다.

카산드라는 몸이 굳는 것을 느낀다. 침을 삼키려 해도 내려가지가 않는다. 어두운 조각구름 하나가 지나가자, 환한 달이 나타나며 이곳의 풍경을 드러내 준다.

그리고 이곳 주민들의 모습도 드러낸다.

그것은 개 떼이다. 비루먹어 더러운 털가죽으로 뒤덮인 개들이다. 목줄을 한 녀석은 한 마리도 없다. 인간의 지배에서 해방되어 야생 상태로 돌아간 개들, 늑대 무리와 비슷하게 되어 버린 개들이다.

공장에서 생산하는 애견 사료는 먹지 않는 녀석들이야……

그 맹견들 중에서도 가장 덩치 큰 놈이 천천히 그녀 쪽으로 나아온다. 입에 질질 흐르는 침과 번득이는 송곳니가 보인다. 놈의 홍채는 그녀에게 못 박혀 있다.

짐승은 금방이라도 뛰어오를 듯, 뒷다리만 꼿꼿이 세운 채 바짝 엎드린다.

그녀의 시선은 본능적으로 손목시계 쪽을 향한다. 〈5초 후 사망 확률: 88%〉.

다음 순간 입을 쩍 벌린 개가 포효하면서 펄쩍 뛰어오르는 모습이 마치 슬로모션처럼 보인다.

그녀는 질끈 눈을 감아 버리고, 두 팔을 교차하여 얼굴을 감싼다. 그다음에 이어진 1초의 순간은 믿을 수 없을 정도로 길게 느껴진다.

11.

내가 뭘 바랐던 거지?

알지도 못 하는 사람이 준 시계가 지금 내가 겪고 있는 위험에 대해 신뢰할 만한 정보를 주기를 바랐나? 참, 멍청하기는!

그런 능력을 지닌 물건은 세상에 존재하지 않아.

기계는 우리를 구원해 줄 수 없어.

12.

아무 일도 일어나지 않는다.

예리한 송곳니나 발톱이 그녀의 살을 찢어발기지도 않고, 강력한 턱이 뼈를 으스러뜨리지도 않는다.

그녀는 두 팔을 천천히 내리면서 한쪽 눈꺼풀을 들어 올리고, 이어 다른 눈꺼풀도 들어 올린다. 그렇게 눈을 떠보니, 빛줄기 하나가 피에 흥건히 젖어 뻗어 있는 커다란 개를 비추고 있다. 녀석의 대가리에는 화살이 박혀 있다. 대가리가 화살로 한쪽에서 반대쪽까지 완전히 관통되어 버린 녀석은 무언가 상념에 잠긴 듯한 표정으로 죽어 있다. 다른 맹견들은 그녀를 에워싼 채 미동도 없이 서 있다. 자기네 우두머리가 그토록 신속하고도 조용하게 파괴되어 버린 데에 넋이 빠진 듯한 모습들이다.

손전등이 내려지고, 비로소 그녀는 자신을 구해 준 사람을 살펴볼 수 있었다. 그 주인공은 카키색 위장복 차림의 거한이다. 삼실 같은 금발을 길게 늘어뜨리고 같은 색의 수염을 덥수룩하게 기르고 있다.

경찰관은 아니야…… 하드록 스타, 혹은 바이킹 같은 느낌이 드는 사람이야.

그의 오른손에는 아직 활이 들려 있다. 입꼬리에 물려 있는 시가는 주황색의 백열(白熱)을 발하며 타들어 가고 있다. 드러난 팔뚝은 보통 사람의 허벅지만큼이나 굵은데, 온통 문신으로 덮여 있다. 두툼한 살 주름이 층층이 쌓여 있는 복부는 마치 둥그런 술통을 보는 듯하다.

그는 동물의 주검을 번쩍 들어 올린다. 그 즉시 다른 개들은 꽁무니를 뺀다.

「난 똥개들이 싫어.」그는 시가에서 나온 즙을 퉤하고 뱉어 내며 웅얼대듯 말한다.

그러고는 맹견의 두개골에 박힌 화살을 뽑아낸 다음, 허벅지에 슥슥 문질러 피를 닦고는 다시 화살집에 집어넣는다.

「길 잃고 헤매는 계집애들도 별로 안 좋아하지……. 그런데 너, 여기서 뭐하고 있냐?」

카산드라는 그 커다란 회색 눈망울만 더욱 커다랗게 뜰 뿐 아무 대답도 하지 않는다.

「야, 지금 너한테 말하고 있잖아! 만일 놀이 공원을 찾고 있는 거라면 번지수를 잘못 찾았다고, 이 계집애야. 여기는 디즈니랜드도 아니고 아스테릭스 공원[2]도 아니야.」

2 파리의 북부 근교에 위치한 놀이 공원. 프랑스의 인기 만화 〈아스테릭스〉를 주제로 조성되었다.

그는 개의 주검을 긴 멜빵이 달린 커다란 자루 속에 우겨 넣는다.

「빨리 집에 들어가라! 부모님이 걱정하신다. 벌써 텔레비전에서 마지막 영화 할 시간이고, 내일 아침엔 학교도 가야지. 여긴 네가 있을 곳이 못 돼. 위험하다고!」

맑고 커다란 회색 눈의 소녀는 여전히 대답 없이 꼼짝 않고 서서는 그를 뚫어지게 쳐다보기만 한다.

사내는 잠시 동안 말없이 그녀를 살펴보더니, 고개를 절레절레 저으면서 하늘을 올려다본다. 빗방울이 다시 떨어지기 시작하고 있다.

「그래, 아무 말 안 할 거냐? 오케이. 무슨 상황인지 이해하겠어. 자, 날 따라와!」

그러고는 마치 자신에게 말하듯 이렇게 덧붙인다.

「왠지…… 너 때문에 골치 아픈 일만 생길 것 같은 예감이다.」

13.

아닌 게 아니라, 대부분의 사람들이 미래를 〈예감〉하지. 즉 미래를 미리 느끼고 있어. 이 능력은 주의력의 한 형태지. 문제는 사람들이 자신의 예감을 믿지 않는다는 사실이야. 그래서 예감을 진지하게 고려하지 않지. 그래서 어떤 문제가 발생하면, 그들은 마치 이런 일이 일어날 줄 꿈에도 몰랐다는 듯, 깜짝 놀라는 모습을 보이곤 하는 거야.

14.

뚱뚱한 금발 거한과 가냘픈 소녀는, 걸음을 옮길 때마다 눈앞에 툭툭 열리는 구불구불한 오솔길들이며 좁다란 비포장도로들을 따라 걷는다. 하늘은 한층 어두워진다. 카산드라 카첸버그는 거대한 미로에 들어와 있는 듯한 느낌을 받는다.

그녀의 손목시계는 여전히 〈5초 후 사망 확률: 88%〉를 표시하고 있다.

그녀는 시계를 차라리 꺼두기로 한다.

안내자가 손전등을 이리저리 비춤에 따라, 돌처럼 굳어 버린 티탄족같이 보였던 기묘한 형상들의 정체가 드러난다. 아가리를 딱 벌리고 벌떡 일어서 있는 공룡 같은 것에 불빛을 비추어 보니, 밑바닥이 뻥 뚫린 지하철 객차 한 칸을 수직으로 세워 놓은 것에 불과하다. 어떤 거인이 우뚝 버티고 있기에 살펴보니, 사고당한 자동차의 잔해들을 층층이 포개 놓은 탑이다. 또 거대한 잠자리는 반쯤 부서진 헬리콥터였다.

카산드라는 비로소 마음이 놓이는 걸 느낀다. 우선, 이 모든 시련들을 극복해 냈으니, 앞으로는 모든 게 나아지리라는 예감이 든다. 더구나 무수한 새로운 자극들로 채워진 이 장소가 왠지 마음에 든다.

미지의 정글과도 같은 느낌이야…… . 파리에서 북쪽으로 몇 킬로미터밖에 떨어지지 않은 곳이지만.

두 사람은 땅에 널린 널빤지들 사이에 고인 웅덩이를 건넌다. 또 나지막한 담장들, 혹은 형태도 다양한 작은 언덕들을 기어오르기도 하는데, 그때마다 소녀는 발 디딜 곳을 찾지 못해 애를 먹는다. 이 기묘한 장소는 철조망 울타리를 따라 걸으면서 생각했던 것보다 훨씬 더 넓은 듯하다.

드디어 멀리서 희미한 불빛이 보인다. 야영자들이 피우는 화톳불이다.

마침내 미로가 끝나고 두 사람은 널찍한 원형의 공터로 빠져나온다. 공터 중앙에는 불길이 타닥거리며 타오르며, 엄청난 크기의 장작들을 살라 먹고 있다. 불 주위에는 세 사람의 실루엣이 보이는데, 화염이 춤을 출 때마다 그들의 그림자들도 함께 일렁인다.

「남작! 당신, 지금 나하고 장난하자는 거야? 지금이 몇 시인데 이제 들어오는 거야?」 빨간 머리를 한데 모아 쪽 찐 여자가 냅다 소리를 지른다.

목둘레선이 깊게 팬 빨간 드레스는 그녀의 풍만한 젖가슴을 드러내고 있다. 가만히 살펴보니 사팔뜨기인데, 그 거칠고도 새된 목소리와 완전한 부조화를 이루는 품이 여간 우습지가 않다.

「미안해, 공작 부인! 안개가 잔뜩 끼어서 말이야.」

「〈실패하는 자는 변명거리를 찾고, 성공하는 자는 방법을 찾는다.〉」 이렇게 빈정거리는 두 번째 실루엣은 아시아 청년이다.

「어이, 넌 그 바보 같은 속담 좀 집어치워!」 바이킹이 쏘아붙인다.

「뭐, 후작이 맞게 얘기한 것 같구먼…….」

이렇게 말한 세 번째 인물은 알록달록한 부부 통옷[3]을 입은 아프리카 출신 노인이다. 그의 곱슬곱슬한 회색 모발은 화톳불 빛이 반사되어 은은한 구릿빛을 흘리고 있다. 신발로는 코가 뾰족하게 올라간 녹색 가죽 바부슈[4]를 신고 있는데, 너무 커서 발이 푹 파묻힌 꼴이다.

빨간 머리 여자는 벌떡 일어나더니 카산드라를 정면에서 빠히 쳐다본다.

「그래, 남작! 사냥 간다더니 뭘 가져온 거야?」

금발 사내는 대답 없이 개의 주검을 내민다. 여자는 그걸 살펴보고는, 길게 늘어진 빨간 머리칼 한 올을 쓸어 올린다.

---

3 북아프리카인들이 많이 입는 소매 없이 긴 통옷.
4 중동, 북아프리카 등지에서 신는 슬리퍼 비슷한 신.

「그리고, 뭘 잡아 온 거야? 어여쁜 암사슴?」 그녀는 턱으로 카산드라를 가리킨다.

「이 계집애가 늪지대 한구석에서 헤매고 있는 걸 내가 발견했어. 똥개들한테 잡아먹힐 뻔했지.」

「그래서? 우린 구세군이 아냐. 얘가 뒈지든 말든 우리가 무슨 상관이냐고!」

「거기다 혼자 놔두고 올 수는 없었어.」

「그렇다 치고, 이젠 얘를 어떻게 하실 건데? 남작님, 당신의 〈붉은 두건〉[5]을 말이야.」

카산드라는 사람들이 말씨름을 하는 틈을 타서, 자기가 들어온 이 장소를 둘러본다. 중앙의 화톳불 위에는 꼬챙이에 묶인 토끼 한 마리가 빙글빙글 돌며 구워지고 있다. 아프리카 노인은 약간의 휘발유를 뿌려 불길을 돋운다.

빨간 머리 여자는 카산드라에게 다가와 그녀를 위아래로 훑어본다. 어디 그뿐인가? 그녀의 가슴을 만져 보기도 하고, 엉덩이를 주물러 보기도 하고, 치아를 살펴보기도 한다.

「자, 신데렐라. 넌 누구냐?」

커다란 연회색 눈의 소녀는 아무 대꾸도 않는다. 여자는 다른 사람들 쪽으로 몸을 돌린다.

「어이, 친구들. 남작이 주워 온 요것에 대해서 모두들 어떻게 생각해?」

부부 통옷을 입은 늙은 흑인은 그녀를 멀리에서 살펴보더니, 고수머리를 긁적긁적하면서 땅에다 가래침을 탁 뱉는다.

「난 백인 여자들을 안 좋아해.」

젊은 아시아 남자도 다가온다. 기껏해야 스무 살 정도로 보이는 청년으로 얼굴은 평평하면서도 둥글둥글하고, 몸은

---

5 샤를 페로 동화와 그림 동화에 나오는 여자 주인공. 할머니와 함께 늑대에게 잡아먹히지만 사냥꾼이 구해 준다.

탄탄한 근육질이다. 자르르 윤기 흐르는 검은 머리에는 형광기 감도는 파란 머리 가닥이 가로지르고 있다. 가죽조끼 밑에 받쳐 입은 티셔츠에는 문구가 하나 적혀 있다. 〈지옥이 만원이라, 내가 돌아왔노라!〉 그는 천천히 카산드라의 주위를 돌면서 냄새를 킁킁 맡더니, 이렇게 선언한다.

「난 부르주아 계집애들이 싫어!」

그는 다짜고짜 카산드라의 두 손목을 잡더니, 손을 뒤집어 손바닥을 들여다본다.

「오호! 이 아가씬 비누 냄새가 날 뿐만 아니라, 손도 무척 청결하네요……」 그의 조롱기 섞인 평가다.

여자는 실망의 한숨을 푹 내쉰다.

「차라리 개에게 잡아먹히도록 놔두고 오는 편이 나았어. 난 어린 계집애들이 싫어.」

「특히나 그 계집애들이 당신보다 젊고 아름다울 때는 더욱 그렇지…… 안 그래, 공작 부인?」 아시아 청년이 빈정댄다.

카산드라의 표정에는 아무런 변화가 없다.

「이런……! 남작, 당신이 데려온 이 애는 가끔씩 이렇게 벙어리가 되는 모양이지? 여기 오고 나서 한 마디도 안 하고 있잖아? 난 말 없는 인간들이 싫다고.」

「너, 헛바닥을 어디다 빼놓고 왔냐? 아니면 우리는 상대할 가치도 없다고 생각하는 거냐?」 아프리카인이 묻는다.

뚱뚱이 바이킹이 갑자기 주먹으로 쾅 하고 나무 궤짝을 내리친다.

「손님에게 불쾌하게 굴지들 말라고! 그러면 저 애가 우리를 손님 대접의 개념이라곤 눈곱만큼도 없는, 예절 없는 인간들이라고 생각할 것 아냐?」

「뭐? 우릴 예절 없는 인간으로 생각해?」 빨간 머리 여자가 발끈한다. 「날 정말로 그렇게 생각한다면 그건 진짜 어이없는 일이지!」

그러면서 맥주병을 집어 들어 병나발을 불고는 요란한 트림을 터뜨린다.

「……하지만 여기 주인은 우리야. 그리고 우리는 저런 관광객들은 원치 않아. 또 미성년인 데다가, 입 딱 다물고서 말 한마디 하지 않는 저런 계집애는 딱 질색이야. 자, 신데렐라, 여긴 네게 줄 것은 아무것도 없어. 그러니 꺼지라고! 자! 어서서! 빨리 나가!」

맑고 커다란 회색 눈의 소녀는 꿈쩍도 하지 않는다.

「무슨 말인지 이해 못 했어? 꺼져, 이 더러운 부잣집 꼬마야! 여기서는 손이 깨끗한 인간들은 필요 없어!」 아시아 청년도 거든다.

아프리카 흑인은 아무 말 없이 죽은 개를 들어 올려, 말라붙은 피가 배어 있는 통나무 도마 위에 털썩 내려놓는다. 그런 다음, 커다란 식칼을 쾅쾅 내리쳐 개의 대가리와 다리를 잘라 낸다.

빨간 머리 여자는 여전히 씩씩대고 있다.

「대체 무슨 생각으로 이 부잣집 공주님을 여기로 모셔 온 거야? 남작, 당신 미쳤어? 여기에 우리가 있다는 사실을 아무도 알아서는 안 된다고! 아무도!」

「그럼, 이 계집애를 똥개들에게 잡아먹히도록 놔두고 왔어야 했나? 그래, 공작 부인, 꼭 당신다운 말이구먼! 인정머리 없는 여편네 같으니!」

「이 꼬마가 우리에게 얼마나 빌어먹을 일들을 초래하게 될지 한번 생각해 봤어?」

「이런 말을 입에 담기가 좀 그렇지만…… 공작 부인, 아가리 닥쳐!」

「이런 말해서 심히 송구스럽지만…… 남작, 당신은 성인군

자처럼 온갖 똥폼을 다 잡으면서 날 엿 먹이고 있어!」

「예절에 벗어나는 말을 하고 싶진 않지만…… 공작 부인, 당신은 하지 정맥류에 걸린 뚱뗑이 암돼지일 뿐이고, 또…….」

이때 카산드라의 입이 천천히 열렸고, 이에 말싸움이 뚝 멈췄다. 모두들 그녀가 내뱉을 첫 번째 말이 무엇일까 궁금하여 귀를 쫑긋 세운다.

「……여긴 어디죠?」

그들은 멍해진 얼굴로 그녀를 응시한다.

「아, 모두들 보다시피 말할 줄 아는 애야. 단지 말을 아끼고 있었을 뿐이었어.」

「이름이 〈시추〉인 모양이지?」 청년이 조롱한다. 「중국 사람인 모양이야.」[6]

「뭐야? 넌 지금 자신이 어디 있는지도 모른다고?」 빨간 머리 여자가 되묻는다.

「아니, 여기서 나는 고약한 냄새도 못 맡았어?」 아시아인도 되묻는다.

「당연하지, 비가 왔잖아. 비가 일시적으로 냄새들을 덮어 버렸어.」 아프리카 노인이 상기시킨다. 「모든 것을 덮어 버리는 액질의 필름막 역할을 한 거지.」

「그렇지 않았다면 그 악취로 이곳이 어디인지 금방 알아차렸을 텐데.」 청년이 말을 잇는다. 「우리는 지금 무지하게 냄새 지독한 곳에 있어. 그런데 그 악취라는 게 어떤 건지 넌 상상도 못할걸? 정말로 지독한 악취지. 콧구멍에 몰아쳐 오는 그 끔찍한 냄새! 일테면 귀가 멍멍할 정도로 요란한 소음인데, 후각 영역에 있어서의 소음이라 할 수 있지. 아! ……여기서는

6 카산드라가 한 말, 〈여긴 어디죠?〉의 원문은 〈즈 쉬 우*Je suis où?*〉이다. 이것을 빨리 발음하면 〈쉬-우〉, 혹은 연음하여 〈쉬-주〉가 된다. 이것을 중국의 견종 〈시추〉에 빗댄 것이다.

콧구멍이 아주 튼튼해야 하지. 여기가 어디냐면…… 음……
구체적으로 알려 주고 싶지는 않고, 하여튼 세상에서 제일 냄
새 고약한 곳이라고만 알아 둬.」

「저 애도 알 권리가 있다고.」 소녀의 구원자가 나지막이 웅
얼거린다.

빨간 머리 여자는 곁눈으로 그를 힐끔 쳐다본다. 그러더니
턱을 조금 까딱인다.

「좋아, 그럼 남작이 해봐. 저 애를 데려온 게 당신이니까,
본인이 직접 얘기해 주라고.」

꼬치에 꿰인 동물이 지글지글 익고 있다. 고기에서 스며 나
온 노오란 기름이 마침내 구름을 뚫고 나온 달빛을 받아 영롱
한 무지갯빛을 발하며 천천히 떨어지고 있다.

15.

여기는 정글이야.
이 사람들은 현대의 야만인들이고.
하지만 이들과는 통할 수 있을 것 같아.

16.

털보 바이킹은 기계적인 동작으로 모기 한 마리를 짓뭉개
버리고는, 가죽 탄약통에서 시가 한 개비를 꺼내어 불을 붙인
다. 그런 다음 불에 다가가 휘발유를 조금 붓는다. 다시 살아
나는 불빛에 반사되어 그의 얼굴이 붉은색으로 환해진다. 이
어 그는 소녀에게 가죽이 찢어져 용수철이 삐져나와 있는 커
다란 소파를 가리키며 앉으라고 권한다. 빗물이 고여 있는 소
파에 앉으니 곧바로 등이 축축해진다.

「오케이. 자, 꼬마야, 알고 싶단 말이지? 자, 그럼 알게 해주마. 사실 지금 우리가 있는 곳은 그 어떤 지도에도, 그 어떤 관광 안내서에도 나와 있지 않은 곳이야. 그 어디에도 나와 있지 않지.」

「심지어는 하늘에서 내려다본 구글 어스에도 안 나와 있어. 이곳은 이름 없는 공터, 그냥 허허벌판일 따름이야.」 아시아 청년이 부연해 준다.

「이곳은 이 세상에 존재하지 않는 것으로 되어 있는 곳, 모두가 알고 싶어 하지 않는 곳이지. 이 장소의 공식 명칭은 〈시쓰장〉인데, 〈시립 쓰레기 하치장〉이라는 뜻이야.」

파리 떼가 비가 그친 틈을 이용하여 공중 곡예 경연 대회를 벌이고 싶은 듯, 8자를 그리며 비행하기 시작한다.

「지금으로부터 17년 전, 우리나라 수도 인구는 또 한 번 대규모로 증가했어. 이때 파리 시청 사람들은 지은 지 50년이 지난 시립 폐기물 처리장으로는 5백만 파리 시민이 쏟아 내는 쓰레기의 폭증하는 양을 더 이상 감당할 수 없음을 알게 되었지. 그래서 그들은 파리에서 북쪽으로 몇십 킬로미터 떨어진 곳에 이 문제를 해결할 수 있는 특별한 장소를 만들기로 결정했던 거야.」

「그들은 남쪽에다 〈입〉을 만들어 놓았지. 그 전체가 음식물을 받아들이는 기능을 하는 도시, 바로 룅지스야. 북쪽에다 만든 것은 폐기물을 빼내기 위한 장소, 즉 〈똥구멍〉이었지. 그게 바로 이 〈시쓰장〉이야.」 아시아 청년이 다시 부연해 준다.

「사실 많은 대도시들이 그런 식으로 작동하고 있지.」 바이킹이 말을 잇는다. 「남쪽에서는 식료품이 공급되고, 북쪽에서는 폐기물을 처리하는 식으로.」

바이킹의 말에 아프리카 노인도 어깨를 으쓱하면서 설명에 끼어든다.

「또 이것도 있어. 서쪽은 부자들 땅이고, 동쪽은 가난뱅이용이야. 매일 아침 동쪽의 노동자들은 서쪽의 부유한 동네에 일하러 가지.」

「남쪽에 도착한 식료품은 시내에서 소화된 다음, 매일 저녁 북쪽에서 생을 마감하게 돼.」 바이킹은 건초 타는 냄새가 나는 시가 연기 한 덩이를 폭 하고 내뿜으며 말을 잇는다. 「그래서 당시의 당국자들은 이른바 〈쓰레기 랜드〉를 만들 생각을 한 거였어. 다시 말해서, 매일같이 쏟아져 나오는 엄청난 양의 쓰레기들을 눈 깜짝할 사이에 태워 버릴 수 있는 소각기를 갖춘 초현대식 폐기물 처리장을 만들었지. 돈을 엄청나게 퍼부은 호화로운 시설이었어.」

「그들은 이 최첨단 소각기에 〈몰로크〉라는 별명까지 붙여 주었지! 자기 아이들을 불로 가득 찬 배 속에다 집어넣어 태워 버린다는 그 카르타고의 거인 신의 이름 말이야.」 아시아 청년은 이 사실을 특별히 강조한다.

아프리카 노인은 천천히 고개를 주억거리며 혼잣말을 하듯 뇌까린다.

「사람들은 자기들이 버린 쓰레기가 어떻게 되는지 알고 싶어 하지 않지…… 좌변기의 물을 내릴 때 그러하듯, 그것이 어디로 가는지 더 이상 신경 쓰지 않아.」

「몰로크…… 그건 도시가 산출해 내는 모든 더러운 것들을 관리하기 위한, 아주 크고 청결한 공장 같은 거라고 상상하면 돼. 그 안은 각종 전자 장치, 스테인리스, 비디오 화면, 그리고 그 화면들을 지켜보고 있는 청색 작업복의 엔지니어들로 채워져 있는 소음도 냄새도 없는 우주였어. 원자력 발전소, 혹은 전자 제품 공장 같은 느낌이 들 정도였어. 납세자의 돈을 엄청나게 집어삼킨 시설이었지만, 당시에는 대도시 폐기물 처리 시설로는 최고의 것으로 소개되고 있었지.」

그는 땅에다 가래침을 탁 뱉는다.

「그 명성이 얼마나 대단했던지 유럽의 모든 대도시의 시장들이 방문할 정도였어. 바로……」

「……그 〈호화로운 똥구멍〉을 견학하기 위해!」 이렇게 촐싹 말을 끊은 아시아 청년은 자신의 표현이 자못 만족스러운 기색이다.

「뭐…… 그렇다고 할 수 있지. 하여튼 그래서 이 시설은 한 10여 년 동안 아무 문제 없이 잘 돌아갔어.」

카산드라는 주의 깊게 듣고 있다.

「그러고 나서 〈밤색 구름〉 사건이 터진 거야. 쓰레기 소각기의 굴뚝은 시커먼 연기를 뿜어냈고, 그 연기는 높이 올라가 묵직한 갈색 외투처럼 인근 동네의 상공을 뒤덮었지. 지역 주민들은 콜록대기 시작했고, 암 환자와 천식 환자가 급속도로 증가했어. 비가 오면 불그스름한 빗방울이 떨어져 내렸고.」

「그게 다 현대 세계가 치러야 할 대가 아니겠어?」 부부 통옷을 입은 사내는 체념 어린 표정으로 무겁게 한숨을 내쉰다.

「하지만 그곳은 가난한 교외 지역이라 아무도 신경 쓰지 않았지. 그러던 어느 날, 한 기자가 이에 대해 기사를 한 편 써야겠다는 제법 똘똘한 생각을 하게 됐는데, 그 기사가 주간지 표지 기사로 덜컥 떠버렸지 뭐야.」 바이킹이 다시 설명을 이어 간다. 「그건 순전한 우연이었지. 더 흥미 있는 사건이 그 주에는 없었기 때문에 일어난 일이었어.」

「집들 위에 드리운 밤색 구름의 사진 한 장, 그것도 인위적으로 색의 대비를 강조한 사진 한 장은 사람들의 마음을 흔들어 놓기에 충분했지.」 바이킹 못지않게 자기네 살림터의 역사를 잘 알고 있는 듯한 빨간 머리 여자가 그때의 일을 회상한다. 「제목 또한 아주 단순하면서도 눈을 확 잡아끄는 것이었어. 〈수치다!〉라고.」

아프리카 노인은 다시 한 번 어깨를 으쓱한다. 이런 일 어디 한두 번 겪어 봤느냐는 듯한 표정으로.

「어떤 문제를 존재하게 하는 건 기자들 아니겠어? 문제는 그들이 떠들어 대야만 비로소 존재하게 되는 거지, 그 전에는 아니야.」

「환경주의자들은 즉각 들고일어났어. 이어 각종 지역 단체들, 전국적 단체들이 뒤따랐고, 모든 것이 움직이기 시작했어. 청원, 국회의원들에 대한 압력, 합동 기자 회견, 그리고 그 모든 요란한 소리들…… 그것은 모욕당한 처녀들이 벌이는 내숭의 카니발이었어. 〈이 더러운 구름은 도저히 보고 있을 수 없으니 내 눈에 안 띄게끔 어다다 치워 달라고욧!〉 결국, 지방 선거에 출마한 환경주의자 후보는 자신은 이 문제를 바로 자신의 일로 여기고 있으며, 자신의 정책 프로그램에 우선적으로 포함시킨다고 선언했어. 〈이 못된 재처리 공장의 소각기에서 나오는 연기가 시민들을 병들게 하고 있습니다. 나는 이 괴물 몰로크의 입에다 재갈을 물려 놓겠습니다!〉 이렇게 유럽 전체가 부러워하던 우리의 모범적인 소각기가 언론계의 우연 때문에 하루아침에 전 국민의 공분의 대상이 되어 버린 거야. 체르노빌이 있었고, 그에 부끄럽지 않은 후계자 〈시쓰장〉이 있었던 거지.」

바이킹은 땅에다 가래침을 뱉고는 플라스틱 포도주 병을 들어 병나발을 분다. 이어 발정한 수사슴의 울음소리 같은 음향을 길게 토한 후 — 이는 그만의 독특한 트림이다 — 술병을 좌중에 돌린다.

「꼬마야, 너도 목마르냐?」

소녀는 침으로 범벅이 된 병 주둥이를 물끄러미 바라보고는, 가볍게 부정의 뜻을 표시한다. 금발의 뚱보는 다시 한 번 바리톤 음색의 트림을 길게 발한 후, 다시 말을 잇는다.

「환경주의자 후보는 압도적인 표 차로 당선되었어. 그는 업무를 시작하자마자 시쓰장의 폐쇄를 명했지. 화덕의 불은 꺼지고, 굴뚝 연기도 멈추고, 강철 문마다 자물쇠가 채워졌지. 군중의 박수갈채 속에서 말이야.」

「그들은 잊고 있었지. 그 초현대식 테크놀로지의 경이에 돈을 댄 것은 다름 아닌 납세자인 그들 자신이었다는 사실을.」 다시 아시아 청년이 말한다.

「하지만 문제는 도시가 하나의 생명체와도 같다는 사실이야. 도시의 똥구멍을 막아 버릴 수는 없는 노릇이라고. 그러면 변비를 일으키니까. 이제 대형 소각기는 없어졌지만, 사람들은 여전히 먹고, 각종 포장재와 온갖 더러운 것들을 버리기를 계속했지. 집집마다 쓰레기통은 비워져야 하지 않겠어?」

「파리 시민 한 명은 하루 평균 1.4킬로그램의 폐기물을 생산하지.」 청년이 다시금 끼어든다. 「여기에다 주민 수를 곱하면 일 년에 150만 톤 이상이 돼.」

「……그리고 소각장을 폐쇄하는 데에만 바빴지, 대체 수단을 생각한 사람은 아무도 없었어.」 빨간 머리 여자도 한마디 한다.

「한편, 환경미화원들은 어떻게 했느냐? 상상력은 없지만 착실한 공무원인 그들의 습관은, 정해진 시간에 돌면서 쓰레기를 수거하여, 북쪽으로 올라와 트럭의 내용물을 몰로크의 아가리 속에다 쏟아붓는 거였지. 그런데 아무도 그들에게 다른 쓰레기 하치 장소를 지정해 주지 않았어. 그러니 어쩌겠어? 그들은 본능적으로 이제는 완전히 폐쇄된 초현대식 폐기물 처리장 바로 옆에 있는 시 소유의 황량한 공터에다 쓰레기를 쏟아붓게 되었지.」

「영양의 일종인 누 떼가 습관적으로 평생 같은 장소에 가서 배설하는 것과도 비슷한 현상이야.」 아프리카 노인이 포도주 병을 잡으며 지적한다.

뚱뚱한 금발 사내는 세상사가 다 그런 것 아니겠냐는 듯 고개를 절레절레 흔든다.

「누군가 첫 번째 쓰레기 트럭 운전사가 와서 거기다 쏟아 부었겠지. 그러고 나서 일종의 군서 본능에 따라 다른 운전사들도 뒤따른 거야. 시청 사람들은 우선은 다른 해결책이 없었으므로 그냥 놔뒀겠고.」

「어쨌든 소각장이 폐쇄된 때가 8월 중이라서, 시청 직원들은 모두가 휴가를 떠나고 없었어.」 청년이 설명한다.

「그게 바로 정치가들의 엿 같은 짓거리들이야. 그들은 짧은 시간에 인기를 얻어서 선거에서 승리하기 위해 깊이 생각하지 않고 아무 일이나 벌이지. 그러고 나서 이러한 행동이 장기적으로 새로운 문제들을, 심지어는 더욱 고약한 문제들을 초래했다는 사실을 깨닫게 되면, 아무 일도 하지 않고 모든 게 썩어 가는 걸 구경만 해.」 빨간 머리 여자가 냉소를 흘린다.

「이 시 소유의 공터는 원래 겨울에는 집시들이 들어와 지내던 곳이었어. 하지만 쓰레기를 버려도 누구 하나 비난하지 않았지. 심지어는 당사자인 집시들도 아무 말 없었고. 억울한 일이 있다고 경찰에 호소하거나 행정 당국과 맞붙어 싸우는 건 그네들 습관이 아니니까.」

「싸운다고? 원, 농담도!」 여자가 장단을 맞춘다. 「엄밀히 말하자면 그 일로 집시들도 덕을 보았지. 쓰레기 더미에서 쓸 만한 것들을 빼낼 수 있었으니까.」

「그렇게 이곳에 폐기물이 쌓이게 되었지. 쓰레기들이 한 층, 한 층 더해지면서 무더기가 커지고 확대된 거야.」

바이킹은 시가에 다시 불을 붙이고 푸르스름한 커다란 구름을 두 덩이 내뿜는다.

「그들은 소각장 연기를 원치 않았어. 그래서 대신 악취를 풍기며 계속 쌓여 올라가는 커다란 쓰레기 더미를 얻게 되었지. 항상 이런 식이야. 이것이 아니면 저것이지. 기체 오물, 액체 오물, 아니면 고체 오물.」

아시아 청년도 달관한 노인처럼 한숨을 내쉰다.

「라부아지에는 이렇게 말했지. 〈소멸하는 것도 없고, 생성되는 것도 없다. 모든 것은 형태가 바뀔 뿐.〉」

「후작, 난 아무 생각 없이 늘어놓는 자네 인용들이 정말이지 별로야. 짜증이 난다고……. 좋아. 꼬마를 위해 계속하겠다. 물론 이 상황에 만족한 사람은 아무도 없었어. 하지만 시청 사람들은 사회주의자, 국회의원은 환경주의자였고, 중앙 정부에 연결된 보건 기관 사람들은 우파 쪽이었어. 그래서 대책 회의는 항상 싸움으로 끝났지. 매번 이 세 진영 중 하나는 문을 쾅 닫고 나가 버리거나, 다른 두 진영의 계획에 거부권을 행사했지. 이들은 이 폐기물 처리 문제를 해결할 용기 있는 결정에 대한 합의에 이를 수가 없었어. 그러는 동안에도 환경 미화원들은 계속해서 더러운 오물들을 여기다 쏟아붓고 있었고. 그리고 일반인들도 똑같이 따라 하기 시작했지. 그렇게 이곳은 세탁기와 폐차들의 공동묘지가 되었어. 인근 주민들로선 오히려 잘된 일이었지. 시청 환경과에다 세금을 낼 필요가 없게 되었으니.」

소녀의 머릿속에 한 가지 의문에 떠오르자, 마치 그 생각을 들여다보기나 한 듯 빨간 머리 여자가 대답해 준다.

「처음에는 철망 울타리로 둘러싸여 있지 않았어. 하지만 주변에 인가가 거의 없어서 그런지, 쓰레기 하치장은 암 덩어리처럼 커지기 시작했지. 멀리서도 보일 정도로 규모가 커지기 시작하자, 시당국은 결국 긴급 조치를 취하게 되었어. 이 문제가 확대되는 것을 제한하고, 쓰레기를 버리러 오는 사람들을 막기 위해 주위에 울타리를 친 거지.」

「시칠리아의 팔레르모도 그렇잖아.」아시아 청년이 상기시킨다.「그 누구도 손을 댈 엄두를 못 내는, 그리고 아직도 불어나고 있는 거대한 쓰레기 하치장이 거기에도 있지.」

「마르세유도 마찬가지고.」빨간 쪽머리의 여자가 동을 단다.「쓰레기 더미가 산처럼 쌓여 있는 마리냔은 지금도 마르세유 옆에 붙어서 이 영광스러운 대도시의 쓰레기 하치장 역할을 하고 있지.」

「충분히 예상할 수 있는 일이었지만, 울타리는 아무것도 멈추게 할 수 없었어. 이미 습관이 형성되었기 때문이지. 사람들은 울타리 너머로 쓰레기를 던져 넣었어. 그러자 시청은 울타리를 높였지. 하지만 악의 회전목마는 더욱 힘차게 돌아갔어. 시청 사람들은 울타리 위에다 철조망까지 얹지 않을 수 없었지.」

「또 나무도 심었어. 사람들이 울타리 너머의 비참한 풍경을 보지 못하게끔.」아프리카인의 설명이다.

바이킹은 땅에다 가래침을 뱉는다.

「결국 시 당국은 더 이상 사람들을 막으려 하지 않고, 그냥 하는 대로 놔두기로 결정한 거야.」

「탈레랑은 말했지. 〈상황은 우리의 통제 범위를 넘어섰다. 그렇다면 차라리 우리가 이런 상황을 의도적으로 획책한 양 행동하자.〉」

「닥쳐, 후작! 한심하기 짝이 없는 네 구닥다리 인용문들은 정말이지 짜증이 나!」

「미안해, 남작. 내가 인용을 너무도 좋아하는 선생님에게 프랑스어를 배워서 그래. 하지만 입에서 저절로 속담과 인용이 튀어나오는 걸 나보고 어쩌라고?」

「그렇다면 내가 한마디 해주지, 후작. 내가 보기에 그건 게으름의 소치일 뿐이야. 넌 스스로 생각할 능력이 없기 때문에 다른 사람들이 만들어 놓은 〈냉동 생각〉을 마치 냉동식품 꺼내 먹듯 주워 먹고 있는 거라고.」

「좋아, 남작! 나도 당신에 대해 한마디 해볼까? 내 〈냉동 생각〉으로?」

두 남자는 벌떡 일어선다.

「에그, 에그, 에그.」 빨간 머리 여자가 한숨을 폭 쉰다. 「나도 당신들 같은 사람들에게 딱 맞는 인용문을 하나 알고 있지. 〈이런 친구들이 있으면, 웬수가 더 이상 필요 없다.〉」

「공작 부인, 당신까지 그러기 시작하면, 난 이 국자로 모두의 주둥이를 부숴 버리는 수밖에 없겠어!」 바이킹은 주방 기구를 움켜쥐면서 핏대를 세운다.

두 사내 중 젊은 쪽은 위협적인 지방과 근육으로 이루어진 덩치 앞에서 수그러든다. 모두들 다시 자리에 앉고, 포도주 병이 다시 좌중을 돌기 시작한다.

이때 카산드라는 잠시 기이한 느낌을 받는다. 조그만 여우 한 마리가 어디엔가 숨어서 자신들을 살펴보려고 주둥이 끝만 살짝 내밀고 있다는 느낌. 그녀는 이것이 아마 여우라기보다는 강아지일 거라고 생각해 본다.

……아냐. 그건 분명히 여우였어. 이 쓰레기 하치장에는 요즘 세상에 흔치 않은 야생 동물들이 살고 있는 모양이야.

씩씩거리면서도 다시 자리에 앉은 바이킹은 다시 이야기를 계속한다.

「결국 시청은 〈북쪽〉의 입구를 열어 놓기로 결정했어. 트럭들이 와서 쓰레기를 쏟아부었지. 그래서 이 장소는 거대한 노천 하치장이 된 거야. 폐기물은 쌓여 갔지만, 이곳은 충분히 넓은 곳이라서 축적은 서서히 진행되었어. 거의 느껴지지 않을 정도로. 그렇다면 시청 사람들이 한 일은 무엇이었느냐? 그저 더 높고 더 무성한 나무들을 두 줄로 심어 놓아 그 뒤에 쌓여 가는 오물들을 가린 것뿐이었지.」

빨간 머리 여자는 어깨를 으쓱한다.

「까마득한 옛날부터 항상 그래 왔잖아. 사람들은 아무것도 해결하지 않고, 단지 겉만 매끄롬하게 화장하여 실수한 것들을 감추어 놓지. 그리고 결국 모두들 상황에 익숙해져서는, 더 이상 그것에 대해 고민하지도 않게 돼버리지.」

「공작 부인, 거기에 대해선 뭔가를 좀 아시는군. 대참사를 감춰 놓는 화장에 대해……」 아시아 청년이 이죽댄다.

여자는 아무것도 듣지 못한 척한다. 하지만 금발의 털보는 벌써 이야기를 계속하고 있다.

「어쨌거나 밤색 구름은 더 이상 보이지 않게 되었지. 신문에도 관련 기사가 자취를 감추었고. 마치 이 장소가 더 이상 존재하지 않는 것처럼 된 거야. 다만 가끔씩 나무 틈으로 새어 나가는 냄새만 남았을 뿐이지. 하지만 주택가는 멀리 떨어져 있어 상관없었고. 그리고 가끔 냄새가 난다 해도, 이곳의 땅값이 너무 싸서 아무도 불평하려 들지 않았어.」

아프리카 노인이 어깨를 으쓱해 보이고는 동을 단다.

「바람이 어느 쪽으로 부느냐에 따라 달라졌지. 어떤 날은 이쪽 방향에 있는 서민 임대 아파트에 악취가 풍겼고, 어떤 날은 반대쪽에 있는 아파트에 냄새가 났지. 하지만 냄새가 파리에까지 도달하는 일은 결코 없을 터였으므로 신경 쓰는 사람은 하나도 없었어.」

모두들 몇 분 동안 깊은 침묵에 잠긴다. 카산드라는 이 틈을 이용해 두 번째 질문을 던진다.

「……그리고 당신들은 누구죠?」

그들은 공모자들 같은 시선으로 서로를 쳐다본다.

「우리는 폐기물 한가운데 살고 있는 인간 폐기물들이야. 왜, 〈유유상종〉이라는 말도 있잖아.」 아시아인이 먼저 입을 연다.

「사회는 우리를 쓰레기로 취급했어. 그래서 우리는 이렇게 쓰레기 속에서 살고 있지.」아프리카인도 대답한다.

「그리고 우린 여기가 편해!」빨간 머리 여자가 단언한다. 「안 그래, 친구들?」

「맞아, 맞아! 우린…… 추방된 사람들이야.」

다른 사람들도 한 마디씩 거든다.

「쫓기는 인간들이지.」

「유배된 자들이야.」

「소외된 놈들.」

바이킹은 시가 불을 짓눌러 꺼버린다.

「애한테 좀 더 솔직히 얘기해도 괜찮아?」그는 다른 세 사람의 동의를 구하듯 묻는다. 「우리 모두는 인생에서 실패한 인간들이야. 그래서 상처 입은 짐승처럼 여기에 숨어들었지. 왜냐면 아무도 우릴 찾으러 여기에 올 생각을 안 할 테니까.」

그래…… 이들은 쓰레기 하치장에 몸을 숨긴 노숙자들일 뿐이었어.

「브라질이나 호주로 도망가는 대신, 우리는 우리의 먼 영토를…… 아주 가까운 곳에다 만든 거야.」

「우리는 세상의 똥구멍 속에 살고 있으니 일종의 치질인 셈이지!」아시아인이 킬킬댄다.

다른 이들은 이 대담한 은유가 몹시 마음에 드는 듯, 일제히 고개를 끄덕인다.

「또 악취가 우리를 멍청이들로부터 보호해 준다는 점에서 우리는 스컹크라고 할 수도 있어.」

「맞아, 악취가 우릴 지켜 주고 있지……」

빨간 머리 여자는 맥이 빠진 듯 힘없이 손을 젓는다. 구름처럼 몰려들어 끊임없이 공중 곡예 대회를 벌이고 있는 파리 떼를 쫓기 위함이다.

「그래서 우리는 남의 눈에 띄고 싶지 않은 거고, 또 그래서 곧바로 사람들이 찾으려 몰려들 부잣집 계집애를 데리고 있고 싶지 않은 거야.」 그녀는 이마에 흘러내린 머리칼 한 가닥을 쓸어 올리며 말한다. 「그리고 생각할수록 넌 빨리 꺼져 버리는 게 좋겠어. 우리에게 귀찮은 일들을 끌어들이기 전에 말이야.」

카산드라는 아무 말도 못 들은 척한다. 달이 떠올라 주위가 밝아지자, 그녀는 비로소 사방을 한번 둘러본다. 폐기물 무더기 속에 파묻혀 있는 다섯 채의 직육면체 움막이 눈에 들어온다. 임시변통으로 지어진 이 주거지 중의 하나 위에는 군대식 벙커 같은 것이 하나 올려져 있고, 그 위로는 제2차 세계 대전 때의 잠수함에서 떼어 온 듯한 녹슨 잠망경 하나가 삐죽 솟아 있다. 또 다른 움막 위에는 울긋불긋한 식물들이 자라는 흙 화분들이 놓여 있다. 세 번째 움막 위에는 태양열 집열판들이 있고, 그 옆에는 조그만 풍력 발전용 바람개비 하나가 삐걱삐걱 돌고 있다. 네 번째 움막 위에는 파라솔이 꽂혀 있는 접의자가 놓여 있다. 그리고 이 움막들 둘레에는 폐타이어 벽이 상당한 높이로 쌓아 올려져 있어 이 모든 것들을 감춰 주고 있다. 북쪽의 쓰레기들 사이로는 대로(大路)가 하나 뚫려 있어 이 중심부의 주거지에 직접 통하고 있다.

바이킹은 다시 말을 잇는다.

「우리는 3년 전부터 여기 살고 있어. 내 이름은 오를랑도이고. 하지만 우리 모두가 스스로 귀족 칭호를 하나씩 붙였으니까 그냥 남작이라고 불러도 돼. 우리 패에서 난 사냥꾼이야.」

저 사람도 어떤 영화배우를 생각나게 하는데…… 아, 맞아! 세르조 레오네 감독의 『석양의 갱들』에 나온 로드 스타이거야. 하지만 긴 금발에, 배가 훨씬 뚱뚱한 로드 스타이거.

「맞아, 우리 모두 귀족 칭호를 하나씩 붙였지. 다들 좋아하는 거잖아. 게다가 공짜고.」 빨간 머리 여자가 고개를 끄덕인다.

난 알고 있어. 말에 얼마나 큰 힘이 있는지, 또 그것이 얼마나 무서운 감옥이 될 수 있는지…….

「저 젖통이 크고 입이 건 여편네는 에스메랄다, 일명 공작부인이야. 여기서는 요리와 바느질을 맡고 있어. 바느질은 여기서 매우 중요한 일이지. 또 우리 패거리에서는 저 여자가 두목이야. 왜냐면 입이 건 데다가 한성질 하니까. 여기 있는 사람들은 입이 걸고 한성질 하는 사람을 좋아해.」

당사자는 손톱 다듬는 줄을 꺼내어 요란하게 엄지손톱을 문지르기 시작한다.

저 여자는…… 메릴 스트립이야. 훨씬 뚱뚱하고 천박한 메릴 스트립. 그리고 사팔눈도 더 심하고.

「다음에는 저쪽에 있는 눈이 쭉 찢어진 애. 즉 머리 한 가닥을 파랗게 물들이고서, 손이 깨끗한 부잣집 여자애들을 싫어한다고 말하는 꼬마 녀석은 김이야. 일명 후작으로 모든 분야의 전문가인 우리의 기술자지. 못 고치는 게 없는 우리의 천재 맥가이버, 통신 분야의 대가야. 결점이란 결점은 죄다 가지고 있는데, 그중에서도 최악은 한심하기 짝이 없는 속담과 인용문이라면 사족을 못 쓴다는 점이야.」

「온갖 결점을 다 갖고 있다고? 〈사돈 남 말 하네!〉」 당사자는 이렇게 맞받아친다. 그러고는 요란하게 목구멍을 긁어 뽑아낸 가래침을 탁 뱉는다.

쟤는 로커 스타일의 젊은 성룡.

「그리고 저 키 크고 차분한 세네갈 사람은 자작이라는 별명의 페트냐야. 우리의 의사요, 정신 분석가요, 약초 전문가요, 괴상한 식물들의 재배자요, 버섯 채집가이기도 하지. 우리 부족의 주술사인 셈이야.」

늙은 아프리카인은 머리를 까딱하면서, 눈부신 흰 치아를 드러내며 미소를 보내 준다. 그런 다음 그 역시 긴 담뱃대에 불을 붙이고는, 타임 향기가 은은히 배어 있는 향긋한 연기 몇 모금을 내뿜는다.

저 사람은 모건 프리먼. 그 배우보다 좀 마르긴 했지만.

「우리가 쓰레기 한복판에 세운 이 마을은 단순한 마을만은 아니야. 이것은 개판으로 흐르는 전체주의적인 나라 한가운데 서 있는 진정한 독립국이지.」

「여기서 우리는 진정으로 자유롭다네.」 아프리카 노인이 고개를 주억거린다. 「내 말뜻을 이해할랑가 모르겠지만.」

「맞아. 우린 가래침을 뱉을 수도 있고, 거친 말을 할 수도 있고, 싸울 수도 있고, 아무 데나 소변을 볼 수도 있고, 얼마든지 늦잠을 잘 수도 있고, 세금은 안 내도 되고, 정부를 욕할 수도 있고, 심지어는 공공장소에서 — 너, 각오해야 할 거야 — 담배를 피울 수도 있어!」

「우린 이 마을에다 이름도 붙였지.」

오를랑도는 마을의 서쪽 입구에 서 있는 팻말을 가리킨다. 팻말엔 잉크가 온통 번져 있는 굵직한 글자로 〈대속(代贖)〉[7] 이라고 쓰여 있다.

「아주 가톨릭적인 교육을 받으신 우리 공작 부인께서 내놓은 생각이지. 내 기억이 정확하다면 공작 부인은 이렇게 말했어. 〈우리가 여기 있게 된 것은 죄를 지었기 때문이다. 이 장소는 지옥이 아니라 연옥이다. 우리는 우리의 삶을 정화하기 위해 여기 있는 거다. 우리는 이 대속의 장소에서 우리 영혼의 구원을 시도해 볼 것이다.〉」

에스메랄다는 가슴 사이의 깊은 계곡에 손을 넣어 그 속에 파묻혀 있던 목걸이 십자가를 꺼내면서 이렇게 말한다.

「그러니까 남작은 이렇게 대꾸하더군. 〈뭐, 그렇다 치고,

7 Rédemption. 신학 용어로 그리스도에 의한 인류의 속죄를 뜻하는 말이며 구원, 해방의 의미도 있다.

나도 이 이름과 어울릴 만한 표어를 하나 제안하지.〉

여자는 손전등을 들어 대속이라고 쓰인 팻말 아래를 비춘다. 그러자 약간 더 큰 팻말이 나타나는데, 거기에는 기울인 글씨체로 이렇게 쓰여 있다. 〈자기 똥은 자기가 치운다.〉

「이것이 우리의 구호야. 모든 일에 있어서 우리의 기준이 되는 문장이지.」

「나는 원래 표어 같은 것은 별로 안 좋아해. 하지만 이것만큼은 다른 모든 표어들을 요약하고 있는 것 같아.」 바이킹은 고개를 끄덕인다.

「그러고 나서 페트나가 왔어. 페트나가 그 밑에다 한 줄을 더 써넣었지. 〈총 주민 수 3- 4명. 성가신 놈 0.〉」

「3 위에다 줄을 그어 버린 것은 곧이어 후작이 왔기 때문이야.」

「나는 두 번째 표어를 써놓자고 말했지. 〈더 이상 잃을 게 없으면, 얻을 일만 남았다.〉 하지만 사람들이 거부했어.」 파란 머리 가닥의 아시아 청년이 아쉬운 듯 말한다.

「꼬마야. 이 세상에서 오직 하나의 표어를 취해야 한다면 이걸 택해라. 〈자기 똥은 자기가 치운다.〉」

그는 땅에다 가래침을 뱉는다. 그러고는 맑고 커다란 회색 눈의 소녀에게 몸을 돌리며 이렇게 묻는다.

「그런데 정말, 넌 대체 누구냐?」

17.

거대한 하치장의 쓰레기 더미 속에다 지어 놓은 동굴 집들…… 정말 기막힌 생각이야. 이 사람들은 이 세상에서 숨기 위해, 아무도 생각해 내지 못할 이런 장소를 택했어.

원한다면 얼마든지 말을 잘할 수도 있는 사람들이야. 많은 것들을 알고 있는 것 같아. 공부를 한 사람들이지. 무식한 노숙자들은 절대 아니야. 그런데 왜 저런 사람들이 이런 곳에 오게 되었을까? 하기야 가난한 사람들이 무식하거나 어리석다는 선입견을 가질 필요는 없겠지.

저들은 어리석은 사람들 같지는 않아. 오히려…… 약간은 삐딱하지만 꽤나 흥미로운 시각을 가지고 있는 것 같아. 여하튼 사연이 많은 사람들임에는 틀림없어.

나처럼.

18.

카산드라 카첸버그의 입이 다시금 천천히 열린다. 가물에 콩 나듯 나오는 말이라 사람들은 귀를 쫑긋 세운다.

「난…… 여기 있고 싶어요.」

좌중은 이 문장의 의미를 제대로 이해하기 위해 잠시 침묵을 지킨다.

「아니, 이건 또 무슨 소리야?」 후작이 기가 찬 듯 외친다.

「미안하지만 안 돼. 백설 공주, 우린 널 돌봐 줄 수가 없어.」 이렇게 말한 사람은 에스메랄다이다.

「네 부모님이 걱정하실 거다.」 페트나가 훈계한다.

「난 부모님이 없어요.」

「그럼 학교든, 고아원이든, 기숙사든, 뭔지는 잘 모르겠지만, 하여튼 누군가가 네가 없어졌다고 걱정할 거 아니야?」 속이 뒤집히는지 눈이 더욱 사팔뜨기가 된 빨간 머리 여자가 다시 말한다.

「여기 있고 싶어요.」

「아니, 이 바보 같은 계집애가 정말로 답답하네! 안 된다고 했잖아! 안 된다고!」

「넌 손이 깨끗하잖아. 우리끼리 알아보는 표시는 더러운 손이란 말이야.」김이 설명한다.

「더러움은 우리를 더러움에서 보호해 주지. 하지만 너는 깨끗한 고로, 이곳에서는 〈무방비 상태〉일 수밖에 없느니라.」페트나도 고개를 끄덕인다.

김은 경멸적인 어조로 내뱉는다.

「넌 꼬마 부르주아, 부잣집 자식이야. 우리가 끔찍이 싫어하는 것은 다 모아 놓았지.」

「너 아주 골치 아픈 문제가 있는 모양이구나? 하지만 그런 문제라면 우리에게도 있어. 우리의 표어는 명확해. 〈자기 똥은 자기가 치운다.〉」에스메랄다는 쌀쌀맞게 결론을 내린다.

오를랑도는 손바닥으로 드럼통을 탕탕 두드리기 시작한다.

「이봐, 이봐, 공작 부인! 미쳤어? 이런 꼬마를 내팽개칠 수는 없는 노릇이잖아!」

그러자 세 사람은 곰곰이 생각해 본다. 결국 에스메랄다는 술병을 들어 한 모금 마시고 트림을 한 다음 선언한다.

「그럼 투표를 해. 그래, 우리 대속 정부는 민주적이니까. 자, 다수의 의견에 따르기로 하지.」

페트나는 아시아 청년에게 몸을 돌린다.

「자, 후작? 자네는 백설 공주가 여기 있는 것에 대해 찬성인가, 반대인가?」

김은 즉시 대답한다.

「물론 반대지. 그리고 충분히 숙고해 보고서 하는 말인데, 쟤를 죽이자고 제안하고 싶어. 왜냐면 여길 나가자마자 우릴 신고할 게 뻔하니까. 시체는 늪지대에 묻어 버리면 돼. 어차피 거기서 똥개들에게 먹힐 뻔했잖아. 안 그래, 남작? 일을 원점으로 돌리는 것뿐이라고.」

껑다리 흑인은 수긍이 간다는 듯 고개를 끄덕인다. 그러고는 빨간 쪽머리의 여자에게로 몸을 돌린다.

「그럼 공작 부인, 당신은?」

「반대야. 빨리 재를 떨쳐 버려야 해. 하지만 남쪽 늪지대에서 재를 죽이자는 의견에는 찬성할 수 없어. 집시 꼬마들이 종종 놀러 오는 곳이니까. 시체를 발견할 수도 있어.」

에스메랄다는 소녀에게 다가와 그녀의 물결치는 긴 머리칼을 쓰다듬어 본다.

이 여자가 내 보호 방울의 경계선을 넘어섰어. 하지만 반응해서는 안 돼.

「이 계집애, 꽤 반반하단 말이야…… . 차라리 알바니아 애들에게 팔아 치우는 게 어때?」

「그 제안은 접수해 두지. 그럼 남작, 당신은?」

「찬성. 계집애가 우리와 같이 있는 것에 찬성이야. 그리고 죽이지 말자. 이 애를 죽여 늪지대에 버리거나, 알바니아 애들에게 팔아넘기는 건 있을 수 없는 일이야. 집시들이 이 애를 망쳐 놓을 거라고. 우리는 모두 다 쫓기는 인간들이야. 같은 처지에 있는 사람을 도와야 할 의무가 있잖아?」

「알았어, 감상적인 인간 같으니!」 공작 부인이 이를 가는 듯한 얼굴로 쏘아붙인다. 「난 당신이 왜 이 애를 보호해 주려 하는지 잘 알지. 그럼, 알고말고!」

「무슨 소리야, 공작 부인?」

「딴전 피우지 말라고! 우린 당신 인생을 알고 있어. 당신은 이 애보다 조금 더 나이 많은, 그런데 지금 당신이 볼 수 없게 된 딸자식이 하나 있잖아. 그래서 이 애로 대신하려는 거야. 그 알량한 부성애적 본능이…… .」

「사팔뜨기 뚱돼지 여편네 같으니! 어디서 감히 그 애를 들먹여? 한 번만 더 그 애를 입 밖에 냈다가는…… .」

그가 주먹을 한 방 날리려는 몸짓을 하는데, 여자는 벌써 한 걸음 물러서서 면도칼을 빼내고 있다. 두 사람은 한판 붙을 기세로 마주 선다.

「그럼 자작, 당신은 어디다 표를 던질 거요?」 김이 상황을 누그러뜨릴 양으로 차분하게 묻는다.

사람들이 모두들 쳐다보는 가운데, 알록달록한 부부 통옷 차림의 꺽다리 흑인은 다시 장죽에 불을 붙인다. 조금도 급할 게 없는 듯, 느긋하기 이를 데 없는 동작이다.

「남작의 말이 옳아. 대속은 쫓기는 사람들에게 피신처를 제공해 주어야 할 의무가 있어. 그리고 〈이방인〉을 추방해야 해야 할지 말아야 할지를 나 같은 사람에게 물어보면 안 되겠지. 내 말뜻을 이해할랑가 모르겠지만······. 미안해, 공작 부인. 나는 이 애가 남는 쪽에 한 표를 던지겠네.」

「2대 2, 무승부. 자, 이게 바로 투표인 수가 짝수일 때 민주 체제에서 발생하는 문제지.」

「다시 투표하자고!」 김이 외친다.

「쓸데없는 일이야. 결과는 마찬가지일 테니까. 좋아. 내가 의장이니까, 결정은 내가 해야 하겠지. 환대받을 권리라는 것도 있는 법이니까, 그리고 특히 남작의 그 고결한 감정을 기쁘게 해주기 위해, 신데렐라는 우리와 함께 머문다. 그러나 한정된 시간 동안만!」

「뭐라고? 이 애는 부르주아잖아!」 김이 발끈한다. 「깨끗한 손을 가진 애라고! 어떻게 우리가 부르주아하고 같이 살 수 있냐고!」

「걱정 마. 어차피 이애는 절대로 우리 생활 방식에 익숙해 질 수 없을 테니까.」 페트나가 대꾸한다.

에스메랄다는 카산드라가 아닌 오를랑도에게 몸을 돌린다.

「저 애한테 말해. 여기 있을 수는 있지만 단 사흘 동안만이라고. 그 후에는 여기서 꺼져 버려야 해. 잠은 저 창고 안, 통조림 깡통 옆에서 자고. 깨끗하고 마른 담요를 한 장 줘야 할 거야. 자작, 혹시 담요 가진 것 있어?」

「하지만 얘가 내일 발견하게 될 것을 과연 견뎌 낼 수 있을까……?」 김이 킬킬댄다.

소녀의 얼굴에 의문의 표정이 떠오른다.

「꼬마야, 그렇게도 여기 남아 있고 싶어? 내일 아침에 깨어나면 깜짝 선물이 기다리고 있을 거야.」 청년은 빈정거리는 어조로 덧붙인다.

카산드라가 에스메랄다에게 고맙다고 말하려 하는데, 여자는 여전히 불 위에서 돌고 있는 토끼 구이를 조금 떼어 먹으려 몸을 일으킨 후다.

「우린 지금 아주 멍청한 짓을 하고 있는 것 같아.」 에스메랄다는 혼잣말을 하듯 웅얼댄다. 「분명히 내 느낌이 맞아. 아직 미성년인 계집애를 거둔다는 것은 엄청난, 아주 엄청난 실수라고.」

「이봐, 꼬마야! 아직 네 이름도 밝히지 않은 것 같은데?」 바이킹이 상기시킨다.

맑고 커다란 회색 눈의 소녀는 한 사람 한 사람을 똑바로 쳐다보더니, 이윽고 천천히 말한다.

「……카산드라.」

김은 또다시 쿡쿡댄다.

「어쩌면 이름도 그렇게 멍청한 부르주아식 이름으로 골라 지었을까?」

「배고프냐? 먹을 것 줄까?」 오를랑도가 묻는다.

그녀는 고개를 젓는다.

무거운 구름들이 달을 지워 버렸다. 굵은 빗방울들이 후두둑 땅바닥에 떨어지고, 불길 속에 떨어진 것들은 탁탁 튀어오른다. 소나기가 다시 한 번 쏟아질 채비를 하고 있다. 오를랑도와 페트나는 손님에게 줄 마른 옷가지를 찾아낸다. 그들

은 통조림 깡통을 보관하는 창고 안에 임시변통으로 방을 하나 꾸며 준다. 그녀는 통조림 깡통들 위에 신문지를 켜켜이 쌓고, 그 위에 더러운 담요를 덮어 꾸민 임시 침대 위에 그럭저럭 몸을 눕힌다. 머리는 넝마를 쑤셔 넣은 감자 부대에 올려놓는다. 주위에 보이는 것이라곤 잔뜩 쌓인 통조림 깡통들뿐이다. 어떤 것들은 부풀어 있고, 또 어떤 것들은 곳곳에 반점 같은 녹이 슬어 있다. 상표들은 대부분 사라져 있다.

카산드라는 이 기이한 하루 동안 겪은 극적인 사건들로 녹초가 된 몸을 눕히고, 매캐한 먼지 냄새가 나는 담요 속으로 파고든다. 비를 피해 들어온 모기 한 마리가 비닐포로 덮어놓은 천장 아래에서 요란하게 맴돈다.

저 이상한 노숙자들은 날 좋아하는 법을 배우게 될 거야. 벌써 조금은 나를 좋아하는 것 같기도 하고. 저들은 단지 약간 퉁명스러울 뿐이야. 그리고…… 사실 나같이 괴상한 사람을 좋아한다는 게 결코 쉬운 일은 아니겠지. 저들의 입장을 생각해 줄 필요도 있어.

천장에 우글대는 바퀴벌레들이 물결 형태의 양철판 위를 재빠르게 기어가며 시끄러운 마찰음을 낸다.

제발, 곤충들아. 오늘 밤에는 나 좀 조용히 쉬게 해줘.

이제 쓰레기 더미 위에 빗방울이 세차게 떨어지는 소리가 들려온다.

내일 아침, 뭐가 그렇게 견뎌 내기 힘들다는 걸까?

그녀는 침대 머리 협탁 대용으로 놓인 궤짝 위에 손목시계를 올려놓고, 버튼을 눌러 본다. 〈5초 후 사망 확률: 88%〉.

〈발신인: d〉
교장이 뭐라고 말했었지? 아, 맞아…… 〈널 사랑하는 누군가〉라고 했던가?

그녀는 손목시계를 끈다. 숫자는 사라진다.

맑고 커다란 회색 눈의 소녀는 마침내 눈꺼풀이 사르르 닫히면서 잠 속에 빠져든다. 바깥에는 밤의 어둠 속에서 폭우가 으르렁대고 있다.

19.

눈부신 백색의 태양. 꿈속에서 카산드라는 빛으로 충만한 어느 고대의 대도시에 와 있다. 새파란 하늘, 그 아래에서 카산드라는 선명한 색들로 채색된 어느 신전으로 이르는 계단을 오른다.

신전 입구는 카리아티드[8]들과 코린트 양식의 석주들로 장식되어 있다. 부조들은 검과 창을 휘두르는 전사들의 모습을 나타내고 있다. 대리석의 근육들이 울퉁불퉁하다.

카산드라는 성스러운 장소 안으로 들어간다. 나뭇가지 형태의 촛대들에는 불이 밝혀져 있고, 그 길게 줄지어 있는 촛불들을 따라 걸어가니 높직한 옥좌 하나가 나타나는데, 거기에는 흰 토가를 몸에 두른 쉰 살가량의 여자가 앉아 있다.

세월에도 상하지 않은 그녀의 아름다운 얼굴에 미소가 떠오른다. 그녀가 입을 연다.

「난 카산드라란다. 그리고 난 네가 누군지 알고 있지. 넌 〈미래의 카산드라〉야.」

소녀는 눈앞의 여인이 파파다키스의 책 표지에 그려진 여사제임을 알아차린다. 터키석이 박힌 장신구들로 치장한 그녀의 모습에서는 왕녀의 위엄이 물씬 풍겨 난다. 긴 적갈색 머

---

8 고대 그리스 신전에 서 있는 여인 형상의 돌기둥.

리칼은 한데 올려져 작은 왕관으로 고정되어 있다. 한쪽 팔에는 뱀 한 마리가 구불구불 감겨 있는데, 마치 살아 있는 팔찌처럼 보인다.

「네 눈에는 미래가 보이는데, 사람들은 그런 널 비웃고만 있지. 그렇지 않니?」 그녀는 소녀의 마음을 충분히 이해하고 있다는 듯 미소를 짓는다.

「자, 나를 따라 오너라.」 고대의 카산드라는 몸을 일으키면서 명한다.

「왜요?」

「왜긴? 네 〈여자의 직감〉을 계발시켜 주려는 거지.」 여인은 한쪽 눈을 찡긋하며 대답한다.

카산드라는 주저하는 걸음으로 여인의 뒤를 따른다. 신전 뒤쪽으로 나서니 눈부시게 아름다운 정원이 펼쳐진다. 정원 안쪽에 이르니 철망 울타리가 이어져 있는데, 거기에 무수한 아기들이 매달려서 두 사람을 주시하고 있다.

「누구죠?」 소녀가 걸음을 늦추며 묻는다.

「저 애들? 미래의 세대들이야. 자기들에게 장차 무슨 일이 일어나게 될지 알고 싶어 하지. 그래서 우리가 하는 일을 보려고 하는 거야.」

오렌지 나무가 심겨 있는 과수원을 지나자, 여인은 위엄 있는 걸음으로 어느 언덕을 향해 나아간다. 그러고는 토가의 주름 속에서 씨앗 하나를 꺼내더니, 무릎을 꿇고는 그것을 땅에다 심는다.

「자, 무슨 일이 일어나는지 잘 살펴보렴.」

그녀가 손가락을 튕겨 딱 소리를 내자, 그 즉시 땅에서 관목 한 그루가 쑥 솟아 나오더니 끝없이 자라난다.

소녀가 눈이 둥그레져서 뒷걸음을 치는데, 여인이 그녀의 팔을 붙잡는다.

「무서워할 것 없어.」

관목은 파란색의 둥치를 가진 나무가 되고, 그 나무는 계속 만개해 간다. 하늘을 향해 쑥쑥 솟아오르고, 우두둑 우두둑 요란한 소리를 내면서 가지들이 태어나고 잔가지들이 쭉쭉 뻗어 나간다.

파란 나무는 어마어마한 크기가 된다.

이제 그것은 너무도 높고 방대하여, 사방팔방으로 뻗은 잔가지들로 하늘이 온통 가려질 지경이다.

그러자 여사제는 거대한 청색 둥치에 열려 있는 문 하나를 가리킨다.

「자, 나를 계속 따라오지 않으련?」

소녀는 순종한다. 그리고 둥치 속의 어두컴컴한 공간 속에서 두 개의 미로를 발견한다. 하나는 아래쪽으로 내려가고, 다른 하나는 위쪽을 향하고 있다.

「이것은 〈시간의 나무〉란다. 뿌리는 과거이고, 둥치는 현재, 그리고 가지는 미래이지. 자, 가자! 내가 아주 흥미로운 것을 보여 줄게.」

그녀는 소녀를 위쪽의 미로로 인도한다. 통로들이 얽히고 설켜 있는 그 복잡다단한 미로가 끝나자, 둥치에서 가장 아래쪽에 나 있는 가지들 위로 빠져나오게 되어 있다. 거기, 사람 키 정도 되는 높이에 짙은 청색의 가지들이 뻗어 있는데, 그것들은 다시 보다 밝은 청색의 잔가지들로 이어지고, 그 끝에는 흰색의 잎들이 매달려 있다.

「자, 이 사실을 아기들에게 알려 줘야 해!」

고대의 카산드라는 이렇게 말하면서 잎사귀 하나를 보여 주는데, 거기에는 소녀가 이미 알고 있는 어떤 장면이 펼쳐지고 있다.

그 영상은 소녀를 얼어붙게 한다.

20.

카산드라는 벌떡 일어나 소리를 지르기 시작한다.

곧 에스메랄다, 페트나, 오를랑도, 김이 달려온다. 그들이 들어와 보니 소녀는 눈을 반쯤 감고서 침대 위에 앉아 있다. 그녀의 입에서는 문장들이 숨 돌릴 틈 없이 쏟아져 나온다. 아마도 방금 전에 꾼 꿈을 묘사하고 있는 모양이다.

「어떤 남자가…… 하얀 옷을 입었어요. 그는 밧줄을 타고 벽을 기어올라 공장으로 들어가요. 지도를 꺼내어 자기 위치를 확인한 다음, 창고 건물 몇 개를 끼고 돌아요. 어떤 회색 건물 앞에 멈춰 서요. 거기에 〈EFAP〉라는 네 글자가 적혀 있어요. 그가 어떤 방으로 들어가는데, 거기엔 노란 가루가 산더미처럼 쌓여 있어요. 그는 콜록거려요. 방 안은 먼지 구름으로 가득 차 있어요. 방의 천장은 거대한 굴뚝이에요.」

「오호! 에로틱한 꿈을 꾸셨군그래.」 김이 긴장된 분위기를 풀어 볼 양으로 낄낄댄다.

소녀는 아직 머릿속에 선연히 남아 있는 꿈속의 광경을 계속 묘사해 나간다.

「남자는 바닥에 앉아서 어떤 기도를 반복해요. 마치 기도에 취해 버린 사람 같아요. 그는 마치 자기가 하는 말을 자기 살 속에 심으려는 듯, 자기 가슴을 여러 번 쾅쾅 두드려요. 그러고는 뚝 그치고 손목시계를 들여다봐요. 문자판은 9시 28분을 가리키고 있어요. 그는 점점 더 거세게 가슴을 쳐대요. 그러다 다시 멈춰요. 손목시계는 9시 30분을 가리키고 있어요. 그러자 셔츠를 풀어 헤치는데, 그 밑에는 빨간색 대롱들이 잔뜩 달려 있는 조끼를 입고 있어요. 손잡이 같은 게 나와 있어요. 그는 눈을 질끈 감으면서 그 손잡이를 당겨요.」

카산드라는 말을 멈추고 눈을 뜬다. 그러고는 입을 반쯤 벌린 채 어딘가에 초점을 고정한다.

「자, 별거 아냐.」에스메랄다가 단정 짓는다. 「악몽을 꾸었을 뿐이야. 몽유병 증세도 약간 있고.」

「하지만 그 악몽이 지독히도 구체적인데……」오를랑도의 약간 불안한 어조로 말한다.

「난…… 느껴져요…… 들려요…… 보여요…… 보여요…… 폭발하는 게 보여요. 그 폭발에 남자의 몸이 슬로모션처럼 찢어지는 광경이, 둥근 불덩어리가 순간적으로 팽창하는 광경이. 이어 노란 가루들이 확 하고 타오르는 광경이. 첫 번째 폭발 후에 일어난 두 번째 폭발은 한층 강력해요.」

이제는 아무도 말하지 않는다. 소녀는 아무 표정도 없는 얼굴로 묘사를 계속한다.

「……부근의 자동차들이 공중에 붕 떠올라요. 사람들은 길바닥에 내동댕이쳐져요. 인근 건물들의 유리창들은 모두 산산조각이 나, 무수한 유리의 날들로 변해 날아가면서 사람들의 몸을 찢고 팔다리를 잘라 놓아요. 유리 날에 꿰뚫린 10여 구의 시체가 흥건한 핏물 속에 뒹굴고 있어요……」

그녀는 다시 폭발음이 들리는 듯, 손바닥으로 두 귀를 틀어막고 얼굴을 찡그린다. 그녀의 몸은 이 자세로 고정된다. 그렇게 몇 분이 흐르고, 누구도 감히 입을 열지 못한다.

「됐어.」마침내 에스메랄다가 침묵을 깬다. 「악몽은 끝났어. 이젠 괜찮을 거니까 다시 잠이나 자.」

카산드라는 다시 눈을 뜬다. 그녀는 대속의 네 주민을 한 사람 한 사람 차례로 정시한다. 그녀는 에스메랄다의 팔을 잡더니 낮은 목소리로 천천히 말한다.

「당신들이 그들을 구할 수 있어요.」

그러고는 터지려는 흐느낌을 간신히 억누르는 듯 착 감긴 목소리로 이렇게 덧붙인다.

「당신들이 그들을 구해야 한다고요.」

네 사람은 경악한 시선으로 그녀를 쳐다본다.

「……EFAP공장은 실제로 존재해. 파리의 남동부 교외 지역에 위치한 석유 화학 센터야.」 오를랑도가 무겁게 입을 연다.

「맞아. 하지만 신경 쓸 것 없어. 모두들 다시 잠이나 자자고. 그리고 꼬마, 너도 어서 자!」 빨간 쪽머리의 여자가 매몰차게 대꾸한다.

「희생자들이 생길 거예요. 아직은 아무 일도 일어나지 않았어요. 당신들이 그 사람들을 구할 수 있다고요!」 카산드라는 물러서지 않는다.

아시아 청년은 고개를 젓는다.

「난 〈그 사람들〉이 싫어. 게다가 거기 있는 사람들은 보통 사람들이 아니라 부르주아 놈들이야. 난 부르주아 놈들을 아주 싫어해!」

「나도 사람 구하는 일에는 취미가 없어.」 페트나도 냉정하게 잘라 말한다.

「그리고 난 말이지,」 에스메랄다는 몹시 불쾌한 듯이 덧붙인다. 「난 다른 사람이 나보고 이래라저래라 하는 건 딱 질색이거든. 더구나 저런 꼬마가 명령을 하다니, 이게 말이나 되는 소리야?」

「어쨌든 간에 우리는 이 하치장을 절대로 벗어나지 않는다.」 오를랑도가 결론을 내린다. 「자, 꼬마야, 가서 다시 잠이나 자거라. 그건 한갓 악몽일 뿐이야.」

「아니, 모두들 내 말을 제대로 이해했나요? 이 일은 정말로 일어나고, 당신들만이 그걸 막을 수 있다고요!」

「그래서? 좋아, 그 일이 정말로 일어난다고 치자. 그래서 우리하고 무슨 상관이지?」 에스메랄다가 되받는다.

「당신들이 개입하지 않으면 수많은 사람들이 죽게 돼요.

당신들이 그들을 구해야 한다고요!」

에스메랄다는 그녀의 손목을 거칠게 낚아챈다.

「어이, 미스 왕짜증! 우리의 규칙을 다시 한 번 말해 주지. 부르주아들은 우리의 적이야. 우리의 적! 내 말 알아듣겠어? 그들은 우릴 미워한다고!」

다른 세 사람도 한 마디씩 거든다.

「그들은 우리를 보면 겁내.」 페트나가 말한다.

「우릴 바퀴벌레 보듯 하지.」 오를랑도도 고개를 끄덕인다.

「그들은 할 수만 있다면, 지금이라도 당장 경찰을 보내 우리를 구타하고, 훈련시킨 맹견을 풀어 우릴 잡아먹게 할 거야.」 다시 아프리카인이 말한다. 「하지만 보다시피 우리는 신성불가침의 이 장소에 요렇게 안전하게 짱박혀 있단 말씀이야.」

카산드라의 시선은 아직도 무언가에 못 박혀 있다.

「당신들은 그들을 구해야 해요.」 그녀는 이제는 완전히 갈라져 버려 제대로 나오지도 않는 목소리로 천천히 말한다.

「빌어먹을 꽉 막힌 꼬마 같으니! 야, 신데렐라! 아직도 현실을 이해 못 했어? 넌 지금 쓰레기 하치장 한가운데 서 있어! 주위를 둘러보라고! 모두가 폐기물이야. 지금 들리는 저 사삭거리는 소리는 시궁쥐. 심지어는 너를 쫓아다닌 개들도 귀여운 말티즈나 닥스훈트가 아니야. 주인들이 편안히 바캉스를 즐기려고 버리고 간 개들이 자기네끼리 번식해서 생긴 놈들이지. 약한 놈들은 죽었어. 그리고 강한 놈들은 죽은 놈들을 먹어 버렸지.」

「당신들은 그들을 구해야 해요!」 소녀는 고집스럽게 계속 되풀이한다.

「이거야 원! 완전히 녹음기를 틀어 놓았구먼! 정말이지 지독하게 꽉 막힌 꼬마네! 좋아. 아주 분명히 알아듣게끔 탁 까놓고 얘기해 주지. 부르주아들은 뒈져야 해. 뒈지면 우린 아주 신날 거야! 그럼! 우린 좋아 미칠 거야! 부르주아가 더 많이 돼질수록 우린 복수한 것 같은 기분이 들 거라고!」

「구멍 밑바닥에서 사는 이점은 뭔지 알아? 그건 더 이상 내려갈 데가 없다는 점이야. 위에 있는 놈들, 즉 이 세상 사람 모두를 증오해도 되고.」 김이 킬킬댄다.

「바로 그거야! 학교에서 빵점을 맞으면, 다음번 시험에서는 더 낮은 점수를 받을까, 하는 걱정은 안 해도 돼.」 오를랑도가 맞장구친다.

에스메랄다의 논증은 아직 끝나지 않았다.

「이봐! 우린 못돼 먹은 인간들이야! 착한 사람들이 아니라고! 텔레비전 뉴스에서 갈비뼈가 앙상하게 드러난 아프리카 꼬마들을 보면서 우리가 어떤 생각을 하는지 알아? 오히려 안도해. 왜지 알아? 우린 가난할지는 모르지만 매일 먹을 수 있거든. 먹는 게 쓰레기일지는 모르지만 무한정 널려 있으니까. 우리는 가장 낮고 천한 곳에 있을지는 모르지만, 적어도 굶주려 돼지는 일은 절대 없단 말이야! 이 나라에는 항상 쓰레기가 넘쳐 날 테니까!」

다른 사람들도 한마디씩 하며 맞장구친다. 에스메랄다는 다시 말을 잇는다.

「텔레비전 뉴스에서 보는 전사자들이나 부상자들도 마찬가지야. 안 그래, 남작? 우린 그들을 보면서 오히려 낄낄대지. 왜냐면 전쟁이 우리에게까지 미치지 못하리라는 걸 잘 아니까. 여기 있으면 우린 아주 느긋하다고. 어떤 적이 이 나라를 폭격한다 해도, 적어도 우리에게는 탄약을 허비하려 들지 않을 거야. 심지어 어떤 적이 이 나라를 침공한다 해도, 이 쓰레기 하치장은 그의 관심 밖의 일이지.」

「맞아, 우린 쓰레기들이야.」 페트나가 고개를 끄덕인다. 「그래서 모든 사람들이 우릴 보면 구역질을 해대지. 내 말뜻을 이해할랑가 모르겠지만.」

「따라서 우리는 여기를 나가는 일이 없고, 또 나가지도 않을 거야. 그리고 부르주아들이 뒈진다 해도 우린 조금도 신경 안 써. 〈자기 똥은 자기가 치운다.〉」

「당신들은 그들을 구해야 해요.」카산드라는 한결 기운이 빠진 목소리로 다시 한 번 말해 본다.

「자, 계집애야, 잠이나 자거라. 다시 침대 위로 올라가고, 우리도 잠 좀 자게 해줘.」

그들은 한 사람 한 사람 창고를 떠나가고, 부풀어 오른 통조림 깡통들과 우글대는 바퀴벌레들, 그리고 너무도 구체적인 악몽 한가운데 소녀 혼자 남는다.

21.

이것은 저주일까?

과거에 트로이 공주 카산드라가 겪은 일을 이제 내가 겪고 있어.

차라리 무엇이 일어날지 모른다면 얼마나 좋을까?

아무것도 꿈꾸지 않는다면 얼마나 좋을까? 다른 사람들처럼 말이야. 아무런 의미도 없는 것들만 꿈꿀 수 있다면……. 여름휴가를 떠나 바다에서 헤엄치는, 그런 달콤한 꿈이나 꿀 수 있다면.

갈매기 한 마리가 지나간다. 갈매기 울음소리는 변형되어……

22.

……수탉의 아침 노랫소리로 바뀌었다.

느지막이 일어난 이 순계류(鶉鷄類)의 동물은 목청을 고르려는 듯, 약간 쉰 목소리로 여러 차례 노래를 되풀이해 본다.

하늘은 맑게 개어 있고, 해는 벌써 중천에 떠 있다. 카산드라는 눈을 번쩍 뜬다. 그녀가 처음 지각한 느낌은 극도로 불쾌한 것이다.

경고받은 그대로다. 부패하는 사물들을 덮고 있었던 비의 막이 사라지자, 이제 그것들은 지독한 악취를 내뿜는다. 기숙학교에서 누군가가 그녀의 소지품에 어떤 악취 나는 덩어리를 집어넣었던 고약한 기억이 떠오른다.

그녀는 얼굴을 찌푸리고서 콜록대기 시작한다. 콜록거림은 목이 아플 정도의 거센 기침으로 변하고, 곧이어 천식 환자와 같은 찢어질 듯한 발작성 기침이 된다. 숨 쉴 만한 공기를 찾아보지만, 어디에나 똑같은 악취만이 풍겨 나오고 있다. 그렇게 그녀는 창고 안에서 빙빙 돌다가, 마침내는 휘청하고 무릎을 꿇고 앉아 손으로 코를 틀어막는다.

너무도 심한 악취다. 그 냄새는 마치 따가운 액체를 뿌리듯 그녀의 후각 돌기를 괴롭힌다. 신선한 공기를 찾아 밖으로 나와 보지만, 거기에는 한층 더 고약한 악취가 기다리고 있을 뿐이다. 그녀는 어찌할 바를 모르고 마을 한구석에서 왝왝 토하기 시작한다. 그러고는 다시 몸을 일으켜 입가를 닦으며 벌써 일어나 있는 다른 사람들을 쳐다본다.

수놓인 헐렁한 드레스를 걸친 에스메랄다는 접의자에 몸을 묻고 있다. 커피가 채워진 맥주잔을 손에 들고, 스타들의 가십을 전문으로 다루는 잡지를 읽고 있다. 잡지 표지에는 굵은 활자로 〈케빈 말랑송과 제시카 르델레지르 파경〉이라고 쓰여 있다. 또 몸에 문신을 한 남자가 과장된 웃음을 짓고 있는 비쩍 마른 금발 아가씨를 꽉 끌어안고 있는 사진도 보인다. 그 밑에는 이렇게 설명되어 있다. 〈케빈의 복잡한 과거가 드러나.〉

페트나는 어제 죽은 개의 가죽을 말리려고 나무틀에다 펼쳐서 꿰매고 있다. 오를랑도는 화살깃을 만들고 있다. 김은 나무 기둥들을 전봇대 삼아 전선을 이어 놓고, 높직한 장대들 위에 스피커를 설치하고 있다. 그는 새 티셔츠로 갈아입었는데, 그 위에는 이런 문구가 쓰여 있다. 〈무(無)에서 나와서 무로 돌아가는 인생, 누구에게도 고맙다고 말할 필요가 없다.〉

눈을 든 바이킹은 손을 흔들어 소녀에게 인사를 건넨다.

「괜찮니, 얘야? 자, 이젠 네가 있는 곳이 어떤 곳인지 잘 알았을 거다. 우리를 보호해 주는 게 이 악취이지만, 그래도 약간 적응이 필요하지. 처음엔 좀 힘들 거야……. 내 말은, 곱게 자란 부르주아에겐 힘들다는 뜻이지. 그냥 이렇게 생각하면 돼. 내가 어쩌다 더러운 스컹크들의 마을에 와 있구나, 라고 말이야.」

카산드라는 또다시 속이 울렁거리는 걸 느낀다. 억눌러 보려 애를 쓰지만, 다시금 숨이 막혀 온다. 그녀는 목을 붙잡고 토하기 시작한다. 이번에는 페트나가 말을 잇는다.

「꼬마야, 네가 원해서 여기 온 거야. 이곳은 부르주아들이 있을 곳이 못 된다고 말해 주었잖아? 내 말뜻을 이해할랑가 모르겠지만.」

그녀는 다시 한 번 맑은 공기를 찾아보지만 찾을 수가 없다. 들이마시는 숨의 양을 줄여 본다. 마치 그런 식으로 악취를 걸러 낼 수 있기라도 한 듯이.

「이거야 원! 야, 백설 공주! 이곳에 하루 종일 있으려면 익숙해져야 한다고! 그럴 수 없을 것 같으면 당장 꺼져!」 에스메랄다가 쏘아붙인다.

김은 또 킬킬댄다.

「어제는 이 애를 거두느니 마느니 하면서, 고민들 많이 했지. 그런데 이제 대속의 냄새가 우리 대신 결정해 주는군. 악취, 우리의 사랑스러운 악취야말로 우리의 보호자란 말씀이야. 콘크리트 방벽이나 철조망보다도 훨씬 더 효과적인 보호자!」

카산드라는 숨을 쉬어 보려 계속 애쓴다.

「이걸 하나의 세례 의식이라고 생각해. 치질이 되고 싶으면 이 궁둥이 냄새를 견뎌 내야 한다고.」 김은 이마에 흘러내린 파란 머리칼을 쓸어 올리며 충고한다.

「거참, 말 한번 곱게 하네…… 이봐, 후작! 우리 백설 공주님에게 좀 더 고상하게 말할 수도 있잖아? 예를 들면 이렇게. 스컹크가 되고 싶거든, 스컹크 굴의 냄새를 견뎌 내야 한다.」

소녀의 귀에는 그들의 말이 들어오지 않는다. 야금야금 숨을 삼키는 데 집중하면서, 이곳 생활의 운명이 바로 여기에 달렸다는 것을 인식한다. 그녀는 폐를 이 매캐한 냄새에 점진적으로 적응시키기 위해 극소량의 들숨들을 길들여 보려 애쓴다. 하지만 목구멍에 걸려 있는 그 썩은 뒷맛 같은 느낌은 좀처럼 물러가려 하지 않는다.

난 여기 있고 싶어. 난 견뎌 낼 수 있어.

다른 사람들은 그녀 둘레에 모여들어서는, 호기심 어린, 혹은 빈정거리는 표정으로 그녀를 지켜본다. 오를랑도가 물에 적신 손수건을 건네자, 그녀는 받아들어 곧바로 코를 틀어막는다. 빨갛게 충혈된 두 눈은 불에 덴 것처럼 따갑다. 그녀는 최루탄 연기 속에 갇힌 사람처럼 손등으로 두 눈을 마구 문댄다.

「그래, 조금 따갑지?」 오를랑도가 묻는다. 「자, 조금 견딜 만해지면 이쪽으로 와서 우리와 함께 아침 식사를 하자.」

그녀는 자신의 감각을 제어하려 애쓰면서 오랫동안 혼자 남아 있는다. 그러고는 마침내 불가에 모여 있는 사람들에 합류한다.

「거기 앉아.」 오를랑도가 권한다. 「고기 좀 먹을래?」

노란 기름이 배어 나오고 있는 그을린 주검을 들여다보던 그녀의 눈은 갑자기 공포로 얼어붙는다. 토끼인 줄 알았던 그것이 사실은 다른 동물임을 깨달은 것이다.

이 사람들 고양이를 먹고 있잖아!

그녀의 시선을 지켜보고 있던 바이킹이 말한다.

「여기서는 이런 놈 구하기도 힘들어. 요 녀석은 부르주아 집의 야옹이지. 가출했겠지.」

그러고는 조그만 금속 목걸이를 하나 보여 주는데, 거기에는 〈잔〉이라는 이름이 새겨져 있다. 그는 접시 하나를 집어 들어, 그녀에게 고기를 덜어 주려고 한다. 카산드라는 거부의 뜻을 확실하게 표한다.

「유감이군. 자넨 기막힌 것을 놓치는 거야. 산토끼 맛하고 비슷한데, 풍미는 훨씬 더하지.」 페트냐가 알려 준다. 「어쩌면 생쥐를 잡아먹어서 그런지도 몰라. 약간 뾰족뒤쥐의 뒷맛도 나고.」

카산드라는 현기증마저 느끼면서 눈을 꼭 감는다.

「불안해할 것 없어.」 오를랑도가 안심시킨다. 「이 고양이는 내가 죽인 게 아냐. 들개들이 죽였어. 난 죽어 있는 걸 주워 왔을 뿐이야.」

「우리는 고양이를 별로 안 좋아해.」 에스메랄다가 덧붙인다. 「부르주아들의 동물이니까. 고양이 녀석들은 이기적이야. 잘 생각해 보라고. 노숙자의 개는 있지만, 노숙자의 고양이는 없잖아. 고양이 녀석은 주인이 더 이상 자기를 먹여 줄 수 없다는 걸 알게 되면, 그 주인을 버리고 다른 부자 주인을 찾아 떠나지. 개는 달라. 녀석들은 항상 변함없이 주인에게 충직하게 남아 있어. 주인이 가난뱅이라도 죽을 때까지 곁을 지키지.」

그러네! 한 번도 생각해 본 적이 없었던 사실이야.

「마찬가지로 맹인 안내견은 있지만, 맹인 안내 고양이는 이 세상 어디에도 없지.」

「맹인 안내 고양이? 웃기고 있네! 맹인이 고양이 줄을 잡고 따라가면, 고양이 녀석은 주인을 지붕 위로 걷게 하거나 나무 위를 기어 다니게 할 텐데?」

김은 땅에다 침을 탁 뱉는다.

「내 프랑스어 선생님은 말씀하셨어. 〈개는 인간이 먹을 걸 주면, 인간이 자기 신이라고 생각한다. 고양이는 인간이 먹을 걸 주면, 인간이 자기 하인이라고 생각한다.〉」

「후작, 또 그 멍청한 인용질이냐?」 오를랑도가 빽 소리친다.

「아니, 단지 사실을 말할 뿐이야, 남작.」

카산드라는 구워진 동물의 목걸이에 매달려 있는 은색 메달에서 좀처럼 눈을 뗄 수가 없다.

〈잔〉. 잔 다르크와 같은 이름…… 아, 그 빌어먹을 생각이 다시 떠오르는군! 이름은 우리네 생의 나머지 부분을 결정짓는 프로그래밍이라는 생각…… 아냐! 장작불 위에서 생을 마감한 이 불쌍한 고양이가 화형당한 잔 다르크와 같은 이름을 가진 건 우연이야. 순전히 우연일 뿐이라고.

「고양이는 안 먹을 거냐? 그럼 뜨끈뜨끈한 개는 어떠냐? 〈핫도그〉 말이다.」 페트나가 점잖게 권한다.

그가 가리키는 두 번째 꼬치에는 가죽이 홀라당 벗겨진 개 한 마리가 꿰어 있다. 그녀는 다시 손사래를 친다.

오를랑도는 손을 뻗어 음식물 몇 가지가 들어 있는 슈퍼마켓 카트를 뒤진다.

「모두들 이 애가 부르주아란 사실을 잊었어? 자, 꼬마야, 오렌지주스 좀 마실래? 이 병은 유효 기간은 지났지만, 미생물들이 달력만 노려보고 있다가 유효 기간이 끝나는 날 자정이 땡치면 일제히 먹을 것에 달려들지는 않겠지. 또 셀로판지로 싼며칠 묵은 크루아상 몇 개와 잼도 있으니, 원한다면 먹어라.」

그는 잼 병을 하나 집어 들어 뚜껑을 열고 킁킁 냄새를 맡아 보고는, 그녀에게 내민다. 복슬복슬 푸르스름한 곰팡이가 빨간 잼 표면을 덮고 있다. 바이킹이 그 불룩 솟아난 곰팡이 부분을 수저로 푹 퍼서 던져 버리니, 그 밑의 빨간 잼이 나타난다.

카산드라는 먹고 마신다. 그러고는 다시 먹은 것을 토해 낸다.

여기 모든 것에서 썩은 맛이 나.

하지만 그녀는 다시 도전한다. 이번에는 약간 몰랑몰랑해진 포테이토칩 몇 조각을 뉴텔라 초콜릿 크림과 함께 우물우물 씹어서 코를 틀어막고 간신히 삼키는 데 성공한다. 다른 사람들은 그런 그녀를 재미있다는 표정으로 지켜본다.

「백설 공주. 대체 지금이 몇 시인지나 알아?」

에스메랄다는 이렇게 묻고는, 장승처럼 높직한 목각 장식 괘종시계를 가리킨다. 문자판이 로마 숫자로 장식된 노르망디 특산의 괘종시계다.

「정확히 1분 30초만 있으면 10시라고.」

「하지만 이게 바로 사회 체제에서 벗어나서 사는 이점 중의 하나 아니겠어? 우린 아침에 일찍 일어나지 않아도 돼.」

「약속도 없고. 사무실도 없고. 작업 시간을 기록하는 시계도 없지. 지각 걱정을 안 해도 되고.」

「교통 체증도 없고. 사장도 없고. 해고당할 걱정을 안 해도 되고.」

「임무도 없고. 도달해야 할 목표도 없어.」

「우리는 자유야. 제출해야 할 보고서도 없지. 죽는 날까지 매일 아침 느긋하게 푸짐한 아침 식사를 즐길 수 있다고.」

카산드라는 시선을 아래로 내리며, 몸을 씻고 싶다는 의사를 간접적으로 표시한다.

「꿈 깨어. 여긴 수돗물이 안 나와. 물웅덩이들이 있지만 유독 물질과 각종 산(酸)으로 오염되어 있고. 따라서 샤워도 목욕도 할 수 없어. 미안해.」

「여기서는 깨끗한 물이 귀하지.」 페트나가 덧붙인다. 「오를랑도가 만든 물탱크에다 저장해 놓고 있어. 빗물을 잔구멍이 송송 뚫린 바위에다 여과한 거야. 한 방울씩 한 방울씩……
내 말뜻을 이해할랑가 모르겠지만.」

「미지근한 물로 샤워하기 원한다면, 물탱크에 가서 한 병을 채워 와. 그리고 그것을 불에다 데워서 낯짝에다 부으면 돼.」 김이 충고한다. 「중세 시대 사람들은 다 그랬어. 그러고도 다들 잘 살았지.」

에스메랄다는 천천히 고개를 끄덕인다.

「이탈리아에서 우리 할아버지도 말씀하시곤 했어. 〈건강을 유지하고 싶거든, 몸을 씻지 말거라.〉 그분 말씀이 옳아. 그렇게 하면 면역 체계가 미생물들과 싸우는 데 익숙해져서 튼튼해지거든.」

소녀는 주의 깊게 듣는다.

「그리고 화장실 가고 싶거든, 공작 부인 집에서 신문지나 잡지 종이를 얻어다가 저기 저 타이어 무더기 뒤로 가면 돼. 엉덩이에 촉감이 가장 부드러운 종이는 『현대의 감시자』[9]이지. 개인적으로 난 이 잡지의 정치면 페이지로 밑 닦는 걸 아주 좋아해. 문화면이나 스포츠면 페이지에는 없는 특별한 촉감이 있거든. 훨씬 더 꺼끌꺼끌하단 말씀이야.」

김이 제공하는 정보를 관심 있게 들은 카산드라는 타이어로 쌓은 벽 뒤로 사라졌다가, 몇 분 후에 다시 돌아온다.

오를랑도는 몸을 벅벅 긁고 있다. 그러자 김과 페트나가 뒤를 따른다. 그다음엔 에스메랄다 차례이다. 빨간 머리의 뚱보 여인은 이렇게 설명해 준다.

「몸을 긁는 건 전략의 첫째 단계지. 그러니 가능한 한 오래 긁지 말고 버텨 봐.」

9 Le Guetteur Moderne. 작가가 한때 기자로 일했던 『르 누벨 옵세르바퇴르 Le Novelle Obserbateur(새로운 관찰자)』를 패러디한 이름.

그제야 카산드라는 피부가 가렵다는 사실을 의식한다. 간밤에 벌레들이 여기저기를 물어 놓은 탓이다. 하지만 그녀는 자신의 길고 뾰족한 손톱으로 부드러운 표피를 벅벅 긁고 싶은 유혹에 애써 저항한다.

하지만…… 긁으면 얼마나 시원할까!

「전략의 둘째 단계는 〈혼잣말〉을 하는 거야.」 붉은 쪽머리의 여인이 알려준다.

「셋째 단계도 있지.」 페트나가 말한다. 「하지만 그건 시간이 지나면 자연히 알게 될 거다.」

노르망디 괘종시계가 뎅뎅 울린다.

「10시다. 후작, 뉴스 좀 틀어 봐!」

김은 자신의 움막으로 향한다. 움막에서 전선들이 빠져나와 스피커들에 연결되어 있는 게 눈에 띈다. 김은 대각선으로 길게 찢어진 대형 스크린을 하나 떼메고 나와서는 빈 궤짝들 위에다 설치한다. 잠시 몇 가지를 조정하니 화면에 뉴스 타이틀이 나타난다.

천을 누덕누덕 기운 차단막을 씌워 놓은 스피커들에서 앵커의 목소리가 오늘 뉴스의 제목들을 알린다.

1. 국내 정세입니다. 은행 여러 개가 파산한다는 소문이 나도는 가운데, 금융 위기가 본격화되고 있습니다. 아무도 예측하지 못했던 사태입니다. 전문가들에 따르면, 이로 인해 구매력의 감소와 국가의 전반적인 빈곤화가 진행될 전망입니다.

2. 스포츠 소식입니다. 파리 축구팀이 몽펠리에 팀에게 패했습니다. 이처럼 약체로 여겨진 팀에게 패하게 되리라고는 감독도 구단 책임자들도 예측하지 못했습니다. 수도의 팀은 하부 리그로 추락할 위기에 처해 있습니다.

3. 국제 정세입니다. 리비아 대통령이 파리를 방문했습니다. 예측했던 대로, 인권 보호 단체들의 시위가 도처에서 벌어

질 예정입니다. 이 단체들은 리비아 비밀 기관이 꾸민 민간 항공기 테러 사건들과 불가리아 간호사들을 고문하고 엉터리 재판 후에 투옥한 일에 대해 그를 성토하고 있습니다. 하지만 프랑스 대통령은 〈이 국가 원수에게도 자신의 죄를 씻고, 문명국의 협력 체제 안으로 돌아올 기회를 주어야 한다〉고 선언했습니다. 한편 리비아 대통령은 기자 회견에서 이렇게 주장했습니다. 〈내가 여기에 온 것은 오히려 사과를 듣기 위해서요. 프랑스를 비롯한 식민 제국들이 그들이 압제했던 모든 나라들에게 보내야 할 사과 말이오.〉

4. 날씨입니다. 기상 위기입니다. 폭풍이 프랑스 남부 지방 전역을 휩쓸고 있습니다. 전문가들이 전혀 예측하지 못한 현상입니다. 프랑스의 다른 지역들에서는 맑은 날씨와 소나기가 예측할 수 없는 방식으로 갈마드는 날씨가 예상됩니다.

5. 사람을 찾고 있습니다. 지금 경찰은 실종된 한 청소년을 찾고 있습니다. 성명은 카산드라 카첸버그, 나이는 17세로, 수도의 북부 교외 지역에서 마지막으로 목격되었다고 합니다. 이 소녀는 편집증 성향이 있고 매우 위험하니, 주의하시기 바랍니다. 혹시 마주치게 되는 경우에는 섣불리 제압하려 하지 말고 당국에 신고해 주시기 바랍니다.

카산드라의 사진이 화면 가득히 나타난다.

에스메랄다가 벌떡 일어난다.

「아니, 저거 신데렐라잖아! 이걸 어째? 짭새들이 금방 들이닥치겠어!」

오를랑도도 일어나서 그녀와 마주 선다.

「공작 부인, 사흘이라고 했잖아, 사흘! 약속은 지켜야지. 그리고 저 애가 이런 곳에 숨어 있을 거라고 누가 생각하겠어?」

「모두들 조용히 해! 제일 중요한 게 시작되잖아!」 페트나가 김에게 볼륨을 높이라고 손짓하며 소리친다.

6. 로토입니다. 오늘의 당첨 번호는…….

그들은 종이쪽지에다 숫자를 정성껏 옮겨 적는다.

「뭐야, 이거? 또 꽝이잖아!」 페트나가 한탄한다.

이어 시선들이 일제히 카산드라 쪽으로 향한다.

「자, 뉴스 들었지? 베르나데트 수비루스,[10] 네 꿈이 틀렸어. 오늘 아침에는 테러 사건이 없었답니다, 몽유병자 아가씨.」 김이 빈정댄다.

「이런 제기랄!」 페트나가 투덜댄다. 「차라리 로토 당첨 번호를 순서대로 알려줄 수 없겠냐? 그게 훨씬 더 유용하다고! 내 말뜻을 이해할랑가 모르겠지만.」

「자, 꼬마야, 너무 섭섭하게 생각할 것 없다!」 에스메랄다가 결론짓는다. 「네 말은 완전히 틀렸어. 하기야 네가 무슨 말을 했다 해도 우리가 이곳을 나가는 일은 없었겠지만. 우리가 외부와 갖는 유일한 접촉은 우리에게 로토 복권과 담배, 그리고 내 소중한 잡지들을 파는 집시들뿐이야. 로토를 하는 이유는 신에게도 기회를 주기 위해서지. 우리에게 그 모든 부당한 일들을 겪게 한 잘못을 속죄할 기회를 줘야 하지 않겠어?」

페트나가 소녀에게 눈을 돌린다.

「좋아. 이제 시간이 있으니까 어제 하던 소개를 마저 하기로 하지. 꼬마야, 대체 넌 누구냐? 네 이름이 카산드라라고는 했다만, 대체 뭘 하러 여기 왔는지에 대해서는 아직 설명해 주지 않았어.」

맑고 커다란 회색 눈의 소녀는 또다시 여우를 발견한다. 녀석은 조금 떨어진 곳에 앉아서 그녀를 지켜보고 있다.

---

10 Bernadette Soubirous(1844~1879). 프랑스의 성녀로 프랑스 루르드의 한 동굴에서 성모의 발현을 보았다고 주장했다.

23.

내가 착각한 걸 수도 있을까? 그럼 그냥 꿈이었던 거야. 미래의 전조가 아니고. 하지만 너무나도 구체적으로 보였단 말이야. 모든 게 생생하게 떠올라. 마치 그 자리에 있었던 것처럼.

폭발로 다친 사람들의 얼굴들을 하나하나 묘사할 수 있을 정도인데······.

난 존재하지도 않는 위험을 경고한 걸까?

게다가 난 그들을 구한답시고 이 노숙자들에게 하치장을 나가 거기로 가달라고 말했어. 하지만 이들이 달려갔어도 아무 일도 일어나지 않았겠지. 그랬으면 상황이 정말로 고약했을 거야.

난 정말 우스운 꼴이 되어 버렸을 거고.

가만, 저들이 내게 뭐라고 물었지?

〈꼬마야, 대체 넌 누구냐?〉

만일 저들이 알게 된다면······.

아니, 나 자신이 그걸 알 수만 있다면······.

······하지만 저들을 조금 안심시켜 줄 필요가 있어. 그러지 않으면 나를 여기에 오래 데리고 있지 않을 거야. 하지만 난 정말 여기에 머물고 싶어. 〈정상적〉인 시스템에서 멀리 떨어진 이곳에.

자, 카산드라, 노력 좀 해보자! 이제는 입을 열어 말을 좀 해야 할 때야.

24.

사람들은 다가와 카산드라를 빙 둘러싼다.

「난 〈이롱델 학교〉에서 왔어요.」

「태어난 곳은 어디지? 그전에는 무슨 일이 있었던 거냐?」 페트나가 묻는다. 그녀는 잠시 입을 다문다. 사람들은 참을성 있게 기다린다.

「이롱델 학교 이전에 말인가요? 〈테러 사건〉이 있었어요.」

「무슨 테러 사건 말이냐, 꼬마야?」

갑자기 격한 감정이 치밀어 목이 꽉 멘다. 이번에는 꿈의 이미지들이 아니라 실제의 추억들이 그녀의 기억에 물밀듯 들어오고 있다.

「……아버지와 어머니와 함께 있었어요. 우리는 어떤 이탈리아 오페라단이 공연하는 베르디의 〈나부코〉를 관람하러 갔었어요. 공연 장소는 이집트에 있는 쿠푸 왕의 피라미드 발치였지요.」

「난 오페라는 딱 질색이야!」 아무도 의견을 묻지 않았건만 김이 불쑥 말을 끊는다. 「난 로큰롤이 좋다고.」

「좀 조용히 해, 후작!」 오를랑도가 엄하게 소리친다. 「자, 계속해 봐, 꼬마야.」

카산드라는 허공 어딘가에 시선을 못 박은 채 말을 잇는다.

「……노예들의 합창이 고음으로 치닫고 있는 순간이었어요. 음악은 점점 더 웅장해지고 있었죠. 그런데…….」

그녀는 말을 중단하고 입을 멍하니 벌린 채로 잠시 있는다. 그러고는,

「갑자기 소변이 마려웠어요. 관람석에서 일어나 얼마 떨어진 곳에 설치된 화장실에 갔죠. 자리로 돌아가다가 난…….」

그녀의 몸이 파르르 떨린다.

「뭔데?」

「……폭발하는 걸 봤어요.」

그녀는 입을 다물고 눈을 아래로 내린다. 노숙자 패거리는 그녀가 침묵을 깰 때까지 기다려 준다. 그녀는 그 역한 공기

를 크게 한 모금 들이마시고는 다시금 말을 잇는다.

「그들이 무대 밑에다 폭탄을 장치해 놓았어요.」

그녀는 머리를 숙인다. 배어 나온 땀으로 이마가 번들거린다.

「고막이 꽉 막혀 버린 듯 아무 소리도 들리지 않았어요. 폐속의 공기가 갑자기 밖으로 쫙 빨려 나가는 느낌이었어요.」

「맞아, 바로 폭발풍 효과라는 거야.」 오를랑도는 이런 현상에 정통한 사람처럼 설명한다. 「그런데 넌 운이 좋았군. 폭탄이 옥외에서 터졌기에 망정이지…….」

「귀가 수많은 바늘들로 꿰뚫리는 것 같았어요. 허파는 타오르는 듯했고, 두 다리는 휘청거렸어요. 불로 된 구름이 보였어요. 마치 뇌에 전기 충격이 가해진 것처럼 격심한 고통이 두개골을 파고들었죠. 난 그대로 기절해 버렸어요.」

그녀는 두 눈을 꼭 감는다.

「그러고 나서…….」

그들은 기다린다.

「그러고 나서…… 아마도 몇 분 정도 후일 텐데, 난 다시 정신이 들었어요. 구조대는 아직 도착하지 않았더군요. 구급차도, 간호사도, 경찰도 보이지 않았어요. 보이는 것이라곤 거대한 연기, 그리고 물 밖에서 질식해 가는 물고기처럼 입을 딱 벌리고 있는 사람들뿐이었어요. 모든 게 조용하면서도 부산스러웠어요. 귀가 안 들리게 되었던 거예요.」

그녀는 다시 말을 중단하고 꿀꺽 침을 삼킨다.

「나는 그 시체들과 연기 한가운데를 네 발로 엉금엉금 기어가기 시작했어요. 살이 타는 끔찍한 냄새가 났지요. 그러고는 갑자기 소리가 돌아왔어요. 난 더 이상 귀머거리가 아니었고, 소란스러운 소리가 들리기 시작했죠. 입을 딱 벌리고 있는 사람들은 사실은 비명을 지르고 있었던 거예요. 사방에서 울부짖고 있었어요. 그 비명 소리들, 그 비명 소리들…… 절대

90

로 잊히지 않을 거예요.」

카산드라는 입을 다문다. 그리고 다시 말하기 시작했을 때, 그녀의 음성에는 자신과 관계없는 일을 얘기하듯이 아무런 감정이 묻어 있지 않다.

「나는 흩어져 있는 주검들 사이를 달렸어요. 결국 그분들을 찾을 수 있었죠. 부모님 말이에요. 산산조각이 나 있었어요. 난 어떻게 해야 할지 알 수 없었어요. 그냥 조각들을 주워 모았죠. 그렇게 해야 할 것 같은 느낌이 들었거든요.」

「꼭 오시리스의 신화 같은데?」김이 말한다. 「이집트에서 사랑하는 이의 조각들을 찾아 퍼즐처럼 한데 맞추고 있는 소녀라……」

「후작은 좀 닥치고! 얘기 좀 하게 놔둬! 자, 꼬마야, 빨리 계속해 봐라.」오를랑도가 참지 못하고 소리친다.

「난 무언가가 일어나기를 기다리면서 두 주검 옆에 머물러 있었어요. 구조대는 한참 후에야 도착했죠. 그들은 나를 병원으로 데려갔어요. 내게 안정제를 잔뜩 먹였죠.」

오랜 침묵이 흐른다. 카산드라의 두 눈에는 눈물도 비치지 않는다. 다만 어떤 메말라 버린 아픔으로 반짝일 뿐이다.

「그다음에 사회 복지사들이 여럿 나타났고, 그들은 나를 이롱델 학교에 넣어 주었어요. 거기서 몇 년간 지냈지요. 하지만 잘되지 못했어요. 결국 나는 도망쳐 나왔죠.」

오를랑도는 이해하겠다는 표정으로 천천히 고개를 끄덕인다.

「흐음, 그래서 꼬마가 폭발하는 꿈을 꾸는구먼. 테러 사건에서 부모를 잃은 거였어. 그래서 어디에서나 테러가 일어난다고 믿는 거야. 이건 P. T. S. 즉〈외상 후 스트레스 장애〉로 알려진 증상이지. 외인부대에서 이런 사람들의 이야기를 많이 들었어. 전쟁 중에 큰 충격을 받은 사람들이 꿈을 꿀 때마다 그 정신적 외상의 원인이 된 장면들을 다시 체험하는 거야. 그들은 그것이 진짜라고 생각하지. 베트남 전쟁에 참전한 미군들에게 많이 나타났던 현상이야.」

페트나는 카산드라에게 공기에 담긴 뜨거운 차를 내민다. 그녀는 받아 들고 멍한 표정으로 후룩후룩 마신다.

오를랑도는 그 거구를 벌떡 일으킨다.

「자, 꼬마야. 원한다면 날 따라와. 점심거리를 위해 사냥이나 해야겠다. 기분 전환이 좀 될 거다.」

25.

자, 이제 저들도 알게 됐어……

26.

쓰레기 무더기들이 들판과 언덕과 계곡과 봉우리와 절벽들을 이루고 있다. 산처럼 쌓인 잡동사니들에서는 김이 모락모락 피어오른다.

〈정상적인 세계〉에서 너무도 가까운 동시에 너무도 먼 이미지의 장소에, 이런 믿기지 않는 풍경이 펼쳐져 있는 것이다.

오를랑도와 카산드라는 그 한복판을 걷고 있다. 하늘에는 조그만 익룡을 연상케 하는 박쥐들이 퍼덕거리며 날고 있다.

한 좁다란 통로에 들어섰을 때, 갑자기 사내가 소녀를 거칠게 밀쳐 쓰러뜨린다.

「조심해!」

그는 그녀를 땅바닥에 납작 엎어지게 한 후, 머리통을 보호해 준다.

극빙이 쪼개지는 것 같은 굉음과 함께 커다란 덩어리 하나가 떨어져 나오더니, 전자 제품 잡동사니들을 허물어뜨린다.

순식간에 두 사람은 눈사태처럼 쏟아져 내리는 폐기물들에 덮이고 만다.

바이킹은 다시 몸을 일으키고는, 장난감들에 파묻혀 버린 소녀를 끌어내 준다.

「쯧쯧! 그러니까 조심해야 해.」 배는 산처럼 튀어나오고 수염은 금발인 사내가 혀를 찬다. 「이곳은 도처에 위험이 도사리고 있단 말이다, 꼬마야.」

이렇게 말하면서 자신의 긴 머리칼에 달라붙은 부스러기들을 열심히 떼어 낸다.

「난 쓰레기가 좋아. 하지만 그것들이 존재하게 된 이유 자체는 좋아하지 않지.」

그는 전선이 달려 있는 전기 보온 슬리퍼 한 짝을 가리켜 보인다.

「사람들은 무언가를 사기 전에 항상 자신에게 세 가지 질문을 던져야 해. 첫째, 이 물건이 내게 필요한가? 둘째, 내가 정말로 이 물건을 갖기를 원하는가? 셋째, 이 물건 없이는 살 수 없는가? 이렇게 질문하지 않으면, 우리가 사는 모든 것은 곧 쓰레기가 되고 말지. 자, 아직 포장도 뜯지 않은 채 버려진 이 물건들을 보라고! 정말 한심하지 않아? 난 이런 것만 보면 울화통이 치밀어. 장사꾼들은 광고를 통해 실제적인 필요와는 아무런 상관 없는 구매 충동을 자극하지. 이따위 것들이 정말로 필요한 거냐고.」

그는 손을 닦는 용도의 물휴지 봉지들과 일회용 화장지 봉지들을 가리킨다.

「우리 때는 손수건으로 코를 풀었지만, 아무 문제 없이 잘 살았어. 그리고 이것도 좀 봐.」

그는 그녀와 가까운 곳에서 장난감 하나를 주워 든다. 풀장에서 갖고 노는 기관 단총 형태의 물총이다.

「게다가 이것은 중국 사람들이 만들었어. 다시 말해서 우리나라 꼬마들이 10분 동안 가지고 놀다가 서랍에다 처박은 후에 결국 쓰레기통에 던져 버릴 이 장난감들을 만들려고, 중국의 어린이들이 비인간적인 공장에서 노예처럼 착취당하고 학대받고 있단 말이야.」

그는 정말로 성질이 나는지 땅에다 가래침을 탁 뱉는다.

「그리고 이런 아무짝에도 쓸모없는 물건들 때문에 프랑스가 중국에 지는 빚은 쌓여만 가고 있어. 갑자기 채무자 신세로 전락해 버린 거라고. 이런 개똥 같은 플라스틱 잡동사니들 때문에. 그러니 그들을 제대로 비판할 수나 있겠어? 그들이 티베트를 침략해도 아무 말도 하지 못하지. 또 수단, 짐바브웨, 이란, 혹은 북한 같은, 우리를 박살내 버릴 원자 폭탄을 준비하고 있는 잔인한 독재자들이 지배하는 나라들을 공개적으로 지지해도, 입 한 번 뻥긋 못한다고! 자, 이게 이 사소한 무책임한 행동들이 가져오는 결과야.」

과장이 조금 심하군. 물총 하나 때문에 독재자들이 생기는 건 아니잖아?

바이킹이 대포가 잔뜩 달린 장난감 우주선을 걷어찬다.

갑자기 멀리서 어떤 그림자가 휙 하고 지나간다. 오를랑도는 무기를 빼 들더니 겨냥하고, 발사한다. 달려가던 목표물은 완전히 꿰뚫린다.

「꼬마야, 너 지금 속으로 이렇게 생각하고 있지? 〈야, 이렇게 큰 쥐는 처음 본다! 꼭 토끼만 하네!〉…… 왜 이리 큰지 아니? 여기서는 쥐들이 마음껏 먹고, 번식하고, 살을 찌울 수 있기 때문이야. 〈시쓰장〉 밖에서는 자동차와 고양이와 인간과 빨간 과립 형태의 쥐약이 주는 스트레스에 시달려야 하지. 그러나 여기엔 스트레스가 없어. 이곳은 녀석들의 천국이야. 제약이 하나 있다면, 그건 다른 쥐들이지. 녀석들은 항상 저들끼리 싸워. 영역, 상한 고기 조각, 암컷, 뜯어진 밀가루 봉지를 놓고 피 터지게 싸워 대지. 오, 저쪽에 한 무리가 있군. 자, 한 마리 맞혀 보라고.」

그는 카산드라에게 자기 활을 들려 주고, 시위에 화살을 걸어 준다. 소녀는 시위를 입가에까지 당기고는 눈을 꼭 감고 시위를 놓는다. 쉭 소리를 내며 똑바로 날아간 화살은 살이 찢기는 소리와 함께 그 탄도를 마감한다.

「우와, 맞혔어! 꽤나 먼 거리였는데…… 처음 쏜 것치고는 대단하군. 어떻게 한 거야? 학교에서 양궁을 배웠나?」

「아뇨. 처음 쏴본 거예요.」

「브라보! 네겐 본능적인 활쏘기 감각이 있어. 흠, 아주 흥미롭군!」

이건 간단한 의식(意識)의 문제야. 내 정신 속에서 나와 쥐 사이에 하나의 연결선을 그어 놓지. 화살은 그 연결선을 구체화할 뿐이고. 하지만 이 사람에게 말해 봤자 소용없어. 이해 못 할 테니까.

그녀는 어깨를 으쓱해 보인다.

「운이 좋았어요.」 그녀는 그냥 눈을 깔면서 나직이 말한다.

그들은 쥐 20여 마리를 더 잡는다. 오를랑도는 마치 진주 알을 꿰어 목걸이를 만들듯, 녀석들을 끈 하나에 줄줄이 꿴다. 그러고는 허리에다 두르니, 마치 쥐로 만든 미니스커트를 걸친 품새이다. 늘어진 꼬리들이 길고 굵은 술처럼 찰랑거리는 괴상한 미니스커트.

두 사람이 마을로 돌아가자, 에스메랄다는 능숙한 솜씨로 설치류들의 무게를 가늠해 본다.

「신데렐라, 너도 빈둥거리지 말고 나 좀 도와줘. 이놈들을 자르고, 내장을 빼내고, 가죽을 무두질해야 해. 이걸 어디에다 쓰느냐고? 쥐 창자로는 바느질실을 만들어. 고기는 스튜를 끓여 먹고. 토끼 고기 맛이 나지. 가죽은 집시들에게 가져다주지. 그럼 걔들이 팔아 줘. 크기가 작은 가죽은 생투앙 벼룩시장으로 가서 지갑이나 담배쌈지 만드는 데 쓰이지. 제일 큰 것들은 모피장이들이 사가서 외투를 만드는데, 그들은 그게 시베리아산 수달이라고 속여서 팔아. 하지만 그건 그들 일이니, 우리가 신경 쓸 건 없어.」

카산드라의 눈에 다시금 그 여우가 들어온다. 녀석이 이번에는 서슴없이 다가오고 있다.

「저 녀석 이름은 음양(陰陽)이야. 우린 녀석을 죽이지 않아. 야성적이고, 길들이기 불가능하고, 쓰레기를 좋아한다는 점에서 우리와 다를 바 없으니까. 그래서 이 여우는 우리의 마스코트가 되었지. 그런데 녀석에겐 특별한 점이 하나 있어. 바로 〈일〉이란 단어만 들으면 난리를 친다는 점이지.」

과연 그 단어를 듣자마자 짐승은 송곳니를 드러낸다.

「항상 저런다니까. 자, 너도 한번 시험해 봐.」

「일?」

그러자 여우는 마치 적이라도 본 것처럼 나지막하게 으르렁댄다.

단어들. 단어의 힘. 단어들의 깊은 곳에 숨어 있는 의미. 〈일〉을 의미하는 〈트라바유travail〉란 프랑스어 단어는 노예들을 매질할 때 두 발을 묶어 놓는 삼각대를 의미하는 라틴어 〈트리팔리움tripalium〉에서 유래했지. 그래서 저 녀석이 저리도 싫어하는 걸까……?

「일, 일, 일?」

여우는 이번에는 금방이라도 달려들어 물어뜯을 듯한 기세로 캥하고 짖는다.

「정말이지 이 음양이 녀석은 우리와 같은 핏줄이야. 우리역시 이 단어에는 알레르기 반응을 일으키거든. 자, 나는 우리 여우 친구를 위해서라도 더 이상 이 단어를 입에 담지 않겠어.」

모두들 엎어 놓은 궤짝 주위에 둘러앉자, 그 위에 쥐를 엮은 미니스커트가 털썩 던져진다.

「자, 작업 개시!」 공작 부인이 주머니칼을 하나씩 나눠 주면서 소리친다.

카산드라는 부지런히 손을 놀리면서 동료들의 얼굴을 훑어본다.

「그럼, 여러분은요?」 불쑥 그녀가 묻는다. 「여러분은 과거에 어떤 삶을 사셨죠?」

즉석으로 꾸며진 탁자 주위로는 말도 안 된다는 식의 반발과 재미있다는 식의 호응이 반반씩 섞인 웅성임이 인다. 결국 페트나가 결정을 내린다.

「흠…… 그래, 이 애한테 얘기 못 할 것도 없잖은가? 자, 누가 먼저 시작하겠나?」

「좋아, 그럼 나부터 시작하지 뭐.」 에스메랄다는 조금 겸연쩍은 듯 손을 살짝 내저으며 입을 연다. 「내 이야기는 내가 미스 우량아로 뽑힌 6월의 어느 화창한 아침에 시작돼. 그 우량아 대회가 열린 병원은 산 미켈……」

그때 김이 갑자기 텔레비전 볼륨을 높인다. 속사포처럼 쏟아져 나오는 기자의 흥분된 목소리가 모든 스피커를 통해 울려 퍼진다.

「……오늘 오전 9시 30분, EFAP 화학 공장에서 폭발 사고가 있었습니다. 경찰의 잠정적인 의견에 따르면, 이는 민감한 화학제품들이 들어찬 창고의 노후화와 관리 부실에서 기인한 산업 재해입니다. 폭발로 인한 후폭풍은 주변 아파트 건물들의 유리창을 모두 박살 냈으며, 주변 도로를 운행하던 자동차들을 전복시켰습니다. 현재 파악된 바로는 20여 명이 사망하고 수백 명이 부상을 입었으며, 이 숫자는 갈수록 늘어날……」

27.

그래, 내가 맞았어!

28.

한 시간 후, 쓰레기 하치장 북쪽 입구 대문 앞에 카산드라가 서 있다. 그녀는 대속의 주민들이 주워 놓은 분홍색 운동복을 입고 있다. 또 끈도 없는 짝짝이 조깅화를 신었고, 상의로는 구멍이 몇 개 나 있는 빨간 스키용 방한 파카를 걸치고 있다.

에스메랄다가 그녀 앞에 선다.

「맞아, 우리가 사흘간 같이 있자고 했지. 하지만 미안해, 빨간 두건. 난 왠지 네가 재수 없는 애라는 기분이 들어.」

이 말에 김은 코웃음을 친다.

「난 어쨌든 상관없지만, 이건 우연의 일치일 뿐이야. 난 얘가 테러 사건을 미리 알았다는 헛소리 따위는 안 믿어. 여기서 합리적인 정신이 박힌 사람은 나뿐인 것 같은데 말이야, 애 꿈이 맞은 건 순전히 운이 좋았을 뿐이라고.」

오를랑도는 소녀의 시선을 피한다.

「공작 부인 말이 맞다. 꼬마야, 여길 떠나라. 그리고 우릴 잊어버려.」

페트나는 땅에다 침을 뱉는다.

「이거, 어떻게 설명해야 할지 모르겠구먼. 꼬마야, 진실을 알고 싶으냐? 우린 차라리 네가 틀렸으면 좋았을 거다. 그런데 네 꿈의 예측이 정확했다는 걸 알게 되니까, 우린 정말 겁난단 말이다. 내 말뜻을 이해할랑가 모르겠지만.」

「빨랑 꺼져 버리고, 다시는 돌아오지 마! 돌아오면 죽여 버릴 테니까!」 파란 머리 가닥의 청년이 위협한다.

이렇게 말하면서, 엄지손가락을 세워 목을 휙 그어 버리는 시늉까지 해 보인다. 에스메랄다가 소녀에게 다가가 다시 말한다.

「뭔지 알아, 베르나데트 수비루스? 만일 이곳에 예를 들어 언제 폭탄 테러가 터질지 알고 싶어 하는 사람이 있다면, 네 능력은 관심을 받겠지. 하지만 우린 달라. 우린 네가 상상도 못 할 정도로 그런 일에는 아예 관심이 없어. 사실은 우리만 그런 게 아니야. 이 세상에 그런 종류의 정보를 알지 못해서 안달하는 사람은 하나도 없어.」

페트나도 끼어들어 한마디 한다.

「그건 어느 누군가에게 떨어지는 벼락 같은 거다. 누군가가 당하게 되겠지만, 우리로선 어쩔 수 없는 것…… 그래서 자기만 당하지 않으면 된다는 생각으로 무심히 기다리고만 있는 것…….」

「테러? 사람들은 신경도 안 써. 왜냐면 테러의 피해자는 누군가 다른 사람일 거라는 게 모든 사람의 생각이니까. 더욱이 일반적으로 사람들은 〈다른 사람들〉을 좋아하지 않지.」

「특히 우리는 부르주아들이라면 이가 갈려.」 김이 덧붙인다. 「부르주아들은 모두 엿 같은 인간들이니까, 다 뒈져 버려도 괜찮아. 그런다고 해서 우리에겐 조금도 문제 될 게 없어. 아니, 오히려 신나는 일이지.」

카산드라는 대꾸하지 않고 건성으로 고개만 끄덕거린다. 이제는 이 모든 말들이 아무런 중요성도 없다는 듯이. 페트나는 땅에다 가래침을 뱉는다.

「내가 이래 봬도 자격증까지 있는 프로 주술사야. 그런데 보면, 사람들은 은근히 나를 두려워하고 또 경계하더군. 그러면서도 나를 용납하지……. 왠지 알아? 그것은 내 마법이 항상 맞아떨어지는 건 아니기 때문이야. 하지만 꼬마, 넌 달라. 네가 말한 아주 세세한 점까지 그대로 이루어졌어. 그래서 우린 네가 겁이 난다. 난 어떤 끔찍한 일들이 일어나고 난 후에 그 얘기를 듣고 싶지, 그 전에는 아니란 말이다.」

아프리카인은 자신의 말에 확실하게 마침표를 찍으려는 듯 다시 한 번 땅에다 가래침을 뱉는다. 머뭇머뭇 나타나기 시작한 햇살에 지면이 조금 덮혀져 있다. 그들 주위로 아직 할 일을 정하지 못한 파리 떼가 요란스레 윙윙대고 있다. 카산드라는 녀석들을 지켜본다.

3월의 여우비 날씨. 비가 왔다가 개기를 반복하는 날씨…… 비가 오면 몹시도 춥지. 해가 나도 파리 떼와 모기떼만 윙윙거리고.

파리 한 마리가 그녀의 이마에 내려앉지만, 구태여 쫓으려고 하지도 않는다.

에스메랄다가 말을 잇는다.

「신데렐라. 어차피, 넌 노숙자들보다는 부르주아들하고 같이 있는 편이 낫지 않겠어? 충고하는데, 그냥 고아원이든 학교든 있던 곳으로 다시 들어가. 그들은 네가 돌아오면 좋아할 거야. 지금 너 때문에 걱정하고 있지 않겠어?」

「맞아. 그리고 꼬마야, 집에 들어가면 우선 목욕부터 해라.」 오를랑도가 덧붙인다. 「이를 닦고 몸을 박박 문대서 씻으라고. 지금은 조금 익숙해져서 견뎌 내고 있고, 어쩌면 더 이상 느끼지 못할지도 모르겠지만, 이 하치장의 악취가 몸에 뱄을 거다.」

「맞아. 그건 기름처럼 피부에 들러붙지. 마르세유 검정 비누로 씻어 내야 해. 그게 최고이니라.」 페트나가 부드러운 목소리로 일러 준다.

그들은 에스메랄다가 헐렁한 드레스 주머니에 넣어 온 플라스틱 포도주 병을 돌려 한 모금씩 마신다.

카산드라는 짐짓 미소를 지어 보인다. 다른 사람들은 고개를 숙이고, 어서 이 고통스러운 순간이 지나가기만 바란다.

「자, 신데렐라, 어서 꺼져! 더 이상 꼴도 보기 싫단 말야!」 에스메랄다가 소리친다.

그래도 오를랑도는 이렇게 말한다.

「나중에, 아주 나중에, 20년 후에, 네가 결혼을 하고, 직장을 갖고, 아이들이 생기고, 그렇게 네 삶이 안정이 되면, 그때는 우릴 보러 와도 된다. 만일 어젯밤 일이 생각난다면 말이다. 하지만 지금은…… 미안하다, 꼬마야. 넌 아이일 뿐이고, 우린 널 돌봐 줄 수 없단다.」

김은 또 킬킬댄다.

「〈아이들이란 방귀와도 같다. 자기 방귀만을 참아 낼 수 있다는 점에서.〉」

「그 자동으로 튀어나오는 네 인용들은 정말이지 짜증나!」 오를랑도가 웅얼댄다.

「잘 가거라, 꼬마야. 그냥 우릴 잊어버려.」 아프리카인이 결론을 내린다.

오를랑도는 슈퍼마켓 비닐봉지를 하나 내민다. 그 안에는 각종 과자며, 뉴텔라 크림, 따뜻한 차가 가득 담긴 보온병, 그리고 유사시에 스스로를 보호하기 위한 주머니칼 하나가 들어 있다.

카산드라는 차 냄새를 흠흠 맡아 보면서, 미소 지어 감사를 표한다.

「우리의 슬로건은 명확해. 〈자기 똥은 자기가 치운다.〉」 에스메랄다가 매듭짓는다.

소녀는 알았다는 표시로 고개를 끄덕인다. 그런 다음 몸을 돌려 한쪽 발을 다른 발 앞에 옮긴다. 그런 식으로 한 걸음, 한 걸음 천천히 멀어져 간다. 그렇게 어느 정도 걸었을 때, 그들이 더 이상 자신을 볼 수 없는 거라고 확신했을 때, 촉촉하고도 따뜻한 액체가 홍채를 스르르 감싸며 내려오도록 놔둔다. 잿빛이기만 했던 그녀의 두 눈은, 세계를 반영하는 두 거울처럼 맑은 은빛으로 반짝인다.

29.

그래. 내 예감은 틀린 게 아니었어. 난 정말로 일들이 일어나기 전에 알고 있었던 거야.

30.

하늘이 어둑해진다. 다시 비가 내리기 시작한다. 걸음을 내딛을 때마다 발은 점점 더 무거워진다.

이 비는 하치장의 그 끈적끈적 달라붙는 악취를 씻어 주고 있어. 자, 내게 꼭 필요했던 샤워, 내게 다시 힘을 불어넣어 주는 샤워가 쏟아지고 있는 거야.

그녀는 비를 피하려 하지 않는다. 그저 수도가 있는 남쪽을 향해 도로를 따라 하염없이 걸을 뿐이다. 이롱델 학교는 벌써 지나왔다. 교장의 집이 눈에 들어오자, 그가 창문에 서 있을지도 모른다는 생각에 걸음을 재촉해 빨리 지나쳤다.

주변의 도시 풍경은 바뀌어 있다. 이제 훨씬 촘촘히 들어찬 빌딩들이 그녀를 둘러싸고 있다. 빌딩마다 솟아 나와 활짝활짝 펼쳐져 있는 둥근 위성 안테나들의 모습은 이 거대한 콘크리트 선인장들에서 피어난 꽃들처럼 보인다.

한없이 답답했던 느낌, 버림받았다는 느낌은 어느새 사라지고, 마음은 놀라우리만큼 가볍다.

그래! 난 적어도 이 비극을 막으려고 노력했어!

카산드라는 지금까지 자기 어깨를 짓누르던 책임감, 죽은 사람들에 대해 느끼던 책임감이 이제는 사라져 버렸음을 느낀다. 그 테러 사건은 이제 한번 들어가면 다시는 꺼낼 수 없는 〈과거〉라는 이름의 거대한 쓰레기통의 일부가 되어 버렸다. 죽은 이들은 영안실에 있고, 부상자들은 병원에 있다. 그 모든 비극들, 그 모든 고통들은 모든 것을 추억으로 변형시키는 시간에 의해 깨끗이 소화되어 버렸다.

그 이상한 대속의 주민들이 생각난다. 어떻게 상상이나 했으랴! 깨끗하다고 외려 비난받게 될 줄을. 미래를 예언했다고 도리어 원망받게 될 줄을.

카산드라 신드롬. 옳은 생각을 너무 일찍 하게 되는 저주.

따라서 아무도 귀를 기울여 주지 않는 사람이 되는 저주.

한 관광 기념품 상점 앞을 지난다. 거기에는 사람 이름들이 새겨진 잔이며 냅킨꽂이 등속이 잔뜩 진열되어 있다. 그리고 한 광고판 위에는 굵은 글씨로 이렇게 써져 있다. 〈좋은 이름을 선택하는 것, 그것은 성공행 티켓을 끊는 것입니다.〉

아냐! 고아 학교 교장도 비슷한 얘기를 했지만, 의미 없는 헛소리일 뿐이야.

이름에 운명을 프로그래밍하는 힘이라니.

어느 라디오 방송에서 알츠하이머병에 대해 들었던 내용이 떠오른다. 치매에 걸려 모든 것을 잊어버린 사람이 마지막으로 기억하는 것은 자신의 이름이라고 했다.

그리고 내가 처음 기억한 것도 이름이었어.

세상에는 이름만으로 알려지는 실체가 두 가지 존재하지. 바로 노숙자와 천사. 뉴스에서 어떤 노숙자가 소개되는 경우, 성 대신 〈노숙자〉라는 호칭을 붙이고 그다음에 이름을 말해. 〈노숙자 페르디낭〉 혹은 〈노숙자 알베르〉라는 식으로. 이름 밖에 없기는 천사들도 마찬가지야. 가브리엘, 라파엘, 미카엘 등등. 성은 없지.

결국 신도 마찬가지야. 〈신〉, 이것은 성이 없는 하나의 이름이니까.

맑고 커다란 회색 눈의 소녀는 거리에 널려 있는 무료 신문의 맨 뒷면에 자기 사진이 실려 있는 것을 발견한다.

〈카산드라 카첸버그, 17세, 이틀 전에 행방불명됨. 그녀에 대한 정보가 있으신 분은 속히 다음의 무료 번호로 연락 주시기 바랍니다.〉 이 글 바로 아래에는 조금 더 작은 활자로 이렇게 쓰여 있다. 〈경고. 이 소녀는 편집증 증세가 심하므로 위험할 수 있습니다. 마주치게 되면 붙잡으려 하지 말고, 즉시 경찰에 신고해 주시기 바랍니다.〉

카산드라는 다시 손목시계를 꺼낸다. 그것을 물끄러미 들여다보고 있으려니 문득 이런 생각이 든다. 이것의 발신자 〈d〉가 혹시 〈신dieu〉이라고 불리는 작자라면, 그는 지금 나를 가지고 놀고 있거나, 아니면 완전히 내팽개쳐 버린 거야……. 그녀는 손목시계를 쓰레기통에 던져 버린다. 그렇게 1백여 미터를 걷고 있는데, 문득 어떤 직관이 엄습한다.

가만, 교장이 뭐라고 말했었지?

〈……그건 조그만 소포야. 아마도 널 사랑하는 누군가가 보낸 거겠지.〉

다시 돌아와 쓰레기를 뒤져서, 그 수수께끼 같은 문자판이 있는 손목시계를 다시 꺼낸다. 문자판은 여전히 그녀를 조롱하는 듯한 내용을 표시하고 있다. 〈5초 후 사망 확률: 88%〉.

그녀는 특별한 목적지 없이 그냥 앞을 향하여 나아간다.

이렇게 맞게 된 첫 번째 저녁, 그녀는 맑게 갠 날씨를 이용하기로 하고 어느 공원 안으로 들어간다.

한참을 헤맨 끝에 벤치를 찾아낸다. 오늘 밤을 보낼 수 있는 공짜 침대이다.

그런데 둘러보니, 그녀 혼자만 있는 게 아니다. 별이 총총한 하늘 아래, 다른 노숙자들이 약간 떨어진 벤치들에 누워 있다.

그녀는 비닐봉지에서 과자 몇 개를 꺼내 먹는다. 앞으로 이어질 힘든 날들을 위해 양을 제한하면서.

앞날을 생각해야지.

이렇게 생각하니 스스로도 아이러니하게 느껴진다.

그녀는 이 소박한 저녁 식사를 따뜻한 차 한 모금으로 마무리한다. 건배의 뜻으로, 잔 대용의 보온병 뚜껑을 살짝 쳐들어 보면서. 외롭지만 자유롭게 느껴진다.

이 잔치, 고마워요, 남작님.

그런 다음, 벤치 위에 널려 있는 무료 신문 몇 부를 포개어 베개를 만들어 머리를 누인다. 그리고 웅크린 몸을 파르르 떨면서 잠 속에 빠져든다.

31.

꿈속에서 그녀는 어느 성 안에 있다. 벽은 그녀를 추위로부터 보호해 주고, 지붕은 비를 막아 준다. 방에 불결한 곤충이 보이지 않고, 지하실에 쥐가 없다. 그녀는 욕실로 향한다. 전체가 검은 대리석이고 샤워기는 황금으로 된 그 욕실에서 온수를 콸콸 틀어 놓고 샤워를 한다. 라벤더 향이 나는 샴푸로 긴 머리를 감고, 상앗빛 비누로 몸을 문지른다. 그렇게 벗겨져 나온 때가 녹아들자, 타일에 흐르는 물빛이 뿌예진다. 피부가 본래 색인 눈부신 분홍빛으로 돌아오자, 그녀는 따스한 목욕 가운을 걸치고 손톱과 발톱에 낀 더러움의 마지막 자취를 제거한 후에 빨간 매니큐어를 바른다. 은은한 아몬드 향이 나는 크림을 전신에 정성껏 바른 다음, 머리를 말리고 오래도록 빗질한다. 마치 애무하듯 부드럽게.

그녀는 지극한 행복감을 느끼며 화장대 앞에 앉아, 아이라이너와 마스카라로 눈 화장을 한다. 입술에는 짙은 붉은색 루주를 칠하고는, 그 반들거리는 물질이 주름 구석구석에 배도록 키스하듯 입술을 움쭉거린다. 이런 동작 하나하나는 그 어떤 남자도 이해할 수 없는, 아니 상상조차 할 수 없는 특별한 즐거움을 안겨 준다.

몸을 닦는 것. 치장하는 것. 아름답게 꾸미는 것. 머리를 빗는 것. 몸에 크림을 바르는 것.

창문 너머 저 멀리에 도시 하나가 눈에 들어온다. 그런데 여기저기에 폭탄이 터지고, 그때마다 주황색과 검은색이 뒤섞인 버섯구름 같은 것들이 풀썩풀썩 피어오른다. 그 빛나는 버섯들에서 비명 소리가 들려오지만 그녀는 개의치 않는다.

그녀는 양치질을 한 다음, 너무도 감미롭게 느껴지는 박하향 치약을 그대로 삼켜 버린다. 그리고 뜨거운 왁스를 발라 사용하는 제모 밴드로 다리를 다듬는다. 밴드를 떼어 낼 때마다 약간 아프지만, 그 따끔거리는 감촉이 오히려 기분 좋게 느껴진다. 그런 다음, 스타킹과 하이힐을 신는다. 쓰레기 하치장 무더기에서 숱하게 보았던 것들과 비슷한 것들이다.

실크 브래지어를 가슴에 두르고, 오렌지 향과 바닐라 향이 어우러진 향수를 목덜미에 뿌린다. 바로 이때, 또 다른 방에서 어떤 목소리가 들려온다.

「카산드라, 준비 됐어?」

문이 열리고, 따스한 미소를 머금은 아주 잘생긴 청년이 나타난다. 그의 가슴팍에는 문장(紋章)으로 d자가 수놓여 있다.

「내가 이 손목시계를 네게 주었어. 하지만 아직도 줄 것이 많이 남아 있지.」

그는 그녀를 품에 안고서⋯⋯

32.

……그녀에게 걸쭉한 침을 바르기 시작한다.

누군가 자신을 핥는 것이 느껴진다. 그녀는 행복하게 미소 짓다가, 이 열정적인 혓바닥이 지나치게 길다는 사실에 깜짝 놀라며 갑작스러운 의혹에 사로잡혀 눈을 번쩍 뜬다. 눈앞에는 아일랜드 셰퍼드 견종으로 보이는 커다란 털북숭이 개가 있다. 시청 직원인 듯한 사내가 개 끈을 당기자, 녀석은 즐거웠던 핥기 시술을 아쉬운 듯 중단한다.

직원은 그녀에게 이 벤치에 머물러 있으면 안 된다고 일러준다. 공원의 다른 이용객들이 보기 흉할 뿐 아니라, 아이들에게 겁을 줄 위험이 있다는 것이다. 그러고는 이렇게 덧붙인다.

「어쨌든 이건 법적으로 금지된 행위야.」

부스스 몸을 일으킨 카산드라 카첸버그는 잠든 동안 누군가가 먹을 것과 보온병과 주머니칼이 든 배낭을 훔쳐 갔다는 사실을 발견한다.

이제는 다른 노숙자들조차도 믿을 수 없게 되었어…….

그녀는 시내를 헤매다가, 거리에 널려 있는 공짜 조간지들을 주워 읽는다. 거기에는 EFAP공장에서 일어난 폭발 사고에 관한 기사가 실려 있다. 폭발이 두 차례 일어났다고 증언하는 이들도 있다. 하지만 이것이 누군가의 악의에 의한 행위일 가능성이 있다는 주장들은 모두가 근거 없는 것으로 여겨지고 있다. 반면, 사람들은 화학제품 생산 회사를 비난하고 있다. 관련 기관의 거듭된 경고에도 불구하고 노후한 시설을 현대화하지 않았다는 것이다.

한 노동자는 이렇게 설명한다.

「며칠 전에도 이 문제에 대해 아내와 얘기했었어요. 난 아내에게 이렇게 말했죠. 〈지금 너무도 형편없이 관리가 되고 있어서, 전기 합선이라도 일어나 불똥 하나만 튀면 모든 게 폭발해 버릴 판이야.〉 그랬더니 아내는 윗사람들에게 말하라고 하더군요. 말했죠. 하지만 아무도 내 얘기에 귀 기울이려 하지 않았어요.」

현장에 파견된 전문가들은 누전으로 인한 불똥의 가설이 옳음을 확인해 주고 있다. 변호사들의 발표에 따르면, 지탄의 대상이 되고 있는 회사는 피해자들에게 보상금을 지불할 용의가 있지만, 우선은 협상을 원한다고 한다. 총리는 오랜만에 노조들과 한 목소리를 내면서, 피해 노동자들의 복직을 소리 높여 요구하고 있다.

카산드라는 무료 신문의 페이지들을 넘겨 본다. 그녀의 사진은 아직 거기, 즉 맨 뒷면에 남아 있는데, 이번에는 공고문 위에 〈긴급 호소〉라는 말이 추가되어 있다.

교장 필리프 파파다키스야. 나를 찾으려고 꽤나 애쓰고 있군. 대체 왜 그럴까? 고아 기숙생이 한 명 없어졌다고 해서 뭐가 그리 큰일이냐고. 매년 가출하는 아이들이 수천 명이잖아. 그런데 날 가지고는 왜 이렇게 난리를 치는 걸까?

〈편집증〉이 있다고? 그래, 어쩌면 그럴지도 모르지. 하지만 보통 편집증 환자는 가공의 위험을 보는 사람이잖아. 그렇다면 나처럼 실제의 위험을 보는 사람은 뭐지? 〈명철한 환자〉? 그렇다면 더 정확히 이렇게 말해야지. 〈명철한 환자를 조심할 것〉이라고.

그녀는 테러 사건을 언급하고 있는 다른 신문들을 훑어본다. 모두가 이것은 안전사고였다고 주장한다. 다른 가설들은 모두 배제되고 있다. 유사한 폭발 사고가 발생할 위험성이 있는 이 나라의 다른 화학 공장들을 표시한 지도까지 제시되고 있다. 정부는 이른바 〈민감한〉 장소들에 대한 감시 기준을 강화할 것이라고 말하고 있다.

신문 읽기를 마친 그녀는 파리 북부에 위치한 몽마르트르 구역의 거리들을 정처 없이 걷는다. 행인들은 그녀에게 눈길도 주지 않는다. 마치 투명 인간이 되어 버린 것 같다. 아무도 그녀에게 귀찮게 굴지 않는다. 그녀는 또다시 한 공원에 들어가 거기서 두 번째 밤을 보내기로 한다. 약간 더 쌀쌀해진 공기로부터 몸을 보호하고자, 기와를 얹듯 켜켜이 쌓은 무료 신문들을 이불로 덮고, 태아 같은 자세로 웅크리고 눕는다. 배낭을 찾으려고 팔을 쭉 내밀었다가, 그것을 이미 잃어 버렸다는 사실을 기억해 낸다.

도둑맞지 않는 최선의 방법은 아무것도 소유하지 않는 거야.

잠에서 깨어나니 배가 너무도 고파 오기 시작한다. 그래서 패스트푸드 식당 주변의 쓰레기통들을 뒤져 먹을 것 몇 가지를 건져 낸다. 차디차게 식은 기름투성이의 감자튀김, 아직 폴리스티렌 통에 들어 있는 말라비틀어진 치킨 너겟 등이다. 하지만 보고 있으려니 구역질이 나서 도저히 먹을 수가 없다. 오페라 광장 쪽으로 가서 일류 레스토랑의 쓰레기통을 뒤져 보려 하지만 곧바로 쫓겨나고 만다. 그러자 이번에는 대로들 쪽으로 걸음을 옮겨서 슈퍼마켓 쓰레기통을 뒤져, 유통 기한이 지났다는 이유로 포장된 채로 버려진 음식물들을 찾아낸다. 그것들을 보니 오를랑도가 한 말이 떠오른다.

〈미생물들이 스타트 선에 한 줄로 서서 시계와 달력만 노려보고 있다가, 상표에 적힌 유효 기간이 끝나는 날 자정이 땡 치면 먹을 것을 향해 일제히 뛰기 시작하겠어?〉

하지만 한입 베어 물어 본 그녀는 곧바로 심한 구역질을 느끼며 다시 뱉어 낼 수밖에 없다. 모든 음식물에 표백액이 배어 있다. 쓰레기를 버리는 창고 직원이 있기에, 왜 음식물에 이런 지독한 물질을 쏟아붓느냐고 물었더니, 녹색 작업복 차림의 남자는 아주 간단하게 대답한다.

「우리가 버리는 상한 음식물을 누가 주워 먹고 식중독이라도 일으키면 어떡하라고? 우리가 법적 책임을 져야 하잖아.」

그러니까 이 사람들은 팔 수 없는 음식물을 필요한 이들에게 주기보다는, 법적인 문제들을 피하려고 그냥 못 먹는 것으로 만들어 버리고 있어…….

사흘째 되는 날, 카산드라는 전략의 첫 단계를 넘게 된다. 부끄러움도 체면도 잊고 온몸을 벅벅 긁어 대는 것이다.

항상 몸 한 군데가 근질근질한 것이, 손톱을 바짝 세워 피부에 피가 나도록 긁어 대고 싶어진다. 긁기가 때로는 풀타임 활동이 되기도 한다. 가장 시급한 부분들을 관리하기 위해 한 시간 동안 온 정신을 집중할 수 있는 것이다.

그녀는 뚜렷한 목적지 없이 이곳저곳을 떠돌아다닌다. 이것 역시 새로운 경험이다. 전에는 거리에 나오는 것은 A 지점에서 B 지점으로 가기 위해서였다. 거리는 이동하기 위한 하나의 수단이었다. 하지만 이제 그녀의 발길에는 정처가 없다. 아무런 만날 약속도 없이, 아무런 목적지도 없이 A지점 부근을 빙빙 돌 뿐이다.

이제 거리는 출발점이며 또한 도착점이다.

그렇게 정처 없이 떠돌아다니는 사람은 그녀만이 아니다. 전에는 그들의 모습을 보지 못했지만, 이제는 어디에나 보인다. 누구나 할 것 없이 몸을 벅벅 긁고 있고, A 지점에서 곧장 B 지점으로 가지 않는 걸인들과 노숙자들이다.

다른 〈투명 인간〉들이다.

그들은 쓰레기통을 뒤지고 있다. 배낭 같은 것들을 질질 끌고 다니고 있다. 비닐봉지들로 꽉 찬 카트를 밀고 다니고 있다. 그렇게 돌아다니다가 건물 정문의 현관 아래, 혹은 따뜻한 바람이 새어 나오는 지하철 환기구 위에 자리를 잡을 것이다. 그들은 자신이 아직 살아 있다는 사실 자체가 송구스러운 듯, 사람들의 시선을 감히 마주하지 못한다.

유령들…… 나 자신이 저들 중의 하나가 되니까, 비로소 보이는군. 영매들이 죽은 자들을 보듯이.

술병 옆에 퍼져 앉아, 초점이 풀린 눈으로 혼잣말을 하고 있는 한 노숙자가 눈에 들어온다. 그는 눈알을 이리저리 굴리며, 집게손가락으로 허공을 푹푹 찔러 대며 혼자 지껄이고 있다.

「……이 콩알만 한 녀석들아, 나를 만만하게 생각한다면 그건 니들이 오산한 거야. 내 말 잘 들어, 니들 같은 놈들은 하나도 겁 안 나. 안 나고말고! 왜, 내 말이 기분 나빠? 그래도 상관없어. 그러니까 내 앞에서 그렇게 개폼 잡으려 하지 말라고, 알았어? 내가 어떤 사람인지 잘 모르는 것 같은데 말이야!」

카산드라는 그를 불안한 눈으로 관찰한다. 에스메랄다가 뭐라고 했던가? 긁기 다음에 오는 전락의 두 번째 단계는 바로 혼잣말을 하는 거라고 했다. 그녀는 몸이 바르르 떨려 옴을 느끼면서, 독백을 하는 다른 노숙자들을 관찰한다.

나는 절대로 저렇게 되고 싶지 않아…….

카산드라는 셋째 날을 뤽상부르 공원에서 보낸다. 공원 분수대에서 고양이 세수를 한 다음, 어슬렁어슬렁 거리로 기어 나와 좀 더 노련해진 솜씨로 쓰레기통을 뒤진다. 이제 어떤 종류의 봉지 안에 더러운 것들이 들어 있는지 구별해 낼 수 있게 되었다. 햄스터의 주검, 기저귀, 생리대, 혹은 개나 고양이의 배설물…….

이제는 먹기 전에 냄새부터 맡아 보는 습관이 생겼다. 현대인들은 잊어버린 이 오래된 반사 작용을 그녀는 지금 다시 발견해 가고 있다. 방어를 위한 이빨과 손톱의 사용법을 되찾았듯이.

나는 정말로 선사 시대 여자가 돼가고 있어. 현대 사회의 한복판을 돌아다니고 있는 원시인.

쿵쿵 냄새를 맡아 본 후에는, 삼키기에 앞서 이빨 끝으로 살짝 물어 쉰 맛이 있는지 감지해 낸다. 전에는 정보를 주는 것이 상표였다면, 지금은 자신의 감각 기관들이다.

전락은 서서히, 가차 없이, 그리고 자연스럽게 이루어진다.

나흘째 되는 날, 다시 한 번 소화에 문제가 있음이 느껴진다. 하지만 나쁜 음식물에 대해 몸이 저항하는 단계는 이미 지난 듯하다. 그녀는 깨닫는다. 사람이란 모든 것에, 심지어는 몸에 해로운 식품들에까지 익숙해진다는 사실을.

15구의 콩방시옹 전철역 부근을 지나는데, 한 제과점 쇼윈도에 그녀가 가장 좋아하는 케이크가 진열되어 있는 게 보인다. 레몬 맛이 나는 타르트로, 위에는 아몬드 크림의 막이 살짝 입혀져 있고, 다시 그 위에는 초콜릿으로 〈레몬〉이라고 쓰여 있다. 가격표에는 2.5유로라고 적혀 있고.

그녀에게는 그 돈이 없다. 바로 이 순간, 바로 이 장소에 나타난 바로 이 케이크는 그녀에게 절대적인 탐욕의 대상이 된다.

카산드라 카첸버그는 무조건 제과점 안으로 들어간다.

「저 레몬 케이크를 사고 싶은데요, 돈이 없어요.」

계산대 뒤의 젊은 여자는 그녀의 얼굴을 훑어보더니, 이렇게 말한다.

「그럼 그 시계라도 줘요.」

「이건 시간이 안 나와요. 그냥 조크숍에서 파는 싸구려 장난감 시계일 뿐이에요.」

「괜찮아요. 난 조크숍 장난감들을 좋아해요.」

「이 시계는 약간 특별한 것이에요. 나를 사랑하는, 하지만 나는 알지 못하는 어떤 사람의 선물이죠.」

젊은 여자는 호기심 어린 눈으로 쳐다본다. 카산드라는 말을 잇는다.

「하지만 이 케이크가 너무 먹고 싶으니 어쩔 수 없죠. 자,

받아요!」

그녀는 〈5초 후 사망 확률: 88%〉라고 새겨진 손목시계를 내민다. 여자는 그 이상한 문구에 놀라 선뜻 받지를 못한다.

「이게 그렇게 먹고 싶다면 그냥 줄 테니 장난감 시계는 넣어 둬요. 자, 오늘은 공짜입니다.」

젊은 제빵사는 레몬 타르트 한 개를 냅킨 한 장과 함께 내민다. 그리고 맛을 충분히 음미할 수 있도록 숟가락 하나를 내주는 것도 잊지 않는다.

세상에는 너그러운 사람들도 있어. 그러니 사람들을 항상 의심하기만 해서는 안 되겠지. 이런 기회를 놓치게 될 수도 있으니까.

제빵사는 통통하게 살이 찐 몸매에, 발그레한 볼과 부드러운 표정의 소유자이다. 그녀에게서는 달콤한 우유 냄새가 난다.

「내 이름은 샤를로트예요. 당신은요?」

「난 아녜요.」

그녀는 잠시 뜸을 들이다가, 감정 없는 음성으로 덧붙인다.

「……내 이름은 샤를로트가 아니라고요.」

제빵사는 어깨를 으쓱해 보이고는, 〈영업이 끝났습니다〉라는 팻말을 가져다 입구의 유리문에 걸어 놓고는, 편안하게 앉아서 먹으라고 카산드라에게 권한다.

카산드라는 벌벌 떨리는 손으로 케이크를 받아 입으로 가져간다. 눈을 감고 한 입 한 입이 새롭고도 신선하게 느껴지는 그 맛을 음미한다. 이렇게 감미로운 것은 태어나서 먹어 본 적이 없다. 그녀는 아주 천천히 씹는다. 레몬 크림의 분자 하나하나까지 다 느껴지는 듯하다. 심지어는 치아까지도 상아질을 통해 그 단맛을 느끼고 있다. 혀로 크림을 입안 구석구석에 돌려 모든 세포들이 맛볼 수 있도록 해준다.

「저런, 아주 배가 고팠었나 봐요!」

카산드라는 대답하지 않는다. 입은 케이크로 가득 차 있고, 반쯤 감은 두 눈은 황홀경에 잠겨 있다. 샤를로트의 시선은 어딘가 먼 곳을 향한다.

「……한번은 한 남자가 무도회에서 내게 춤을 청했고, 나는 그가 진도를 더 나가리라고 생각했어요. 과연 그는 진도를 더 나갔지만, 그건 내 가장 친한 친구하고였어요. 나는 속이 뒤집히는 것 같았지요. 그러자 거기에 있던, 그러나 나는 잘 모르는 한 소녀가 내게 커다란 케이크 조각이 담긴 접시를 내밀었어요. 지금도 기억이 생생하네요. 그건 하얀 생크림이 듬뿍 얹힌 딸기 케이크였어요. 그녀는 모든 광경을 지켜봤던 것 같아요. 내게 이렇게 말하더군요. 〈자, 먹어! 최소한 이것은 남자들 같지 않아. 절대 실망시키지 않지.〉 그건 하나의 계시였어요. 미각의 쾌락은 모든 황홀함 중에서 가장 단순하면서도 강력하다는 걸 깨달은 거예요. 그런데, 우습게도 내 이름은 샤를로트예요. 사과 샤를로트[11]처럼 말이에요. 당신은 예언적인 이름이 있다는 사실을 믿어요?」

카산드라는 대답하려고 하지도 않는다. 제빵사는 땅이 꺼질 듯 한숨을 내쉰다.

「사랑, 그것은 항상 미래예요. 우리는 앞에 있는 사람이 자신의 미래의 남편이고, 그와 함께 미래의 아이를 가질 거라고 생각하죠. 심지어는 섹스도 미래예요. 우리는 오르가슴에 이를 거라고 믿어요. 하지만 언제나 실망만을 맛볼 뿐이죠. 아니면 더 큰 비극을 맛보든가요. 하지만 설탕을 먹는 건 달라요. 그건 완전한 현재죠. 나는 미래보다는 현재가 좋아요. 미래…… 그것은 언제나 제멋대로니까.」

두 여자는 서로를 응시한다. 카산드라는 생각한다.

11 찐 사과를 빵이나 스펀지케이크 등으로 싼 푸딩. 영어식 발음은 샬럿이다.

이 여자는 심심한 거야. 누군가와 얘기하고 싶어 해.

그녀에게는 사랑해 주는 사람이 없어. 이 여자가 내게 케이크를 준 까닭은, 자기 삶의 이야기를 들어 줄 사람이 필요해서야. 내게 준 이 케이크는 일종의 즉석 심리 치료 비용인 셈이지. 나라면 자기 심정을 이해해 주리라 생각했겠지.

샤를로트는 미소를 짓는다. 그리고 갑자기 말투를 바꾸며 이렇게 말한다.

「이것 봐, 카산드라 카첸버그. 내가 널 못 알아보리라 생각했니?」

맑고 커다란 회색 눈의 소녀의 몸이 미세하게 떨린다.

「네 사진이 계산대 위에 있어. 하지만 걱정 마. 신고하지는 않을 테니까.」

샤를로트는 샹티이 크림과 초콜릿 크림으로 듬뿍 채워진 파리브레스트[12] 하나를 집어 들어, 한입 가득 베어 물며 설명한다.

「우리 아버지는 알코올 중독자였어. 아주 난폭한 사람이었고, 엄마를 때렸지. 결국 엄마는 날 데리고 도망쳤어. 하지만 난 항상 울면서 신세 한탄만 하고 있는 엄마도 견딜 수가 없었어. 그래서 집을 나와 버렸지. 알겠니? 나도 가출했단다. 난 잠시 아버지를 찾았지만, 아버지는 이 나라를 뜬 후였어. 그 후론 다시 보지 못했지. 내가 기억하는 것은 아버지의 배에 문신이 있었다는 사실뿐이야. 뱀을 발톱으로 움켜쥐고 있는 독수리 그림이 배꼽 바로 위에 있었어.」

두 여자는 피스타치오 크림으로 채워진 조그만 슈크림 빵을 맛본다.

「넌? 네 부모님은 어떤데?」제빵사가 묻는다.

12 속은 크림으로 채우고, 위에는 아몬드 가루와 설탕 가루를 뿌린 고리 모양의 페이스트리.

「살해됐어요.」

어원학적으로 이 〈살해하다assassiner〉란 말은 페르시아의 암살단을 지칭하는 말인 〈하시신Haschischin〉에서 왔어. 그들은 무의식 상태에서 가급적 많은 사람을 죽이기 위해 하시시, 즉 대마초를 피웠다고 하지. 그리하면 죽은 후에 천국에 가서 처녀들을 차지할 수 있다고 믿었던 거지.

제빵사는 침을 꿀꺽 삼키더니, 입가를 닦는다.

「미안해. 자, 그럼 먹기나 하자. 지금, 그리고 여기에서 실컷 즐기는 거야.」

그녀는 커피 아이싱을 씌운 를리지외즈[13]를 하나 집어 들고는 한입에 삼켜 버릴 기세로 입으로 가져간다.

「나도 그것 하나 먹어도 되나요?」 카산드라가 공손히 묻는다.

「물론이지! 어차피 여기 있는 것들은 모두 버려야 할 것들이야. 왜냐면 내일이면 더 이상 신선하지 않으니까. 그러니 먹고 싶은 만큼 마음껏 먹어.」

이제 카산드라는 제빵사 옆에 앉아 진정한 감각의 향연으로 빠져든다. 버찌를 올린 타르틀렛, 약간 메마른 아몬드 조각이 씹히는 크루아상, 그리고 미라벨[14]을 올린 커스터드, 이런 것들을 제빵사와 함께 실컷 먹어 치운다. 샤를로트는 설명을 계속한다.

「난 이것들을 매일 저녁 먹는단다. 세상에서 이보다 더 좋은 것을 발견하지 못했어. 설탕, 그것은 우리로 하여금 모든 것을 견딜 수 있게 해주지. 샹티이 크림을 먹을 때는 이따금 전율을 느낄 때도 있어. 엄마 젖과도 비슷한 이 하얀 크림에서 엄마를 되찾는 느낌을 받기 때문인지도 몰라. 그리고 색

---

13 크림을 채우고, 아이싱으로 덮은 둥근 페이스트리를 눈사람 형태로 두 개를 포갠 것. 를리지외즈란 프랑스어로 〈수녀〉란 뜻이다.

14 서양 자두의 일종.

채와 형태의 면에서 보더라도, 케이크보다도 예쁘고 창조적인 것은 없어. 우리 몸 속에 집어넣는 덧없는 예술품이라고 할수 있지! 이런 걸 버린다고 생각하면 가슴이 찢어질 것 같아. 이렇게 남은 걸 둘이서 먹기는 이번이 처음이지만, 이러니까 훨씬 좋은데? 이걸 너와 나눌 수 있어서 너무 기뻐. 그러니 원한다면 언제든지 다시 와도 돼.」

순간, 카산드라는 흠칫 경직된다. 그녀는 들고 있던 미라벨 커스터드를 내동댕이치더니 밖으로 뛰쳐나간다.

33.

왜 이렇게 난 멍청한 거지?

저 제빵사는 내가 만날 수 있는 최악의 인간이라고! 그녀는 내게 거짓된 희망을 심어 주고 있어. 이제 이 감미로운 케이크들을 맛보았으니, 쓰레기들은 더 이상 참고 먹을 수 없게 돼버렸잖아. 그녀의 친절한 미소를 보았으니, 그 멸시에 찬 행인들의 시선을 더 이상 견뎌 낼 수 없게 돼버렸고.

여기에 다시 오느니 차라리 굶어 죽는 편이 나아. 내 입은 이 황홀한 맛들을 잊어버려야 한다고. 그래, 아무 일도 일어나지 않은 거야.

34.

카산드라는 손가락 두 개를 목구멍 깊숙이 집어넣어 먹은 걸 게워 내려 해본다. 하지만 허사이다.

내 세포들은 두뇌의 명령을 따르기에는 설탕을 너무도 좋아해.

카산드라는 몇 차례 더 시도하다가 결국은 포기하고 만다.

맑고 커다란 회색 눈의 소녀는 쓰레기통에서 모자 하나, 안경 하나, 외투 하나를 찾아낸다. 그녀의 사진을 본 사람들을 만나게 될 경우를 대비해 모습을 숨기기 위함이다. 특히 마음에 드는 것은 외투에 달린 큼직한 호주머니들이다. 쓰레기통에서 주운 음식물을 넣고 다니기에 안성맞춤이다.

며칠이나 그렇게 시내를 떠돌아다녔을까, 그녀는 사람들이 마치 전염병 환자를 피하듯 자신과 거리를 두려 한다는 사실을 발견한다. 이 병의 이름은 비참한 가난이다. 그 최초의 증상은 악취이고.

저들은 내 냄새에 이맛살을 찌푸리고 있어. 이제야 대속 주민들의 심정이 이해가 되는군. 김과 에스메랄다는 저들을 구해 달라고 애원하는 나를 비웃었지. 결국 그들이 옳았어. 저 부르주아들은 나의 적이기도 했어.

카산드라는 점점 더 심하게 긁어 댄다. 하지만 그러는 자신의 행동에 더 이상 신경도 쓰지 않는다.

어느 날 저녁, 센 강의 어느 다리 밑에서 잠을 청하고 있는데, 노숙자 세 명이서 위협적인 기세로 다가온다.

「난 가진 게 아무것도 없어요. 도둑맞아 벌써 다 털렸어요.」 그녀는 수상쩍은 세 사내에게 자신의 상황을 알려 준다.

「아니지, 아니지. 네겐 몸뚱이가 있잖아. 그리고 이쁜아, 우린 그걸 가지고 잠시 재밌게 놀아 볼 거야.」

뭐야? 이들도 미래가 보인다고 착각하고 있군. 코앞의 미래이긴 하지만.

「……세 분 선생님, 제가 한마디 하겠어요. 전 여러분이 예를 들어 제 몸을 〈가지고〉 조금 즐겨 보겠다는 생각에는 전혀 반대하지 않아요. 노숙자의 삶이 항상 유쾌하지만은 않다는 사실, 저도 잘 알고 있어요. 특히나 문화적 오락거리가 없으면 더욱 그렇죠.」

그들은 멍해져서 서로의 얼굴을 쳐다본다.

그래. 이게 바로 말의 힘이야.

「여러분의 생활은 매우 반복적이죠. 또 〈판에 박힌 일상은 창조적 정신과는 반대되는 것이다〉, 이것은 잘 알려진 사실이고요.」

특히 저들에게 경멸하는 빛을 보이지 않고 진지하게 말할 것. 각 단어를 정확하게 선택할 것. 단어마다 효과가 다르니까.

「하지만 저의 선의에도 불구하고, 오늘 저녁 저는 다른 일 때문에 꼼짝할 수가 없어요. 약간 우습게 들릴지도 모르겠습니다만, 전 오늘 사람들의 생명을 구해야 해요.」

그래, 한번 진실을 말해 보는 거야.

세 노숙자는 이 엉뚱한 사설(辭說)에 깜짝 놀라, 그녀의 얼굴을 한참 훑어본다. 하지만 뒤로 물러설 기색은 아니다. 그들 중 하나는 벌써 숨이 거칠어지고 있다.

뭐, 하는 수 없지. 저들의 의식 수준에 걸맞은 전통적인 설득 수단을 사용하는 수밖에.

그녀는 슬쩍 몸을 돌리는 척하다가, 갑자기 첫 번째 사내의 사타구니를 걷어찬다. 곧이어 독수리 발톱처럼 세운 손톱으로 두 번째 사내의 얼굴을 북 그은 다음, 세 번째 사내를 힘껏 깨물어 버린다. 입안에 뭔가 찝찔한 맛이 느껴지자 퉤하고 뱉고는, 세 마리의 서툰 곰들이 귀찮게 구는 한 마리 여우처럼 잽싸게 줄행랑을 놓는다.

그 후 며칠 동안, 그녀는 소외된 사람들 사이에는 그 어떤 연대 의식도 존재하지 않음을 확인한다. 그녀는 그들의 잠재적 먹잇감이 되어 버린다. 그런 식으로 불신을 배워 간다. 절대로 그들에게 너무 가까이 접근하지 말 것. 절대로 깊이 잠들지 말 것. 형제애란 한가한 부자 놈들의 일이라고 생각하는 그들에게 항상 일정한 거리를 둘 것.

날씨가 어두워진다. 또다시 번개가 번쩍거리고, 또다시 비가 쏟아진다.

샤워하게 해줘서 고마워.

액체의 기다란 선들이 그녀를 후려쳐 지하철역 안으로 피신하게 만든다. 새벽 1시라 지하철 문들이 닫히고 있었지만, 그 직전에 들어가는 데 성공한다.

지하철 플랫폼에는 긴 벤치는 없고, 노숙자들이 누울 수 없게끔 일정한 간격으로 분리되어 있는, 인정머리 없는 좌석들이 있을 뿐이다. 하지만 그녀는 너무도 피곤하여 다른 곳에 갈 힘조차 없다. 결국 그럭저럭 잠드는 데 성공한다. 머리는 한쪽 좌석에 놓이고, 엉덩이는 사이의 공간에 떠 있고, 두 다리는 다른 좌석에 걸친 채로.

35.

꿈속에서 거대한 레몬 타르트 하나가 그녀 앞에 내려앉는다. 그녀는 타르트에 기어올라 아몬드 반죽 위에 걸터앉는다. 타르트는 비행접시처럼 이륙하여 날아오르고, 그녀는 케이크의 언덕들이 끝없이 이어지는 어느 드넓은 고장을 내려다본다. 그랑 마르니에[15]를 섞은 분홍빛 크림의 강이 폭포가 되어 쏟아지고 있다.

미라벨 커스터드로 이루어진 다리 하나가 두 머랭[16] 절벽 사이를 연결하고 있다. 커피 아이싱 플리지외즈 하나를 말처럼 올라탄 샤를로트가 카산드라 쪽으로 날아오며 말한다.

---

15 코냑에 오렌지 향을 가미한 40도의 프랑스 혼성주. 진한 금색의 최상급 리큐어로, 스트레이트나 온더록스로 마시기도 하지만, 각종 칵테일이나 요리를 만들 때 이용하기도 한다.

16 설탕과 달걀흰자로 만든 크림 과자의 일종.

「넌 내가 널 못 알아볼 줄 알았니?」

카산드라는 눈을 들어 위쪽을 본다. 구름은 솜사탕으로 되어 있다. 공기에서는 따뜻한 캐러멜 차 냄새가 난다. 그런데 갑자기 하늘이 어두워진다. 솜사탕 구름들은 시커메져서 진한 초콜릿으로 덮인 슈크림 빵들로 변한다. 그리하여 초콜릿 빗물이 줄줄 흘러내린다. 하지만 초콜릿 빗물은 검어진 다음 붉어지고, 동시에 날카로운 유리 조각들이 떨어져 내리기 시작한다. 그녀는 자신의 몸을 덮는 이 붉은 액체가 초콜릿이 아닌 피라는 사실을 의식한다.

36.

발들이 뚜벅뚜벅 걸어오는 소리. 카산드라는 지하철역 문이 열리자, 갑자기 쏟아져 들어오는 군중이 내는 요란한 소리에 잠에서 깨어난다. 사람들은 오직 직장에 지각하지 않겠다는 일념에 찬 얼굴을 하고서 그녀 옆을 지나간다. 그녀는 일어나 지하철의 복도들을 정처 없이 걷는다. 배가 고프다.

이렇게 땡전 한 푼 없이 지낼 수는 없는 노릇이야. 적어도 5유로는 있어야지. 완전히 알몸이 돼 있는 기분이야.

이롱델 학교를 도망쳐 나오기 전에는 한 번도 이런 이상한 상황에 처해 본 일이 없다. 돈도 없고, 신분증도 없고, 호주머니는 텅 비어 있고, 배도 텅 비어 있다.

사람들은 끊임없이 움직이는 유동체처럼 그녀 주위를 미끄러지듯 흘러가고 있다.

저 사람들은 매일 원하는 신선한 음식을 먹을 수 있다는 사실이 얼마나 큰 행운인지 의식조차 못하고 있어. 그들은 돈과, 비를 피할 지붕과, 다리 뻗고 잘 수 있는 따뜻한 장소를 가지고 있다는 사실이 얼마나 소중한 것인지 모르지. 무언가를 소

유하고 있다는 것이 큰 특권이라는 사실을 깨닫기 위해서는 그것을 잃어 봐야 해.

카산드라는 지하의 복도들을 여기저기 돌아다닌다. 그러면서 지하철은 구걸을 하기에 이상적인 장소라는 사실을 발견한다. 그녀는 바닥에 앉아 손을 내민다. 누군가가 무심하게 내던진 50상팀짜리 동전 하나가 떨어진다. 어떤 안도감이 차오르고, 자신도 모르게 〈선생님, 고맙습니다!〉를 외치면서 몸을 숙여 절을 한다.

아, 이렇게 간단한 거였어? 그냥 손만 내밀면 돈이 떨어지는 거였네?

하지만 보헤미안 드레스를 걸친 여자 하나가 카산드라에게 당장에 꺼지라고 신호를 한다. 카산드라는 일전 불사의 기세로 벌떡 일어서지만, 집시 여인 뒤에 또 다른 여자 하나가 번득이는 나이프를 보여 준다. 카산드라는 더 이상 고집을 부리지 않는다.

카산드라는 구걸도 엄연히 하나의 직업이라는 사실을 발견한다. 여기에는 각자의 구역을 관리하는 전문가들이 존재하며, 이들은 거미가 자신의 거미줄을 감시하듯 자신의 영역을 감시한다. 이른바 〈물 좋은 목〉은 지하철 이용객들이 빽빽이 서서 열차가 올 때까지 꼼짝 없이 기다리고 있어야 하는 지점이다. 혹시 비어 있는 구역이라도 있을까 찾아보지만, 남아있는 게 있을 턱이 없다. 어딘가에 자리를 잡고 앉아 있으면, 곧바로 다른 걸인들이 나타나 사정없이 그녀를 쫓아 버린다.

이에 카산드라는 이동 구걸 수법을 시도해 본다. 지하철 객차들을 돌아다니며 이렇게 외친다. 〈신사 숙녀 여러분, 제발 적선해 주세요.〉 사람들은 그녀의 말을 못 들은 척한다. 그녀는 〈제가 먹을 수 있도록〉 혹은 〈도둑이 몽땅 털어 갔어요〉 같은 다른 말들도 해본다. 자신이 구걸하지 않을 때는 다른 걸인들이 어떻게 하는지 구경하면서, 구걸도 하나의 정교한 기술이라는 사실을 발견해 간다.

어떤 이들은 너무 긴 말을 염불하듯 외우거나, 자신의 삶을 주저리주저리 이야기한다. 〈신사 숙녀 여러분, 안녕하십니까. 우선 제게 귀 기울여 주셔서 감사부터 드리고 싶습니다. 여러분을 방해하고 싶지는 않지만, 제 인생의 상황들이 저를 이 자리에 서지 않을 수 없게 만들었습니다. 저는 직장에서 해고되고, 아내가 저를 떠났을 때 모든 것을 잃었습니다……〉

별로야.

사람들은 자신에 대해 설명하거나, 신세타령을 늘어놓는 이들을 좋아하지 않는다고.

익살스러운 걸인들도 있다. 〈저는 여러분들이 제게 아무것도 주지 않을 거란 걸 너무나도 잘 알고 있습죠. 하지만 그래도 습관상 이렇게 나와 봤어요. 하하, 오늘 무슨 일이 일어날지 모르잖습니까?〉

공격적인 이들도 있다. 〈사실 이 자리에 서 있어야 할 사람은 내가 아니라 바로 당신들이야. 왜냐면 내가 당신들보다 나으니까. 반대로 그 멍청한 상통을 하고 있는 당신들은 모두가 뒈져 버려야 마땅한데 말이야.〉

시인들도 있다. 〈몇 푼을 주신다면 전 감사하겠어요! 몇 냥을 주신다면 전 기쁘겠어요! 그냥 미소를 주신다면 전 배를 타겠어요.〉[17]

설명을 늘어놓기도 한다. 〈모든 것은 저의 집에 도둑이 들었을 때 시작되었습니다. 그것은 지난여름, 우리가 마른라발레 시에 살 때의 일이었죠. 속옷 뒤에다 숨겨 놓은 상자 속에

17 미소 〈수리르 *sourire*〉와 배 〈나비르 *navire*〉의 동일한 각운을 이용한 시적인 문장. 여기서 〈배〉에는 〈현재의 불행한 상황에서 떠날 수 있게 해주는 배〉 등의 긍정적인 의미가 있다.

제가 저축해 놓은 전 재산이 들어 있었습니다. 놈들은 모든 걸 가져갔고, 저는 모든 걸 잃어 버렸습니다.〉

생각을 요하는 블랙 유머도 있다. 〈만일 여러분께서 돈을 좀 주신다면, 그 돈은 오직 저의 알코올, 혹은 마약 소비를 위해서만 사용될 것을 분명히 약속드립니다. 그리고 저는 여러분 덕분으로 품질 좋은 유독 제품들만을 사용할 것입니다. 이상을 엄숙히 맹세하는 바입니다!〉

자신감이 넘치는 익살꾼도 있다. 〈죄송합니다만, 전 잔돈은 받지 않아요. 지폐만 받죠. 수표도 안 받습니다. 빵꾸 난 수표를 받아 고생한 경험이 있어서 이젠 조심하고 있어요.〉

마침내 카산드라는 최상의 문구를 찾아낸다. 가장 간단하면서도, 가장 설득력 있고, 그녀의 캐릭터에 딱 맞는 것이다. 〈제발 집으로 돌아갈 수 있게끔 도와주세요.〉

이렇게 하면 〈고객〉은 그녀가 집 나온 것을 후회하며 가족에게 돌아가기를 갈망하는 가출 소녀라고 생각할 수 있다. 카산드라는 이 그럴듯한 시나리오로 특히 노인들, 혹은 자신의 경우를 대입해 보는 부모들에게 제법 성공을 거둔다. 〈내 자식이 저렇게 집을 나왔는데, 누군가가 집에 돌아갈 수 있게끔 돈을 쥐여 준다면 얼마나 고맙겠어?〉 이것이 부모들의 마음이다. 이렇게 해서 성금 모금은 〈푸닥거리 구걸〉로 바뀐다. 자신의 액막이를 위해 암 퇴치 연구 재단 같은 곳에 기부하는 그런 심리를 이용하는 구걸인 것이다.

그녀의 사정에 대해 더 소상히 알고 싶어 하는 사람이 있으면, 그녀는 그들이 기대하는 시나리오를 제시한다.

〈저는 가출했지만 지금은 후회하고 있어요. 집에 돌아가서 고등학교 공부를 계속하고 싶어요.〉 이것의 효과가 신통치 않으면, 좀 더 복잡한 이야기를 꾸며 낸다. 자기는 변태 삼촌의 가엾은 성폭행 희생자로서, 방금 집을 뛰쳐나온 참이다. 이

이야기가 성공을 거두자, 이것을 발전시키고, 보다 자극적인 세부들을 첨가하는 데서 짜릿한 쾌감을 느낀다.

나는 지금 나의 이상적인 개인적 전설을 꾸며 내고 있어. 노숙자 생활은 사람을 허언증 환자로 만드는 것 같아.

때로는 빙글빙글 웃으면서 그녀의 엉덩이에 손을 올려놓는 사내들도 있다. 처음에는 발끈했지만, 차츰 무관심해진다.

가장 위험한 것은 영업 중인 다른 걸인들이다. 그들은 그녀에게 분명한 위협의 신호를 보낸다.

한 차례 물고 할퀴는 싸움이 벌어진다. 상대는 그녀와 비슷한 또래의 소녀였는데, 자신과 몰골이나 행동이 거의 비슷한 걸 보고는 음흉스러운 경쟁자라고 판단했던 모양이다.

이번에는 카산드라가 상대가 되지 않는다. 상대는 그녀보다 훨씬 더 지독하고도 강한 것이다. 두 소녀는 지하철 플랫폼 위를 뒹굴며 육박전을 벌인다. 카산드라가 물면 상대도 마주 물고, 머리칼을 잡아당기면 상대도 똑같이 반격해 온다. 카산드라는 그녀에게 동맹을 제의하고 싶다. 피차 들짐승 같은 두 사람이니 우정을 맺고, 정보를 교환하며 서로 도와 가며 살자고 말하고 싶다. 하지만 상대는 분노의 화신일 뿐이다. 카산드라는 섣부른 외교를 시도하기보다는 내빼는 쪽을 선택한다.

비가 멈추자 그녀는 밖으로 나온다. 공기는 한결 깨끗해졌지만 날씨는 훨씬 쌀쌀해져 있다. 밖에서 춥지 않게 잘 수 있는 방도를 찾아내야 한다. 이번에도 다른 노숙자들이 하는 것을 관찰한 그녀는 지하보도에서 올라오는 미지근하면서도 혼탁한 바람을 토해 내는 지하철 환기구 위에 누워 잠을 잔다.

어느 순간, 그녀는 어떤 흉측한 여자애와 마주친다. 이 경쟁자와 한판 벌이려고 마음먹고 있는데, 가만히 쳐다보니 그 여자애는…… 바로 거울에 비친 자신이었다!

아냐, 말도 안 돼! 내가 이렇게 됐을 리가 없어!

카산드라는 자기 모습을 못 본 지가 벌써 여러 날이 됐다는 사실을 깨닫는다.

그녀는 자신의 모습을 하나하나 뜯어본다.

내가 누구지? 오, 맙소사! 내가 정말 누구지?

그녀는 모든 아름다움과, 모든 우아함과, 모든 여성스러움을 잃어버렸다. 이제는 꽃잎이 다 떨어져 내린 꽃에 불과하다. 다만 가시 돋친 꽃대만 남아 있어서, 나비들은 도망가고 파리 떼만 달라붙는 매력 없는 꽃.

좀 더 자세히 살펴보니, 모공마다 때가 끼어 새까만 점처럼 보인다.

김은 내가 〈부르주아의 깨끗한 손〉을 가졌다고 욕했었지. 이제 이 꼴이 되었으니 더 이상 욕할 수도 없겠네.

저게 정말 그 여자애 맞아? 손가락을 더럽히지 않으려고 항상 팔꿈치로 변기 버튼을 누르던 여자애? 변기 위에 위생지를 둥글게 깔지 않으면 앉으려고도 하지 않던 여자애?

치약으로 양치질을 해본 지가 아득한 옛날처럼 느껴진다. 입속은 항상 끈적끈적한 것이 찜찜하기 그지없다. 입 앞에 손을 대고 자신의 입 냄새를 맡아 본다. 세상에! 자기 냄새인데 이렇게 역할 수가 있을까?

카산드라는 고딕 스타일로 외모를 꾸미기로 결정한다.

〈약점을 받아들여라. 그러면 하나의 예술적 선택이 되리라.〉 오를랑도가 들었다면 소리를 빽 질렀을, 하지만 김이라면 자기 티셔츠 위에 새겨 놓았음 직한 또 다른 격언이다.

그녀는 첫 번째 쓰레기통에서 검정 군화 한 켤레를 찾아낸다. 가죽이 두껍고 구멍이 뚫려 있지만, 그래도 오른쪽과 왼쪽이 닮았으니 그게 어디인가. 두 번째 쓰레기통 밑바닥에서 건져 낸 것은 인두로 해골 그림을 새겨 넣은 검은 가죽점퍼이다. 너덜너덜 찢겨 있지만 카산드라는 개의치 않는다. 그녀는 찢긴 곳을 기운답시고 집게, 옷핀, 못, 양끝못 등을 추가하여 한층 험상궂은 옷을 만든다. 또 검정색 화장품 찌꺼기를 찾아 내어, 금 간 거울을 보면서 하나의 캐릭터를 만들어 낸다.

……내 약점들을 받아들여 그것들을 예술적으로 변형시키 기 위해. 또 부자들을 겁주기 위해.

그녀는 검정 가죽 장갑 한 켤레를 찾아내, 손가락 부분을 싹둑 잘라 내어 반장갑으로 만든다. 이제 복장이 완벽하게 갖 추어졌다. 포식자들을 물리치기 위해 가급적 가장 혐오스러 운 몰골이 되는 것…… 그녀는 이 동물적 본능을 되찾은 것이 다. 스컹크의 악취와 늑대의 으스스한 모습은 그 효율성을 충분히 입증한 생존 전략들이 아니었던가? 그녀는 이렇게 흉 측하게 분장된 자신이 거리의 진열창에 비친 모습을 물끄러 미 쳐다본다.

이제 내게 남은 사회적 기능은 하나야. 바로 허수아비지.

여러 각도에서 자신의 모습을 뜯어보던 그녀는 자신이 한 여배우와 닮았다는 사실을 깨닫는다.

맞아. 「레퀴엠」에 나온 제니퍼 코넬리. 내가 더 어리고, 고 딕 분위기가 더 강하긴 하지만.

새로이 얻게 된 모습에 용기백배한 그녀는 슈퍼마켓들을 돌아다니며 먹을 것을 슬쩍해 오는 습관을 붙인다. 그런 그 녀를 경비원들조차 그냥 가게 놔둔다. 손을 대다가 이가 옮 든지, 아니면 물릴까 봐 겁나는 모양이다. 그녀는 조금이라도 위협의 기미가 보이면 이를 온통 드러내고 으르렁댄다.

여우 음양이처럼 하는 거야.

카산드라는 어느 으슥한 막다른 골목의 한구석에서, 벽에 난 갈라진 틈 하나를 발견하고 그걸 자신의 금고로 삼는다. 그 안에다 아직 작동하는 라디오, 수첩 한 권과 만년필 한 자

루, 나이프 하나, 병 하나, 아스피린 한 통, 비누, 면도칼, 손전
등, 과자 몇 봉지를 넣는다.

내 전 재산이야.

소녀는 이 모든 것이 사람들의 눈에 띄지 않게끔 구멍을 벽
돌 하나로 막아 놓는다. 이렇게 그녀의 소지품 전체가 들어 있
는 이 구멍은 그녀의 아주 작은 〈우리 집〉이 된다. 기껏해야 수
십 세제곱센티미터밖에 안 되는 작은 공간이지만, 어엿한 영
토다. 그녀의 행동반경은 여기에서 지나치게 멀어지지 않는다.

비가 쏟아지는 어느 날, 과자가 습기로 눅눅해져 버린 것을
발견한다. 그녀는 모든 것을 비닐봉지 하나 안에 집어넣어야
겠다고 생각한다. 〈방수 비닐로 모든 것을 싸둘 것〉, 이것이
훌륭한 노숙자가 되기 위한 규칙 제1번이다. 우선은 쪼그리
고 앉아서 젖은 과자를 우물우물 씹는다.

*난 절대로 불행에 굴복하지 않을 거야. 아무리 힘든 시련
이......*

「닥친다 해도 나는 맞서 싸울 거고, 절대로 무너지지......」

......맙소사, 내가 혼잣말을 하고 말았어!

그녀는 자신의 입을 손으로 막으며, 충격적인 사실을 의식
한다. 〈힘든 시련이〉까지는 머릿속으로 생각했지만, 〈닥친다
해도〉부터는 부지중에 입으로 말한 것이다.

이제 전략의 두 번째 단계를 넘은 셈이다. 긁는 단계 후에
온다는 독백의 단계이다.

그다음에는 세 번째 단계가 오겠지. 세 번째 단계는 뭘까?
그것은 아마도 미쳐 버리는 것이리라.

난 미치고 싶지 않아.

자신이 이렇게 갑자기 약해져 버린 이유를 찾아본다.

*그건 요즘 아무와도 지적인 대화를 나누지 않았고, 책도 읽
지 않았기 때문이야. 한마디로 내 두뇌는 제대로 관리되지 못*

했어.

그녀는 곰곰이 생각해 본다.

*미치지 않으려면, 정신에 양분을 공급해야 해……. 그래, 책
이야! 책이 유일한 치료책이야. 빨리!*

37.

그녀는 자신을 치료해 줄 병원에 들어가듯, 어느 대형 문화
매장의 입구를 넘는다.

비디오 게임들을 들여다본다. 만화책과 영화 DVD와 소설
들을 훑어본다. 두뇌의 케이크들이다. 요 며칠 동안 그녀에게
가장 필요했던 것, 바로 정신의 진미들이다. 쌓여 있는 앨범
판형의 만화책들을 쓰다듬어 본다. 소설책들의 냄새를 맡아
본다. 종이와 잉크와 포장용 셀로판지의 냄새를 음미한다.

어디를 가든 화려한 표지들, 그리고 갖가지 비극과 희극을
암시하는 제목들이 그녀의 눈을 황홀하게 한다.

비디오 게임 코너에서는 잠재적 간질 환자들인 아이들이
원형, 사각형, 삼각형, 그리고 십자형의 버튼들을 죽기 살기로
눌러 대고 있다. 약간 떨어진 곳에서는 다른 아이들이 바닥에
뒹굴며 벨기에 만화들, 혹은 자극적이고도 폭력적인 이미지
들로 가득한 일본 만화들의 책장을 맹렬하게 넘기고 있다.

그녀는 진열대들 사이에 난 좁은 통로를 걷는다. 마법의 정
원에 난 산책로들이라 할 수 있다. 먼저 소설을 훑어본 다음
교양서적 쪽으로 온다. 거기에서 역사 및 전기물 코너를 발견
한다. 곧이어 바로 그 책, 『카산드라의 저주』가 눈에 들어온다.

표지에는 낯익은 인물이 그려져 있다. 흰색의 토가 차림에
손목에는 뱀을 감고서 황금 보좌에 앉아 있던 꿈속의 그 여자
이다. 카산드라는 책 앞부분을 빨리빨리 넘긴다. 그리고 마침

내, 자신의 동명이인의 생의 뒷부분을 이야기하는 부분을 찾아낸다. 그녀는 바닥에 주저앉아 벽에 등을 기대고서 읽기 시작한다.

〈……카산드라는 잃어버렸다고만 생각했던 오빠, 파리스를 찾게 되었다. 하지만 그녀는 그가 무책임한 행동으로 온 나라에 문제를 몰고 올 거라는 예감을 받았다.〉

파리스…… 그리고 카산드라. 가만, 파리스는 지금 내가 있는 도시의 이름이잖아? ……아냐, 이건 단순히 우연의 일치일 뿐이야. 우연히 이름이 비슷한 것일 뿐이야.

〈파리스는 그가 태어날 때 어머니 헤카베가 꾼 불길한 꿈 때문에 아버지 프리아모스 왕에게서 버림받은 뒤, 한 가난한 양치기에 의해 키워진 청년이었다. 하지만 어른이 된 파리스는 아버지를 다시 만나게 되었고, 프리아모스는 그를 받아들였다. 아들을 버렸던 것을 후회한 왕은 그를 자신의 후계자로 인정했다. 파리스는 미남인 데다 뛰어난 운동선수여서 트로이 국민의 사랑을 한 몸에 받았다. 이를 시기한 형 헥토르는 프리아모스 왕에게, 파리스를 그리스로 보내어 그리스인들이 납치해 간 숙모의 귀환을 협상하게 할 것을 건의했다. 바로 여기서 카산드라가 끼어들어 이렇게 경고한다. 《저는 불길한 예감이 들어요. 만일 파리스가 그리스에 가게 되면, 이로 인해 트로이에 큰 불행이 닥칠 것 같아요. 파리스는 절대로 거기에 가면 안 됩니다.》하지만 결국 파리스는 떠났고, 스파르타에서 헬레네를 데리고 돌아왔다. 헬레네는 그리스의 한 왕인 아가멤논의 동생 메넬라오스의 아내였다. 파리스는 이렇게 말했다. 《그리스인들은 우리에게서 한 여인을 납치해 갔다. 그러니 우리도 그들 중의 한 여인을 데려온 것뿐이다.》

카산드라는 즉각 이렇게 말했다. 《이 여자는 두 민족 사이에 큰 전쟁을 몰고 올 것입니다.》하지만 트로이 국민은 헬레

네가 여신처럼 아름다울 뿐 아니라 왕자를 진심으로 사랑하는 것을 보고는, 카산드라의 불길한 예언에도 불구하고 파리스의 선택을 지지했다. 파리스는 카산드라에게 쏘아붙였다. 《닥쳐, 재수 없는 것 같으니!》 그녀의 아버지인 프리아모스도 이렇게 말했다. 《이 마녀야! 우리에게 불행을 끌어오는 것은 오히려 너의 고약한 환상이야!》 하지만 몇 달 후, 파리스와 헬레네의 결혼식이 거행되고 있는데, 수평선에서 무수한 그리스 전함들이 나타나는 것이 보였다. 아가멤논 왕과 그의 동생 메넬라스는 트로이 성을 치기 위한 그리스 도시 국가들의 연맹을 이루는 데 성공했던 것이다.〉

카산드라는 다시 몇 개의 장(章)을 건너뛴다.

〈……전쟁은 장기화되었지만, 그리스인들은 여전히 트로이 성을 함락시키지 못하고 있었다. 이에 오디세우스는 묘안을 짜내었다. 어마어마한 크기의 목마를 하나 만들어 강화의 표시로 프리아모스에게 선사한 것이다. 그러자 카산드라가 말하기를…….〉

「아가씨, 당신은 그 책을 읽을 권리가 없어요. 해결책은 두 가지예요. 그 책을 제자리에 가져다 놓든지, 아니면 돈을 내고 사든지 해요.」

난 세 번째 해결책도 알고 있어.

카산드라는 벌떡 일어나더니 다짜고짜 매장을 가로질러 달린다. 몇 사람이 쫓아오려고 해보지만 꼭 잡으려고 하는 것 같지는 않다. 아마도 자기 손을 더럽히게 될까 봐 겁이 났든지, 아니면 그깟 책 한 권 때문에 지나치게 힘을 뺄 필요는 없다고 판단한 모양이다.

카산드라는 자동 경보 장치가 요란하게 발동되는 소리를 들으며 매장 정문을 뚫고 뛰어나온다. 그리고 수많은 거리와 대로를 마냥 달려 마침내 한 건물의 정문 아래에 몸을 숨긴다. 가쁜 숨을 몰아쉬며 땅바닥에 주저앉은 그녀는 곧바로 자신의 고대 동명이인의 모험담을 이어서 읽기 시작한다.

〈……말하기를 《나는 그리스인들과 그들의 선물이 두려워요》라고 했다. 하지만 아무도 그녀의 말에 귀를 기울이지 않았고, 트로이 사람들은 결국 그 거대한 목마를 받아들였다. 밤이 되자, 목마의 텅 빈 배 속에 숨어 있던 그리스 병사들이 기어 나왔다. 오디세우스가 이끄는 그들은 도성의 성문들을 열어 아가멤논의 군대를 들어오게 했다.

〈트로이 주민들이 잠자는 틈을 타서, 그리스 병사들은 오디세우스의 지휘하에 그들을 죽이고 도성을 파괴했다. 병사들은 도성 주민 전체를 학살했다……〉

카산드라는 읽기를 멈춘다.

정말이지 이 오디세우스는 나쁜 놈이네. 호메로스의 책에서는 영웅으로 소개되고 있지만, 실제로는 평화 조약도 준수하지 않고 야음을 틈타 자고 있는 주민들을 학살한 간교한 자일 뿐이야.

다시 읽어 내려간다.

〈……이렇게 주민 모두를 학살했지만, 한 사람만은 손대지 않았으니, 바로 카산드라 공주였다. 포로로 잡힌 그녀는 아가멤논에게 전리품으로 바쳐졌다.〉

조국은 파괴됐는데 혼자만 살아남은 것, 〈난 경고했었어! 하지만 아무도 내 말에 귀를 기울이려 하지 않았어. 도대체 왜?〉라고 원통해하며 살아가야 하는 것, 이것이 그녀의 가혹한 형벌인 것일까?

책의 마지막 페이지는 차마 읽고 싶지가 않다. 그대로 책을 덮어 공원의 벤치 위에 던져 버린다.

왜 내가 이렇듯 이 동명이인의 삶에 대해 알려고 애를 쓰고 있지? 이런 행동은 내 자신의 운명에 대한 내 이름의 영향력을 확실하게 해줄 뿐이라고. 맞아, 이게 바로 함정이었어! 파파다키스는 내가 고대의 카산드라의 이야기를 발견하게 함으로써, 그녀와 똑같은 삶을 걸어가게끔 유도한 거였어.

그녀는 확률의 손목시계를 꺼낸다. 그것을 내던져 버리고 싶은 생각이 또다시 든 것이다.

난 그리스인들과 그들의 선물이 두려워.

이때, 시계의 한 부분이 그녀의 눈길을 끈다. 가로등의 백색광 아래에서 그것을 좀 더 자세히 들여다본다. 시계의 측면, 누름단추 부근에 무언가가 새겨져 있다. 그녀는 그 깨알 같은 글자들을 읽어 내는 데 성공한다. 파리 14구, 데파르 가 42번지, 몽파르나스 타워 빌딩 55층, 〈미래 보험〉.

38.

겸허해질 필요가 있어. 나는 멀리 보고 또 미래를 보지만, 가까운 데 있는 것, 현재의 것을 검토할 생각은 하지 않아.

모든 해결책들과 모든 대답들이 바로 내 앞에 있는데 말이야.

39.

도시 한복판에 우뚝 솟아있는 몽파르나스 빌딩은 영화 「2001, 스페이스 오디세이」에 나오는 거대한 돌기둥을 방불케 한다.

카산드라는 데파르 가의 정문을 통해 건물로 들어가, 곧장 엘리베이터로 향한다. 버튼을 눌러 55층을 입력하자, 권양 시스템의 강력한 전기 모터들이 끌어올리는 엘리베이터는 불과 38초만에 빌딩 꼭대기에 도달한다(승강기 내부에는 이것이 세계에서 가장 빠른 엘리베이터라고 주장하는 안내문이 붙어 있다).

승강기에서 내린 카산드라는 죽 늘어서 있는 비슷비슷한 문들을 발견한다. 그중 하나에 붙어 있는 번쩍거리는 황동판에 〈미래 보험〉이라고 쓰여 있고, 그 위에는 화살표가 그려져 있다.

그녀는 유리문을 열고 들어가지만, 안내 데스크에까지 도달하지는 못한다. 제복과 챙이 달린 제모를 쓴 경비원이 그녀 앞을 딱 막아선 것이다.

「꺼져! 거지들은 여기 못 들어와! 나가!」

그러고 보니 자신이 악취를 풍긴다는 사실을 잊고 있었다. 옷차림 자체는 환상을 줄 수도 있지만, 땀과 때로 전 몸은 심한 악취를 내뿜고 있는 것이다. 사실은 옷차림도 문제다. 그녀가 새로이 채택한 파괴적인 분위기가 물씬 나는 고딕 킬러 스타일은 이런 사업체 사무실을 방문하기에 썩 적합하다고는 할 수 없다.

〈경비〉 배지를 단 사내가 그녀의 방어 영역을 침범하여 함부로 몸에 손을 대자, 몸이 파르르 떨린다. 하지만 그녀는 억누르기 힘든 방어의 욕구를 가까스로 다스린다. 미안하다고 가볍게 손짓을 한 뒤 아래층으로 내려와 화장실에 숨어든다. 그리고 몸을 벅벅 긁으면서 이따가 저녁때 직원들이 모두 퇴근하고 나면 다시 가리라 마음먹는다.

이제 잎이 무성한 어떤 식물 뒤에 몸을 숨긴 카산드라는 멀리서 〈미래 보험〉의 입구를 지켜본다. 경비는 아직도 거기 있지만, 한 청소부 여자와 대화를 나누는 중이다. 카산드라는 그들이 잠시 한눈을 파는 틈을 타서, 살그머니 복도를 지나 〈미래 보험〉의 입구를 넘어선다. 그리고 경비의 눈에 띄지 않게끔 살금살금 로비를 지나 회사 복도로 들어간다.

바닥에는 분홍과 회색이 섞인 두툼한 카펫이 깔려 있어 걸어도 소리가 나지 않는다. 은은한 빛을 흘리는 조사 등들이 점점이 박혀 있는 천장 아래, 역시 회색과 분홍 색조로 래커 칠이 된 가구들은 나전을 씌운 듯 색이 곱다. 운동장처럼 널찍한 응접실에는 가죽 소파들이 여기저기 흩어져 있고, 유리 벽 너머로는 파리의 밤 풍경이 시원하게 펼쳐져 있다. 에펠 탑, 긴 혈관처럼 보이는 샹젤리제 대로, 그리고 센 강과 환하게 밝혀진 다리들이 한눈에 들어온다.

벽에는 포스터 한 장이 붙어 있는데, 이렇게 쓰여 있다. 〈미래 보험. 우리는 피보험자들의 미래를 깊이 생각하고 있습니다.〉이 문구 아래에는 물론 이미지가 있다. 검정 스타킹에 감싸인 긴 다리를 드러낸 핀업걸이 몽파르나스 빌딩 꼭대기에 걸터앉아 한쪽 눈에 망원경을 대고 어딘가를 보고 있다. 그리고 그녀의 암적색의 입술에서는 다음의 글이 적힌 말풍선이 흘러나오고 있다. 〈당신이 보는 미래는 어떠세요?〉

내가 보는 미래는 어떠냐고……?

마치 카산드라 카첸버그 자신에게 하는 말처럼 들린다. 무엇인지 정확히는 알 수 없지만, 이곳에 무언가 발견할 것이 있다는 느낌을 받는다. 건물을 관리하는 여인이 작업 카트를 끌고 복도를 지나간다. 소녀는 음료수 자동판매기 뒤쪽 구석에 몸을 숨기고 있다가, 여자가 사라지자 다시 나온다.

사무실 여러 개를 탐색한 후에, 맑고 커다란 회색 눈의 소녀는 한 사무실 문 위에 걸린 황동판을 발견한다.

〈D. 카첸버그〉

d? 그 사람일까?

문손잡이를 돌려 보지만, 굳게 잠겨 있다. 그녀는 휴지통에서 빳빳한 판지 하나를 주워, 그것을 문틈에 밀어 넣어 도어록 잠김쇠를 열어 보려 한다.

마침내 딸깍 하고 손잡이가 돌아간다. 안으로 들어간 그녀는 등 뒤로 문을 닫고는 천장등을 밝힌다. 방 안은 그야말로 난장판이다. 세 개를 붙여 하나로 만든 테이블 위에는 노트북들이 가득하다. 덮개가 열려 있는 것도 있고, 닫혀 있는 것도 있다. 이 전자 기기 무더기 한복판에는 커다란 모니터가 딸린 대형 컴퓨터가 놓여 있다. 바닥에는 온갖 잡동사니가 널려 있다. 인쇄된 종이, 연결된 전선, 티셔츠 등의 옷가지와 신발, 일회용 플라스틱 컵, 아직도 배달용 상자 안에 들어 있는 먹다 남은 피자…….

그녀는 이 장소를 면밀하게 조사한다. 가장 관심을 끄는 것은 코르크 재질로 된 한쪽 벽으로, 거기는 신문에서 오려 내어 압침으로 꽂아 놓은 기사들로 도배되어 있다. 카산드라는 그중에서도 보험업자들을 위한 전문지인 『보험인 매거진』에서 오려 낸 한 기사에 주목한다. 거기에는 턱까지 내려올 정도의 장발에 얼굴이 온통 가려져 있는 한 청년의 사진이 실려 있다. 걸치고 있는 어두운 색의 양복이 뭔가 어색하게 느껴지는 청년이다.

무슨 트로피를 수상하는 행사에서 찍은 사진인 듯하다. 사진 설명은 이렇게 말하고 있다.

〈다니엘 카첸버그. 조숙한 천재의 작업, 드디어 영광을 획득하다.〉

〈다니엘〉 카첸버그? 내 성과 똑같아. 아버지일 리는 없고, 그렇다면…… 나의 오빠?

카산드라는 기사 스크랩을 떼어, 흥분된 마음으로 책상의 램프 불빛에 자세히 살펴본다.

오빠는 어떤 얼굴 없는 청년같이 생겼어. 눈도 귀도 제대로 분간할 수 없는 털북숭이 개 같기도 하고. 아니면 마구 헝클어진 붓이라고 할까?

「얼마 전 〈미래 보험〉사에 합류한 총명한 수학자 다니엘 카첸버그는 〈프로바빌리스〉 프로젝트로 인해 업계의 유명 인사가 되었다. 〈프로바빌리스〉란 생명 보험 가입자의 사망 위험성의 평가 방식을 획기적으로 향상시킬 수 있는 매우 전위적인 전산 프로그램이다. 지금까지는 사망 위험성 산정이 10년 단위로 이루어졌다. 그러던 것을 다니엘 카첸버그는 〈프로바빌리스〉 프로그램을 통해 5년 단위로 줄였고, 지금은 2년 단위까지 내리는 데 성공한 상태이다.

〈저는 이 숫자를 1년까지 끌어내릴 수 있으리라 생각합니다. 심지어는 6개월까지 가능할지도 모르죠〉라고 이 젊은 천재 수학자는 분명히 선언하고 있다. 그의 혁명적인 아이디어는 간단한 것이다. 지금까지는 피보험자의 사망 위험성을 예측하기 위해 보통 20여 개의 기준을 고려했다(성별, 연령, 직업, 주거지, 술이나 담배 의존 여부 등등). 하지만 다니엘 카첸버그는 7,200개의 기준을 포함하는 훨씬 치밀한 산정 모델을 발명함으로써, 어떤 인물의 사망 위험성을 정확하게 평가할 수 있을 뿐 아니라, 이 인물이 가까운 미래에 죽게 될 위험이 있는지를 수시로 체크할 수 있는 길을 열어 주었다. 그의 새로운 산정 모델에는 인물의 정확한 심리적 육체적 프로필 같은 새로운 기준들뿐만 아니라, 세계 정세의 변화 같은 객관적인 기준들까지 포함되어 있다.」

카산드라는 기사를 계속 읽어 내려간다.

「〈오늘날, 정보 기술 덕분에 우리는 어마어마한 양의 정보를 관리할 수 있게 되었습니다. 그렇다면 보험 시스템 역시 이런 기술을 이용하지 말란 법이 없지 않습니까? 지금은 사망 확률을 계산할 때, 갑작스러운 유행성 독감이나 전쟁 같은 요인은 고려되지 않고 있습니다. 관련 프로그램들에 이런 종류의 데이터들을 입력할 수 없기 때문이죠. 따라서 저는 우리의 삶 전반에 영향을 주는 사건들을 모두 고려할 수 있는 사망 확률 계산 시스템을 제안하고자 합니다〉라고 다니엘 카첸버그는 설명한다. 그리고 이 연구원은 이렇게 덧붙인다. 〈저는 다음과 같은 일도 가까운 장래에 충분히 가능하다고 생각합니다. 즉 한 개인에게 아주 가까운 시간 후에 그가 생존해 있을 가능성을 알려 주는 것이죠. 예를 들어 휴대용 컴퓨터 같은 것으로 이 가능성을 실시간으로 알려 줄 수 있을 것입니다.〉 하지만 전문가들은 이 젊은 확률 수학자가 제안하는 것은 공상 과학에서나 가능한 얘기라고 생각하고 있다. 그의 말대로 6개월 후의 사망 가능성을 예측할 수 있게 된다면, 큰 변화를 맞게 될 영역이 어디 생명 보험 분야뿐이겠는가?」

카산드라 카첸버그는 자신의 손목시계를 들여다본다.

6개월? 만일 그가 이 시간을 더 줄여서…… 5초로 만들어 놨다면?

벽을 뒤덮은 다니엘 카첸버그에 대한 기사들과 사진들을 훑어보고 있던 카산드라는 갑자기 전류에 감전된 듯한 충격을 느낀다. 벽에 붙어 있는 한 메모지에 쓰여 있는 내용 때문이다.

〈……그녀는 어떻게 해야 이 손목시계를 작동시킬 수 있나 하고 생각하고 있는데, 문득 벽에 붙은 종이쪽지 하나가 눈에 띄었다. 거기에는 간단한 충고 하나가 적혀 있었는데, 그것은 주(主) 컴퓨터를 켜라는 것이었다. 그녀는 즉시 그대로 했다. 그녀는 이런 글이 벽에 다닥다닥 붙은 수십 장의 쪽지들 틈에 보일 듯 말 듯 묻혀 있는, 하지만 특별히 자신을 위해 붙여 놓은 듯이 보이는 쪽지에 적혀 있다는 사실을 아주 신기하게 생각했다. 하지만 그 손목시계에 동봉된, 그녀에 대해 삼인칭으로 말하고 있는 쪽지를 보았을 때도 비슷한 느낌이었다는 사실이 떠올랐다……〉

뭐지? 이 도깨비장난 같은 얘기는?

맑고 커다란 회색 눈의 소녀의 귀에 갑자기 요란한 소리가 들려온다. 청소부 여인의 진공청소기가 작동을 시작하며 문 아랫부분에 부딪쳐 온 것이다. 그녀는 이 소란한 틈을 이용하여 대형 모니터에 연결된 컴퓨터를 켠다. 즉시 프로그램이 하나 나타난다. 〈프로바빌리스. 드디어 길든 미래.〉 이 제목 바로 아래에는 다음과 같은 글이 나타나 있다.

〈이 프로그램의 목적은 생명 보험 가입 희망자 평가에서 오류의 폭을 줄이는 데 있다.〉

이건 보험 상품 판매자들을 위한 전문가용 프로그램일 뿐이야.

그녀는 계속 읽어 내려간다. 그러던 중, 적절해 보이는 태그 하나를 발견한다.

〈새 고객 등록.〉 그녀는 클릭한다.

〈패스워드를 입력하시오.〉

오빠의 생년월일도, 주소도 모르는 그녀였으므로, 되는 대로 아무 말이나 쳐본다. 그러다가 갑자기 어떤 영감이 떠올라 〈카산드라〉라고 친다.

그 즉시 하위 프로그램이 시작되면서, 한 편의 글이 뜬다.

〈동생, 안녕?

왜 내가 패스워드로 네 이름을 선택했는지 궁금하지 않아? 그 이유는 간단해. 나도 너와 비슷한 사람이기 때문이야. 즉 나도 너처럼 앞으로 일어날 일을 예감하지. 아니, 적어도 그래 보려고 노력하고 있어. 또 왜 내가 네게 소포를 보냈으며, 왜 거기에 내 이름의 머리글자를 써넣었는지 아니? 그건 네가 여기 오고 싶은 욕망을 느끼게끔, 네 안에다 호기심의 메커니즘을 심어 놓기 위해서였어. 만일 네가 나와 같다면, 넌 지금 여기에 와 있어야 정상이야. 그리고 지금 여기서 이 글을 읽고 있겠지. 동생, 우리 둘이 같은 종류의 인간이라는 사실을 알고 있어? 우리는 지금 우리가 살고 있는 이 세계에 만족할 수 없는 존재들이야. 우리는 다른 사람들이 우리를 얌전히 있게 만들려고 우리에게 제의하는 이 형편없고 전망도 없는 삶에 체념할 수는 없어. 《체념》, 이것만큼 내가 듣기 싫어하는 단어도 없지. 내가 너에 대해 더 알지 못하는 것이 유감이야. 그 이유는 네가 조사를 더 해보면 알게 될 거야. 우리 부모님에게 일어난 일은 끔찍한 일이지만, 우린 뒤를 돌아봐서는 안 돼. 백미러만 주시하면서 운전할 수는 없으니까. 오히려 지평선 저 멀리를 쳐다봐야 해. 정신 바짝 차리고 말이야.

이를 위해 도구를 하나 소개할게. 바로 손목시계인 《프로바빌리스》야. 이 안에는 위성 추적 장치가 포함되어 있어서, 네가 있는 곳을 항상 이 중앙 컴퓨터에 알려 주지. 또 이 안에는 너의 심장 박동을 체크하는 장치도 내장되어 있어. 네가 감시 카메라가 설치되어 있는 지역에 있을 경우, 프로바빌리스는 네가 무얼 하는지, 혹은 네게 무슨 일이 일어나고 있는지를 알고 있지. 이렇게 너에 대한 여러 가지 정보들을, 다양하고도 상호 보완적인 최대한의 정보들을 누가(累加)하고 종합함으로써, 인공 지능 시스템인 프로바빌리스는 5초 후의 너의 생존 가능성을 계산해 내.

이것은 너의 건강, 심리 상태, 이동 상황, 행동뿐 아니라, 네 행동이 네 환경에 미치는 영향까지도 주변의 감시 카메라들로 파악하여 고려 사항으로 삼아. 또 날씨, 사회적 상황, 교통, 국내외 정세, 심지어는 호흡하는 공기의 질, 그리고 지진 등 각종 자연재해 등의 요인도 고려 사항에 포함시키지.

프로바빌리스는 단순히 어떤 특정 직업을 위한 프로그램만은 아니야. 이것은 우리의 삶을 이끌어 주는 진정한 도우미가 될 수 있어. 이것의 모든 가능성을 발견해 내는 건 너의 몫이고.

나의 깊은 마음을 담은 키스를 보내며,

너를 잘 알지 못하고, 또 그것을 유감으로 생각하는 너의 오빠가.

다니엘.〉

〈d〉…… 그래, 소포를 보낸 것은 오빠였어.

카산드라는 지금 읽은 글 밑에 깜빡거리고 있는 〈엔터〉 버튼을 클릭한다. 또 다른 하위 프로그램이 뜬다. 이번에는 그녀의 성과 이름을 묻는 질문지가 나온다. 또 그녀의 체중과 나이, 직업과 주소도 기재해야 한다. 지금까지 보면 이것은 고전적인 〈생명 보험〉의 통상적인 질문지 형태와 비슷하다.

하지만 그 뒤에 오는 질문들은 보다 놀랍다. 프로바빌리스는 다음과 같은 정보들까지 요구하는 것이다.

상세한 신체 치수.

평소 먹는 음식.

중한 것이든 대수롭지 않은 것이든 모든 종류의 질병.

수술 전력.

장점들.

단점들.

앞으로의 계획들.

최고의 추억들과 최악의 추억들.

무서워하는 것들.

그녀는 기재 난을 하나하나 모두 채운다. 또 프로바빌리스는 그녀가 왼손잡이인지, 싸움을 할 줄 아는지, 알레르기가 있는지, 시력이 좋은지에 대한 정보도 요구한다.

합리적이군. 시력이 나쁜 사람은 길을 건너다 차에 치일 위험성이 남들보다 크니까. 청각 장애인도 마찬가지지.

이런 종류의 질문 1백여 개를 채워 나가다 보니, 어느덧 〈새 가입자 등록〉 난에 이른다. 그녀는 다시 한 번 〈엔터〉를 클릭한다.

그러자 화면에 〈발신기 찾는 중〉이라는 문구가 떠서 깜박거린다. 이와 동시에 그녀의 손목시계에는 두 개의 화살표가 나타나 시곗바늘처럼 빙빙 돈다. 지금 어떤 무선 신호를 받아들이고 있다는 표시이다.

갑자기, 〈5초 후 사망 확률〉이라는 문구 뒤에 숫자 하나가 나타난다. 13%.

되네! 이제 88%는 아니야. 그런데 이 기계가 정말 제대로 작동하는 걸까?

컴퓨터 화면에 다시 글 하나가 나타난다.

〈카산드라에게 한마디. 13%는 특별한 의미가 없는 숫자야. 이 계산기가 0으로 내려가는 일은 결코 없어. 왜냐하면 갑작스러운 심장 마비나 운석의 추락 같은, 전혀 예상치 못했던 사건들이 일어날 가능성이 상존하기 때문이지. 50% 아래면 생명이 위험할 정도는 아니니, 크게 염려할 필요는 없어. 그렇다면 50% 위로 올라가면? 그때는 동생, 아무 생각 할 것 없이 무조건 뛰라고!〉

그녀는 〈5초 후 사망 확률〉이라는 문장 끝에서 깜빡이는 숫자 13을 한 동안 바라보고 있다.

그런데 갑자기 숫자판이 파르르 진동하더니 숫자를 바꾼다. 21%.

어떤 경미한 위험이 있어. 지금 프로바빌리스는 내게 치명적이지는 않은 어떤 위험을 경고해 주고 있어. 아직 50%는 넘지 않은…… 하지만 뭔가 문제가 있다는 얘기인데…… 대체 뭐지?

바로 그때, 경비원이 마스터키로 문을 열고 방에 들어오더니, 그녀의 모습을 발견한다. 그의 손에는 권총이 들려 있다.

「이 도둑년 같으니라고! 뭘 훔쳤지?」

카산드라는 펄쩍 뛰어나가 그를 밀친 다음, 미래 보험의 복도들을 내달린다.

젠장! 청소부들이 청소를 마치자, 순찰하던 경비원이 문 아래 틈새로 새어 나간 불빛을 본 거야. 그런 경비원의 모습을 복도의 감시 카메라가 포착했고, 프로바빌리스가 내게 경고해 주려 했어. 지금은 위험 수치가 올라갔겠지. 그가 무기를 들고 있으니까. 어쨌든 이것은 제대로 작동하는군. 최소한 비디오카메라로 감시되는 장소들에서는.

맹렬한 기세로 쫓아오는 경비원은 한 걸음 내달을 때마다 간격을 좁힌다. 그녀가 엘리베이터 안에 몸을 던지자, 운 좋게도 엘리베이터 문이 적시에 닫힌다. 층들이 휙휙 지나간다. 맨 아래층에 이르러 문을 열고 나오니, 옆쪽에 있는 엘리베이터 문도 열리는 게 보인다.

이 경비원은 도서 매장 경비원과는 종류가 다르네! 지독하게 끈질겨!

「위에서 뭘 훔쳤냔 말이다.」 그가 소리를 지른다.

오빠 사무실에 들어갈 때 도둑질할 의도는 전혀 없었노라고 이 사람에게 설명하기란 너무나 복잡한 일이야. 이 사람은 확신하고 있겠지. 나 같은 옷차림을 하고, 나처럼 악취를 풍기는 여자가 사무실에 침입하면, 그건 반드시 노트북을 훔치기 위해서라고.

카산드라는 노루처럼 거리로 뛰어나간다. 하지만 이번 경비원은 정말이지 악착스럽게도 따라온다. 저렇게 산만 한 덩치임에도 저토록 재빠른 걸 보면 분명 평소에 운동을 즐기는 모양이다. 거리의 행인들은 양쪽으로 비켜선다. 경비원이 〈저 여자를 잡아요! 도둑이야! 도둑!〉라고 외치자, 구경꾼들이 그녀 앞에 모여들어 그녀의 진행을 약간 늦춘다. 그녀는 신호등이 바뀌어 차들이 움직이기 시작하는 순간, 다시 젖 먹던 힘까지 끌어 모아 거리를 뛰어 건넌다. 경비원은 감히 그렇게 하지는 못한다. 그녀는 그가 포기했기를 기대하며 몸을 돌려

길 건너편을 바라본다.

하지만 웬걸, 그는 포기하지 않는다.

그녀의 심장은 맹렬히 팔딱인다. 허파는 불타듯 아려 오기 시작한다. 사내는 여전히 따라오고 있다. 카산드라는 약간의 거리를 벌고자, 신호등이 바뀔 때 움직이기 시작하는 자동차들 가운데로 몸을 던지는 전략을 다시 한 번 구사하지 않을 수 없다. 그렇게 꽃 배달 트럭은 쉽게 피할 수 있었다. 하지만 또 다른 소형차 한 대가 그 트럭을 추월하는 것을 보지 못한다. 달리는 일에만 온 정신이 사로잡혀 있는 그녀는 손목시계에 〈5초 후 사망 확률: 89%〉가 표시되는 것조차 보지 못한다. 소녀는 두 종아리 쪽을 세차게 들이받힌다. 그 강한 충격에 의해 그녀의 두 발이 땅에서 떨어지고, 그녀의 몸은 하늘로 붕 떠오른다.

40.

자, 이제 난 죽게 됐어…… 지금 이 순간 느껴지는 것은, 이 삶을 통해 이룬 일이 별로 없다는 사실이야.

결국, 이 땅에 별다른 자취를 남기지 못하게 되었어. 얼간이들을 몇 명 만났고, 네 명의 노숙자가 어느 쓰레기 하치장에다 마을을 세웠다는 사실을 발견했을 뿐.

또 이 세계를 노리는 위험들에 대해 경고해 주려고도 해보았지. 하지만 사람들은 그런 일에는 전혀 관심이 없음을, 난 조용히 입 다물고 있는 편이 나았음을 깨달았을 뿐이야.

41.

갑자기 저 끝에 하얀 빛이 보이는 복도가 나타난다.

죽은 이들의 대륙인가? 낙원?

아니다. 그녀는 다시금 트로이에 있다. 그리스 신들의 시간에 와 있다. 하얀 토가 차림의 고대의 카산드라가 거기 있다.

「이제 우리가 받은 저주의 원리를 알겠니? 〈미래를 예고하지만, 사람들이 믿어 주지 않는 것.〉」

그녀가 조그맣게 터뜨린 서글픈 웃음소리가 신전의 석주들 사이로 메아리친다.

「심각하군요?」

「아니, 심각한 건 아니야. 단지…… 뭐랄까…… 불편한 거지. 모든 것은 보기 나름이야.」

「내가 보기엔 나쁘네요.」

「페트나가 대속에서 네게 말했잖니……. 예언은 사람들에게 두려움을 준다고. 특히 그것이 정말로 실현될 경우에는 더욱 그렇다고……. 사람들이 왜 점쟁이를 찾아가는지 아니? 그건 역설적으로 점쟁이의 말을 믿지 않는 데서 쾌감을 느끼기 때문이야. 점쟁이의 예언이 틀리면 오히려 안도가 되지. 틀릴 수 있다는 사실은 자기들이 자유롭다는 것을, 미래가 불치병 같은 게 아니라는 말이 되니까. 하지만 미래가 역전 불가능한 거라고 생각하면, 그건 너무도 두려운 거야. 어떤 예언이 실현되었다는 것은 자기들을 초월하는 어떤 보이지 않는 시계 장치가 존재한다는 사실을, 자기들이 하는 모든 것이 이미 어딘가에 기록되어 있다는 사실을 의미하니까.」

고대의 카산드라는 서로 손을 잡고 걸어가는 토가 차림의 한 쌍의 남녀를 보여 준다.

「우리 오빠 파리스와 붙여우 헬레네야. 난 저들에게 경고했어. 하지만 그들은 내 말을 들으려 하지 않았고…… 그 결과가 바로 저거야.」

그녀는 전함들이 새카맣게 몰려오고 있는 수평선을 가리

킨다. 그녀는 처연한 표정으로 이렇게 덧붙인다.

「〈사람들은 보긴 하지만 눈여겨보지는 않아.

듣긴 하지만 귀 기울여 듣지는 않아.

알긴 하지만 이해하지는 못해.〉

그리고 난 이 말도 덧붙이고 싶어.

〈미래를 아는 것은 사람들의 관심사가 아니야.〉」

「왜요? 사람들은 모두 자신에게 어떤 일이 일어나게 될지 알고 싶어 할 것 같은데요.」

「너와 나, 우리는 미래에 관심을 갖지. 하지만 대부분의 사람들은 시간의 지평선을 보지 않으려고 오히려 고개를 돌려 버린단다. 두렵기 때문이야. 미래를 생각하면, 자신에게 닥치게 될 그 모든 불행한 일들을 보게 될까 봐 두려운 거야. 그냥 아무것도 모르는 채로 남아 있고 싶은데 말이야……. 그들의 길의 끝에는, 우리도 마찬가지지만, 죽음이 기다리고 있지. 두 눈을 크게 뜨고서 그 죽음을 향해 걸어가야만 하거든. 그게 너무도 힘든 거야.」

「하지만 사람들은 모두 알고 싶다고 말해요…….」

「그들의 말을 곧이들어서는 안 돼. 귀 기울여서 그들의 깊은 생각을, 실제의 생각을 들을 줄 알아야 한단다. 인간들이란 자주 생각과는 정반대의 것을 말하지. 또 원하는 것과는 정반대로 행동해. 때로는 적들을 지지하고, 친구들의 길은 막아 버려. 자신을 먹여 주는 손은 물어뜯고, 때리는 손은 쓰다듬는단다. 인간은 그들의 역설을 통해서만 이해할 수 있는 존재라는 사실을 깨닫기만 하면, 그들 모두의 진정한 내면을 파악할 수 있게 된단다.」

「하지만 너무도 많은 사람들이 똑같은 말을 하고 있어요.」

고대의 카산드라는 토가 자락을 사르락거리면서 현대의 카산드라에게 나아온다. 그녀는 소녀의 귀에 대고 속삭인다.

「〈숫자가 많다고 해서 틀린 것이 옳은 것은 아니야.〉」

그러고는 이렇게 덧붙인다.

「무슨 일이 있더라도, 절대로 포기하지 마라.」

「우리 오빠는 어떤 사람이죠?」

「네 오빠는 위대한 정신의 소유자야.」

「오빠를 만나 보고 싶어요!」

「그러려면 우선 네가 살아나야 하겠지.」

「왜요? 지금 내가 어떤 위험에 처해 있나요?」

「사실, 자신에게 일어나게 될 일을 순간순간 결정하는 것은 바로 너 자신이란다. 그러니까 선택하렴.」

「싫어요, 나는……」

42.

「……죽고 싶지 않아요!」

눈을 뜬 카산드라 카첸버그는 흰 가운을 걸친 간호사가 자신에게 미소 짓고 있는 것을 본다.

또 나도 모르게 혼잣말을 한 모양이야.

그녀는 지금 자기가 누워 있는 포근한 침대와 소독약 냄새가 나는 흰 벽의 병실을 의식한다. 또 자신의 냄새도 의식한다. 라벤더 향 목욕 젤의 상큼한 냄새다. 사람들이 그녀의 몸을 씻겨 놓은 모양이다. 가슴에는 심전도계의 전극들이 부착되어 있고, 그것들은 녹색으로 푸르스름하게 빛나는 화면들에 연결되어 있다.

여자 간호사는 기기들을 확인하면서 그녀에게 고개를 끄떡해 보인다.

「운이 아주 좋았어요. 몇 군데 경미한 타박상이 있을 뿐, 골절된 데는 전혀 없어요. 환자 분껜 휴식이 필요해요. 곧바로 퇴원할 수 있을 거예요.」

침대 맞은편 천장 한구석에 감시 카메라 한 대가 붙어 있는 것이 눈에 띈다.

프로바빌리스가 날 지켜보고 있겠군.

「내 소지품은 어디 있죠?」

간호사가 비닐봉지 하나를 내밀자, 카산드라는 허겁지겁 뒤져 손목시계를 찾아낸다. 그것을 켜자, 화면에는 즉시 〈5초 후 사망 확률: 19%〉가 뜬다.

〈큰 의미 없는 숫자〉라는 13%보다는 6%나 위야. 아마 내가 입은 부상 탓이겠지. 하지만 50%가 되려면 한참 남았으니까, 아무 문제 없어.

「우린 당신이 언제 의식을 되찾게 될지 알 수 없었지만, 어쨌든 경찰관 한 분이 당신을 보고 싶다고 하고 있어요. 들어오게 할까요?」

그녀가 고개를 끄덕이자, 후리후리한 키에 베이지색 코트를 걸친 남자가 병실에 들어온다. 카산드라는 황급히 손목시계를 비닐봉지 밑바닥에 쑤셔 넣는다.

「안녕하세요, 아가씨? 그래, 좀 괜찮아요? 크게 다친 곳이 없다니 무척 기쁘군요. 아가씨 때문에 걱정 많이 했다고요. 내 이름은 펠리시에예요. 피에르-마리 펠리시에 형사.」

반은 여자 이름인 이중 이름이야…… 흠, 뭔지는 모르겠지만 재미있겠군! 그런데 이 사람도 어떤 배우와 닮았어. 누구인지 잘 생각나지는 않지만.

그는 침대 끝에 살짝 궁둥이를 걸치고는, 들고 온 꽃다발과 초콜릿 상자를 내려놓는다. 별로 배고프지는 않다. 아마 포도당을 한 방울 한 방울 혈관에 넣어 주고 있는 점적 주사 때문이리라.

「자, 이제 악몽은 끝났어요.」

그는 이렇게 말하고는 들고 온 조그만 서류 가방을 뒤진다.

「아가씨의 모습이 감시 카메라들에 포착됐어요. 서점 측은 아가씨를 고소하려 했지만, 내가 말렸죠. 대신 내가 책값을 물어 주었어요. 그리고 그 책이 아가씨 소지품에 포함되어 있지 않을 걸 보고는, 이렇게 또 한 권을 사 왔지요.」

경찰관이 책 한 권을 내민다. 하얀 토가 차림에 손목에 뱀을 감고 있는 여자가 보이는 낯익은 표지의 『카산드라의 저주』다.

「트로이의 카산드라…… 주인공 이름이 아가씨와 같군요. 그러니 관심을 갖는 건 당연한 일이죠. 이제 이 책은 아가씨 거예요. 그리스 신화에 흥미를 갖는 것은 좋은 일이에요. 많은 걸 배울 수 있으니까요. 그런데 아가씨는 끔찍한 일들을 겪었더군요. 이집트에서의 테러 사건…… 아가씨에게 몹시 힘들었으리라 생각해요. 자, 이제부터는 아가씨가 편안하고 안전하게 지낼 수 있게끔 우리가 최선을 다할 테니 아무 걱정 마요.」

맑고 커다란 회색 눈의 소녀는 경찰관의 뜻밖의 호의에 어리둥절하여 눈썹을 찌푸린다.

「이런 속담도 있잖아요. 〈불행조차도 같은 사람을 계속 괴롭히다 보면 결국에는 지치는 법이다.〉」

이 사람도 속담을 인용하는군. 이건 내가 모르는 속담이야. 오를랑도 말이 맞아. 이런 것들은 자신의 개인적인 표현을 만들어 낼 능력이 없는 사람들의 게으름의 발로일 뿐이지. 이런 틀에 박힌 표현들은 일종의 마약이기도 하지. 이런 것들은 더 이상 머릿속에 넣어 두지 말자.

「왜 나를?」

〈왜 나를?〉……이 말은 나중에 내 묘비명에 새겨도 되겠어.

「내 말은…… 왜 나를 이렇듯 특별히 대해 주느냐는 뜻이에요.」

「그거야 당연히, 아가씨는 매우 특별한 사람이기 때문이죠. 잘 아시잖아요?」

내가 누구인지 알 수만 있다면 더 이상 소원이 없겠다고요.

「유력 인사의 따님이시니, 당신은 특별한 대우를 받을 자격이 있죠.」

〈유력 인사의 따님?〉 아, 내 어린 시절은 대체 뭐였지?

경찰관이 말을 잇는다.

「난 아가씨를 보살피기 위해 특별히 파견되었어요. 사실을 말하자면, 난 이미 아가씨를 언뜻 본 적이 있어요. 당신이 이롱델 학교에서 도망쳐 나왔을 때.」

아하! 내가 쓰레기 하치장 옆, 플라타너스 나무 뒤에 숨어 있을 때 경찰차 안에서 손전등을 들고 있던 바로 그 사람이었어. 못된 사람 같이 보이지는 않는군. 어원학적으로 〈못된 *méchant*〉에는 〈머리끄덩이를 잡아당겨도 싼〉이라는 의미도 있지……

「요 며칠은 아가씨에게 몹시 힘들었겠어요. 하지만 이제는 다 끝났어요. 모든 게 제자리로 돌아올 거예요.」

그는 그녀를 쳐다보며 미소를 짓는다.

「내가 왜 그렇게 당신을 찾으려 했는지 알아요? 내겐 암고양이가 한 마리 있었어요. 우리 아이들이 몹시 좋아하는 녀석이었죠. 몸은 온통 적갈색이었고, 주둥이 위에만 하트 모양의 하얀 반점이 있었죠. 어느 날, 우편배달부가 소포 배달을 위해 방문했을 때 녀석이 집을 빠져나갔어요. 평소에는 아파트 복도에서 왔다 갔다 하기만 했는데, 이날은 우편배달부를 졸졸 따라가 엘리베이터를 타고 집을 빠져나간 거예요. 그렇게 거리로 나가 버렸죠. 아들 녀석과 내가 쫓아 달려갔지만, 녀석은 우리 쪽으로 돌아오지 않고 그대로 달려가 버렸어요.」

남자는 한숨을 내쉰다.

「아들 녀석은 그 고양이를 아주 좋아했어요. 하지만 녀석은 우리 가족의 사랑보다는 모험을 택했어요. 어쩌면 넓은 바깥세상을 발견하고 싶었던 건지도 모르죠. 지금 녀석은 춥고 배고플 거예요. 우리는 동네 곳곳에 녀석을 찾는 작은 광고문을 붙여 놓았어요. 하지만 아가씨도 알겠지만, 이런 암고양이는 아주 재빠르답니다. 어쩌면 벌써 사나워졌을지도 모르죠. 누군가가 녀석이 귀엽다고 훔쳐 가지 않았다면 말이죠. 우리가 상상하는 최악의 상황은…… 녀석이 잡혀 가서 이상한 실험실 같은 데서 사용되지나 않을까 하는 거예요.」

나는 당신의 암고양이가 어디 있는지 알 것 같은데요.

「어쩌면 항상 아파트에 갇혀 있어서 불행했던 건지도 몰라요. 게다가 녀석은 불임 수술을 받았고, 유일한 낙이라곤 양털 뭉치를 굴리는 일밖엔 없었죠. 하지만 자유의 대가는 무거운 거랍니다. 운 좋게 자동차나 떠돌이 개들은 피할 수 있었다 해도, 사냥 본능을 되찾기란 결코 쉽지 않을 거예요. 그 녀석이 쥐를 쫓는 모습은 도저히 상상이 안 돼요. 항상 바삭바삭한 고양이 사료만 찾던 녀석이었거든요. 그것도 어떤 사료만 먹었는지 알아요? 우리 야옹이는 가금(家禽)의 간으로 만든 것 외에는 입도 대지 않았답니다. 그런 녀석이니 어디 가서 추위와 비를 피할 수 있는 조그만 굴 하나 제대로 팔 수 있겠어요? 지금도 나는 누군가가 녀석을 찾아서 데려와 주기만을 빌고 있어요. 녀석이 집을 나갔을 때, 녀석의 이름이 새겨진 목걸이 메달을 차고 있었거든요.」

「형사님 고양이 이름이 뭐죠?」

「〈리버티 벨〉이라고 해요. 왜요?」

내가 무슨 생각을 하고 있는 거지? 녀석의 이름이 〈잔〉이라고? 난 너무 소설을 쓰는 경향이 있어. 세상이 그렇게까지 좁지는 않잖아.

「⋯⋯그냥요. 형사님은 고양이를 꼭 찾을 거예요.」

⋯⋯날 찾아냈듯이요.

경찰관은 조그만 수첩을 꺼내어 뭔가를 적는다.

「보고서 때문에, 아가씨에게 몇 가지 질문을 해야겠어요. 그 보험 회사 사무실에서 무얼 하고 있었죠?」

「우리 오빠를 찾고 있었어요.」

그의 얼굴에 온통 주름이 잡힌다. 놀라면 이런 표정을 짓는 모양이다.

「오빠? 오빠를 찾고 있었다고요?」

「오빠와 소식이 끊어진 지가⋯⋯」

사실은 처음부터 끊어져 있었지만.

「⋯⋯한참 됐어요.」

피에르-마리 펠리시에는 그녀를 뚫어지게 쳐다보는데, 그의 표정이 점차로 심각하게 변한다.

「맞아, 내가 왜 그 생각을 못 했을까? ⋯⋯다니엘 카첸버그 말인가요? 보험업계의 그 젊은 천재가 바로 아가씨의 오빠?」

이 사람은 오빠를 알고 있어!

「아가씨는 운이 좋군요. 그에게 일어난 사고를 조사한 사람이 바로 나예요.」

카산드라가 몸을 벌떡 일으키는데, 몸에 부착된 심전도기 전선들과 점적 주사 튜브가 피부를 잡아당긴다. 그녀는 얼굴을 찡그린다.

「깜짝 놀랄 짓을 한 사람은 아가씨만이 아니에요. 그도 아주 대단한 짓을 했죠. 이것도 집안 내력인가요?」

「대체 오빠가 뭘 했는데요?」

「몽파르나스 타워 빌딩에서 그대로 뛰어내렸어요. 자그마치 210미터나 되는 높이에서요.」

카산드라는 입술을 꼭 오므린다.

죽었어.

「믿지 못하겠지만…… 그가 떨어진 바로 그 순간에, 폴리스티렌을 가득 실은 트럭이 바로 그 추락 지점을 정확히 지나가며 받아 냈어요. 다행스러운 우연의 일치라고요? 사실, 나 자신 이 사건을 직접 수사하지 않았다면, 이건 절대로 있을 수 없는 일이라고 말했을 거예요.」

살아났구나! 다니엘은 살아 있어.

펠리시에 형사는 고개를 설레설레 흔든다.

「하지만…… 그를 구한 트럭은 빨간 신호를 무시하고 달렸어요. 그래서 교차로 오른쪽 길에서 자동차들이 일제히 튀어나오고 있는 순간에 사거리 중앙에 위치하게 되었죠. 결국 인화성 액체를 가득 채운 또 다른 트럭에 정통으로 들이받혔어요. 모든 게 폭발해 버렸죠.」

그럼 결국 죽었다는 말이잖아?

그녀는 고개를 푹 숙인다.

「하지만…… 그는 간발의 차로 위기를 벗어났어요.」

지금 나를 놀리나?

피에르-마리 펠리시에 형사는 호주머니에서 그녀의 손목시계와 흡사한 화면을 갖춘 회중시계를 꺼낸다. 문자판이 심하게 망가져 있다.

「이게 우리가 발견한 전부예요. 기념으로 내가 항상 갖고 다니죠.」

시제품인가 봐. 두 개를 만들었어. 저거랑 내 거랑.

「내 말을 믿기 힘들겠지만…… 이 시계를 발견했을 때, 아직 전지가 작동하여 문자판에는 〈5초 후 사망 확률〉이라는 글과 함께 숫자 하나가 표시되어 있더군요. 그런데 그 숫자가 뭐였는지 알아요?」

그는 몇 초 간 뜸을 들인 후, 카산드라가 아무런 반응을 보이지 않자 말한다.

「98%였어요!」

형사는 이 얼마나 기막힌 사실이냐는 듯 미소를 머금고 그녀를 말끄러미 쳐다본다.

「……더 놀라운 것은 다음 얘기예요. 우리는 사거리의 통제 카메라에 녹화된 영상을 느린 화면으로 여러 번 돌려 봤어요. 그런데 아가씨의 오빠가 트럭이 충돌하여 폭발하기 몇 초 전에 혼자서 트럭에서 뛰어내리는 모습이 포착된 거예요. 놀랍지 않아요? 마치 사고가 일어나기 불과 몇 초 전, 그 짧은 순간에 앞으로 일어나게 될 일을 예측해 낸 듯한 행동이었죠.」

우리 오빠, 굉장하군! 맞아, 98%는 아직 100%는 아니지.

오빠는 위기에서 벗어날 2%의 가능성이 있다는 사실을 알았던 거야. 사실 몇 초 동안이면 여러 가지 일을 할 수 있지. 그래서 이 2%라는 실낱같은 기회를 최대한으로 이용하기 위해 과감하게 행동한 거였어.

경찰관은 손가락을 깍지 껴 망가진 회중시계를 감싸듯이 쥐고는 말을 잇는다.

「다니엘은 간발의 차로 탈출할 수 있었지만, 이 사고로 세 사람이 죽고 다섯 명이 부상당했어요. 수사에 돌입했지요. 내 생각으로는 아가씨 오빠는 재판을 받아야 옳아요. 〈공공 통행로 상의 혼란 초래〉라는 죄목 하나만으로도 그래야 하죠. 개인적으로 나는 그가 이 사고에 책임이 있다고 확신하고 있어요.」

그는 어깨를 한 번 으쓱한다.

「하지만 어쩌겠어요? 그도 아가씨 아버님의 아들이시니 말입니다. 우리는 수사를 중단하라는 지시를 받았죠.」

경찰관은 몸을 앞으로 기울여 그녀의 귀에 대고 속삭인다.

「내 생각을 알고 싶어요? 난 아가씨 오빠가 일부러 그랬다고 생각해요. 즉, 죽음을 예측하는 시계가 제대로 작동하는지 확인하려고 그 사건을 꾸민 거죠. 폴리스티렌을 실은 트럭이 그 순간 그 장소에 정확히 나타난 일은 결코 우연이 아니어요. 그 트럭 운전사는 분명히 공범이에요. 사실 내가 확인해 봤는데 말이죠, 그 운전사는 〈미래 보험〉에서 아가씨 오빠 밑에서 일하고 있는 사람이더군요. 이게 과연 우연의 일치일까요? 하지만 다니엘은 인화성 액체를 실은 두 번째 트럭은 예상하지 못했어요. 그 트럭 운전사는 그와는 관계없는 사람이었죠.」

카산드라는 대꾸하지 않는다. 베이지색 코트의 사내는 수첩에 메모한 내용을 다시 읽어 본다.

「그러니까…… 책은 이름 때문에 그랬던 거고…… 보험 회사를 찾아간 것은 오빠 때문이었다는 거죠? 자, 그럼 마지막 질문을 하고 난 물러가겠어요. 아가씨가 어느 쓰레기 하치장에 들어가는 모습이 한 감시 카메라에 포착되었어요. 우리는 그 안에…… 어떻게 말해야 할까…… 알바니아 마피아 애들과 집시들과 노숙자들이 살고 있다는 사실을 알고 있죠. 그 사람들과 마주쳤나요? 폭행을 당하지나 않았나요? 아가씨가 성폭행을 당했는지 보려고 의학적 검사를 해보지는 않았지만…… 현재로서는 아가씨 대답이면 충분해요.」

맑고 커다란 회색 눈의 소녀가 부정의 뜻으로 고개를 젓자, 형사의 얼굴에 안도의 빛이 떠오른다.

「카첸버그 양, 협조해 줘서 고마워요. 확신하건대, 이제 아가씨의 악몽은 끝났고, 지금부터는 모든 게 잘될 거예요. 만일 도움이 필요하면 주저 말고 내게 전화해요. 자, 내 휴대 전화 번호 여기 있어요.」

그는 자신의 명함을 건네 준 다음, 정중하게 인사하면서 병실 문을 연다. 그리고 나가기 전에 한마디 덧붙인다.

「그 책 꼭 한번 읽어 봐요! 아가씨의 고대의 동명이인의 모험담은 정말 재미있을 거예요!」

그녀는 오랫동안 꼼짝 않고 누워 있는다. 그렇게 크게 뜬 눈으로 천장을 응시하면서, 방금 들은 오빠에 관련된 귀중한 정보들을 하나하나 곱씹어 본다. 이윽고 그녀는 『카산드라의 저주』를 아무 데나 펼쳐서 읽어 본다.

〈……그녀는 오빠에게 그곳에 가지 말라고 말하고 싶었다. 하지만 파리스는 누구의 말을 듣는 사람이 아니었다. 그는 자신이 세상사를 다 이해하고 있으며, 자기가 해야 할 일은 오직 자기만이 알고 있다고 생각했다. 그녀는 또다시 미래의 환상을 보게 되어 사람들에게 예고하기를……〉

「카첸버그 양. 또 한 분이 면회 오셨어요. 가족 중의 한 분이신가 봐요.」 간호사가 알려 준다.

다니엘?

「……이름은 필리프, 성은 좀 복잡했는데, 뭐라더라…… 파디피카스…… 뭐, 그런 거였어요.」

파파다키스!

벌써 카산드라의 몸은 용수철처럼 침대 밖으로 튕겨진다. 그녀는 자신의 몸을 통제 기기들에 연결한 선들을 투두둑 떼어 버리고, 점적 주사기를 빼낸다. 그리고 환자복 차림으로 병원 복도를 내달린다.

환자들은 달려가는 그녀를 멀거니 바라보고만 있지만, 한 무리의 간호조무사들이 쫓아오기 시작한다. 그렇게 그녀는 문마다 한 번씩 열어 보면서 달리다가, 비어 있는 병실 하나를 발견하고는 그 안의 욕실에 뛰어 들어가 세면대 아래에 몸을 웅크린다.

즉시 마음이 안정이 된다.

그래. 난 옷장 뒤나 싱크대 아래 같은 곳에 숨는 걸 좋아했지.

그녀는 그렇게 10여 분을 기다렸다가 은신처에서 나온다. 그러고는 침대보가 잔뜩 실린 카트를 옆으로 밀쳐 버리면서 반대 방향으로 달린다.

출구가 눈에 들어오는데, 간호사들이 그녀를 막기 위해 몰려들고 있다.

「편집증이 있는 환자예요! 조심해요, 위험한 행동을 할 수 있으니까!」 한 여자 간호사가 소리친다.

파란 가운 차림의 남자들이 사방에서 뛰어나온다. 결국 간호사 여럿에게 제압된 그녀는 닥치는 대로 물고 할퀸다. 주사기 하나가 마치 다트처럼 그녀의 팔뚝에 꽂힌다. 그녀는 두 다리에 힘이 풀리는 걸 느끼며 의식을 잃는다.

43.

고대 트로이의 카산드라는 시간의 푸른 나무의 그늘에서 책을 읽고 있다. 하늘에는 태양이 눈부시게 빛난다. 풀들은 미풍에 살랑거린다. 어디선가 보이지 않는 새들의 노랫소리가 들려온다.

책 표지에는 제목이 적혀 있다. 〈카산드라 카첸버그의 모험〉.

소녀는 머뭇거리면서 앞으로 나아간다. 그녀가 온 것을 본 토가 차림의 여인은 읽고 있던 책을 살며시 내려놓는다.

「금방 돌아왔네? 한 페이지 남짓 읽었을 뿐인데. 넌 이제 하루에도 두 번씩 잠드는구나. 이제는 한 꿈 걸러 한 번씩 만나도 되겠어.」

「당신은 실제로 존재했나요, 아니면 그냥 전설인가요?」

「이 단계에 와서는, 그건 더 이상 의미 없는 질문이야. 네 꿈의 상상력이 내게 견고한 현실성을 부여해 주니까. 자, 이게 바로 내가 이어서 줄 교훈이 되겠군. 이 문장을 잘 기억해.

〈네가 믿는 것, 그것이 현실이다.〉」

소녀는 이 말에 담긴 모든 의미를 이해해 보려 애쓰다가 이렇게 묻는다.

「그럼 내가 믿는 것들 말고는 무엇이 있나요?」

「모든 것은 믿음들일 뿐이야. 과거의 역사도 그렇고, 미래의 역사도 마찬가지지. 모든 것은 어떤 개인이 꾸며 낸 어떤 생각에서부터 출발하지. 그다음에서야 우주는 이 상상의 시나리오가 실현되게끔 애를 쓰는 거고.」

맑고 커다란 회색 눈의 소녀는 이 개념을 천천히 음미해 본다. 그녀의 선배는 말을 잇는다.

「오디세우스가 실제의 인물이었을까? 호메로스가 오디세우스를 만들어 냈을지 누가 알아? 플라톤이 소크라테스를, 성 바울이 예수 그리스도를 꾸며 냈을지?」

「적어도 EFAP 공장의 폭탄 테러를 일으킨 것은 내가 아니에요. 난 그 일을 꾸며 내지 않았다고요.」

「그야 모르지.」

고대의 카산드라는 웃음을 터뜨린다.

「아냐, 그냥 농담한 거야. 넌 그런 공장이 존재한다는 사실조차 모르고 있었으니까. 안 그래?」

「우리가 믿는 것, 꾸며 낸 이야기, 퍼뜨리는 생각들, 심리적 투영 너머에 존재하는 실체가 분명히 있어요.」

「나도 그렇게 믿고 싶었지.」

고대의 카산드라는 미소를 짓는다. 현대의 카산드라는 눈썹을 찌푸린다.

「난 더 이상 미래를 알고 싶지 않아요. 이젠 나를 좀 가만히 놔뒀으면 좋겠어요.」

「너한테 선택권이 있을까? 난들 선택권이 있었을까? 내가 미래를 보는 능력을 받았을 때, 난 그것을 하나의 선물로 여겼단다. 선물이란 거부할 수 있는 것이 아니지.」

「만일 내가 미래를 알면서도 입을 다물고 있으면 어떻게
되죠?」

「고통받겠지.」

「입을 열어 말해도 고통받게 되죠. 안 그런가요?」

「맞아. 그래서 이건 우리가 언제나 패자가 될 수밖에 없는
게임이야.」

「이 게임에 이름이 있나요?」

「있지. 〈예지자〉야.」

「예지자…….」

「가장 중요한 게 뭔지 얘기해 줄까?」

옛날의 카산드라는 다시금 몸을 앞으로 기울여, 소녀의 귀
에 입을 대고 또박또박 말해 준다.

「알고 있지만 아는 것을 다른 이들에게 설득시키지 못하는
것은 힘든 일일 수 있어. 하지만 아무것도 모르는 채 다른 사
람들처럼 살아가는 것은 훨씬 더 고약한 일이란다.」

그녀는 팔에 감겨 있는 뱀을 잠시 희롱하더니, 다시 말을
잇는다.

「네 능력을 귀중하게 여기거라.」

이어 그녀의 눈빛이 엄해진다.

「그러지 않으면, 그걸 잃게 될 테니까.」

「내가 얻게 되는 건 뭔가요?」

「진정한 너 자신을 알게 되는 것. 이것이 모든 삶의 유일한
목적이야.」

여사제의 음성은 조금씩 변하더니 마침내 천둥처럼 쩌렁쩌
렁 울린다.

「왜냐면 중요한 건 오직 이것뿐이니까. 〈진정한 너 자신을
알게 되는 것.〉」

44.

그녀의 속눈썹이 파르르 떨린다.

힘없이 눈을 떠보니, 이롱델 학교 교장의 얼굴이 아주 가까이에 와 있다.

오, 안 돼! 또 이 사람이야!

그는 여전히 금속성의 청색이 감도는 넥타이를 매고 있고, 자세히 들여다보면 왕관 쓴 말 대가리가 새겨져 있는 그 자랑스러운 반지를 끼고 있다. 그의 몸은 남성용 화장수와 땀이 범벅이 된 냄새를 풍기고 있다.

카산드라는 지금 자신이 있는 곳이 더 이상 병원이 아니라 이롱델 학교 양호실이라는 사실을 의식한다. 몸을 일으켜 보려 하지만, 양 손목이 가죽끈으로 묶여 침대 기둥에 고정되어 있다.

필리프 파파다키스는 빙그레 미소를 짓더니, 소녀에게 이상한 물체를 보여 준다. 접시 위에 뒤집혀 놓인 투명한 유리잔이다.

유리잔 안에는 꿀벌 한 마리가 미친 듯이 뱅뱅 돌고 있다.

교장은 유리를 통해 곤충을 차분하게 관찰한다.

꿀벌의 몸은 투명한 유리 벽에 마구 부딪친다. 교장은 유리잔을 카산드라의 눈 가까이에 가져다준다.

「혹시 〈꿀벌 신드롬〉이라고 알아요?」

카산드라는 감옥에 갇힌 곤충에 시선을 고정한 채 고개를 저어 아니라고 대답한다.

「카첸버그 양, 정말이지 우리의 수업은 좀처럼 끝나지 않는군요. 지난번에는 내가 양에게 양의 이름이 어떤 의미를 숨기고 있는지 가르쳐 주었죠? 자, 그럼 이번 시간에는 양의 행동의 의미를 가르쳐 주어야겠어요.」

아닌 게 아니라 카산드라는 이 혐오스러운 인물을 통해 배워야 할 것들이 실제로 많다는 사실을 깨닫는다.

때로는 적이 친구보다 많은 정보를 주기도 하는 법이니까.

그는 꿀벌이 계속 몸을 부딪쳐 대고 있는 유리잔을 세차게 흔든다.

「내가 아홉 살 때 일이었어요. 난 한 무리의 아이들과 함께 꽃이 만발한 공원에서 놀고 있었죠. 갑자기 꿀벌 한 마리가 간식으로 가져온 케이크에 내려앉아 신나게 식사를 시작하는 거예요. 아이들은 무서워서 비명을 지르기 시작했죠. 이 꿀벌이 침으로 쏠지도 모른다고 소리를 질러 대면서. 그러던 중에 한 아이가 계집아이들에게 뭔가 멋지게 보일 수 있는 장난을 해보리라 생각하고는, 꿀벌이 케이크 부스러기에 앉아 있는 틈을 타서 유리잔을 덮어 녀석을 사로잡았어요. 내가 지금 이 녀석에게 한 것과 똑같이 말이죠.」

그는 유리잔을 약간 흔들어, 성난 곤충을 더욱 자극하는 효과를 낸다.

「이어 꿀벌을 생포한 사내아이는 이것이 꿀벌에 대한 벌로는 충분치 않다고 생각했어요. 그래서 수저로 유리벽을 두드려, 쨍쨍 귀에 거슬리는 소리를 내기 시작했죠. 물론 유리잔 안에서는 울려서 더욱 고약해졌을 소리였어요. 꿀벌은 미칠 듯 괴로워했지요. 그리고 나는……」

필리프 파파다키스가 검지로 유리잔을 팅팅팅 두드리자, 꿀벌은 어쩔 줄 몰라 하며 허둥댄다.

「……나는 형벌은 이것으로 충분하니, 이 죄 없는 곤충을 해방시켜 주어야겠다고 생각했죠.」

교장은 짐짓 천사처럼 순진무구한 표정을 지어 보이며 그녀를 쳐다본다.

「나는 이 생각을 행동으로 옮겨, 유리잔을 들어 올렸어요.

그런데 내가 무슨 짓을 했던 걸까요? 꿀벌은 냅다 달려들어 내 손을 쏘더군요. 몹시 고통스러웠어요. 나에게 고통스러웠을 뿐 아니라, 꿀벌에게도 고통스러운 일이었죠. 왜냐면 녀석의 침은 말벌과는 달리 갈고리 같은 형태인 데다가, 철조망처럼 잔가시들이 삐죽삐죽 나 있거든요. 그래서 녀석이 한방 쏘고 달아나면 침은 살에 걸려 빠지지 않고, 오히려 녀석의 내장만 몽땅 뽑혀 버리죠!」

그는 이렇게 말하면서 유감스럽다는 듯 입을 삐죽 내민다.

「녀석은 고통스러워했어요. 나도 고통스러웠죠. 그리고 이 모든 일은 내가 어쭙잖은 관대함을 발휘하려고 해서 생긴 일이었죠. 사실 꿀벌이 한 행동은 어리석은 짓이었어요. 자기를 해방시켜 주려 하는 손을 쏘다니. 그리고 녀석은 죽었죠. 나는 상당히 아팠지만 회복되었고요. 하나의 귀중한 교훈을 얻게 된 대가였지요.」

그는 의자 위에 놓인 자루 속을 뒤진다. 바로 소녀의 소지품이 들어 있는 자루이다.

제발 내 확률 시계만은 손대지 말았으면.

그는 잠시 뒤지더니, 『카산드라의 저주』를 꺼내어 흔들어 보인다.

「배은망덕! 이것이 바로 이 세상의 비극이에요. 아폴론에게 감사할 줄 몰랐던 트로이 여자 카산드라의 비극이죠. 과거에 자기를 해방시켜 준 내게 감사할 줄 몰랐던 꿀벌의 비극이기도 하고요. 또 이것은 카첸버그 양의 비극이며, 결과적으로 나의 비극이기도 해요. 카첸버그 양도 자기에게 잘해 주려고 하는 나를 쏘았잖아요?」

그는 양호실 창을 통해 밖을 내다본다.

「역사를 살펴보면 비슷한 일들이 수두룩하죠. 예를 들어 루이 14세를 한번 봐요. 그는 온 나라를 도탄에 빠뜨린 군주였어요. 베르사유 궁전을 지었고, 쓸데없는 전쟁들을 일으켰죠. 막대한 비용이 들어가는 전쟁들이었지만 대부분 패배했어요. 또 백성들은 완전히 무시해 버리고 혼자서만 뻔뻔스러운 사치를 즐겼죠. 백성은 굶주렸고, 나라는 거덜 났어요. 하지만 루이 14세는 이른바 〈태양왕〉이라는 아주 멋들어진 군주의 이미지를 남기고 있죠. 이 〈태양왕〉이라는 명칭은 스스로 붙인 거지만, 역사가들은 그대로 쓰고 있어요. 그의 후계자 루이 15세는 국고가 텅 비어 있고, 나라는 빈사 상태에 빠져 있다는 사실을 발견했어요. 하지만 그는 아무 일도 안 했고, 그 뜨거운 감자를 자기 후계자 루이 16세에게 넘기고 말았지요. 그런데 이 루이 16세는 기특하게도 그의 못 말리는 조상 때문에 망가져 버린 나라를 고치고 수습하기 위해 무언가를 해야겠다고 생각했어요. 그래서 국민들을 위한 조처들을 선포했죠. 그때까지 면세 특권을 누리던 귀족들에게도 세금을 물리겠다고 결심했어요. 또 이른바 국민들로 하여금 신분에 관계없이 각자의 희망이나 불만 사항 같은 것을 모두 적게 하는 이른바 〈카이에〉라는 청원서를 작성하게 했지요. 〈국민의 의견을 묻는 것〉, 세계 역사상 유례없는 조처였지요. 그가 이처럼 훌륭한 혁신가였음에도, 사람들은 그의 명철함과 관대함을 유약함으로 간주했지요. 그리고 우리가 알다시피 그는 만인이 환호작약하는 가운데, 그가 그토록 사랑하려고 애썼던 국민들의 야유를 받으며 단두대에 올라야 했지요.」

그는 몹시 유감스럽다는 표정을 짓는다.

「……배은망덕이 세상을 지배하고 있어요.」

필리프 파파다키스는 속에서 곤충이 윙윙대고 있는 유리잔을 쳐다본다.

「자, 그럼 이 꿀벌을 어떻게 해야 하지? 물론 다시 한 번 놓아줄 수도 있겠지. 하지만 이제 난 알고 있어. 요 녀석이 혹은 무지로, 혹은 배은망덕함으로 나를 쏘고, 그렇게 나의 고통과 녀석 자신의 파멸을 초래하게 될 것임을. 카산드라, 넌 어떻게 생각하지?」

다시 반말로 돌아왔어.

맑고 커다란 회색 눈의 소녀는 대답하지 않는다. 교장은 고개를 끄덕하더니 유리잔을 들어 올린다. 꿀벌이 미처 날아오르기도 전에 그는 요란한 소리를 내며 손바닥으로 침대 머리 협탁을 내리쳐 꿀벌을 잡는다. 그리고 매니큐어 칠한 손톱 끝으로 노랗고 검은 곤충의 몸을 들어 올려 카산드라의 얼굴 가까이에 가져온다. 그는 배우 도날드 서덜랜드를 연상케 하는 뿌루퉁한 표정을 짓는다.

「자, 처음부터 이렇게 했어야 했어. 이게 유일한 해결책이지. 게다가 꿀벌은 고통받지도 않았고. 음…… 세상사의 순리를 거슬러서는 안 된다고 생각해. 특히, 원하지도 않는 사람들을 구해 주겠답시고 나대지는 말아야겠지.」

그는 『카산드라의 저주』라는 제목이 붙은 책을 집어 들고는, 무언가 생각에 잠긴 표정으로 표지를 묵묵히 내려다본다.

「그래. 내가 너로 하여금 네 고대의 동명이인에 대해 관심을 갖게 한 모양이군. 그녀의 모험담 뒷부분을 읽어 봤어? 카산드라는 파리스가 헬레네와 자는 것을 막으려 했어. 하지만 트로이 사람들은 파리스가 이 세상에 다시없는 절세미인을 자기네 나라에 데려오는 것을 오히려 자랑스럽게 생각했지.」

그는 갑자기 자기 얼굴을 카산드라의 얼굴 몇 센티미터 떨어진 곳에 들이댄다. 그녀는 역겨움을 못 이기고 고개를 돌린다.

「난 말이야, 쉽지 않으면 더 좋아해.」 그는 미소를 지으며 말한다. 「그리고 넌 결코 쉬운 여자애가 아니야. 안 그래? 하기야 당연하지. 네가 누구인지를 안다면…….」

「내가 누군데요?」

「아하, 드디어 반응을 하는군. 유리 벽을 두드리면 꿀벌이 반응을 보이듯이 말이야. 카산드라, 너 그거 아니? 네 이름이 하나의 단서인 것은 사실이지만, 그건 너의 거대한 비밀에 접근하게 해주는 첫 번째 단서에 불과할 뿐이야. 너의 과거 역시 살펴봐야 해.」

그는 책을 협탁에 내려놓고는 자신의 서류 가방을 연다.

「난 너무도 특이한 너의 케이스에 큰 관심을 가져 왔어. 아, 네 과거라…… 만일 네가 그 — 뭐라고 해야 할까 — 〈능력〉을 가지고 있는 게 사실이라면, 그건 우연이 아니야. 오, 아니고말고! 그건 절대 우연이 아니야. 아마 어디선가에서 어떤 아폴론 신이 네가 미래의 광경들을 보기를 원하셨던 모양이지? 어떤 신이, 혹은 어떤 사람이, 혹은 어떤 권력이 네게 굉장한 재능을 주기로 결정했던 모양이야. 하지만 넌 안타깝게도 그 사연을 잊어버린 듯 하군. 아니면 누군가가 네 기억에서 지워 버렸거나.」

이제 카산드라는 더 몸부림치지 않는다. 다만 주의 깊게 듣고 있을 뿐이다. 그는 그녀의 손을, 그리고 목을 쓰다듬는다.

이자는 내 보호 영역을 침범했어. 하지만 이를 악물고라도 참아야 해. 난 알아내야 하니까.

그녀는 움직이지 않으려 애를 쓴다.

「아, 귀여운 꿀벌 같으니! 참 자존심도 세군! 하지만 난 그 점이 마음에 들어. 그래서 말이야, 비록 네가 내게 몹쓸 짓을 했지만, 난 네게 관대할 수 있을 것 같아.」

그는 자신의 귀를 장식하고 있는 붕대를 어루만지며 말한다.

「네가 가장 필요로 하는 것을 주겠단 말이야. 바로 두 번째 단서지.」

어서 말해 봐!

그는 곤충의 주검을 방바닥에 던지더니 발뒤꿈치로 짓뭉

개 버린다.

「두 번째 단서는…… 하나의 질문이야. 잘 들어 봐.〈넌 네 부모가 누구였는지 아니?〉」

이때 한 여자 간호사가 들어온다. 간호사는 교장이 카산드라에게 몸을 바짝 붙이고 있고, 소녀는 이런 상황을 별로 좋아하지 않고 있음을 알아챈다. 그녀는 쌀쌀맞은 목소리로 교장에게 나가 달라고 요구한다. 필리프 파파다키스는 벌떡 몸을 일으키며 내뱉는다.

「내일 좀 더 조용한 분위기에서 더 진도를 나가 보지.」

간호사는 경계하는 눈초리로 그를 훑어본다.

「애를 조용히 놔두셔야 해요. 휴식이 필요한 애라고요.」

그녀는 너무도 시원하게 느껴지는 손을 소녀의 이마에 올려놓으며, 꾸물대는 교장에게 다시 한 번 재촉한다.

마침내 침대를 떠나 문 쪽으로 걸어가던 교장의 눈은 문득 녹색 비닐봉지를 발견한다.

「이건 뭐지?」

그는 손목시계를 집어 들더니 요리조리 살핀다. 그는 입을 삐죽 내밀고 미간을 찌푸리면서 문자판을 읽는다.

「〈5초 후 사망 확률: 21%〉라…… 내가 준 소포 속에 들어 있던 것 같은데. 맞지?」

소녀는 침대에 꼼짝 않고 누워 아무 말도 하지 않는다. 파파다키스는 머뭇거린다. 이 물건을 압수하고 싶은 마음이 굴뚝같다. 하지만 자신을 비난하는 듯한 간호사의 눈앞이라 감히 그러지 못한다. 그는 물건을 비닐봉지 안에 도로 넣는다.

「어쨌든 재수 없는 물건 같군. 자, 내일 봐!」

그는 문을 반쯤 열어 놓은 채로 방을 나간다. 멀어져 가는 그의 발자국 소리가 복도에서 들려온다.

「나 좀 풀어요!」 카산드라가 간호사에게 명령하듯 말한다.

「자, 자, 카첸버그 양, 그럴 순 없는 노릇이잖아요? 당신은 한 친구의 얼굴에 흉터를 남겼고, 교장 선생님 귓불을 잘라 놓았어요. 또 여기 오기 전에 있었던 병원을 난장판으로 만들어 버렸고요. 현재로서는 당신에게 가장 필요한 것은 휴식을 취하는 일이에요.」

간호사는 그녀의 맥박을 잰다. 그런 다음 혀 위에 진정제 한 알을 올려놓고는 물 한 모금을 마시게 해준다. 이것이 잠드는 걸 도와줄 거라고 단언하면서. 그러고는 안전용 야등을 제외한 불을 끄고서 방에서 나간다.

「잘 자요, 학생.」

카산드라는 오늘은 충분히 잤다고 생각하고는 입안의 진정제를 뱉어 버린다. 그리고 침대에 묶인 채로 꼼짝 못 하고 누워서, 그저 천장만 응시하며 하염없이 기다린다. 저 손목시계를 집어 들어 어떤 일이 자신을 기다리고 있는지 알고 싶은 마음이 굴뚝같지만, 오빠의 선물은 비닐봉지 깊숙이에 들어 있다. 지금의 자세로는 그 봉지조차 눈에 들어오지 않는다.

그 장신구가 없으니 완전히 벌거벗겨진 기분이다.

난 지금 예측할 수 없는 미래에 노출되어 있어.

그렇게 몇십 분이 흘렀을 때, 문이 천천히 열린다. 필리프 파파다키스도, 간호사도 아니다. 좀 더 작달막한 실루엣이다.

비올렌!

몸을 보호해야겠다는 생각이 퍼뜩 스친다. 하지만 가죽 끈으로 묶여 있으니 꼼짝할 수가 없다. 또 소리를 지르려 해보지만, 어느새 다가와 버린 실루엣은 그녀의 입에 천 조각을 쑤셔 넣는다. 그러고는 그 위에 허리띠를 둘러 꽉 고정시킨다.

비올렌 뒤파르크는 호주머니에서 메스를 꺼낸다. 그리고 침대에 다가오며 으르렁댄다.

「눈에는 눈! 이에는 이!」

비올렌의 오른쪽 뺨에서 목까지 길게 뻗어 있는 깊은 흉터가 보인다. 그 상처는 아직 완전히 아물지 않았다.

예리한 칼날이 그녀의 광대뼈로 다가온다. 카산드라는 커튼을 내리듯 스르르 눈꺼풀을 내린다.

45.

누군가가 행동을 결심한 순간. 그리고 그 행동이 실제로 이루어진 순간…… 그 사이에 놓인 시간이 이렇게나 길단 말인가?

도대체 언제부터 비올렌은 저렇게 메스를 내 얼굴에 접근시키고 있는 거지? 아니면 시간에 대한 나의 감각 자체가 변한 건가? 나는 현재를 슬로모션으로 체험하고 있어.

아냐! ……지금 비올렌이 천천히 움직이고 있는 게 아니라, 내가 아주 빨리 생각하고 있어. 내 생각이 가속되어 있는 거야.

어쨌든 뭔가 행동을 취해야 해. 그녀에게 두 번째의 교훈을 주어야 해. 물론 내게 고맙다고 하는 일이야 결코 없겠지만.

46.

사실, 비올렌이 다가오는 것도, 카산드라의 머릿속에서 이런 생각이 지나가는 것도, 그야말로 눈 깜짝할 사이에 이루어진다. 동시에 카산드라의 두 홍채는 벌써 수축되면서 초점을 맞추고 있다.

그녀는 허리를 벌떡 튕겨 이불을 떨쳐 내면서, 몸 전체로 용틀임을 쳐 두 다리를 빼낸다. 그런 다음 두 무릎을 집게처럼 사용하여 비올렌의 머리를 꼭 죄어 왈칵 뒤로 젖힌다. 비올렌은 뒤로 자빠지면서 들고 있던 메스를 침대 매트리스에 떨어뜨린다. 그녀는 벗어나려고 버둥대지만, 카산드라의 다리는 목을 놓아 주지 않는다. 동시에 그녀는 오른 손목을 묶은 가죽 끈이 약간 긴 것을 이용하여 메스를 집어 드는 데 성공한다. 그녀는 소녀의 목을 죈 두 무릎을 풀지 않은 채, 재빨리 왼손을 묶은 가죽끈을 잘라 버린다. 이제 두 손이 자유로워진 그녀는 비올렌을 붙잡아 침대 위에 깔아뭉갠다. 그런 다음 그녀의 몸을 뒤집어 엎드리게 하여 팔을 비튼 다음, 시트 자락을 입속에다 쑤셔 넣어 소리를 지르지 못하게 만든다. 이어 다른 팔도 몸 뒤로 끌어내어, 마구 뒷발질을 해대는데도 아랑곳 않고 가죽끈으로 두 손목을 한데 묶는다. 그다음에는 좀 더 여유 있게 커튼에서 조절 끈들을 뜯어내어, 그녀가 난리를 쳐서 사람들을 깨우는 일이 없게끔 확실하게 결박해 놓는다.

카산드라는 비올렌의 입에 물린 재갈을 확인하면서 이렇게 말한다.

「널 이렇게 해놓는 건 개인적 유감이 있어서가 아니야. 하지만 난 지금 너보다 훨씬 더 중요한 볼일이 있거든.」

비올렌은 맹렬히 용을 써보지만 허사다. 시트로 틀어막힌 입술 사이로 분하디분한 신음이 새어 나온다.

많은 사람들의 문제점은 그들이 악하다는 데에 있지 않아. 단지 상대의 입장에 서지 않기 때문에 상황을 정확하게 파악하지 못한다는 점이지.

「그렇게 너무 몸부림치면, 끈에 쓸려 살갗이 벗겨질 수도 있어. 이 끈들은 상당히 가늘고 예리하거든. 유감스럽게도 이게 지금 이 방에서 구할 수 있는 전부야.」

하기야, 지금 내가 느끼는 것들을 누가 이해할 수 있겠어?

카산드라는 연민마저 느끼며 패자의 이마에 입을 맞춰 주지만, 이 행동은 상대의 맹렬한 분노를 더욱 자극할 뿐이다.

어쨌든 〈강간viol〉에 〈증오haine〉가 합해진 이름이니, 얘

인생도 그리 평탄하진 않겠어. 결국 파파다키스의 말이 맞는 건지도 몰라. 이름은 우리 정신의 깊은 곳에 비밀스러운 프로그램을 심어 놓지.

이윽고 카산드라는 손목에 손목시계를 차고는, 문자판에 뜬 〈5초 후 사망 확률: 19%〉라는 정보를 확인한다.

그녀는 비올렌을 양호실에 남겨 놓은 채, 환자복 차림으로 살금살금 밖으로 나간다. 저녁 9시여서 복도는 텅 비어 있다. 복도를 밝히는 불빛이라곤 몇 개의 보안등이 전부다. 그녀는 조심조심 교장실 쪽으로 걸음을 옮긴다.

교장실의 문 옆에 서류장이 하나 놓여 있고, 그 안에 일련 번호가 매겨진 서류철들이 빼곡히 차 있다. 그녀는 학생들의 기록을 적은 서류철들을 뒤지다가 마침내 자신의 것을 찾아낸다. 거기에는 그녀의 이름 〈카산드라 카첸버그〉가 굵은 글씨로 쓰여 있고, 그 아래에는 〈실험 24〉라고 적혀 있다. 오른쪽 귀퉁이에는 네모 칸이 하나 있는데, 그 안에 9라고 숫자를 써놓고 그 뒤에 느낌표 두 개를 찍어 놓았다.

그런데 그녀의 기록부에는 또 다른 기록부가 같이 철해져 있다. 다름 아닌 〈다니엘 카첸버그〉의 것이다. 그 밑에는 〈실험 23〉이라고 적혀 있고, 네모 칸에는 7이라는 숫자와 느낌표 하나가 찍혀 있다.

오빠도 여기 있었다는 얘기인데?

〈실험 23〉과 〈실험 24〉.

오빠와 나는 〈실험〉이었어.

그런데 이 7과 9, 대체 무슨 의미일까?

시계를 다시 들여다보니 20%가 되어 있다. 아마도 심장 박동이 빨라졌기 때문이리라.

서류철에는 건질 만한 정보가 거의 없다. 하지만 그동안 잊고 있었던 그녀 부모의 주소가 정확히 기록되어 있다.

그녀는 서류장을 더 뒤진 끝에 금속 상자를 하나 찾아낸다. 봉투 여는 칼로 뚜껑을 따보니 지폐 170유로가 들어 있다. 그녀는 안락의자 등받이에 걸쳐져 있는 파파다키스의 재킷을 걸치고는, 다시 고양이 걸음으로 양호실로 돌아간다.

비올렌은 여전히 침대 위에 묶여 있지만, 으르렁대는 소리는 그쳐 있다. 카산드라는 창문을 통해 밖으로 빠져나온다. 그리고 수백 미터를 걸은 후 지나가는 택시들을 부른다.

하지만 운전사들에게, 잠옷 바지 차림에 신발도 신지 않은 꼴을 한 그녀는 미친 몽유병자일 뿐이다. 그들은 차를 세우기는커녕 속도를 높여 지나치기만 한다. 마침내 택시 한 대가 타이어 끌리는 소리를 요란하게 내면서 멈춰 선다. 운전사는 차창을 내리고 단 한 마디를 내뱉는다.

「돈 있어요?」

카산드라는 50유로짜리 지폐 한 장을 내보인다. 그러자 뒷문의 자동 잠금장치가 딸칵 소리와 함께 열린다. 소녀는 뒷좌석에 올라타 운전사에게 주소를 메모해 놓은 종이쪽지를 보여 준다.

그리고 기진맥진한 한숨을 내쉬며 좌석 등받이에 널브러져, 차창 너머로 흘러가기 시작하는 풍경들을 멍하니 바라본다.

47.

거기 가서 무엇을 발견하게 될까?

왜 난 어린 시절을 전혀 기억 못 하지?

오빠에게는 무슨 일이 있었던 걸까? 오빠가 뭔가 특별하기는 특별한 사람인 모양이야. 동료가 마지막 순간에 추락의 충격을 완화해 주리라 기대하면서, 자기 의지로 몽파르나스 빌딩에서 뛰어내리는 것은 보통 사람이 할 수 있는 일은 아니지.

그 형사 말에 따르면, 몽파르나스 빌딩은 높이가 210미터나 된다고 했어.

카산드라는 물리학 시간에 배운 내용을 떠올려, 다니엘의 낙하 시간을 계산해 본다.

$$T = \sqrt{\frac{2H}{G}}$$

T = 시간

H = 높이

G = 중력 상수

이 공식에 대입해 보니 6.54초가 나온다.

그렇다면 온갖 생각도 들고, 또 어쩌면 퍼센티지가 시시각각 변하고 있는 시계를 들여다 볼 수 있는 시간이 거의 7초나 됐다는 얘기야. 7초…… 별것 아닌 것 같지만 엄청난 시간일 수도 있어…….

그리고 한 층 한 층 지날 때마다 시계의 숫자는 계속 올라갔겠지.

그 6.54초는 후회하는 마음도 들고, 공포감도 느낄 수 있는 시간이야. 아니 공포감으로 죽어 버릴 수도 있는 시간이지.

아냐! 그는 아냐. 그런 말도 안 되는 행동을 할 수 있는 사람이라면 두려움 따위는 이미 초월해 있을 테니까.

하지만…… 자그마치 시속 300킬로미터의 속도라고.

몹시 추웠겠지. 날아가는 새들과도 마주쳤을 거야. 그리고 유리창 뒤에서 파리 시가지를 내다보고 있던 사람들과도 시선이 마주쳤겠지.

무엇보다도…… 자기 동료가 저 아래에서 과연 제 시간, 제 지점에 도착할 수 있을까, 하는 생각에 속이 타 들어갔겠지.

48.

택시 운전사는 백미러를 조정해, 무언가 깊은 상념에 잠겨 있는 맨발에 잠옷 차림의 승객을 유심히 관찰한다.

「미안한 얘기지만 어린 아가씨, 난 당신을 노숙자로 생각 했어. 보아하니 학생인 모양이지?」

운전사는 닳아빠진 코르덴 재킷 차림에, 허연 콧수염을 기른 늙수그레한 남자이다. 핸들에는 성 조르주 상이 마스코트 대신 걸려 있고, 백미러에는 랑드 소나무 향을 발산하는 녹색 나무 형태의 방향제가 매달려 있다. 에어컨 통풍구에는 사진 한 장이 끼워져 있는데, 얼굴이 무사마귀투성이인 여자와 혓바닥을 길게 늘어뜨린 셰퍼드 한 마리가 그 주인공이다.

「요즘 사람들은 그렇게 대충 옷을 걸치고 다니는데, 이게 바로 문제야. 아, 그래 가지고서야 누가 제대로 된 사람인지 분간할 수 있겠어? 그리고 요즘은 노숙자들이 점점 젊어지는 경향이 있어. 난 말이지, 그 노숙자 애들만 보면 구역질이 나. 우리네 길거리 모습을 흉하게 만드는 개똥이나 마찬가지지. 외국 관광객들로 하여금 우리 모두를 더러운 돼지들로 보게 하는 창피스러운 개똥 말이야. 학생, 내 생각을 솔직히 한번 얘기해 볼까?」

아뇨, 난 별로 듣고 싶지 않아요.

「……노숙자들 말이야, 우리는 용기 있게 그자들을 어디다 치워 버려야 한다고. 그렇다고 해서 내가 수구 꼴통이란 말은 아니야. 난 좌파야. 심지어는 선거 때마다 공산당을 찍고, 노조에도 가입해 있어.」

그는 그녀를 좀 더 잘 관찰하기 위해 백미러를 다시 한 번 조정한다.

「그렇지만 현실을 인정해야 해. 그 인간쓰레기들은 국가를 위해 전혀 생산적이지 않아. 게다가 그들은 공격적이고, 병을 옮기기도 하지.」

운전사의 떠드는 소리가 허공을 울리고 있을 때 그녀의 정신은 다시 상념에 빠져든다.

병*maladie*. 정말 흥미로운 단어야. 어원학적으로는 〈말하기 어려운*mal à dire*〉에서 왔지. 노숙자들의 몸이 망가져 가는 것은 그들이 자신의 고통을 표현할 수 없기 때문이야. 말할 수만 있다면 그들의 병은 나을 수 있을 텐데.

운전사는 속내 이야기를 털어놓을 수 있는 상대를 만나 신이 나는 모양이다.

「예를 들어 스탈린 시대에는 말이야, 즉 러시아가 아직은 깔끔하게 정돈되어 있던 시절에 난 모스크바에 있었어. 내 분명히 말하는데, 당시에는 노숙자가 없었지. 그런 자들은 모두 시베리아의 강제 노동 수용소에 보내졌으니까. 우리 어린 아가씨, 내 생각이 뭔지 알아? 우리 프랑스에서도 그 게을러빠진 놈들을 잡아다가 막노동 일을 시키면 훨씬 낫겠다는 거야. 예를 들어 우리 농촌에다 보내는 거야. 지금 농촌에서는 일손이 부족해서 난리인데, 그 기생충들은 공원 벤치에 누워 노닥거리고 있으니! 그리고 그들도 일을 하면 훨씬 더 행복해할걸? 근무 시간표, 사장, 명령, 그들에겐 이런 것들이 필요하다고.」

그녀는 단지 빨리 도착했으면 하는 마음뿐, 전혀 대꾸할 기분이 아니다.

그들은 외곽 순환 도로를 벗어나 파리에서 빠져나와 서부 교외 지역으로 들어간다. 라데팡스 구역의 빌딩들이 쿠르브부아 시의 건물들에 자리를 내주며 멀어지고, 이윽고 자연이 그 자리를 차지한다. 그들은 숲이 우거진 지역에 들어선다.

고속도로를 빠져나와 국도, 지방 도로를 차례로 달린 다음, 좁다란 도로를 따라가 보니 마침내 진흙투성이의 시골길

이 나온다. 그 길의 저쪽 끝에는 색 바랜 팻말 하나가 이곳에 인가가 있음을 표시해 주고 있다.

「우리 어린 아가씨, 여기가 목적지가 분명해? 꽤나 외진 곳인데? 원한다면 여기서 멀지 않은 곳에 내가 호텔을 알고 있어요.」

카산드라는 대답 없이 50유로짜리 지폐를 내민다. 그는 잔돈을 거슬러 주더니, 한 손을 쭉 내밀고 기다린다. 그녀는 차문을 열고는, 땅바닥의 축축한 촉감에 가볍게 몸을 떨며 차에서 내린다.

「팁은 안 줘? 왜, 개한테 주려고?」

어원학적으로 〈팁pourboire〉은 〈마시기 위한pour boire 것〉이야. 따라서 당신에겐 필요 없을 것 같아. 줘봤자 술이나 퍼먹어 당신의 고약한 증상을 더욱 악화시킬 것 같으니까.

그녀는 뒤도 돌아보지 않고 걸어간다. 운전사는 〈야, 이 왕소금 같은 년아!〉라고 고래고래 악을 쓴 다음 시동을 건다. 하지만 그녀는 사내의 그런 행동을 전혀 개의치 않는다.

지금 그녀는 앞에 우뚝 서 있는 집을 홀린 듯 바라보고 있는 것이다.

49.

드디어 왔군.

그런데 젠장, 왜 아무 기억도 안 나지?

아무리 더듬어 봐도 내 기억 속에 이 장소는 존재하지 않아.

오빠처럼.

혹은 나의 부모처럼.

기억 속에 남은 것은 단 하나, 이집트 여행뿐이야. 마치 내가 그 폭발을 통해 태어나기나 한 듯이.

그 테러 사건에서 받은 정서적 충격이 열세 살 때까지의 기억들을 몽땅 지워 버린 것일까?

50.

바깥에서 본 집 주변 풍경은 창백한 보름달 아래 음산하기 그지없다. 빌라 주위로는 높직한 철망 울타리가 쳐져 있다. 시뻘겋게 녹이 슬어 을씨년스러운 울타리에는 번개가 그려진 팻말이 붙어 있는 것으로 보아 전에는 전류가 흘렀던 모양이다. 그러나 지금은 그렇지 않다.

이렇게 높고도 촘촘한 철망을 둘러놓은 걸 보면, 내 부모님은 절도범들을 병적으로 두려워했던 모양이야.

그녀는 더 나아가기에 앞서 우선 집 주변을 살펴본다. 땅에 비스듬하게 꽂혀 있는 팻말에는 〈집 팝니다〉라는 말과 함께 부동산 회사의 전화번호가 적혀 있다. 팻말은 비바람에 퇴색했고, 온통 곰팡이로 덮여 있다. 부동산 중개업자가 지나치게 높은 가격을 부르고 있는 걸까? 아니면 건물의 흉한 몰골이 손님을 쫓고 있는 건지도 모른다.

그녀는 집 정문을 뚫어지게 쳐다본다. 그렇게 기억의 한 조각이라도 끄집어내려고 애를 써보지만, 아무 생각도 떠오르지 않는다. 그녀는 〈카첸버그 가족〉이라는 이름표가 붙어 있는 우편함 앞에서 잠시 움직이지 않는다. 거기에는 습기에 젖어 있고, 달팽이 점액 자국으로 덮여 있는 오래된 전단지들만이 삐죽 나와 있다.

대속의 주민들이 다시금 떠오른다.

오를랑도, 페트나, 김, 에스메랄다…… 그들에게 내 과거의 진실을 속 시원히 말해 줄 수 있었다면 얼마나 좋았을까!

울타리를 따라 돌다 보니, 그 안에 또 하나의 울타리처럼 늘어선 사이프러스 나무들 사이로 멋진 초현대식 주택이 보인다. 대형 유리창들이 공원을 방불케 하는 드넓은 정원 쪽을 향해 있고, 일렁이는 파도 형태를 모방한 흰 콘크리트 지붕에서는 프리즘 형태의 탑 하나가 우뚝 솟아 있다.

녹슨 철망 울타리 이곳저곳에 구멍이 나 있다. 안으로 들어가려면, 전에 쓰레기 하치장에서 했던 대로 그 구멍을 조금 벌리기만 하면 된다. 방치된 잔디밭 여기저기에는 수령이 백 살은 족히 되어 보이는 고목들이 서 있다. 카산드라는 그 나무들 사이로 나아간다. 갈대숲으로 둘러싸인 조그만 호수 하나가 달빛에 반짝인다.

난 그들에게 진실을 말해 줄 수 없었어. 나 자신조차 내 과거를 이해할 수 없기 때문에.

카산드라는 눈을 감고 깊게 숨을 들이마신다. 그리고 온 정신을 과거에 집중시키고, 그 과거의 비밀을 풀어 줄 만한 단서, 냄새, 감각 같은 것을 찾아본다. 일단 발견되기만 하면, 마치 털실 뭉치를 풀듯 그다음의 이야기들을 줄줄이 들려줄지도 모르는 기억의 열쇠를.

하지만 아무것도 없다. 그녀 안에는 어떤 심연만이 깊은 우물처럼 울리고 있을 뿐이다.

누군가가 내 추억들을 몽땅 훔쳐 가버렸어. 내 기억을 훔쳐 가버렸어. 내 어린 시절을 훔쳐 가버렸어. 그런데 누가? 도대체 누가 그랬지?

난 내가 누군지 알고 싶어! 무슨 일이 있어도 알아내고야 말겠다고!

그녀는 크게 숨을 내쉬고는 물가로 다가간다. 달빛을 받아 검게 번들거리는 수면은 골풀과 수련에 거의 점령되어 있다. 참으로 특색 있는 장소이건만, 떠오르는 게 아무것도 없다. 그녀는 저택 주변을 한 바퀴 돌면서, 경치의 어떤 특징이 기억

안에서 반향을 일으키기를 기대해 본다. 하지만 결과는 매번 똑같다. 머릿속에 떠오르는 가장 오래된 기억은 시체들이 즐비한 불구덩이 속에서 부모를 찾으려고 몸을 일으키면서 내질렀던 자신의 울부짖음이다. 단지 그뿐이다. 그것은 4년 전 일이었다. 그녀는 열세 살이었다.

다시금 그 끔찍한 영상들이 떠오르며 다른 모든 것을 지워 버린다. 테러 뒤의 구급차. 그리고 비행기. 그리고 프랑스에 돌아와서는, 그녀로 하여금 말을 하게 하려고 애쓰던 사회 복지사들. 그네는 여러 가지 질문을 던졌지만, 카산드라는 아무것도 이해할 수 없었고, 대답할 수도 없었다. 그다음에 자기가 그녀를 도울 수 있노라고 주장하며 나타난 사람이 있었다. 바로 이롱델 학교 교장, 필리프 파파다키스였다. 그는 그녀를 안심시키려고 이런 말을 했다.

「난 카첸버그 양의 부모와 절친한 사이예요. 양의 어머니와는 아주 오래전부터 같이 일해 왔죠. 그러니 나를 삼촌같이 생각해요. 우리 함께 일을 처리해 나가자고요.」

그 이후 몇 달 동안, 그녀는 바짝 말라붙은 정신이 한 방울 한 방울 떨어지는 물을 흡수하듯 조금씩 촉촉해지는 것을 느꼈다. 필리프 파파다키스는 이렇게 말했다.

「그냥 다시 태어났다고 생각해요. 일반적으로 사람의 의식은 아기가 세상에 나올 때 깨어나죠. 반면, 양은 열세 살 때 태어났어요. 그냥 다른 사람보다 약간 늦었다고 생각하면 돼요.」

카산드라의 머릿속에는 도널드 서덜랜드와도 비슷한 필리프 파파다키스의 얼굴이 또렷이 존재한다. 하지만 그녀의 부모를 생각할 때 보이는 것이라곤 테러 직후의 그 피투성이가 된 조각들, 그 퍼즐 조각들뿐이다.

현관문은 굳게 잠겨 있다. 집 주위를 돌아보니, 기어오를 수 있는 창문이 하나 발견된다. 그녀는 커다란 돌멩이를 집어

창유리를 박살 낸다. 그러고는 깨진 유리 틈으로 손을 넣어 창 걸쇠를 돌린다.

창을 넘어 들어가 바닥에 내려 보니, 그곳은 물이 고여 썩는 냄새가 나는 화장실이다. 거기서 다시 문을 열자 어둠에 잠긴 큰 방이 나타난다. 스위치를 올려 보지만 반응하지 않는다. 조금 뒤져 보니 외다리 협탁 위에 세 갈래 촛대 하나와 성냥이 놓여 있다. 마침내 불을 밝히고 방 안을 살펴본다. 입구 문 근처에 전력 차단기가 보인다. 그것을 작동시키자 지하실에서 전기 돌아가는 소리가 웅하고 올라온다.

아직 작동하는 것들도 있군.

고급스럽게 꾸며진 실내, 세련된 취향의 가구…… 하지만 이 모든 것들은 먼지와 거미줄로 완전히 덮여 있다.

내 부모님은 경제적으로 여유 있는 분들이었어.

카산드라는 손목시계를 들여다본다. 〈5초 후 사망 확률: 23%〉.

감시 카메라는 없어. 있더라도 접속이 끊어져 있겠지. 그렇다면 프로바빌리스가 지금 이 순간 나에 대해 아는 것은 내 GPS 위치와 심장 박동 상태뿐이야. 그렇다면 사망 확률이 정상치보다 10% 높아졌다는 건 뭘 의미할까? 그것은 부모님과 내 어린 시절의 삶의 장소를 다시 찾게 된 감동 때문이겠지……. 아니면 지붕이 붕괴할 가능성이 있거나.

그녀는 먼지에 덮인 텔레비전 앞에 놓인 등받이 없는 긴 가죽 소파를 쓰다듬는다. 그런 다음에는 달걀 형태의 일인용 안락의자에 몸을 묻어 본다. 푹신한 소파에 몸을 깊이 묻으니 실내의 깊은 정적이 새삼 느껴진다.

세상에서 절연된 듯한 느낌…… 너무 좋아!

그녀는 소파에서 몸을 빼내어 방 안을 둘러본다. 마치 처음 보는 것처럼 모든 게 새로운 방.

매우 세련된 디자인으로 꾸며진 응접실의 가장 큰 벽에는 옛날 그림 하나가 걸려 있는데, 금박 글씨로 제목이 표시되어 있다. 「장님들의 우화」. 피터르 브뤼헐의 1568년 작품이다.

그림에서는 알 수 없는 기이한 느낌이 풍겨 나오고 있다. 거기에는 서로의 몸을 붙잡고 걸어가는 여섯 장님이 있다. 첫 번째 장님은 구덩이에 빠졌고, 두 번째 장님은 균형을 잃고 휘청거리고 있으며, 세 번째는 자기 앞에서 무언가가 일어나고 있음을 느끼고, 네 번째는 자기 앞에 있는 장님의 불안감을 감지하고 있다. 마지막 두 장님만은 아무것도 모르는 채, 단지 앞선 사람들을 믿으며 태평하게 나아가고 있다.

수많은 의미가 느껴지는 이 이미지에 카산드라는 완전히 매혹된다.

이어 그녀는 발판이 간유리로 이루어진 층층다리를 통해 이층으로 올라가 본다.

층계참이 나오고, 문 세 개가 보인다. 첫 번째 문을 열고 들어간 방은 부모님의 방인 듯하다. 벽에는 사진 액자가 하나 걸려 있다. 소맷부리로 먼지를 닦아 내자, 마침내 아버지와 어머니의 얼굴이 나타난다.

바로 이분들이었구나. 〈테러 사건 이전의 나의 부모님〉이.

그녀가 주워 모았던 몸의 조각들이 퍼즐 조각처럼 다시 모여, 잊어버렸던 존재들이 재구성된 느낌이다.

이 이상하게 보이는 아저씨가 우리 〈아빠〉라고?

안경을 끼고 콧수염을 잘 다듬은, 약간 나이 들어 보이는 남자. 그는 카메라를 향해 미소 짓고 있다.

「혹성 탈출」에 나오는 찰턴 헤스턴 같아. 하지만 안경 끼고 콧수염이 난 찰턴 헤스턴.

그녀의 어머니는 몹시 호리호리한 체격이다. 그녀 역시 안경을 끼고 있고, 약간 억지로 지은 듯한 미소 외에는 전체적으로 매우 진지해 보이는 인상이다.

이 이상한 아줌마가 우리 〈엄마〉라고? 꼭 오드리 헵번같이 생겼네.

카산드라가 보기에, 그들은 아주 잘생기지도 않았고, 특별히 호감이 가는 얼굴들도 아니다.

어쩌면 아주 어렸을 때부터 부모를 알게 되는 상황이 그들을 아름다움과 호감형의 기준이 되게 하는 건지도 몰라. 그들을 완전히 잊어버리게 되면, 그들도 여느 사람들과 다를 바 없게 되는 거지.

서랍장과 침대 머리 협탁들 위에도 또 다른 사진 액자들이 흩어져 있다. 그중에는 부부와 함께 있는 한 소년의 사진도 보인다.

이 약해 빠진 애가 바로 우리 오빠 다니엘인 모양이지?

그의 모습을 자세히 살펴본다. 턱에는 여드름이 울룩불룩하고, 벌써 이때부터 덥수룩한 긴 머리에 얼굴이 온통 가려져 있다. 옷차림은 사춘기 소년들이 흔히 그러하듯 아무 옷이나 대충 걸친 스타일이다.

갑자기 어떤 욕구가 북받쳐 온다. 이 예지의 능력을 잃어버리고, 대신 세상의 모든, 아니 거의 모든 사람들이 누리는 그 단순한 능력을 되찾을 수만 있다면 얼마나 좋을까? 바로 〈자신의 어린 시절을 기억하는 능력〉 말이다.

그녀는 벽들을 도배하다시피 하고 있는, 미국, 프랑스, 영국 등에서 취득한 학위증들을 살펴본다. 모두가 카첸버그 부부의 것이다.

부모님은 세계 유수의 대학들에서 공부하셨어. 두 분 다 국제적으로 인정받는 정상급의 학자이셨고. 학위증을 모두 벽에다 걸어 놓은 걸 보면, 이에 대한 자부심도 대단했던 모양이야.

이 사실은 그녀에게 묘한 안도감을 안겨 준다. 동시에 왜

이 저택이 이처럼 크고 고급스러운지를 설명해 준다.

빠끔히 열려 있는 옆방 문 위에는 〈실험 23〉이라는 표지가 붙어 있다. 그 안에는 〈미래 보험〉의 오빠의 사무실에서 봤던 것과 같은 도깨비굴이 펼쳐져 있다. 바닥에는 SF 소설들이 여기저기 흩어져 있다. 벽들은 미래를 상상한 영화 포스터들, 그리고 반쯤은 지워져 버린 수학 공식들이 어지럽게 쓰여 있는 칠판들로 뒤덮여 있다.

그중에서 문장 하나가 눈에 들어온다. 〈모든 것은 결국 확률의 문제다〉 두 개의 수식 사이에 쓰여 있는 이 문장 뒤에는 느낌표 하나가 찍혀 있는데, 이 느낌표는 줄로 그어 버리고 그 뒤에 다시 두 개의 느낌표를 찍어 놓았다.

책상 위에는 신문 한 장이 놓여 있는데, 그 제목은 이렇다. 〈확률의 사도(使徒), 로토를 공격하다.〉 그 기사의 필자는 다니엘 카첸버그이고, 그의 사진도 대문짝만 하게 실려 있다. 여전히 긴 머리에 대충 걸친 옷차림의 철부지 같은 모습이긴 하지만, 좀 더 성숙해 있고 턱에는 더부룩하니 수염도 나 있다. 눈은 여전히 감추어진 얼굴이다.

청년은 기사를 통해, 로토에서 돈을 딸 확률을 의미 있는 수준까지 높이기 위해서는 9천 유로어치의 로토를 사야 한다고 주장하고 있다. 이 임계점부터는 투자액보다 많은 돈을 벌 수 있는 확률이 75%로 올라간다고 한다.

〈그리고 만일 모든 사람들이 9천 유로를 걸고 로토를 한다면, 로토를 관리하는 국영 기관은 파산할 수밖에 없다. 하지만 아무도 이만큼 돈을 걸 생각을 하지 않는다. 대부분의 사람들은 2유로짜리 로토 한 장만 산다. 이런 조건에서 돈을 딸 확률은 0.001%에 불과하다.〉

〈따라서,〉 다니엘 카첸버그는 결론을 내린다. 〈로토는 바보들을 위해 만들어진 것이다. 바보들은 돈을 확실히 따기 위해 많은 액수를 걸려 하지 않는다. 항상 조금만 투자하기 때문에, 결국에는 아무것도 얻지 못한다. 도박 사업 국영 기관에게는 참으로 다행스러운 일이지만, 이런 바보들이 절대 다수다. 이 바보들은 돈을 벌 수 있는 정보를 정확히 알려 주어도 어리석은 행태를 바꾸려 하지 않는다. 왜냐하면 로토 도박꾼들의 사고는 비합리적이기 때문이다. 그들은 미래의 돈을 사려 하지 않고, 현재의 희망을 산다. 이 때문에 그들은 크게 실망하지도 않는다. 이러한 현상은 거의 신비의 영역에 속한다고 말할 수 있다. 도박꾼들은 돈을 잃으면, 이는 자신이 분명 어떤 죄를 지었기 때문이며, 신이 이를 벌주는 것이라고 믿는다. 이런 이유들로 로토 산업 앞에는 돈벌이의 바다가 아직도 창창하게 펼쳐져 있다고 말할 수 있다.〉

카산드라는 기사를 다시 한 번 읽어 본다.

오빠는 아주 신랄한 블랙 유머의 소유자였군.

그녀는 먼지 덮인 자료 더미에서, 역시 다니엘 카첸버그가 쓴, 확률에 대한 또 다른 기사 하나를 발견한다.

〈세상은 감정적으로 움직인다. 사람들은 아무 생각 없이 행동하는 것이다. 여러 가지 수식들을 사용한다면, 외교 정책, 상업 정책, 재무 정책, 국내 정책 등을 얼마든지 모델화할 수 있고, 이를 통해 파업이나 전쟁, 혹은 국제 수지상의 이익 등을 예측할 수 있을 것이다. 하지만 이런 일들은 까마득한 옛날부터 우두머리들의 어떤 《감(感)》, 혹은 어떤 《영감》에 의해 이루어지는 것이라고 여겨지므로, 그 누구도 합리화하려 하지 않는다. 그리하여 정책은 일류 대학을 나온 이른바 《전문가》들에 의해 제멋대로 행해진다. 그런데 이 전문가들이란 사실은 아무것도 모르는 작자들이다. 그들은 과거에는 먹혀들었을지 모르지만 더 이상 유효하지 않다는 것이 이미 오래전에 증명된 옛날 옛적의 시스템들을 다시 찍어 내고 있을 따

름이다.〉

　이런 과격한 발언을 서슴지 않았다니! 오빠에겐 친구가 그
다지 많지 않았겠어.

　아래쪽의 서가에는 대단한 양의 DVD 컬렉션이 꽂혀 있고,
서가의 한 단에는 아시아에서 만든 조그만 로봇들이 진열되
어 있다.

　수학과 SF밖에 모르는 사람이었군.

　카산드라는 바닥에 어지러이 널려 있는 온갖 장난감, 책,
DVD 사이를 움직이면서, 「스타트렉」, 「듄」, 「매트릭스」, 「블
레이드 러너」 등의 이미지가 담긴 포스터들을 살펴본다. 핑크
플로이드, 피터 가브리엘, 혹은 마이크 올드필드 같은 뮤지션
들의 포스터들도 곰팡이 핀 이불이 덮인 좁다란 침대 위에 걸
려 있다.

　그녀는 방에서 나온다. 그리고 그 방문을 닫지 않은 채로
〈실험 24〉라는 표지가 붙은 옆방의 문 앞에 선다.

　여기가 바로…… 내 방?

　문손잡이를 돌려 본다. 녹슨 경첩이 마찰하는 소리가 울리
면서 문이 열린다.

　오빠의 방만큼이나 어지러운 방이다. 그리고 똑같은 물건
들로 가득하다. 서가들은 온통 SF 서적들과 DVD들로 점령
되어 있다.

　초현대식 주택, SF에 대한 열정…… 정말이지 미래 지향적
인 가족이었군.

　또 한쪽 벽을 가득 메운 일반 영화의 비디오테이프들도 보
인다.

　그래서 내가 사람을 보면 곧바로 배우와 연결 짓는 거였어.

　또 서가 한 단을 온통 차지하고 있는 사전류도 눈에 띈다.
어원사전, 동의어 사전, 각국 언어 사전 등 종류도 다양하다.

그리고 침대 머리맡 근처에 있는 벽장을 열어 보니 최소한 4년은 된 뉴텔라 병들이며 과자 봉지들이 잔뜩 쟁여져 있다. 곰팡이가 퍼렇게 피어 있고, 뜯어진 봉지 속을 들춰 보니 과자 부스러기와 함께 쥐똥이 더글더글하다.

이게 내 양식이었어.

두 개의 서가 사이, 그녀의 침대 바로 위의 벽에는 마리아 칼라스의 거대한 포스터 한 장이 붙어 있다. 수백 장에 달하는 오페라 판들도 눈에 들어온다.

난 오페라를 좋아했어.

아마 그래서 부모님이 그 공연을 보여 주려고 날 이집트까지 데려갔겠지.

하이파이 오디오 기기의 전원 표시등이 깜박대고 있다. 그녀는 별 생각 없이 재생 버튼을 눌러 본다. 베르디의 오페라 「나부코」의 서곡이 스피커에서 힘차게 솟아 나온다. 먼저 트롬본과 바이올린의 선율이 흐르고, 이어 드럼 소리가 울린 후, 오케스트라 전체의 웅장한 음향이 뒤를 잇는다.

맞아. 이게 바로 내가 항상 듣던 것이었어. 내 정신의 양식이었지.

그녀는 삶의 가장 비극적인 사건을 떠오르게 하는 이 음악을 중단시키고 싶은 충동을 잠시 느낀다. 하지만 곧바로, 이 오페라야말로 그녀의 기억이 거슬러 올라갈 수 있는 가장 오래된 한계선이라는 사실을 상기한다. 기억을 통해 더 옛날로 거슬러 올라가고 싶다면, 바로 이 순간을 다시 체험해 봐야 한다. 어두운 기억 속에 난 이 오솔길을 자꾸자꾸 다시 걸어 봐야 한다.

오페라, 사전들, 미국 영화, SF, 그리고 포테이토칩과 뉴텔라…… 자, 바로 이것들이 과거의 나를 이루고 있던 것들이야.

그녀는 음악이 저택의 무거운 정적을 몰아 낼 수 있게끔,

켠 채로 놔둔다. 그리고 집을 계속 돌아보기 위해 3층으로 올라간다.

첫 번째 문은 잠겨 있다. 그녀는 잠시 주저하다가 발길질한 방으로 도어록을 부순다. 방안의 어스름 속에 책상 하나가 보인다.

엄마가 작업하던 공간이었겠군.

이곳은 모든 게 깔끔하게 정돈되어 있다. 벽 여기저기에는 학위증들이 걸려 있고, 엄격한 양복 차림의 신사들과 악수하는 어머니의 사진들도 붙어 있다. 책상 위에는 책이 한 권 놓여 있는데, 『천사의 키스』라는 제목으로 저자는 소피 카첸버그이다.

소피…… 그리스어로 〈지혜〉를 의미하지.

그녀는 책을 뒤적여 본다. 아동 관련 응용 심리학 저서이다. 제사(題詞)로는 이런 글이 적혀 있다.

태어나기 직전, 천사는 손가락으로 아기의 입술을 누르고서 이렇게 속삭인다. 〈너의 전생들을 모두 잊어버리렴. 그래야 그 기억이 이 생에서 너를 번거롭게 하지 않는단다.〉 갓난아이의 입술 위에 인중이 찍혀 있는 것은 이 때문이다.
— 카발라

이 책의 한 장에는 〈아기의 애도〉라는 제목이 붙어 있다.

여기에서 그녀의 어머니는 이렇게 설명한다. 신생아는 태어나서 아홉 달이 될 때까지 자신의 안과 자신의 바깥을 구별하지 못한다.

아기는 세계와 한 덩어리로 녹아 있다. 자신이 곧 세계다. 거울을 볼 때, 아기는 거기 보이는 이미지가 자신의 반영이라는 사실을 이해하지 못한다. 왜냐하면 아기는 하나의 몸으로 한정되지 않고, 모든 것이기 때문이다. 아기는 어머니가 어디론가 떠나가서 곧바로 돌아오지 않는 것을 보게 될 때 비로소 자신과 우주의 나머지 부분이 분리되어 있음을 깨닫게 된다. 혹은 배가 고픈데 이 배고픔이 곧바로 충족되지 못할 때 이 분리를 인식한다. 〈음식이 없으면, 엄마도 없다〉라는 사실이 그로 하여금 자기 마음대로 부릴 수 없는 것들이 존재한다는 사실을 깨닫게 하는 것이다. 이 끔찍한 좌절감을 맛보게 될 때부터, 아기는 한계 안에 놓이고, 개체*individu*로 존재하기 시작한다. 이제는 더 나누어질 수 없는*indivisible* 존재, 분할 불가능한 존재가 되어서 말이다.

카산드라는 잠시 생각에 잠기며, 이러한 말들에 담겨 있는 의미를 이해해 보려고 애쓴다.

엄마는 아동 심리학자였어.

그녀의 방에서는 여전히 베르디의 「나부코」가 힘차게 흘러나오고 있다. 지금은 제1막이 연주되고 있다. 그녀는 지금이 바빌론 왕 나부코도노소르[18]의 딸 페네나 공주가 등장하는 대목임을 알아차린다. 그리고 성악가가 마리아 칼라스라는 사실도 알고 있다. 가늘게 진동하는 여가수의 목소리는 그녀의 골수까지 파고든다.

카산드라는 계속 음악을 들으면서 방 탐색을 계속한다. 이번에는 『귀 멍멍한 침묵』이라는 제목의 두툼한 저서를 발견한다. 이 책의 제사를 대신하여 그녀의 어머니는 하나의 사례를 언급하고 있다.

〈브루노 베텔하임이 치료한 아이 중에는 항상 똑같은 형태만을 그리는 자폐증 아동이 있었다. 학자는 그 형태의 정체를 알아보려 애썼고, 결국 그것이 미국 코네티컷Conneticut 주

---

18 네부카드네자르의 이탈리아식 이름. 성경에는 느부갓네살로 표기되어 있다.

의 지도라는 사실을 발견하게 되었다. 그렇다면 문제는 왜 이 자폐증 아동이 코네티컷의 지도를 집요하게 그리고 있느냐는 것이었다. 베텔하임은 결국 그 이유를 찾아냈다. 아이는 이 그림을 통해 《Connect I cut》을 의미하고자 했던 것이다. 이 말의 뜻은 영어로 《나는 연결을 끊는다》이다. 즉, 《나는 세계와의 연결을 끊었다》라는 뜻이다.〉

카산드라는 여기서 읽기를 멈추고 이 글의 의미를 곱씹어 본다. 저서 뒷부분의 한 장에는 제사로 이런 글이 제시되고 있다. 〈모든 과도한 것들은 부족한 무언가와 균형을 이룬다.〉

그녀는 제사에 이어 그 장의 본문도 읽어 본다.

〈일부 사람들의 생각과는 달리, 자폐증 환자들은 공감 능력이나 감정이 결여되어 있지 않다. 그들 역시 외부의 자극에 민감하며 세계를 인식한다. 단지 그 방식이 우리와는 다를 뿐이다. 자폐증 환자들은 우리들로선 그 의미를 충분히 이해하지 못하는 정보들로 충만한 세계에 살고 있다. 그들은 특정 영역에 집중된 능력들을 갖고 있다. 문제는 우리 사회가 그들의 특별한 능력들을 활용할 줄 모른다는 점이다. 우리는 그들을 잠재우거나, 그들의 특별한 재능을 잘라 냄으로써 그들을 《정상적인》 인간으로 만들려고 애쓴다. 이것이 바로 문제이다.〉

책의 뒤표지에는 어머니의 사진과 함께 〈CREAS(자폐증 영재 아동 연구소) 소장〉이라는 직함이 적혀 있다.

소녀는 다른 자료들도 살펴본다. 〈잡지 스크랩〉이라는 표지가 붙은 서류철을 펼치니, 〈논란의 대상의 되고 있는 소피 카첸버그 박사의 이론들〉이라는 제목의 기사부터 시작된다.

이 기사에서 한 의학 잡지의 기자는 어머니의 전위적인 연구들을 맹렬히 비난하고 있다.

〈질환이 있는 아동들은 실험용 모르모트가 아니다. 의료 윤리 위원회가 이 사이비 과학자의 헛소리에 종지부를 찍어 줘야 한다. 그녀는 어떤 파장을 몰고 올지 모르는 모호한 이론으로 엽기적인 생각에 굶주린 사람들만 현혹하고 있다.〉

카산드라는 기사의 내용을 머릿속에 분명히 새겨 두기 위해 다시 한 번 읽는다.

모두 의미가 있어. 모두 전체 퍼즐의 일부야. 지금 퍼즐의 첫 조각들을 발견하기 시작한 거고. 이 조각들을 다 모으면 내 어린 시절이 어땠는지 알게 되겠지. 그리고 나의 부모들이 어떤 사람들이었는지……. 갈기갈기 찢겨 내가 그 흩어진 조각들을 주워 모아야 했던, 그 사람들이 과연 누구였는지 말이야.

이를 위해 내 과거의 쓰레기통들을 뒤져야 해. 설사 이로 인해 내 손이 처참하게 더럽혀진다 해도.

그녀는 방문을 닫고, 아버지의 서재로 건너간다. 이곳 역시 완벽하게 정리되어 있지만, 학술 서적이나 SF 서적은 보이지 않고 대신 역사책들이 쌓여 있다. 그 책들을 뒤적여 본다. 그 가운데는 에스겔, 성 요한, 노스트라다무스, 에드거 케이시, 혹은 칼리오스트로 같은 예언자들에 대한 전기가 많이 포함되어 있다.

벽에는 몇 개의 학위증, 그리고 유명 인사들과 악수를 나누고 있는 아버지의 사진들이 걸려 있다. 그중 하나는 그에게 레종도뇌르 훈장을 수여하고 있는 공화국 대통령의 모습을 보여 주고 있다.

정말이지 내 부모는 대단히 중요한 인물들이었던 모양이야.

좀 더 저쪽으로 가니, 〈카첸버그 장관〉의 인터뷰 기사가 눈에 띈다. 〈미래는 오늘 써지는 것입니다. 지금 어떤 이들이 더 나은 세계를 상상하기 때문에, 미래의 어느 날, 더 나은 세계가 존재할 수 있게 되는 것이죠. 지금 우리가 누리고 있는 모든 좋은 것들은 과거의 어느 날, 우리의 조상 중의 하나가 생각했거나 꿈꿨던 것들입니다. 만일 그 조상이 그걸 생각하지

않았더라면, 그것은 지금 존재하지 못하겠죠.〉

어머니는 영재 아동 전문가인 소아 심리학자였어.

아버지는 장관이었고.

바로 이 때문에 그 형사가 〈중요한〉 사람 운운했던 거였어. 또 이 때문에 그들은 나를 찾으려고 그렇게나 난리를 쳤던 거고.

마리아 칼라스의 목소리는 계속 그녀의 방을 울리고 있고, 그녀의 머릿속 역시 거세게 출렁거린다. 도무지 이해할 수 없는 일이다. 왜 그토록 중요한 사람들이 거울 하나 보이지 않고, 전류가 흐르는 철조망으로 둘러싸인 이런 집에서 자신의 아이들을 대상으로 실험을 행해야 했던 것일까? 이렇게 자문하고 있는데, 갑자기 엔진 소리가 귓전을 울린다. 그녀는 급히 창으로 달려간다. 자동차 한 대가 울타리 근처에 주차하고 있다. 그리고 한 남자가 차에서 내린다.

그녀는 불을 끄고, 급히 아래층으로 내려가 음악도 끈다.

그리고 커튼 뒤에 몸을 숨기고 기다린다.

남자는 열쇠를 가지고 있다. 그는 정원의 대문을 열고 들어와 현관문도 연다. 「나부코」의 뒤를 이은 정적은 음악보다도 한층 인상적이다. 지금 도착한 사람이 발걸음을 내딛을 때마다 마룻바닥은 음산하게 삐걱거린다.

「카산드라!」

그녀는 이 목소리의 주인을 알고 있다. 필리프 파파다키스.

「여기 있다는 거 알아!」

그는 또 다른 단서라면서 우리 부모님 얘기를 꺼냈어. 그래서 내가 여기 오리라는 것을 알았던 거야.

「카산드라! 카산드라! 작은 꿀벌아, 난 네가 여기 있는 걸 알고 있다고! 난 널 여기까지 싣고 온 자동차가 길에 남긴 바퀴 자국을 봤단 말이야. 그리고 오페라 음악 소리도 들었지.」

그는 날 다시 거기로 데려가려 하고 있어.

바로 이 순간, 카산드라의 머릿속에 뭔가가 번쩍 하고 나타난다. 그녀의 어린 시절에서 솟구쳐 올라온 어떤 추억이다.

내 방 장롱 뒷면의 그 움푹한 공간! 그 안이라면 몸을 숨길 수 있어. 하지만 예전보다 훨씬 커진 내 발이 밖으로 드러나지 말아야 할 텐데.

그녀는 거기로 달려가, 장롱 아랫부분의 그 좁다란 턱에 맨발을 올려놓고, 장롱 뒷면에 온몸을 찰싹 붙인다. 필리프 파파다키스가 방 앞을 지나가기 바로 직전의 일이었다.

그는 각 층의 방들을 하나하나 돌아다니며, 손전등으로 구석구석을 샅샅이 비춰 본다. 그는 장롱 앞, 그녀에게서 불과 수십 센티미터 떨어진 곳을 지나간다.

그녀는 숨을 죽인다.

그는 가구들을 하나하나 차근차근 열어 본다. 어디선가 새어 든 한 줄기 차가운 공기가 콧속을 근질여 금방이라도 재채기가 터져 나올 것만 같다. 그녀는 손바닥으로 입을 꼭 틀어막는다.

「자, 어디 숨었니?」 교장이 중얼대듯 지껄인다. 「어디 있니, 작은 꿀벌아? 아직 양초가 따끈한 촛대를 하나 발견했어. 너 멀리 가지 않았잖아, 안 그래?」

그는 결국 정원으로 나가더니 목이 터져라 소리친다.

「카산드라! 카산드라! 어차피 네겐 별다른 수가 없어! 넌 돌아와야 한다고! 그래야 내가 네 비밀의 세 번째 열쇠를 줄 거 아냐? 널 도울 수 있는 사람은 나뿐이라고! 나 아니면 네가 누구인지 결코 알 수 없을걸?」

소녀는 기다린다. 최대한 오래 기다리고 또 기다린다. 차에 다시 시동이 걸리고 멀어져 가는 소리가 이제 그녀만 남았다는 사실을 알려줄 때까지. 그제야 비로소 카산드라는 몸서리를 치며 숨었던 곳에서 기어 나온다.

여기에 남아 있을 것인지 달아날 것인지를 잠시 고민해 본다. 하지만 유혹이 너무도 강하다. 그녀는 부모님의 커다란 침대로 파고 들어가 시트와 이불 등 두께가 다른 여러 종류의 침구로 몸을 감싼다. 약간의 먼지 냄새가 느껴지기도 하지만, 마치 포근한 둥지에 들어온 듯 아늑한 느낌이 온몸을 감싸 온다.

제대로 된 진짜 매트리스, 진짜 시트, 진짜 쿠션들로 이루어진 폭신폭신한 침대에 누워 있다는 그 단순한 사실 하나로 이토록 큰 기쁨을 느낀 적이 또 있었던가! 그녀는 두 발도 이 감미로운 감각을 만끽할 수 있도록 누운 채로 페달 밟는 시늉을 해본다.

51.

꿈을 꾼다. 꿈속에서 그녀는 머리를 양 갈래로 딴 작은 계집아이가 되어 정원에서 세발자전거를 타고 있다. 이윽고 그녀는 자전거 타기를 멈춘다. 그리고 나무에 매단 그네에 올라앉아, 삐걱삐걱 소리를 내며 그네를 타기 시작한다. 그녀의 부모는 가까이에 있다. 하지만 어떤 기묘한 점이 있다. 아버지와 어머니는 얼굴이 없다. 입도 없고, 눈도 없고, 귀도 없고, 코도 없다.

어머니는 등 뒤에서 팻말 하나를 꺼내어 보여 주는데 거기에는 이렇게 쓰여 있다. 〈모든 과도한 것들은 부족한 무언가와 균형을 이룬다.〉

아버지 역시 팻말을 꺼내는데, 이렇게 쓰여 있다. 〈지금 누군가가 더 나은 세계를 상상하기 때문에, 미래의 어느 날 더 나은 세계가 존재할 수 있게 된다.〉

바로 이때, 오빠가 기껏해야 열세 살 정도로 보이는 어린 모습으로 나타난다. 그의 얼굴은 긴 머리에 가려져 있다. 보이는 것은 단 하나, 여드름으로 둘러싸인 입뿐이다. 눈도 없고, 코도 없다.

그리고 그 입은 단언한다. 〈모든 것은 결국 확률의 문제이다.〉

이제 어머니는 두 아이를 정원 한쪽으로 데려가는데, 거기에는 저마다 문이 나 있는 조그만 파란 나무가 두 그루 서 있다. 첫 번째 문에는 〈실험 23〉, 두 번째 문에는 〈실험 24〉라고 쓰인 팻말이 걸려 있다.

카산드라는 두 번째 문으로 들어가고, 그 안에 뿌리가 없다는 사실을 알게 된다. 대신 지구의 중심으로 이르는 밑바닥 없는 구멍이 나 있을 뿐이다.

52.

커튼 틈에서 뻗쳐 나오는 가느다란 한 줄기 햇살이 천천히 침대 쪽으로 올라온다. 그것은 카펫을 밝히고, 침대 다리들을 지난 다음 카산드라 카첸버그의 얼굴을 밝힌다.

광선은 그녀의 눈꺼풀을 통과하여 그녀를 잠에서 끌어낸다. 그녀는 얼마간의 시간이 흐른 후에야 지금 자신이 어디 있는지를 깨닫는다.

방에 딸린 욕실로 간 그녀는 샤워를 하기로 마음먹는다. 급탕기는 작동하지 않아서 샤워기에서 뿜어져 나오는 물이 얼음처럼 차갑다. 하지만 생기 넘치는 깨끗한 물과의 접촉이 주는 쾌감은 차가움으로 인한 불편을 상쇄하고도 남는다.

소녀는 쏟아지는 찬물 아래에 오랫동안 서서 말라붙은 비누 쪼가리로 몸을 문지른다. 일전에 꾼 욕실의 꿈에는 못 미치지만, 그래도 너무나도 기분이 좋다.

먼저 이상적인 일들을 꿈꾼 후에, 그보다는 약간 못한 정도로 실현된 현실을 체험하기…… 모든 게 이런 식으로만 이루어진다면!

이제 가슴팍에 〈d〉자가 새겨진 남자만 나타나면 이 모든 것이 완벽해질 텐데……

하지만 그녀의 오빠 다니엘은 오지 않는다. 그녀는 긴 머리를 감고, 수건으로 감싸 말린다. 그런 다음 욕실 벽장을 뒤져 찾아낸 작은 병들의 냄새를 맡아 본다. 거기 눈곱만큼 남아 있는 향수를 몸에 뿌리고, 세면대에 물을 담아서는 그 수면에 자신의 얼굴을 비춰 본다.

샤워로 깨끗이 때를 벗기고 나니, 마치 자신이 딴사람이 된 듯한 느낌이 든다. 스스로가 〈새것〉처럼 느껴진다.

이게 내 얼굴이었어.

내 이름은 카산드라고.

왜 나는 또래의 다른 여자애들과 이토록 다른 걸까?

대체 내 뇌에다 무엇을 했기에 내 어린 시절이 몽땅 없어져 버린 걸까?

그녀는 이것이 기억 상실증이 아님을 안다.

아냐. 이건 단순한 기억 상실증이 아니야. 열세 살 이전의 과거는 잊어버리고, 대신 미래를, 그것도 오로지 미래의 테러 사건만을 보게 되는 형태의 기억 상실증이 있다는 말은 들어 보지 못했어.

카산드라는 치약을 짜서 양치질을 하고, 말할 수 없는 즐거움을 느끼며 긴 머리칼을 빗는다.

엉켜 있던 머리칼을 한 올 한 올 빗어 내리니, 복잡했던 마음까지 깨끗이 정리되는 느낌이다.

그녀는 벽장 속에 쌓여 있는 자신의 옷을 입어 보려 하지만, 지금은 너무 작아졌다는 사실을 확인한다. 결국 어머니의 옷장을 뒤지기로 한다. 샤넬 라벨의 정장 투피스. 스타킹과 하이힐. 흰 블라우스. 좀 더 모습을 바꾸기 위해 머리를 올려

핀으로 쪽머리를 만들고, 선글라스까지 쓴다.

이렇게 꾸미고 나니 흠잡을 데 없는 숙녀같이 보인다. 세련된 사무원, 혹은……

장관의 따님.

세면대의 물에 모습을 비춰 보니 약간 더 나이 들어 보인다. 하지만 고딕 스타일이나 운동복 차림이었을 때보다는 훨씬 더 예쁜 게 사실이다.

그래. 이것도 나야.

밖으로 나와 널찍한 정원을 잠시 배회해 본다. 그러고 있으니까 어떤 잊힌 향기, 어떤 기이한 감각 같은 것들이 느껴진다. 이 장소, 이 풍경은 기억이 안 나지만, 이곳에서 어떤 강렬한 감동들을 느꼈던 사실만큼은 기억난다.

여기서 나는 자유롭고 행복했어.

부근의 숲을 바라보고 있으려니, 차라리 인간 세상을 떠나 자연에 숨어 살면 어떨까 하는 유혹이 잠시 느껴진다. 여기서 사는 것도 가능하지 않겠는가? 이곳이라면 누구의 도움도 필요 없이 완전한 자급자족의 삶을 살 수 있으리라. 배고프면 숲속의 열매와 버섯을 따 먹고, 식물 뿌리를 캐 먹고, 목마르면 호수 물을 떠 마시면 되지 않겠는가? 저녁이면 파리와 그곳의 번거로운 삶에서 멀리 떨어진 가족의 집에 들어와 자면 되리라.

하지만 오빠가 남긴 말이 떠오른다. 〈가장 나쁜 단어는 체념이야.〉 그녀는 알고 있다. 다시 게임으로 돌아가야 함을. 무슨 일이 있더라도 이겨 내야 함을.

갑자기 손목시계의 숫자가 변하기 시작한다. 5초 후 사망 확률이 38%가 된다. 아직 운명적 경계 50%는 넘지 않은 이 수치는 그녀로서는 알 수 없는 어떤 위험이 도사리고 있음을 경고하고 있다. 그녀는 자신과 주변을 점검해 보지만 특별한 점은 발견할 수 없다.

어딘가에 위험이 숨어 있어. 프로바빌리스는 무얼 발견한 걸까? 야생 동물? 곰? 늑대? 폭풍? 벼락? 독 있는 식물?

숲 쪽으로 한 걸음을 옮겨 본다. 그러자 시계는 45%로 올라간다.

어떤 문제가 다가오고 있어. 하지만 뭐지?

52%.

이제 그녀의 생명이 위험에 처해 있다.

그녀는 더 이상 위험의 정체를 확인하려 하지 않고, 다만 오빠의 충고를 따르기로 결정한다.

〈시계가 50% 이상을 가리키면, 그때는 아무 생각 할 것 없이 무조건 뛰라고!〉

그녀는 집을 떠나 수도를 향한 히치하이킹 길에 나선다.

53.

어머니는 대학자였고, 아버지는 거물 정치인이었어. 오빠는 수학의 귀재이고.

이런 대단한 가족을 가진 나야. 무언가 굉장한 일들을 이뤄 내야 마땅하다고. 그러지 못한다면 정말 창피한 일이지.

어차피 내겐 다른 선택이 없어.

54.

하늘은 태양과 비 사이에서 머뭇거리고 있다. 구름이 바람에 밀려 느릿느릿 지나가고 있다. 공기는 산뜻하다. 샤넬 정장 투피스. 스타킹과 하이힐. 보는 이로 하여금 신뢰감을 느끼게 하는 여성 사업가 차림의 카산드라 카첸버그를 본 자동차 운전자들은 선뜻 차를 세워 준다.

세련된 의상과 선글라스를 걸치면 존중을 받는다니까.

카산드라는 파리의 북쪽 교외 구역인 포르트 드 클리냥쿠르, 생투앙, 생드니를 차례로 지난다. 또 〈협의 정비 지구〉를 뜻하는 〈ZAC〉이라는 팻말과 〈우선 도시화 지구〉를 뜻하는 〈ZUP〉[19]이라는 팻말이 박혀있는 지역들도 지난다. 간선 도로들에서 멀리 떨어져 있는 이 을씨년스러운 유령 동네들을 지나 그녀는 시쓰장으로 향한다.

세 개의 대문자로 된 이 약자들의 의미는 이거야. 〈이곳엔 볼거리가 아무것도 없으니 어물대지 말고 지나가시오. 이곳은 관광지도 아니고, 도시 구역도 아니오. 단지 지리학적 폐기물일 따름이오.〉

그녀는 목적지 근처까지 데려다 준 마지막 운전자에게 감사를 표한 후 시쓰장에 이르는 장조레스 대로를 따라 걷는다.

경찰차 한 대가 다가온다. 카산드라는 본능적으로 플라타너스 나무 뒤에 몸을 숨긴다. 새로 갖춰 입은 세련된 복장이 자신의 정체를 충분히 감춰 줄 수 있는지 확신하지 못하기 때문이다.

경찰차는 속도를 늦추지 않고 그대로 지나쳐 버린다.

두려워하지 말 것. 두려움은 위험을 부르는 법이니까.

그녀는 시계를 들여다본다. 〈5초 후 사망 확률: 15%〉.

하긴. 경찰이 우릴 죽이는 건 아니니까.

정장 차림의 소녀는 또각또각 하이힐 소리를 내며 벽에 바

---

19 ZUP과 ZAC은 각각 Zone à Urbaniser en Priorité와 Zone d'aménagement concerté와 의 약자이다. 제2차 세계 대전 후의 프랑스 대도시 교외 지역의 비위생적이고도 부족한 주택 문제를 해결하기 위해 관계 법령(1958, 1967)에 따라 건설된 대규모 주택 단지이다. 하지만 원래의 취지와는 달리 획일화된 건설과 불충분한 주거 환경 등으로 실패한 도시 개발의 대표적인 예로 꼽히고 있다.

짝 붙어 계속 걷는다.

언젠가 다니엘 오빠를 만나게 되면 감옥에 갈 수 있는 확률을 알려 주는 시계를 만들어 보라고 제안해 볼까. 오빠는 분명히 흥미를 가질 거야. 그런 상품에 대한 시장도 있을 거고. 최소한 갱들은 그걸 가지려고 하지 않겠어?

카산드라는 마침내 철망 울타리에 구멍이 나 있는 지점에 이른다. 거리에 인적이 끊어지기를 기다렸다가, 끊어진 철사가 삐죽삐죽한 구멍으로 몸을 던진다. 정장 투피스 차림이라 쉬운 일은 아니다. 하지만 스타킹이 조금 찢긴 것 말고는 큰 어려움 없이 통과하는 데 성공한다. 그렇게 그녀는 시립 쓰레기 하치장의 남쪽 구역의 경계를 이루고 있는 관목 지대에 네 발로 내려선다.

다시금 〈울타리 저편의 세계〉에 들어오게 된 것이다. 한데 너무도 놀랍게도, 이제 악취가 조금도 불편하게 느껴지지 않는다.

어떤 의미에서는 자신의 땀 냄새와도 같은 게 아닐까? 최초의 거부 반응이 지나가면 거의 유쾌하게조차 느껴지는 것.

이롱델 학교 식당에서 누군가가 그녀에게 포도주를 맛보라고 권했던 날이 떠오른다. 처음에는 시큼하다고 느꼈지만, 이내 그 맛을 좋아하게 되었었다. 로크포르 치즈 역시 마찬가지였다. 처음 한 입 먹고 나서는 너무도 고약한 냄새에 그대로 토해 버렸지만, 결국에는 그 새로운 맛을 좋아하게 되지 않았던가.

참으로 기묘한 순간이야. 처음에는 혐오스럽기만 하던 것이 견딜 만한 것, 심지어는 기분 좋은 것으로 탈바꿈하는 바로 이런 순간.

카산드라는 공기를 깊이 들이마신다.

혐오스럽다고? 난 오히려 이 하치장의 악취에 향수를 느끼고 있었던 것 같아.

빽빽이 늘어서 있는 나무들의 첫 번째 열(列)을 지나, 주위의 풍경 중에 현재의 위치를 가늠하게 해줄 만한 것이 있는지 찾아본다. 그러나 처음 이곳을 지났을 때는 밤이었고, 짙은 안개 속이었다. 낮인 지금, 보이는 것이라곤 지평선까지 끝없이 반복되고 있는 쓰레기 산들뿐이다.

그녀는 어림짐작으로 나아간다. 이런 하치장에 돌아다니기에는 하이힐이 너무도 불편한 신발이라는 사실을 절감하면서. 갑자기 나지막이 으르렁대는 소리가 귓전을 스친다.

이어 두 번째의 유사한 소리.

생은 영원한 반복이야. 우리가 한 번에 이해하지 못한 것은 다시 한 번 다시 제시되지. 거의 차이가 없는 방식으로. 그래도 이해하지 못하면 그 교훈이 완전히 습득될 때까지 끝없이 반복될 뿐이야.

짐승의 발들이 쓰레기 위를 투닥투닥 달려오는 소리가 점점 가까워진다. 또다시 주위에서 으르렁대는 소리들이 울린다. 그녀는 냉정을 유지하려 애쓰면서 차분하게 생각해 보려 한다.

내겐 세 가지 해결책이 있어. 걸음아 나 살려라 내빼는 것. 녀석들을 정면으로 맞서는 것. 녀석들을 친구로 만들려 시도해 보는 것.

세 번째 해결책이 가장 좋아 보인다. 하지만 거의 야수가 되어 버린 이 들개들과 어떻게 친구가 될 수 있단 말인가?

우리 사이를 나누고 있는 골을 메워야 해. 난 저들에게 조금도 해를 끼칠 마음이 없음을 이해시키는 거야. 나도 저들과 같음을. 나 역시 야성적이고, 자유롭고, 사납다는 사실을. 누구나 자기와 다른 것은 파괴하고 싶고, 자기와 비슷한 것은 존중하는 법이니까. 그래, 내 안에 있는 들개의 한 조각을 찾아내 보자.

그녀는 걸음을 멈추고, 갈비뼈가 선연히 보일 정도로 비쩍 말라 있는 맨 앞의 맹견들을 똑바로 쳐다본다.

난 너희와 같단다. 우린 모두 자유로운 야생 동물이야. 우리가 서로를 파괴해서 과연 무얼 얻을 수 있겠니?

이제 20여 마리가 그녀를 에워싸고 있다. 모두가 농포로 뒤덮였고, 비쩍 말라 있다.

녀석들은 더 이상 으르렁대지는 않지만, 여전히 다가오고 있다. 어떤 놈들은 깊은 상처가 나 있고, 또 어떤 놈들은 다리를 절뚝거리거나, 잘려 나가 뭉툭해진 꼬리를 흔들고 있다. 처절한 동족상쟁이 남긴 후유증이다.

갑자기 세 번째 해결책이 상당히 위험스러운 것으로 느껴진다.

수년간 쌓여 온 불신을 단 몇 초 만에 녹여 버릴 수는 없겠지.

그녀는 부지중에 두 번째 해결책을 준비한다. 손가락을 앞으로 내밀고, 당장이라도 살을 찢어발길 듯이 손톱을 바짝 세운다.

우리는 서로 유대 관계를 맺으며 살아갈 수 있어. 동일한 에너지가 우리 모두를 관류하고 있다고. 난 너희들을 존중하니까 너희도 날 존중해 주렴.

그녀는 전투태세를 갖추면서도 계속 녀석들에게 호소하고 있다. 아니, 스스로를 설득하려 애쓰고 있는 건지도 모른다.

그리고 자신의 말을 증명하려는 듯, 그녀는 송곳니를 드러내고 녀석들과 같은 음색으로 으르렁대기 시작한다.

개들은 여전히 다가온다. 그뿐이 아니다. 쓰레기 언덕들의 꼭대기에서는 벌써 다른 놈들이 나타나 이빨을 드러내며 그녀를 노려보고 있다. 이미 세 번째 해결책에서 두 번째 해결책으로 넘어온 그녀는, 또다시 첫 번째 해결책으로 스르르 미끄러지고 있는 자신을 발견한다.

그녀의 시계는 〈5초 후 사망 확률: 19%〉를 가리키고 있다.

그녀가 있는 곳에서는 감시 카메라가 보이지 않는다. 사망 확률이 13%에서 6% 높아진 이유는, 첫째는 그녀의 심장 박동 수가 증가했고, 둘째는 그녀가 세균들이 우글거리는 더러운 장소에 있다는 사실을 프로바빌리스가 위성 추적 장치를 통해 확인했기 때문일 터이다. 하지만 프로바빌리스는 이 개들은 탐지해 내지 못한 듯하다.

프로바빌리스가 모든 것을 아는 건 아니야.

프로바빌리스는 신이 아니야.

여기까지 생각이 미친 그녀는 그대로 땅을 박차고 내닫기 시작한다. 그 즉시 들개 떼는 맹렬히 짖어 대며 그녀를 뒤쫓기 시작한다.

소녀는 달리는 데 방해가 되는 하이힐을 벗어던진다. 또 치마를 찢어 허벅지를 드러내고 스타킹 차림으로 미친 듯 달린다.

들개 떼는 극도로 흥분되어 있다. 녀석들이 짖는 요란한 소리에 머리가 터질 듯하다.

사냥개 무리에 쫓기는 여우의 심정이 이렇겠지. 서로 이웃인 지구의 두 종 간에 벌어지는 너무도 끔찍한 고독과 몰이해의 순간이야.

카산드라는 폐기물들 틈에 형성된 미로 속으로 달려 들어간다. 오른쪽에 입구가 아주 좁은 통로가 하나 보인다. 녀석들이 한 줄로 들어올 수밖에 없을 터이므로 추격 속도가 늦춰지리라.

그녀는 샤넬 정장이 조금 더 찢기는 걸 느끼며 그 안으로 뛰어 들어간다.

이 골목이 어디에 이르는지도 모르는 채 무조건 내달린다. 갑자기 무언가가 그녀의 두 발목 주위를 휘감아 온다. 그녀의 몸은 거세게 넉장거리를 한 다음 공중으로 쳐들린다. 올가미

하나가 그녀를 땅 위 2미터 높이로 들어 올린 것이다.

그녀는 몸부림을 쳐보지만 헛수고다. 치마는 훌렁 뒤집혀 허벅지가 드러난다. 재킷은 얼굴 위로 흘러내린다. 벌써 개들은 그녀의 얼굴을 물려고 펄쩍펄쩍 뛰고 있다. 순간, 그녀의 쪽머리가 확 풀리면서 마치 옆구리 터진 밀가루 봉지처럼 긴 머리채가 폭포수처럼 아래로 쏟아진다. 어떤 맹견들의 아가리는 그녀의 두개골 끝 부분에 와 닿기도 한다. 놈들의 송곳니들이 그녀의 귀 옆 허공에서 딱딱 마주친다.

그때마다 그녀는 목을 쳐들려고 애쓰지만 이제는 힘이 빠지기 시작한다.

개들은 점점 더 맹렬해진다. 녀석들은 허공에 거꾸로 매달린 희생물이 이제 자기들의 수중에 들어왔다고 느끼고는 미친 듯이 짖어 댄다. 하지만 이처럼 쉬운 먹잇감인데도 좀처럼 잡을 수가 없자 너무도 흥분하고 성이 나서 이제는 자기들끼리 싸우기 시작한다.

카산드라가 살짝 고개를 틀어 내려다보니, 놈들은 서로를 물어뜯으며 싸우고 있고, 상처 입은 종족들이 흘린 피 냄새에 이끌린 다른 맹견들이 달려오고 있는 게 보인다.

그녀는 지금 자신이 어떤 영화 속에 있는 거라고 뇌까린다. 눈을 감으면 다음 장면으로 넘어간다. 눈을 깜빡이는 것만으로 삶이라는 영화를 편집할 수 있다. 눈을 계속 감고 있는 건 장면 삭제다. 그녀는 눈꺼풀을 내려 버린다. 개들이 맹렬히 짖어 대는 소리 속에서 세상이 검게 변한다.

55.

내가 두려워하기 때문에 저들이 더 사나워지는 거야. 항상 그런 식으로 돌아가.

이러지 말고 저들을 진정시킬 수 있는 다른 메커니즘을 찾아내야 해. 저들과 나 사이에 파인 골을 메워야 해.

어머니의 책이 말하고 있는 아기들, 자신과 주위의 세계 사이에 경계선을 긋지 않는다는 아기들처럼 되어야 해.

하지만 내가 과연 이 맹견들을 받아들일 수 있을까? 이 맹수들을 사랑할 수 있을까?

솔직히 말하자면 아니야. 저들은 추악하고 시끄럽고 난폭해. 저들은 공포와 욕망에 따라 움직일 뿐이야. 저들의 의식 수준은 너무도 낮아서 사랑하기는커녕, 함께 사이좋게 지내는 것조차 불가능해.

하지만 그러지 못하면 난 죽을 수 있어. 시도해 봐야 해. 저들이 나에게 동정심을 느껴 주길 원한다면, 내가 먼저 저들을 동정할 수 있어야 해.

숨을 크게 쉬자.

더 이상 몸부림치지 말자.

평화의 파장을 보내자. 최대한 강력한 평화의 파장을. 이 긍정적인 에너지의 장(場) 안에 저들을 들어오게 하자.

56.

짖는 소리가 멈추더니, 목에 뭔가 차디찬 촉감이 느껴진다. 뱀인가?

아니었다. 그건 쇠사슬이었다.

「경고했잖아! 여기 다시 돌아오면 널 죽일 수밖에 없다고!」 어떤 목소리가 내뱉는다.

목둘레의 쇠사슬이 조여 오기 시작한다. 카산드라는 눈을 뜬다. 개들은 사라지고 없다.

그녀는 캑캑댄다.

이름이 김이라고 했던 파란 머리 가닥의 청년이 쌍절곤의 사슬로 그녀의 목을 조이고 있다. 시계를 얼핏 보니 〈5초 후 사망 확률: 73%〉를 알려 주고 있다.

지금은 생존할 확률보다는 사망할 확률이 더 많은 것이다.

김은 계속 죄고 있다.

81%.

기이하게도, 자신이 죽는다는 사실에는 그다지 신경이 쓰이지 않는다. 그녀는 이것을 하나의 숙명으로 받아들이고 있다. 지금 그녀의 관심은 엉뚱한 곳에 가 있다. 어떻게 감시 카메라도 없는 이런 외진 장소에서 자신이 한 젊은 노숙자의 쌍절곤에 의해 질식해 가고 있다는 사실을 프로바빌리스는 알아낼 수 있었을까? 그녀는 마침내 이유를 깨닫는다. 그것은 간단히 심장 박동 탐지기가 그녀 몸의 혈액 순환 장애에 반응했기 때문이었다.

「그 애를 가만히 놔둬!」 쩌렁쩌렁한 목소리로 명령한 사람은 오를랑도다.

사슬이 느슨해진다.

문자판의 수치는 50%로, 다시 40%로 떨어진다. 카산드라는 핑 도는 현기증을 느끼며 콜록댄다.

「남작, 당신이 왜 끼어드는 건데? 난 애한테 분명히 경고했다고!」 김은 아직 무기를 쥔 채로 소리친다.

「애를 정말로 죽이려는 거냐, 이 한심한 녀석아?」 오를랑도가 묻는다.

청년은 어깨를 한 번 으쓱하더니 쌍절곤을 거둔다.

「아니. 크게 겁 한 번 주고 싶었을 뿐이야. 다시는 여기 돌아와 우릴 엿 먹이는 일이 없게끔. 남작, 당신도 내 심정 이해하잖아. 당신도 알고 있겠지만 이런 속담이……」

가죽점퍼 차림의 청년은 말을 이어가지 못한다.

「아니, 난 그 속담 모르고, 또 알고 싶지도 않아! 네가 늘어 놓는 그 멍청한 속담들은 정말로 지겹단 말이야, 이 한심한 녀석아!」

「어이, 내 이름은 〈한심한 녀석〉이 아니라고! 내 어엿한 귀족 칭호로 불러 주면 어디 입에 덧나냐?」

「엿 같은 소리를 늘어놓으면 넌 더 이상 후작이 아니라, 멍청한 속담들을 늘어놓는 한심한 녀석일 뿐이야.」

두 사내는 서로의 얼굴에 침을 튀겨 가며 말씨름을 하고 있다. 젊은 측은 상대방을 노려보기 위해 발돋움까지 하고 있다.

「그래, 당신은 내 속담들에 대해 대체 무슨 유감이 있는데? 한번 설명해 보겠어, 남작…… 선생?」

카산드라는 줄에 대롱대롱 매달린 채로 몸을 꿈틀댄다.

「음…… 나 좀 풀어 줄 수 없겠어요? 피가 머리로 몰리고 있다고요.」

하지만 두 남자는 그녀에게는 조금도 관심을 보이지 않는다.

「이 바보 녀석아, 왜 내가 네 속담들을 싫어하는지 알고 싶다고? 벌써 천 번도 넘게 말해 줬을 텐데? 그건 통조림 깡통에 든 케케묵은 생각이기 때문이야. 자기 자신의 생각이 없기 때문에 사용하는 생각. 그건 게을러터진 뇌를 가진 놈들을 위한 것이지. 그리고 말이야, 만일 우리 조상들이 그렇게나 똑똑했고, 그들의 충고가 그렇게나 약은 거였다면, 그들은 세상을 이따위 상태로 물려주지는 않았을 거라고.」

그는 자신의 말에 마침표를 찍듯 퉷 하고 가래침을 뱉는다.

「따라서, 그 거창한 교훈을 늘어놓은 과거의 인간들은 뭔가 대단한 착각을 하고 있었던 거고, 그들의 충고들이란 서푼어치의 가치도 없는 것들이야. 맞아! 그들은 완전히 착각하고 있었던 거지! 결론을 말하자면, 우리 조상들은 천치들이었고, 그들의 멍청한 속담 중에는 들어맞는 게 하나도 없어. 오히려 그 반대의 내용이 훨씬 더 들어맞지.」

「아, 그래? 그럼 원래 속담보다 더 잘 들어맞는다는 거꾸로 된 속담의 예를 한번 들어 보시지, 남작 선생?」

이때 카산드라가 끼어든다.

「음…… 두 분을 방해하고 싶은 생각은 없지만요, 나 좀 한 번 봐주시겠어요? 발이라도 좀 풀어 주세요.」

하지만 두 사람은 말씨름하느라 정신이 없다.

「거꾸로 된 속담? 좋아, 잠깐 기다려. 자, 이건 가장 간단한 거야. 〈먹으면 식욕이 돌아온다.〉 이건 틀린 소리야. 지금 먹을 게 없어야 배가 고프지! 따라서 이렇게 말해야 맞아. 〈먹지 않으면 식욕이 돌아온다.〉 자, 더 이상 할 말 있어, 이 한심한 녀석아?」

「오케이, 그건 그렇다 쳐. 하지만 존경하는 남작 선생, 두 번째 예는 대기 힘들걸?」

「주문만 하면 얼마든지 해주지, 후작. 〈악하게 얻은 재산은 결코 불어나지 않는다〉란 말이 있어. 헛소리야. 악하게 얻은 재산은 항상 불어나지. 이 세상 사기꾼들한테 가서 물어보라고. 또 프랑스에서 제일가는 부자들이 어떤 자들인지 한번 보라고. 사기꾼, 공직자, 기업 사냥꾼들이야. 남의 재산을 훔쳐서 그 돈으로 자신의 제국을 세운 놈들이지. 악하게 얻었지만, 아주 잘 불어난다고.」

청년의 얼굴에 역정의 빛이 떠오르기 시작한다.

「좋아, 오케이. 하지만 친애하는 남작님, 더 이상은 없을 것 같은데……?」

「〈늦게라도 하는 편이 전혀 안 하는 것보다는 낫다〉?」 카산드라가 참다 못해 밑에서 한마디 던진다.

오를랑도는 즉시 그 말을 받는다.

「바로 그거야. 세상에는 너무 늦게 하느니보다는 차라리 안 하는 편이 나은 일들이 수두룩하지. 예를 들면…….」

「아뇨!」 카산드라가 다시 말한다. 「내 말뜻은, 늦게라도 나를 풀어 주는 편이 영영 안 하는 것보다는 낫다는…….」

사냥복 차림의 바이킹은 화들짝 놀란 얼굴로 그녀를 돌아본다. 그는 곧 한 손으로 그녀의 발목을 잡고, 다른 한 손으로는 단검으로 줄을 잘라 발을 빼내어 준다. 그러고는 살며시 그녀를 땅 위에 내려놓는다. 그녀는 일어나서 숨을 크게 들이쉬고는, 흘러나온 침을 힘들여 삼킨다.

「에…… 안녕, 후작, 안녕하세요, 남작님.」

하지만 두 남자는 대화 주제에 너무도 열중해 있어서 대꾸할 정신이 아니다. 금방 그녀에게 등을 돌려 버리고, 대속을 향해 걸음을 옮기면서 아까 하던 대화에 더욱 열을 올린다.

「〈장님들의 나라에서는 애꾸가 왕이다.〉 난 이게 분명히 틀렸다고 생각해.」 오를랑도가 다시 말을 잇는다. 「장님들만 있는 나라에 애꾸 하나가 도착하게 되면 어떤 일이 일어날지 한번 생각해 봤어?」

「당연하지. 속담처럼 애꾸는 장님들의 대장이 되겠지!」

오를랑도는 물러설 생각이 전혀 없다. 그는 목소리를 낮게 깔아 쏘아붙인다.

「웃기고 있네! 천만에! 애꾸는 항상 헛것이나 보는 괴상한 친구로 취급될 거야. 당연히 푸대접을 받게 되겠지. 그가 하는 소리는 다 미친 소리라고 생각할 거야. 왜냐하면 자기들이 보기엔 아무것도 없는데 뭔가가 보인다고 주장하니까!」

「하지만 그는 장님들보다 더 강해질 텐데? 눈 덕분에!」

「더 약해지지. 그 눈 탓으로.」

「싸우면 그가 장님들을 이길 건데?」

「천만에. 애꾸가 박살이 날 거야. 장님들은 분명히 다른 감각들을 발달시켰을 거거든. 청각, 후각, 촉각 등등.」

「그것들은 시각보다는 못하다고!」

「밤에도? 이봐, 밤에는 말이야, 장님들이 애꾸의 면상을 단 2분 만에 걸레로 만들어 놓을 거야. 왜냐면 시각만을 사용하며 빛에만 의존하는 그자보다는 그들이 훨씬 더 효율적으로 움직일 수 있을 테니까.」

이 작은 행렬의 끄트머리에서 따라가고 있는 카산드라는 나중에 이곳을 다시 찾지 않을 수 없게 될 때를 위해, 기준이 될 만한 지형지물을 눈여겨보면서 길을 기억해 두려고 애쓴다.

57.

분명히 이 사람들은 나를 다시 보게 되어 좋아하고 있어. 이들이 이렇게 구는 것은 단지 행동에 있어서 수줍음이 많고, 자신을 표현하는 방식에 있어서 서툴기 때문이지.

58.

깨지는 음성이 터져 나온다.

「아니, 저 지겨운 년, 여기서 또 뭐하고 있는 거야? 저 개똥 같은 백설 공주는 완전히 해결해 버린 걸로 알고 있었는데?」

에스메랄다가 읽고 있던 잡지를 아래로 내리면서 쏘아붙인다.

잡지 표지에는 이렇게 써져 있다. 〈여가수 사만타 세 번째 임신. 아빠가 누군지는 모른다고.〉 그 밑에는, 〈임신한 날 밤, 거기엔 여러 사람이 있었어요. 난 술에 취해 있었고요.〉

아프리카 노인은 미간을 찌푸리며 기계적으로 턱을 긁는다. 이 의외의 사태를 이해해 보고자 열심히 머리를 굴리고 있는 모양이다.

「이 계집애가 개 몇 쳐놓은 곳에 들어갔어. 하마터면 놈들에게 먹힐 뻔했지.」오를랑도가 설명한다.

「미안하게 됐어. 내가 얘를 사망시켜 주려고 했는데, 내 동작이 충분히 빠르지 못해서⋯⋯.」김이 덧붙인다. 「남작이 날 방해하더라고.」

「못된 꼬마 녀석 같으니! 나이가 들어 좀 더 지혜가 쌓이면 너도 이해하게 될 거다. 폭력은 해결책이 못 된다는 사실을 말이다.」오를랑도가 꾸짖는다.

「가만, 당신이 그런 말을 하면 어떡해? 속담 뒤집기 놀이를 하던 참이잖아. 그래, 이번엔 내가 한번 뒤집어 주지. 〈폭력은 종종 최선의, 게다가 유일한 해결책이 된다!〉」

「예외란 게 있어. 모든 속담을 다 뒤집어야 하는 건 아니야.」금발의 텁석부리가 역정을 낸다.

「지금 그 말은 속담인가?」김이 깐죽거린다.

카산드라는 즐거운 기분으로 장소를 둘러본다. 처음에는 너무나도 놀랍고, 너무나도 역겨웠던 이상한 마을이었다. 하지만 지금은 다르다. 온갖 관습들로 찌든 이 세상 한복판에 숨어 있는 자유의 장소로서의 모든 특질들이 느껴지는 곳이다.

이곳은 하나의 유토피아야. 정확한 어원적 의미로의 유토피아. 즉 어느 지도 위에도 존재하지 않는 장소.

사람들은 계속 얘기하고 있지만, 그녀는 더 이상 그들의 말에 귀를 기울이지 않는다. 대신 쓰레기 산들을 응시하고 있다.

왜 내가 이 진흙탕에 돌아왔을까? 내 안의 무언가가 아주 오래전부터 이곳을 알고 있었기 때문이야. 또 이곳은 내 개인적 진화에 있어서 필수 불가결한 단계이기 때문이지. 부패의 단계. 내가 아직 마치지 못한 단계.

부패의 단계. 완벽의 상징인 〈현자의 돌〉의 실현을 지향하는 〈대(大)작업〉에서는 그렇게 부르지.

납의 황금으로의 변성.

거름과 쓰레기로 돌아올 때만이 순수한 진실을 솟아 나오게 할 수 있어. 이 단계는 반드시 필요해. 이 원초적인 침강을 거부하는 자는 빛을 이해할 수도, 볼 수도 없어. 나 또한 더러운 하수구로 내려가야만 나의 개인적인 과거를 이해할 수 있어. 동시에 집단의 미래도 이해하게 돼. 왜냐면 이 둘은 필연적으로 연결되어 있으니까.

찢어진 폐타이어들이 쌓여 있는 곳 앞에, 개 가죽 한 장이 나무 액자 틀에 고정되어 건조되고 있다. 금이 간 텔레비전 화면 하나가 실시간 뉴스를 소리 없이 보여 주고 있다. 공터 중앙에는 나무 땔감이 타고 있고, 그 위에는 냄비 하나가 걸려 있다. 냄비에서는 개고기를 삶는 역겨운 냄새가 풍겨 나온다. 그리고 그 주위에는 공중 곡예 대회라도 벌어진 것인지 파리들과 모기들이 빙빙 돌면서 서로 비행 실력을 겨루고 있다.

「그런데 공작 부인, 당신의 귀중한 시간을 뺏고 싶은 생각은 없지만, 만일 허락하신다면 단 한 가지만 묻고 싶어.」 김이 다시 말한다. 「당신 생각으로는, 장님 나라에서 애꾸들이 어떤 대접을 받게 될 것 같아? 숭배될까? 받아들여질까? 멸시받을까? 쫓겨날까?」

「쫓겨나겠지, 뭐! 그런 상통을 가졌으니 당연한 거 아냐? 어쨌든 난 애꾸는 안 좋아해.」 에스메랄다는 새로 도착한 소녀에게서 그 사팔뜨기 시선을 떼지 않은 채 대답한다.

「그럼, 자작 당신은? 어떻게 생각하지?」

「밤이냐 낮이냐에 따라 다르겠지. 밤이더라도 보름달이 있으면 또 다른 문제이겠고. 내 말뜻을 이해할랑가 모르겠지만.」 아프리카 노인은 외교적인 발언으로 만족한다.

에스메랄다가 불쑥 대화를 끊는다.

「이것 봐, 신데렐라! 너의 그 잘난 척하는 부르주아의 면상을 더 이상 보고 싶지 않다고 우리가 분명히 설명했을 텐데?

또다시는 여기 돌아오지 말라고 분명히 충고하지 않았어? 맞아, 그렇게 했던 것 같아. 아니면…… 우리 뜻을 명확히 전달하지 못한 건지도 모르지. 어쩌면 우리가 말을 분명하게 안 했던 것 같아. 〈나가! 더 이상 널 보고 싶지 않아!〉라는 문장은 우리가 보여 준 손님 접대 감각에 비추어 뭔가 모호하게 느껴졌을 수도 있어. 하지만 말이야, 이 문장은 정말로 널 원하지 않는다는 뜻이었다고!」

그녀는 다가와 카산드라의 얼굴에 침방울을 튀겨 대며 말을 잇는다.

「우린 벌써 이 대속에 정치적 망명을 요청하는 모나코의 카롤린 공주, 영국 여왕, 교황, 그리고 프랑스 대통령을 거부한 바 있어. 따라서 너만 예외로 해주지는 않겠단 말씀이야.」

빨간 쪽머리에 풍만한 가슴의 소유자는 한 걸음 더 나아온다.

「이것 봐, 재수 없는 아가씨! 넌 사면발니보다 더 고약한 존재야. 왜냐고? 도무지 떨쳐 버릴 수가 없잖아! 좋아, 그렇다면 쥐약이나 비소 분말을 써서 이 잡듯이 널 떼어 버려야겠지. 그래도 달라붙으면, 굴 껍질 까는 칼로 떼어 버리거나. 아니면 굴착기를 동원해야겠지.」

「어허, 그만하라고, 공작 부인.」 오를랑도가 나지막하게 웅얼거린다.

「아니, 나 계속할 거야. 왜, 벌써 한 번 쫓아냈는데, 다시 쫓아내는 게 힘들 것 같아? 아니면 김이 널 죽여 버리거나. 그것도 아니면 알바니아 애들한테 성 노예로 팔아 버릴 수도 있겠지. 자, 어떻게 대답할래?」

카산드라는 손목시계에 재빨리 시선을 던지고, 5초 후 사망 확률이 다시 14%로 내려와 있음을 확인한다.

지금 여기에서 일어나고 있는 일을 포착할 수 있는 비디오 카메라나 감시 시스템이 없는 거든지, 아니면 이곳이 다른 장소들에 비해 특별히 위험하지는 않다는 얘기야. *이 여자의 말은 허풍일 뿐이야.*

카산드라는 자신이 오빠 다니엘의 시계에 비이성적인 신뢰를 품고 있다는 사실을 깨닫는다. 시계가 14%를 표시하고 있다는 단순한 사실이 그녀에게 확신을 안겨 주는 것이다. *이 여자는 자기를 겁주고 있는 것일 뿐, 지금 이곳에는 별다른 위험이 없다는 확신 말이다.*

어쨌든 적어도 앞으로 5초 동안은 위험이 없어.

그래서 그녀는 에스메랄다에게서 눈을 떼지 않은 채 또박또박 말한다.

「난 여기 있고 싶어요. 여러분과 함께요. 앞으로 계속해서요.」

순간, 정적이 흐른다. 에스메랄다는 웃음을 터뜨린다. 그리고 모두가 박장대소를 한다.

「브라보, 남작! 당신이 보석을 하나 주워 오셨어! 지금까지 우리가 얘 없이 어떻게 살아 왔는지 모르겠네?」

「와, 부르주아 계집애치고는 말이 별로 없는데, 한번 입을 열었다 하면 상당히 쇼킹하단 말이야!」 김도 인정한다.

카산드라는 손목시계를 만지작거리고 있을 뿐, 꿈쩍도 하지 않는다. 이윽고 사람들이 조용해지자, 그녀는 다시 말을 잇는다.

「곰곰이 생각해 봤어요. 나의 진정한 자리는 바로 이곳, 오직 이곳뿐이에요. 당신들만이 나를 이해해 줄 수 있어요.」

대속의 네 시민은 웃음을 멈추고, 멍한 얼굴로 서로를 쳐다본다. 에스메랄다는 목덜미를 긁는다. 그것이 신호였다. 페트나는 겨드랑이를, 김은 허벅지를, 오를랑도는 턱을 긁는다. 이어 금발의 턱석부리는 요란한 트림을 터뜨린다. 이 사내는 깊은 숙고에 들어갈 때면 이런 증상을 보이는 모양이다. 에스메랄다도 땅에다 여러 차례 침을 뱉는다.

그들이 망설이고 있다는 걸 느낀 카산드라는 판세를 굳히기로 한다.

과연 이들이 진실을 받아들일 수 있을까? 미신 속에서 살아가는 사람들이니만큼, 비이성에 매달려 줄타기를 해야 해. 개들과의 관계에서 그러했듯, 우리를 나누는 골을 메우기 위해서는 내가 자기들과 같다는 사실을 이해시켜야 해. 개들은 의식 수준이 너무 낮아서 실패했지만 이들에겐 이 방식이 통할 거야.

「나는 말이죠, 태어나서 지금까지, 그 누구에게도, 그리고 그 무엇에 대해서도 설득당해 본 적이 없어요.」

「그래서? 그게 네가 내세우고 싶은 논리냐?」

물결치는 긴 검은 머리의 소녀는 조금의 흔들림도 없이 말을 이어 나간다.

「하지만, 여러분에게는 분명히 약속드릴 수 있어요. 나는 여러분에게 액운을 가져다주지 않을 뿐 아니라, 오히려 행운을 가져다줄 거라고요. 나는 내 주위에 있는 사람에게는 보호 부적과 같은 존재예요.」

그러고는 그들 패거리의 일원임을 표시하기 위해 그녀는 맹렬히 팔 밑을 긁어 대고, 가래침을 뱉으려 해본다. 에스메랄다가 다가온다.

「이것 봐, 계집애야. 너 이렇게 생각 안 해? 네 또래의 다른 어린 애들처럼 너도 공부를 하고, 부르주아의 삶을 살고, 쇼핑을 하고, 로맨틱한 텔레비전 연속극을 보고, 나이트클럽에도 가고, 마약을 하는 것이 훨씬 나을 거라고 정말로 생각 안 해?」

이 유혹적인 전망 앞에서 아주 잠시 망설인 후에, 카산드라는 단호히 고개를 젓는다.

「좋아, 그렇다면,」 여자가 결정을 내린다. 「여기 이 자리에 모인 정부의 의견을 물어봐야겠어.」

그들 네 사람은 조금 떨어진 곳으로 가서 둥글게 둘러 앉아 귀엣말로 속닥댄다. 처음에는 서로 의견이 맞지 않는 기색이 역력하다. 그러고는 점차로 어떤 합의의 장을 찾아내고 있는 듯이 보인다.

마침내 에스메랄다가 몸을 일으키더니 이렇게 선언한다.

「오케이, 코제트.[20] 우리의 일원이 되고 싶다면 그건 가능해. 하지만 먼저, 중요한 〈입단 시험〉을 하나 통과해야 해.」

59.

이들이 결국 굴복하리란 걸 알고 있었어. 이들은 선뜻 고백하지는 못하지만 내가 여기 있는 걸 좋아하고 있어.

뭐라 해도 난 젊고 매력적인 여자애니까. 이들에겐 꼭 필요한 존재지.

난 이 역겹고도 처량한 하치장에 부는 한 줄기 신선한 바람 같은 존재가 될 거야.

그들은 몰랐겠지만, 실은 나를 기다리고 있었어. 그리고 앞으로, 내가 자기들에게 반드시 필요한 존재임을 발견하게 될 거야.

60.

올이 풀린 천 같은 구름 사이로, 보름달이 훤한 얼굴을 드러낸다. 그러자 저 멀리, 두 개의 검은 뿔같이 우뚝 솟은 몰로크의 굴뚝들이 나타난다. 대속의 주민들은 카산드라를 하치장의 북쪽 구역으로 데려간다. 매일 쓰레기 트럭들이 몰려와,

20 빅토르 위고의 소설 『레미제라블』에 나오는 여자 주인공. 가난한 여공의 딸로 비참한 삶에 빠져 있는 것을 장발장이 구해 준다.

가정에서 배출된 쓰레기들을 무더기로 쏟아붓는 곳이다.

그들이 상당히 깊은 금속 컨테이너 하나를 가리키자, 에스메랄다가 이 입단 시험의 규칙을 설명해 준다.

이 컨테이너는 매일 저녁 육류 전문 쓰레기 트럭들이 와서, 여러 도살장에서 수거해 온 폐기물을 버린다. 따라서 가장 지독한 악취가 진동하는 곳이다. 만일 그녀가 이 끔찍한 부패물 한 가운데서 하룻밤을 견뎌 낼 수 있다면, 내일 아침 대속의 한 당당한 시민으로 받아들여지는 것이다.

썩어 가는 송장들의 악취를 참아 내라는 얘기군. 어려울 것도 없겠네. 첫날 아침, 시쓰장의 그 지독한 냄새를 이미 이겨 냈잖아? 그 고비를 넘겼으니, 이 세상 그 어떤 독기라도 견뎌 낼 수 있어.

에스메랄다의 뒤를 이어 오를랑도가 설명을 계속한다.

「꼬마야, 넌 이 컨테이너에 내려가야 하지만, 다시 올라오고 싶으면 이 사다리가 있어. 더 이상 참을 수 없게 되면 다시 올라오면 돼. 바로 가까운 곳에 북쪽 정문이 있고, 그 문으로 나가면 도로가 나올 거다. 거기서 히치하이킹을 해서 네 집으로 돌아가면 돼.」

「그 후에는」 페트나가 부연한다. 「네 친구들과 네 학교로 돌아갈 수 있을 거다. 정상적인 세계로 말이다.」

아프리카인은 성냥갑 하나를 건네주며 덧붙인다.

「자, 이 물건이 네게 도움이 될 거다. 내 말뜻을 이해할랑가 모르겠지만.」

아니, 지금 무슨 말을 하고 있는 건지 전혀 모르겠어. 그리고 말끝마다 붙이는 저 짜증 나는 표현은 그만 좀 사용하면 안 될까?

카산드라는 사다리를 타고 내려가 피 썩는 악취가 진동하는 컨테이너 밑바닥에 자리 잡는다. 대속의 주민들은 한 사람씩 컨테이너 금속 벽을 두드려 작별을 고한 후 멀어져 간다.

「잘 가라고, 신데렐라!」 에스메랄다가 소리친다.

「내일 아침에 봐요!」 카산드라가 대꾸한다.

김이 뭐라고 빈정대는 소리만이 그들이 주는 유일한 대답이다. 멀리서 오를랑도의 굵직한 목소리가 희미하게 들려온다.

「……〈미래는 아침 일찍 일어나는 사람의 것이다〉라고? 그 속담은 틀렸어. 이를 뒤집은 말이 오히려 맞지. 〈미래는 늦게 잠자리에 드는, 따라서 늦게 일어나는 사람의 것이다.〉」

「설명해 보시지, 남작?」

「그러니까, 밤늦게까지 파티를 하는 사람들은 친구들을 많이 사귈 수 있고, 이들은 이 사람이 나중에 경력을 쌓는 데 도움을 주지. 밤에 맺어진 사람들의 인맥이 그들을 도와주는 거야. 그것이 노름꾼들이든, 난교 파티 애호가들이든, 흡혈귀들이든, 스와핑 친구들이든, 또…….」

그들의 목소리는 밤의 정적 속에 잦아든다. 맑고 커다란 회색 눈의 소녀는 녹슨 금속판 위에 쪼그리고 앉아 불규칙하게 숨을 몰아쉰다.

이 고비만 넘기자. 그러면 지금 불쾌하게 느껴지는 것이 견딜 만한 것, 아니 기분 좋은 것이 될 거야. 포도주가 그러하듯이. 또 강한 맛의 치즈가 그러하듯이. 우리는 모든 것에 익숙해질 수 있을 뿐 아니라, 거기서 즐거움까지 느낄 수 있어. 모든 것은 단순한 적응의 문제니까.

카산드라는 그렇게 앉아서 기다린다.

한 시간이 지나자, 트럭들이 도착하여 피스톤 작동하는 소리를 요란하게 낸다. 주황색 야광 옷을 입고, 두꺼운 고무장갑을 낀 사내들이 컨테이너 오른편에 묵직한 비닐 자루들을 집어던진다. 카산드라는 그들의 눈에 띄지 않게끔 컨테이너의 왼쪽 벽에 찰싹 몸을 붙이고, 눈앞에서 썩은 고기가 든 자루들이 쌓이는 광경을 멍하니 바라본다.

잠시 후에 다른 트럭들이 오더니 싣고 온 짐을 컨테이너에 쏟아붓는다. 투명한 자루의 산은 한층 높아진다. 때로는 떨어지는 충격을 못 이겨 터져 버리는 것들도 더러 있다. 거기서 썩어 가는 고기의 역한 냄새가 새어 나온다.

이것은 내가 거쳐야 할 부패 경험의 일부분이야. 따지고 보면 그리 대단한 일도 아니잖아? 사실 프랑스는 발효의 나라 아니야? 우리나라의 특별한 먹을거리들은 모두가 미생물들의 작업을 조절하는 기술에서 나온 것들이야. 우리가 그토록 자랑스럽게 생각하는 치즈는 발효된 젖으로, 포도주는 발효된 포도즙으로 만들어. 빵은 누룩으로 발효시킨 밀가루이고, 양송이버섯은 썩는 말똥 위에서 자라지. 심지어는 치즈를 한 번 더 발효시켜 맛이 한층 강한 로크포르 치즈를 얻고, 포도주를 발효시켜 식초를 얻고…….

카산드라 카첸버그는 숨을 크게 들이쉰다. 트럭들이 모두 떠나자, 소녀는 불그스름한 색과 분홍색이 섞인 뭉그러진 형태들로 가득 채워진 투명한 비닐봉지들 위에 걸터앉는다. 냄새는 점점 더 지독해져 눈이 따가울 정도가 된다.

자, 이게 시험의 다음 단계인 모양이지? 죽음의 냄새를 견뎌 내는 일.

하지만 카산드라는 전번처럼 크게 당황하지는 않는다. 냄새의 강도가 점차로 증가했으므로, 이 적대적인 환경에 적응할 방법을 다듬어 나갈 시간적 여유가 있다. 그녀는 숨을 조금씩 들이마시며 자신의 폐가 이 시체 썩는 악취에 차츰 적응해 갈 수 있도록 한다.

내일 그들은 내가 이 입단 시험을 성공적으로 통과했다는 사실을 인정하지 않을 수 없을 거야…….

그녀는 미소를 짓는다.

세상에! 내가 노숙자들에게 받아들여지기 위해 시험을 보게 될 줄이야!

그녀의 시계는 〈5초 후 사망 확률: 16%〉를 가리키고 있다.

정상치보다 겨우 3% 높아. 큰 위험은 없다는 얘기야. 단지 이 역겨움만 참아 내면 돼.

밤은 점점 더 어두워진다. 카산드라는 자루들 사이에 몸을 눕히지만 좀처럼 잠이 오지 않는다. 잠들기 위해 그녀는 양의 수를 세는 대신에 거꾸로 된 속담을 찾아보기로 한다. 그러면 내일 오를랑도와 얘기할 거리가 있으리라.

〈평화를 원하는 자는 전쟁을 준비한다〉…… 이것도 거꾸로 하는 게 더 맞아. 〈평화를 원하는 자는…… 평화를 준비한다.〉

오를랑도 말이 맞았어. 우리 조상들은 잘못 생각했어.

또 다른 걸 생각해보자.

〈강자의 주장이 항상 옳다.〉 이 말도 거꾸로 하는 게 나아. 〈약자의 주장도 때로는 옳다.〉

갑자기 어디선가 발자국 소리가 들린다.

페트나가 주고 간 성냥갑을 찾아 들고는 성냥 한 개를 그어 주위를 밝혀 본다. 옆구리 터진 주홍빛 고기 자루들만이 번들거리고 있다.

환청이었어.

그녀는 자루 하나에 파란 눈들이 꽉 차 있는 것을 발견한다. 아마도 돼지 눈인 듯한 그것들은 비닐 막을 통해 그녀를 응시하고 있다. 그 눈들은 그녀에게 뭔가를 얘기하고 있는 것처럼 보인다.

우리는 아무런 악한 짓도 안했는데 이렇게 벌을 받았어. 우리는 태어남과 동시에 사형 선고를 받지. 이 운명에서 다른 여지는 전혀 없고, 여기에서 벗어날 가능성은 제로야. 태어났을 때부터 우리의 사망 확률 시계는 100%를 가리키고 있는 셈이지. 그것도 모자라서 그들은 우리를 조롱하려는 듯, 이렇게 모두 다 장님으로 만들어 버렸어. 자, 이게 바로 우리의 눈이야. 이제 우리 중에는 애꾸가 하나도 없겠지.

카산드라는 기분 나쁜 오싹함을 느끼며 흠칫하고 몸을 뒤로 뺀다. 그러다가 그녀는 손톱으로 내장이 가득한 또 다른 비닐봉지를 터뜨리고 만다. 보기만 해도 끔찍하게 느껴지는 미지근한 김이 모락모락 피어 나온다.

그녀는 가슴에 치밀어 오르는 구역질을 호흡을 줄여 간신히 억누른다. 그런 다음, 실수로 또 다른 비닐봉지를 터뜨리는 일이 없게끔 다시 성냥을 그어 주위를 살핀다. 잘한 일이었다. 하마터면 돼지의 뇌로 가득한 비닐봉지를 발로 밟아 터뜨릴 뻔했으니까.

왜 이것들은 먹지 않았을까?

아마도 상한 고기이리라. 아니면 광우병이나 돼지 독감 같은 질병에 걸린 짐승들인지도 모른다.

악취는 참기 힘들 정도로 고약하다.

난 지금 공동묘지 안에 있어.

그녀의 불규칙한 호흡은 더욱 더 짧아진다.

난 더 이상 정상적인 세계로 돌아가고 싶지 않아. 이곳에 남아 있고 싶어. 그러니 이 입단 시험을 통과하고야 말겠어. 그 어떤 대가를 치러서라도!

카산드라 카첸버그는 대속의 주민들이 자기에게 부과한 것은 아프리카, 파푸아뉴기니, 혹은 아마존 밀림의 원시 부족 사람들이 행하는 입문 의식과 같은 것이라고 받아들인다. 사실, 지금 자신은 선사 시대 사람들과 함께 있다고 할 수 있지 않은가?

그들은 활을 사용하고, 움막을 얼기설기 지어 놓고 살고 있어. 또 모든 사람이 각종 신분증, 세금, 의무, 돈을 소유하고 있는 21세기 프랑스의 한복판에서, 그들은 자유를 누리고 있지. 그들의 피부에는 바코드가 문신으로 새겨져 있지 않아.

나도 이들처럼 자유롭고 싶어. 그리고 그 대가를 치를 준비도 되어 있어.

맑고 커다란 회색 눈의 소녀는 무슨 일이 있어도 이 시험을 이겨 내고야 말리라 굳게 다짐한다. 하여 돌이킬 수 없는 일을 벌이고 만다. 대속의 시민이 되는 기회를 포기하고 싶은 마음이 아예 들지 못하게끔, 컨테이너에 내려올 때 사용했던 사다리를 들어 올려 금속 벽 저편으로 던져 버린 것이다. 더 이상 손이 닿을 수 없는 곳으로.

우리가 어떤 선택을 하는 데 있어서 잘못을 범할지도 모른다는 두려움, 바로 이것이 우리를 고통스럽게 하는 거야. 하지만 더 이상 선택할 필요가 없다면 더 이상 고통도 없게 되지.

그녀는 다시 주저앉아 성냥 하나를 그어 팔목에 찬 시계를 밝혀 본다. 〈5초 후 사망 확률: 17%〉.

사실 이 시계는 이 시험을 통과하는 데 큰 도움을 주고 있어. 이것 덕분에 비합리적인 공포들에서 해방될 수 있으니까. 이제 난 그 어떤 것과도 맞설 수 있어. 왜냐면 나는 실제적인 위험이 무엇인지를 명확히 파악하는 한편, 상상적인 위험들은 더 이상 두려워하지 않게 되었기 때문이지. 다니엘 오빠는 자기가 발명한 것에 이런 의미가 있다는 사실을 미처 깨닫지 못했을 거야. 하지만 오빠가 발명한 것은 〈위험의 과학적 산정에 의한 불안감 제거〉, 바로 그것이었어.

카산드라는 힘이 솟는 것을 느끼며, 자신의 감정을 제어할 수 있게 된다.

이 네 명의 노숙자가 날 받아들여 주면 난 대속을 내 은신처로 삼을 거고, 이곳을 기반으로 해서 오빠를 찾는 일과 지워져 버린 내 어린 시절의 비밀을 밝히는 일을 계속해 나갈 거야. 그리고 이제는 외모도 바꿔야겠어. 지금까지는 운동복, 고딕 스타일, 여성 사업가 스타일 등 요란하게 차리고 다녔다면 이제는 좀 더 눈에 덜 띄는 옷차림을 해야 할 거야. 예를 들면 학생 차림도 괜찮겠지.

갑자기, 그녀 주위에서 또 다른 발소리들이 들린다.

이건 짐승의 발소리인데…….

개보다는 훨씬 작고 가벼운 발소리이다.

여우 음양이인가?

「일? 일?」 그녀는 여우가 질색을 한다는 그 단어를 말해 본다.

하지만 으르렁거리는 대답이 없다.

달은 구름에 가려 사라졌다. 카산드라는 성냥 하나를 켜 들고 주위를 살펴보다가, 마침내 그 부스럭거리는 소리의 근원을 발견한다. 모골이 송연해진다.

열 마리 남짓한 조그만 방문객들이 자루 더미 주위를 분주히 돌아다니고 있다. 열 마리는 이내 1백 마리가 되고, 1백 마리는 다시 1천 마리로 불어난다.

맙소사! 이 입문 시험은 악취를 견뎌 내는 게 아니었어. 견뎌 낼 것은 바로…… 이것이었어!

쥐였다.

둘 중 하나야. 여기 남아서 물려 죽든지, 아니면 그대로 도망가 영영 돌아오지 못하게 되든지. 하지만 사다리는 이미 컨테이너 저쪽에다 던져 버렸잖아!

카산드라는 성냥을 또 하나 켜 든다. 다행히도 불꽃이 발하는 빛에 설치류 무리는 겁을 먹는 듯이 보인다.

원시인들도 잠을 편히 자려고 야영장 주위에 불을 밝혀 놓았다고 하지.

쥐들은 그녀에게 다가오지 않고, 소의 허파나 내장이 들어 있는 자루들을 뜯어 헤치는 것으로 만족한다.

카산드라는 해결책을 찾아본다. 성냥 하나가 다 타면, 즉시 또 하나를 켜 든다. 그런데 쥐 중에서 대담한 녀석 하나가 불이 주는 두려움을 극복하고 조심스럽게 다가온다. 그녀는 정신을 집중한다.

우리는 모두…….

그다음은 소리를 내어 말한다.

「이 행성의 세입자들이란다. 동일한 생명의 에너지가 우리 모두를 관류하고 있어. 작은 쥐야. 너 역시 이 생명의 에너지로 인해 살아 움직이고 있지. 우리 모두는 우주의 탄생에서 나온 같은 먼지들이란 말이야.」

설치류는 조금 더 다가온다. 그렇게 적대적으로 보이지는 않고 오히려 호기심 어린 기색이다. 녀석의 두 귀는 마치 카산드라의 말을 알아듣고 있는 양 쫑긋거린다. 긴 수염이 우스꽝스럽게 움직인다. 성냥불 빛에 털북숭이 몸의 그림자가 벽면에 비쳐 일렁인다. 차라리 귀엽게까지 느껴지는 모습이다.

벌써 다른 녀석들이 조심조심 그 놈의 뒤를 따르고 있다. 이내 쥐 떼는 그녀 주위를 빙 둘러쌌다.

「아냐. 너희는 개들처럼 하지는 않을 거야. 너희 쥐들은 개보다는 훨씬 영리하잖아. 그렇지?」

제일 앞에 선 녀석은 그녀와 가까운 곳에 놓인 자루에서 삐져나온 고깃덩어리에 관심이 있는 듯 짐짓 딴청을 부린다. 녀석은 뒷발로 앉아서 고기를 먹는다.

돼지 콩팥이다. 쥐는 즙이 가득한 자두와 아주 흡사해 보이는 그것에 앞니를 깊이 박는다. 그러나 자두의 노란 즙 대신에 텁텁한 냄새의 짙은 색 즙이 터져 나온다. 설치류의 주둥이와 수염이 새빨갛게 물든다.

성냥불이 꺼진다. 카산드라는 재빨리 또 하나를 켜 든다. 위기일발의 순간이었다. 설치류들이 이룬 원이 차츰 좁혀진다. 소녀는 견딜 수 있을 때까지 성냥을 들고 있다. 이 순간 그녀가 꿈꾸는 것은 다만 한 자루의 양초일 뿐이다. 하지만 이내 불꽃은 손가락이 델 정도로 타들어 온다. 그녀는 짤막해진 성냥을 내던지고, 최대한 신속히 또 하나를 켜 든다.

성냥이 꺼지고 황급히 또 하나를 켜 드는 그 몇 초 사이에, 그 작은 갈퀴 같은 발들이 비닐봉지들 사이로 그녀를 향해 전진하는 소리가 어둠 속에 들려온다.

문득 오를랑도의 속담이 떠오른다. 뒤집은 속담이라기보다는 속편 격이었다.

〈장님들의 나라에서 애꾸눈이도 귀머거리는 아니다.〉

이 생각을 하면서 그녀는 미소를 짓는다.

그래. 오를랑도의 말이 맞았어.

성냥이 꺼지면 몇 초 동안 칠흑 같은 어둠이 계속되고, 청각은 송곳처럼 예민해져 그녀에게 다가오는 짐승들의 발소리를 선연히 분간한다.

눈길을 손목시계 쪽으로 내려 보니 숫자가 야광으로 빛나고 있다. 〈5초 후 사망 확률: 67%〉.

그녀는 곧바로 성냥을 또 하나 켜 든다.

지금 여기에서 일어나고 있는 장면을 포착하고 있는 비디오 카메라는 존재하지 않는다. 그렇다면 프로바빌리스는 시각 정보 외의 다양한 정보들을 분석하고 있는 거라고 그녀는 추론해 본다.

프로그램은 지금 이 시간, 이 장소에 쥐들이 많이 돌아다닌다는 점을 고려했을 거야. 또 이 팔찌가 전송해 준 현장의 정보도 추가로 감안했겠지. 내 심장 박동 상태와 내 몸의 전기 저항 등.

견뎌 내야 해. 이 시련만 이겨 내면, 앞으로는 그 무엇도, 또 그 누구도 두렵지 않을 거야. 자, 생각을 딴 데로 돌리자.

가령……

〈죽을 고생이 사람을 더 강하게 한다〉? 이 말도 확실하다고는 할 수 없어.

오히려 그 반대가 더 맞을 거야.

죽을 고생이 사람을 더…… 죽인다.

교통사고를 당한 사람이 안 죽었더라도 평생 불구로 지내게 되잖아. 니체는 틀렸어. 오를랑도가 옳아.

성냥불이 꺼진다. 주위의 갈큇발들이 움직이는 소리가 더욱 가까워진다. 카산드라는 인(燐)이 묻은 나뭇개비를 신속히 긋는다.

아니면……

〈죽을 고생이 사람을 더 미치게 만든다.〉

그녀는 나중에 오를랑도를 다시 보게 되면 이 반(反)속담을 알려 줘야겠다고 마음먹는다.

하지만 다시 볼 수나 있을까……?

마침내 마지막 성냥개비까지 왔다. 그녀의 눈은 불꽃에 매혹된다. 이 흔들리는 가느다란 미광, 이것이 그녀의 마지막 방패다. 그 후에는 미지의 세계가 오리라.

불.

21세기에 살고 있는 그녀의 목숨이 선사 시대 사람들처럼 불이라는 발명품에 달려 있다.

성냥 한 갑만 더 얻을 수 있다면 이 세상 그 무엇인들 주지 못하겠는가?

가느다란 막대기는 활활 타오르며, 노란색과 주황색과 붉은색이 섞인 따스한 빛을 발한다. 이 연약하기조차 한 작은 나뭇가지가 밝혀 주고 데워 주는 1초 1초가 그녀에게는 영원처럼 느껴진다. 이 마지막 불꽃이 타고 있는 시간이 그녀의 생전체를 결정짓는 순간인 것이다. 그녀는 타오르는 성냥개비를 응시하고, 그녀의 매혹된 두 눈은 점점 까매지고 있는 나

무릎을 따라 전진하는 불꽃을 쫓는다. 감히 시선을 내릴 엄두도 못 내지만, 〈5초 후 사망 확률: 83%〉라는 글자가 눈에 언뜻 들어온다.

오빠는 98%였지만 살아났어. 생존 가능성이 단 1%라도 남아 있다면 아직 희망이 있는 거야.

불꽃이 엄지를 태울 듯 뜨겁게 느껴지더니, 이내 찌지직 꺼져 버린다.

외투 같은 구름 뒤에 숨은 달은 여전히 나타나지 않는다. 몇 초 동안 세상은 암흑 그 자체다. 불안해진 카산드라는 주위의 공기를 점점 더 크게 들이마신다.

이상하게도 쥐들이 공격에 뜸을 들인다. 자기들을 방해할 불꽃이 더 이상 없다는 걸 확인하고 싶은 것일까?

쥐들이 이룬 원이 아주 천천히 좁혀져 온다. 이제 카산드라에게는 녀석들이 전혀 귀엽게 느껴지지 않는다.

놈들은 서두르지 않는다.

갑자기, 소름끼치는 새된 울음소리가 정적을 찢는다. 그것이 신호다.

쥐들이 일제히 공격해 온다. 그녀는 얼굴을 두 팔 속에 파묻고, 태아와 같은 자세로 온몸을 웅크리면서, 두 눈을 꼭 감고 울부짖는다.

「엄마!」

다시 한 번, 시간이 멈춘 것처럼 느껴진다.

61.

내가 〈엄마〉라는 말을 내뱉었어.

그냥 자연스럽게 흘러나왔어.

사람들이 죽을 때 마지막으로 하는 말은 무엇일까?

〈자, 갑시다! 넝쿨로 엮은 이 구름다리는 튼튼해 보여요.〉 혹은 〈그렇게 총을 겨눈다고 해서 내가 겁낼 줄 알아?〉 혹은 〈이 음식은 뒷맛이 뭔가 이상한 것 같아〉……?

이런 순간에 이성적인 사고를 하기는 힘들지. 머리가 온통 딴 데 가 있으니까. 정신은 자신이 죽는다는 생각에 온통 사로잡혀 있으니까. 그래서 사람들은 그 순간 가장 절박한 욕구를 표출하게 되지.

대부분의 사람들은 숨을 거두기 직전에 그저 〈아그……!〉라는 신음을 토했겠지.

그리고 난 〈엄마!〉라고 했어.

이 말은 갑자기 튀어 나왔어. 수많은 위대한 전사들이 숨을 거두기 몇 초 전에 그랬듯이.

나폴레옹도 죽기 전에 〈엄마〉라고 말했을까? 아틸라는? 카이사르는?

죽는다…….

자, 이제 그 순간이 왔어. 하지만 이런 식이리라곤 상상조차 못했지. 미래를 볼 수 있다는 내가 자신의 생이라는 영화의 마지막 장면이 어떻게 될지는 상상하지 못했다니.

싫어.

이런 식으로 끝내기는 싫어.

이 삶 가운데서 이뤄야 할 일이 아직 너무도 많다고.

이렇게 죽는 건…… 낭비야.

「고대의 카산드라여! 오, 나의 카산드라, 수많은 시대들을 사이에 두고 떨어져 있는 나의 어머니여! 당신이 나서서 이 끔찍한 일을 막아 줄 수는 없는 건가요?」

흰 토가 차림의 여인의 모습이 나타난다. 손에는 『카산드라 카첸버그의 모험』이 들려 있다. 그녀는 설레설레 고개를 젓는다.

「안 돼. 넌 지금 현재 안에 있고, 현재는 화마(火魔)처럼 모든 것을 삼켜 버린단다. 그것은 과거와 미래를 삼켜 버리지. 현재란 모든 걸 쓸어버리는 강력한 왕과도 같아. 지금부터 몇 초 동안에 일어나게 될 일에 너의 미래와 세계의 미래가 달려 있어. 그리고 그 누구도 너를 도와줄 수 없단다.」

「제발 도와주세요! 난 아직 남자도 경험해 보지 못했어요. 숫처녀라고요.」

「열일곱 살에? 아하! 바로 고것을 못해 봐서 편안히 눈을 감지 못하겠다는 거구나?」

「적어도 한 번은 섹스를 해보고 싶어요. 적어도 한 번쯤은 누군가가 나의 속마음을 진심으로 들어 주기를 원해요. 내 어린 시절의 비밀을 발견하고 싶고, 내가 누구이며 왜 내가 이 예지의 능력을 갖게 되었는지를 알고 싶고, 또 오빠도 만나보고 싶다고요……」

「왜 이 모든 것들이 반드시 네게 주어져야만 한다고 생각하니? 꿈 깨. 네게 빚진 사람은 아무도 없어. 사랑? 이해받음? 깨달음? 네가 이런 것들을 꼭 얻고 죽어야 한다는 법이 어디 있니? 왜, 이왕이면 부(富)와 다중 오르가슴도 요구 항목에다 넣지 그러니?」

「그렇다면 난 죽어야 하나요?」

「나처럼 해. 모든 사람이 하는 것처럼 하라고. 너 자신을 동정할 것도 없고, 뭔가가 돼보겠다고 욕심을 품을 것도 없이, 그저 너의 삶을 담담하게 관조하는 구경꾼이 돼버려. 너는 수십억의 인간 중의 하나일 뿐이고, 모든 사람들이 그러하듯 그냥 죽을 뿐이야. 이 대목에서 뭔가 멋진 문장이 하나 필요하니? 좋아, 그럼 말해 주지. 인생은 끝이 형편없는 한 편의 영화다.」

「난 포기하고 싶지 않아요. 우리 오빠가 그러지 말라고 했다고요.」

「네가 어떤 사람이든, 넌 대체 가능한 존재야. 네 오빠도 마찬가지고. 너희는 다른 사람들보다 특별히 우월하지 않아. 너희 역시 죽어야 한다고. 〈나는 빅뱅에서 나온 먼지다〉라고 뇌까린 다음에 그냥 먼지로 돌아가.」

고대의 여사제는 『카산드라 카첸버그의 모험』을 펼치고는, 토가 자락을 어깨 둘레로 단단히 여미면서 이렇게 말한다.

「지금 네 삶을 읽고 있는 한 독자로서 개인적인 관점을 말하자면, 이 상황은 정말이지 서스펜스 만점이야! 사다리는 집어던졌지, 주위에 사나운 쥐들은 우글대지, 거기다가 경찰을 비롯한 그 누구도 한 번도 발을 들여놓은 적이 없는 쓰레기 하치장 한구석에 외따로이 있는 컨테이너에 갇혀 있지……. 자, 도무지 길이 안 보이는 이 궁지에서 과연 어떻게 빠져나갈 수 있을까?」

그러고는 몸이 연기처럼 책 안으로 빨려 들어가면서, 이렇게 중얼거린다.

「내 생각으로는 어떤 종류의 현대 소설들이 택하는 방식을 따를 것 같아. 스토리가 진행되고 있는 도중에 여주인공이 갑자기 허무하게 죽어 버리면, 두 번째 주인공이 불쑥 나타나 바통을 이어받아서 탐색을 계속해 가는 소설…… 미안하지만 나로서는 이것밖에 해결책이 안 보여. 넌? 넌 다른 시나리오가 가능하다고 생각하니?」

62.

카산드라는 물어뜯는 조그만 이빨들이 몸에 박혀 드는 것을 느끼며 비명을 내지른다. 끔찍한 돌팔이에게 붙잡혀 침을 맞는 기분이다. 이런 식의 죽음은 정말이지 명예롭지 못한 죽음으로 느껴진다.

최소한 개 송곳니는 아니잖아.

하지만 개라면 더 빨리 끝날 수 있을 텐데.

이렇게 죽음을 기다리고 있는데, 어디선가 쉬익 하는 바람 소리가 나더니, 멀지 않은 곳에서 딱 하는 소리가 터진다. 쥐들이 모두 얼어붙는다. 두 번째의 딱 소리가 울리고 찢어지는 듯한 쥐 울음소리가 이어진다. 쥐들은 모두가 눈이 똥그래져 몸이 바짝 굳어진다. 바람 소리와 타격음이 연달아 이어지자, 쥐들은 거세게 찍찍대더니 먹잇감을 버려두고 와그르르 달아난다.

카산드라는 벌떡 일어선다. 위쪽에서 비치는 강한 빛에 눈을 뜰 수가 없다.

「남작님?」 그녀가 묻는다.

「어서! 빨리 거기서 빠져나와!」

아닌데? 저건 오를랑도가 아니야.

그녀는 사다리가 자기 쪽으로 내려지는 것을 본다. 두말없이 손을 뻗어 사다리 봉을 붙잡고는 허겁지겁 금속 통을 빠져나온다.

「아니 정말 천치가 아니고서야 어떻게 사다리를 던져 버릴 생각을 할 수가 있냐고? 도대체 왜 그랬어? 뒈지고 싶은 거야? 넌 거기서 빠져나올 가능성이 전혀 없었다고. 이건 네가 제 발로 이곳을 뜨게 하려고 우리가 꾸민 일종의 연극이었어. 그런데 스스로 무덤을 파다니!」

카산드라는 손전등의 임자를 똑바로 쳐다본다.

「왜 나를 구해 줬어?」

김은 슬그머니 시선을 피한다. 대신 쥐가 한 마리 다가오는 것을 보고는, 쌍절곤을 홱 휘둘러 녀석을 정확히 타격한다. 딱 하는 소리와 함께 설치류의 두개골이 박살 난다.

「처음부터 난 느끼고 있었어. 넌 우리의 삶을 엉망으로 꼬이

게 할 수 있는 골치 아픈 애라는 것을. 아까 컨테이너를 두드
릴 때 난 다른 사람들에게 말했지. 〈보면 알겠지만, 얘는 분명
히 안 가고 남아 있을 거야.〉그들은 대꾸하더군. 〈계집애가 쥐
떼를 보게 되면 다른 선택의 여지가 없어. 그걸 견뎌 낼 사람
은 아무도 없거든.〉 쳇, 바보들! 그들은 신세대 청소년들의 막
가파적인 성향을 전혀 이해를 못해. 하지만 난 다르지. 나 역시
신세대기 때문에, 분명히 문제가 생긴다는 걸 알고 있었어.」

그는 이 모든 것이 자명한 사실인 양 말한다.

「그리고 넌 사다리를 집어 던진 거야! 정말이지 완전히 넋
이 나간 바보임에 틀림없어. 넌 미래를 본다고 주장하지만,
현재의 일에 대해서는 완전한 얼간이라고.」

그녀는 입을 열어 조금 전의 질문을 반복한다.

「왜 나를 구해 줬어?」

아시아 청년은 이마에 흘러내린 파란 머리 가닥을 쓸어 올
리고는 킁 하는 콧소리를 한 번 낼 뿐, 대답하지 않는다. 대신
피가 배어 나오고 있는 그녀 팔뚝의 생채기들을 들여다본다.
소녀는 거기에는 전혀 신경 쓰지 않고, 땀으로 달라붙어 있는
긴 머리칼을, 약간의 동요가 느껴지는 손가락으로 여러 차례
빗질해 내린다.

김은 손전등을 이리저리 휘둘러 주위를 밝혀 본다.

「왜 날 구해 주었는지 알고 싶다고.」그녀는 집요하게 묻는다.

「이거야 원! ……누가 부르주아 계집애 아니랄까 봐 따져
대기는! 왜 내가 항상 모든 걸 설명해야 하지? 미안해, 네게
해줄 말은 전혀 없어. 어쩌면 너에 대한 생각이 바뀌었는지도
모르지. 〈바보들만이 의견을 바꾸지 않는다.〉」

「혹은 그 반대가 참일 수도 있어.」

「오를랑도가 시작한 그 유행을 따르자는 거야? 내 모든 속
담들을 반(反)속담으로 반박하자는 거? 그래 꼬마야, 그 〈반

대〉라는 게 뭔데?」

「나를 꼬마라고 부르지 마.」

「아, 됐어! 이젠 말이 조금씩 나오기 시작하는군. 쥐들에게도 고마운 점이 있었어. 어쨌든 너를 좀 더 수다스럽게 만들어 주었으니까. 널 꼬마, 혹은 계집애라고 부르는 까닭은, 다른 사람들도 그렇게 부르고 있고, 무엇보다도 난 내가 하고 싶은 대로 하기 때문이야.」

「내 이름은 카산드라야.」

「그래, 〈꼬마〉야.」

「넌 여전히 내 질문에 대답하지 않고 있어. 왜 날 구해 주었지? 넌 부르주아들을 좋아하지 않는 걸로 알고 있는데?」

「끔찍이 싫어하지.」

「또 깨끗한 사람들도 싫어하는 걸로 알고 있는데?」

「잘난 척하는 인간들, 거만한 인간들은 모두 싫어해.」

「그럼 나는?」

「아, 시끄러! 난 네가 차라리 벙어리처럼 입 다물고 있는 게 낫겠다. 그럼 뭔가 신비해 보이고 속으로 오묘한 생각을 하고 있다는 느낌이라도 드니까.」

카산드라는 어깨를 으쓱한다.

「왜 날 구해 주었어?」

「이거야 원! 흠집 난 음반을 계속 돌리는 것도 아니고…… 그게 네 특기인 모양이지?」

그들은 알록달록한 쓰레기 산들 사이에 난 길을 비추며 걷고 있다. 김은 잠시 망설이다가, 약간은 뿌루퉁한 표정으로 그녀를 마주 본다.

「……좋아, 말해 주지. 왜냐면 너에 대한 의견을 바꿨기 때문이야. 세상 사람들은 모든 논리를 동원하여 자기가 옳고 다른 사람들이 틀렸다는 걸 증명하는 데 혈안이 되어 있어. 하지만 나는 내가 완전히 오판했을 수도 있다는 가능성을 받아들이는 사람이야. 난 내 잘못을 인정하고 내 행동을 변경할 수 있는 사람이지. 일테면 후진을 한 거야. 이런 점에서 난 완전한 자동차라고 할 수 있고, 왜냐면 난 자유롭게 전진하고, 가속하고, 제동하고, 또 후진할 수 있으니까. 내겐 이렇게 말할 수 있는 용기가 있다고. 〈오케이. 곰곰이 생각해 보니 당신이 맞았고, 내가 틀렸어.〉」

그들은 묵묵히 다시 걷기 시작한다. 그들이 내뿜는 숨은 하얀 김으로 응결된다. 카산드라는 김이 오늘도 어떤 문구가 적혀 있는 티셔츠를 입고 있는 것을 본다. 〈경험이란 사람들이 자신의 실수에 붙이는 이름이다.〉

이미 만들어진 표현들을 통한 의사소통…… 얘한테 중요한 것은 결국 이것인가……?

대속은 아직 밤의 어둠 속에 잠겨 있다.

「다른 사람들은 자고 있어.」김이 낮게 말한다. 「이 상황에서는 내 방에 오는 게 가장 좋을 거야.」

방에 들어서자마자 그는 여러 개의 가지가 달려 있는 촛대의 양초들에 불을 붙인다. 카산드라는 움막의 내부를 둘러본다. 방 중앙에는 킹사이즈의 제대로 된 침대 하나가 자리를 차지하고 있다. 그 둘레에는 전자 기기들이 웅 소리를 내면서 돌아가고 있다. 방의 저쪽 구석에는 커다란 책상이 놓여 있고, 그 위에는 대형 모니터 네 개가 올라가 있다.

「여기가 나의 작은 컴퓨터 실험실이야. 여기서 나는 세상 곳곳을 볼 수도 있고, 활동할 수도 있어. 가난하다고 해서 첨단 기술 없이 지내란 법은 없으니까. 고물상에 가면 보석 같은 전자 제품들이 쌓여 있지. 그냥 가져와서 약간 손만 보면 돼. 또 이곳의 여기저기에 감시 카메라도 설치해 놨고.」

그래서 프로바빌리스는 내게 일어난 문제들을 알 수 있었던 거였어.

「전기는 태양열 집열판들과 조그만 풍력 발전기로 직접 생산해서 사용하고 있지.」

그는 자신의 기계들이 사뭇 자랑스러운 기색이다.

「나는 이따금 내가 다른 사람인 양 행세하며 지구의 저쪽 끝에 사는 사람들과 대화를 나누기도 해. 그들은 내가 아주 중요한 인물이라고 생각하지. 내가 쓰레기 하치장에 사는 노숙자라는 사실을 알게 되면 어떤 얼굴을 할까?」

김은 위스키 병을 집어 한 잔 가득 따라 들이켠 후, 헝겊에다 조금 적셔서 카산드라의 상처를 톡톡 두드려 준다.

「꼬마, 난 네게 개인적인 유감은 전혀 없어. 단지 여긴 너와 어울리는 장소가 아니고, 그 사실을 네게 이해시켜 주고 싶은데 그게 잘 안 될 뿐이야. 확실한 건 〈우릴 엿 먹이지 말고 꺼져, 이 잡년아!〉라는 표현이 처음으로 안 먹혀들었다는 거지.」

그는 소녀가 얼굴을 찡그려도 개의치 않고 상처를 하나하나 알코올로 닦아 준다.

「어쨌든 그 쥐들만큼은 널 원하는 것 같아 보이더군. 녀석들은 그리 까다롭지 않아. 무엇이든 다 좋아하지. 얼마나 좋아하는지 심지어는 자기들끼리도 잡아먹을 정도니까.」

그는 잠시 말을 멈추고, 새 티셔츠 한 장을 꺼내 입는다. 검정색 바탕에 〈우리는 모든 것을 예측할 수 있다. 미래만 제외하고 — 노자〉라는 흰 글씨가 선명하게 박혀 있는 옷이다. 그녀는 이 메시지가 자신을 겨냥한 것임을 깨닫는다. 그러고 보니 방 한쪽 구석에는 여러 가지 색깔의 티셔츠들이 반듯하게 개어져 차곡차곡 쌓여 있고, 옷들마다 속담이나 인용문이 하나씩 새겨져 있다.

또 어떤 기계도 하나 보이는데, 그가 옷에다 글씨를 박기 위해 어디서 구해 놓은 장치인 모양이다. 그는 글이 적히지 않은 티셔츠들을 잔뜩 쌓아 놓고서, 영감이 떠오를 때마다 그 위에 문장을 인쇄하곤 하는 것이다. 그 문장들 중에는 시선을 끌 만큼 재미있는 것들도 있다.

〈친구들은 오기도 하고 가기도 하지만, 적들은 계속 쌓여만 간다.〉

〈만일 나를 욕하는 사람들이 내가 그들을 어떻게 생각하는지 알게 된다면, 나를 더욱더 욕하게 되리라.〉

골라 놓은 문장들이 매우 의미심장해. 얘도 약간 피해망상적 편집증이 있는 것 같아.

〈무(無)에서 나와서 무로 돌아가는 인생, 그 누구에게도 고맙다고 말할 필요가 없다.〉

「이건 내가 좋아하는 문장이야.」 그가 말한다. 「피에르 다크가 한 말이지.」

카산드라는 검지 끝으로 옷들을 들춰 가며 발견을 계속해 나간다.

〈선택한다는 것, 그것은 포기하는 것이다.〉

〈무엇이든 관심을 갖고 보기만 하면 재미있는 것으로 변한다.〉

난 이 말이 마음에 들어.

〈우리가 다른 사람에게 비난한 점은 바로 우리 자신의 결점들이다.〉

〈하기 전엔 당당, 하고 나선 황당.〉

〈사람들이 당신에게 비난하는 점을 발전시켜라. 그것이 바로 너 자신이니까.〉

이것도 흥미롭군.

「이 말은 장 콕토가 한 말이야.」 청년이 설명해 준다.

〈모든 위대한 발명은 실수로 이루어진다.〉

다른 것들은 보다 교훈적인 내용이다.

〈성공한다는 것, 그것은 열정을 잃지 않고 실패를 거듭하는 것이다.〉

「이 말은 윈스턴 처칠이 했지. 그는 이 말을 실행함으로써 전쟁을 승리로 이끌 수 있었어. 자, 이게 바로 명문(名文)들의 힘이야. 나는 개인적으로 이런 촌철살인의 표현들을 너무도 좋아하고, 또 모아 놓고 있지. 나비 수집가나 우표 수집가들이 그러하듯이. 멋진 문장들은 나의 마약이야. 적절하게 배열된 대여섯 개의 단어에는 수개월 간의 경험이 압축되어 있어. 〈성공한다는 것, 그것은 열정을 잃지 않고 실패를 거듭하는 것이다〉. 자, 이 말을 들으면 이를 악물고 노력을 계속해 가고 싶은 생각이 들지 않아? 하나의 단순한 문장에 불과한 것에 이런 엄청난 힘이 있다고!」

문장은 강해. 하지만 단어는 더욱 강하지. 그리고 때로는 침묵이 이 둘을 이길 때도 있어.

헝겊을 깨끗한 것으로 바꿔 다시 상처를 두드려 주기 시작하던 김은 문득 동작을 멈추고 호기심 어린 표정으로 묻는다.

「이 이상한 시계는 뭐지?」

그는 그녀의 손목을 젖히고 문자판을 들여다본다. 거기에는 〈5초 후 사망 확률: 24%〉라고 표시되어 있다.

카산드라는 방을 살핀 끝에 천장에 붙어 있는 감시 카메라 하나를 찾아낸다. 지금 프로바빌리스는 그녀를 보고 있고, 그녀가 어디 있는지 알고 있다. 또 심장 박동이 그녀의 피곤한 상태를 컴퓨터에 알려 주고 있는 것이다.

그녀는 단순한 호기심에 위스키 적신 헝겊을 집어, 피가 가장 많이 배어 나온 상처를, 쓰라린 것을 참아 가며 쓱쓱 닦아 본다. 그 즉시 손목시계에 표시된 숫자가 23%로 떨어진다.

김은 이 기이한 장신구가 몹시도 신기한 모양이다.

「분도 초도 표시돼 있지 않은 이 시계가 대체 뭐냐고.」

카산드라는 대답 대신에 어깨를 한 번 으쓱하고 만다. 다시 벽을 둘러보니 사진들이 걸려 있다. 제복을 입은 남자들, 시위 장면, 주먹을 휘두르고 있는 사람들의 모습이 보인다. 그 바로 아래에는 원 안에 커다란 A자가 박혀 있는 문양의 기(旗) 하나가 늘어뜨려져 있다.

「넌 아나키스트야?」

「물론이지!」 그는 자랑스럽게 대답한다. 「정치적 격언으로서 〈신도 주인도 없다〉보다 더 멋진 말이 있을까? 너도 아나키스트야?」

「난 아니야.」

「아나키스트가 아니다……. 그럼 뭐야?」

「피곤한 사람.」

그녀는 그를 똑바로 쳐다본다.

「왜 나를 구해 주었지?」

그는 몸을 일으키며 말한다.

「자, 또 녹음기가 돌아가기 시작하는군. 절대로 포기하지 않는 타입인 모양이지?」

절대로 안 해.

「오케이. 정말로 알고 싶어? 처음엔 네가 견딜 수 없을 정도로 싫었어. 하지만 지금은 네가…… 좀 불쌍하게 보여서.」

얼굴을 주먹으로 얻어맞은 듯한 기분이다. 김은 어깨를 으쓱한다.

「내 침대에서 자도 좋아.」

「그렇게까지 내가 불쌍하게 보인다면, 내 몸에는 절대로 손대지 않아 줬으면 좋겠어!」

「그 점에 대해서는 즉각 안심시켜 주지. 그런 생각 따위는 내 머리에 스친 적도 없으니까. 넌 내가 좋아하는 타입의 여자애가 아니야. 난 금발에 푸른 눈, 그리고 가슴이 풍만한 여자를 좋아한다고. 요리도 잘해야 하며, 무엇보다도, 무엇보다도…… 영매도 몽유병자도 불면증 환자도 아니어야 해. 또 특히나…… 잘난 척한다든지 거만한 애는 딱 질색이지.」

잘난 척하고 거만한 것은 바로 당신이야. 이런 부류를 이해하는 열쇠는 그의 티셔츠에 새겨진 문구 중의 하나에 들어 있어. 뭐랬더라? …… 맞아, 〈사람들은 그들이 다른 사람에게 비난하는 점을 가지고 있는 경우가 많다〉, 대충 이런 말.

그녀의 눈에는 아나키스트적 경향의 포스터들이며, 대검 꽂힌 소총으로 무장한 군인들과 대치한 채로 그들에게 꽃을 흔들고 있는 젊은 학생들의 시위 장면을 보여 주는 사진들이 들어온다. 미얀마인들. 중국인들. 이란인들.

「잘됐네. 그렇잖아도 난 문제가 하나 있어.」 그녀는 그의 마지막 문장을 못 들은 척, 그 앞의 문장에 대해 대꾸한다. 「난 과거를 기억 못해.」

김은 또다시 어깨를 으쓱한다.

「〈자기 똥은 자기가 치운다.〉 자, 난 이 소파 위에서 잘 거야. 그리고 난 코 좀 골아. 하지만 난 그렇게 돼먹은 인간이니까, 맘에 안 들더라도 할 수 없어.」

카산드라는 옷도, 신발도 벗지 않은 채로 이불 속에 기어들어간다. 그리고 눈을 감는가 싶더니 그대로 잠이 들어 버린다. 몇 분 후, 김은 조심스레 다가와 이불을 올려 그녀를 제대로 덮어 준다. 덕분에 두 발이 이불 밖으로 빠져나오기는 했지만. 그는 그녀의 귀에 대고 속삭인다.

「내가 지금 무슨 엿 같은 짓거리를 한 건지 모르겠다. 그냥 쥐들에게 먹히도록 놔두는 게 옳았는지도 모르는데……. 하지만 너무 늦어 버렸군……. 잘 자.」

63.

그녀는 다시 꿈을 꾼다. 엘리베이터를 타고 몽파르나스 타
워 빌딩 꼭대기에 이른다. 칠흑같이 어두운 밤이다. 가장자리
에 선 그녀는 몸을 앞으로 숙여 본다. 시계 문자판에는 이렇
게 표시된다. 〈5초 후 사망 확률: 66%〉.

등을 보이는 한 실루엣이 테라스에 우뚝 서 있다. 오빠 다
니엘이다. 그는 몸을 돌리지도 않은 채 말한다.

「드디어 왔군! 기다리고 있었어. 봤지? 네가 죽을 확률이
50%를 넘어섰어. 좀 아찔하지 않니? 아주 가까운 곳에 죽음
이 웅크리고서 킬킬대며 네게 시비 걸고 있잖아. 전에는 그 사
실을 몰랐지. 그때는 삶이 견딜 만했을 거야. 하지만 지금은
죽음의 실체를 분명히 확인했어. 그것은 굶주려 너를 끈질기
게 쫓아다니는 커다란 짐승처럼 달라붙고 있지. 그리고 때로
는 아주 가까이 다가오기도 해. 안 그래? 지금 이 순간, 네게
죽음은 〈66%〉라는 숫자의 얼굴을 하고 다가오고 있어. 이제
계속해 봐야 해! 자, 누이야! 앞으로 한 걸음 더 내디뎌 알아
보라고! 뛰어내려!」

카산드라는 몸을 앞으로 더 기울인다. 그리고 잠깐 망설인
후에 허공에 몸을 던진다. 그녀의 긴 머리칼이 채찍처럼 얼굴
을 후려친다. 거대한 타워 빌딩의 각 층을 지날 때마다, 손목
시계의 숫자는 70%, 80%, 90%로 증가해 간다.

층들이 요란한 소리를 내며 열 지어 지나간다.

그녀는 미쳐 날뛰는 개들의 구름을 지난다.

파닥이는 바퀴벌레 떼의 구름을 지난다.

걸쭉한 크림이 흘러내리는 케이크들의 구름을 지난다.

강간하려 덤비는 노숙자들의 구름을 지난다.

살벌한 매장 경비원들의 구름을 지난다.

굶주린 쥐 떼의 구름을 지난다.

그렇게 그녀의 몸은 〈펑!〉 하는 굉음을 발하며 내며 각 시험을 통과해 간다.

마지막으로 〈죽을 고생이 사람을 더 강하게 만든다〉라는 똑같은 문구가 펄럭이고 있는 티셔츠들의 구름도 지난다.

그러나 그녀의 몸이 지면에서 불과 수 미터 떨어진 곳에 이르렀을 때, 시계 문자판에 표시된 숫자는 갑자기 90%에서 20%로 뚝 떨어진다. 건물 단열재로 쓰이는 폴리스티렌 스펀지를 잔뜩 싣고 그 위에 방수포를 덮은 트럭 한 대가 추락의 충격을 완화해 준 것이다. 그 육중한 자동차는 빨간 신호등을 무시하고 달려와 소녀가 땅에 떨어지는 바로 그 순간, 그 지점에 온 것이다.

핸들을 잡은 사람은 바로 그녀의 오빠다. 그는 웃음을 터뜨린다.

「그래, 미래란 놀람의 연속이야!」 그는 여전히 몸을 돌리지 않은 채로 소리친다. 「몇 초 후에 무슨 일이 일어날지 예측할 수 있는 사람은 아무도 없어. 노자도 이렇게 말했지. 〈우리는 모든 것을 예측할 수 있다. 미래만 제외하고.〉 내 말뜻을 이해할지 모르겠지만……」

카산드라는 손가락 하나 부러진 데 없이 말짱하다. 하지만 정신이 멍해져 지금 자기에게 무슨 일이 일어났는지 깨닫지 못하고 있는데, 벌써 문자판의 숫자는 〈5초 후 사망 확률: 98%〉로 또다시 치솟는다.

바로 이 순간, 교차로의 오른쪽 도로에서 또 다른 트럭이 튀어나와 첫 번째 트럭을 정통으로 들이받는다.

두 번째 트럭에는 인화성 액체가 가득 담겨 있다. 모든 게 폭발해 버리는 참혹한 불꽃놀이가 벌어진다. 카산드라는 그 2%, 다시 말해서 그 몇 초라는 짧고도 긴 시간을 이용하여 트

럭에서 뛰어내리고, 보도 위를 뒹굴고, 저쪽에서 울리는 거센
폭발음에 땅이 뒤흔들릴 때 새우처럼 웅크려 몸을 보호한다.

64.

카산드라는 쿵 하고 침대에서 떨어져 바닥을 나뒹군다. 그
러면서 그다지 큰 충격이 느껴지지 않는다는 사실에 흠칫 놀
란다. 안락의자에 앉아 컴퓨터 모니터를 들여다보고 있던 김
은 몸을 돌리면서 내뱉는다.

「깨어났냐, 꼬마야?」

그녀는 잠이 약간 덜 깬 상태로 눈을 비비고는 천천히 몸을
일으킨다. 컴퓨터 화면에 떠 있는 검색 페이지의 상단에 자기
이름, 카산드라 카첸버그가 적혀 있는 것이 눈에 들어온다.

「간밤에 네 과거에 대해 조사를 좀 해봤어.」 김이 설명한다.
「참 희한하더군. 넌 열세 살 이전에는 존재하지 않아. 학교 다
닌 데도 없고, 입원했던 병원도 없고, 사회 보장 카드도 없고,
심지어는 전철 정기권도 끊은 적이 없어. 네가 말한 그 이집트
여행이 네가 이 세상에 공식적으로 출현하게 된 최초의 사건
이라고 할 수 있지.」

그렇다면 난 미친 게 아니었어…….

「마치 어린 시절이 없는 사람같이 말이야. 블로그에서 너
에 대해 말하고 있는 친구도 없고, 학교 다닐 때 찍은 사진도
없고…… 아니 학교를 다녔다는 기록 자체가 없어. 인정할게.
네 과거에는 뭔가 미스터리가 있어.」

난 아무것도 기억이 안 나. 테러 사건 전의 일은 아무것도.
마치 누군가가 모든 것을 지워 버린 것 같아. 하지만 내겐 아직
살아 있는 오빠가 하나 있다고 했어. 최소한 그는 내가 누구인
지 말해 줄 수 있을 거야. 그리고 〈실험 24〉가 무엇인지도.

「나는 이런 종류의 수수께끼들을 아주 좋아하지. 하지만 이 문제는 나중에 얘기해 보기로 하고, 우선은 급한 일부터 해결하자고. 무엇보다도 몸을 씻거나 옷매무새를 고쳐서는 안 돼. 오히려 그 부르주아 꼬까옷을 조금 찢어 놓으라고. 어제 저녁에 봤을 때처럼 머리를 마구 헝클어뜨려 쑥대밭을 만든 다음에, 소리를 내지 말고 나를 따라와.」

그는 움막 뒤쪽에 달린 문을 열고, 두 사람은 고양이 걸음으로 집을 빠져나간다. 김은 그녀를 데리고 마을의 외곽을 에둘러 돈다.

「그들은 벌써 일어나서 아침을 먹고 있는 중이야. 너는 샹젤리제 길을 통해 우리에게 오면 돼. 샹젤리제는 우리가 쓰레기 산들을 밀어 그 사이에 낸 대로로, 그걸 따라오면 대속의 중심 광장에 이르게 되지.」

「왜 이렇게 하는 거야?」

아시아 청년은 대답 없이 그냥 어깨만 으쓱하고는, 몸을 돌려 온 길로 다시 돌아간다. 몇 분 후, 카산드라는 옷은 갈기갈기 찢어지고, 몸 여기저기에는 쥐에 물린 상처가 나 있는 꼴로 대로 저편에서 모습을 드러낸다.

오를랑도, 에스메랄다, 페트나는 하고 있던 대화를 뚝 멈춘다.

「빌어먹을!」 페트나가 내뱉는다.

「빌어먹을!」 오를랑도도 한 옥타브 낮은 목소리로 내뱉는다.

「빌어먹을!」 에스메랄다는 입에 물고 있던 커피를 칵 하고 뱉어 내며 외친다.

「빌어먹을.」 김 역시 보조를 맞추기 위해 한 마디 하지 않을 수 없다.

모두가 마치 유령이 출현하는 것을 보듯 경악한 표정으로 그녀가 다가오는 것을 바라본다. 샹젤리제를 나아가는 카산드라는 자신이 갈리아 원정을 마치고 돌아오는 카이사르라

도 된 듯한 기분이다. 역대의 정복자들은 모두 (그녀처럼 마지막 순간에 조금 사기를 친 사람들까지도) 이런 희열을 느꼈으리라. 모든 사람이 자기가 패배했으리라고 믿고 있을 때, 모든 장애와 역경을 극복하고 개선할 때의 이 짜릿한 기쁨!

페트나는 가뭄 든 논처럼 금이 쫙쫙 간 자동차의 가죽 좌석을 가리키며 그녀에게 앉으라고 권한다. 그녀를 환영이라도 하려는 듯, 화톳불에서는 한 줄기 분수처럼 불똥들이 터져 나온다.

「축하한다, 꼬마야!」 오를랑도는 혼자서만 박수를 치면서 소리친다.

「애가 배짱이 좀 있군그래!」 페트나도 턱을 주억거린다.

「어떻게 그렇게…… 흠, 쉽지 않았을 텐데.」 오를랑도의 얼굴에는 놀란 표정이 가시지 않는다.

「이런, 빌어먹을!」 에스메랄다는 땅에다 침을 탁 뱉는다. 「아, 저 찰거머리를 대체 어떻게 떼어 버려야 한대? 아, 그렇지. 저런 찰거머리들은 불붙인 담배꽁초를 등짝에 갖다 발라서 아주 그슬려 버려야 해. 이런 경우가 아니면 언제 그런 일을 해보겠어?」

빨간 쪽머리의 여자는 담배 한 대를 피워 물은 후, 카산드라 쪽으로 연기를 길게 내뿜는다.

카산드라는 한 사람 한 사람 표정을 살핀다.

「자, 난 시험을 통과했어요. 그러니 여기에 계속 있을 수 있는 거죠?」

에스메랄다가 펄쩍 뛴다.

「야, 야, 너무 서둘지 마! 말하자면 넌 첫 번째 시험을 통과한 셈이야. 이제야 일종의 체류증을 얻게 되었을 뿐이라고. 만일 앞으로 문제를 일으키지 않을…….」

「우리가 당한 것을 다른 사람들에게 부과하지는 말자고.」

페트나가 끼어든다. 「저 애는 어려운 시험을 통과했고, 진심으로 우리 공동체에 속하고 싶은 마음이 있음을 보여 주었어. 그러니 이제는 우리의 일원이야. 내 말뜻을 이해할랑가 모르겠지만.」

「아니, 무슨 소린지 전혀 모르겠어! 난 저 붉은 두건이 싫다고! 좀 뒈져 버렸으면 좋겠어. 쟤를 위해 또 다른 시험을 만들어 내지 뭐. 쥐 떼를 견뎌 냈어? 좋아, 그럼 뱀들이 우글거리는 컨테이너에다 집어넣자고. 거기서도 빠져나오면 다른 아이디어들을 찾아내면 돼. 이 하치장에는 날카로운 발톱과 이빨로 무장한 야생 동물들을 얼마든지 구할 수 있으니까. 그것도 안 되면 황산에다 담가 버리든지.」

「왜 당신은 저 꼬마를 그렇게 싫어하는 거야?」 오를랑도가 묻는다.

「아니, 당신들은 보면 몰라? 저건 바로…… 저건 바로…… 저건 바로 일종의…… 저건 바로…….」

여자는 이렇게 더듬대다가, 마침내 가장 적합한 모욕이라고 여겨지는 표현을 찾아낸다.

「바로 부르주아 계집애잖아!」

그러고는 역겨운 듯이 한마디 더 덧붙인다.

「그것도 더러운 엿 같은 부르주아 계집!」

페트나는 더 이상 그녀와 논쟁하려 들지 않는다.

「얘가 다친 모양인데, 내가 치료해 줘야겠어.」 그는 카산드라의 팔을 잡으면서 말한다.

그는 우선 이빨 자국들을 세심하게 살핀 다음에 자기 움막으로 가더니 럼주를 가져와 상처 위에 붓는다. 그런 다음 치약과 구두약이 섞인 듯한 냄새가 나는 어떤 반죽을 가장 깊은 상처 위에 발라 준다.

「아, 정말 사내들이란! 당신들 왜 이리 물러 터진 거야? 긴 머리칼, 조그만 엉덩이, 불룩한 젖가슴, 거기에다 긴 속눈썹이 나비 날개처럼 파닥파닥하면 그대로 넋을 잃어버리는구먼그래! 하지만 저 잠자는 숲속의 공주가 여기서 대체 뭘 하겠다는 거지? 여기에는 저 애의 미래가 전혀 없어. 너무도 불행해서 뒈져 버릴 거라고!」

침묵.

「그럴지도 모르지. 하지만 어쨌거나 이 애의 선택이야.」 페트나는 이렇게 잘라 말하면서, 가장 염려가 되는 상처를 살피고, 그것은 식초에 갠 비둘기 똥으로 치료할 것을 결정한다.

오를랑도도 고개를 끄덕인다.

「알겠어. 모든 사람이 그렇게 동의한다면, 난 아가리 닥치는 수밖에.」 에스메랄다가 내뱉는다.

그러자 카산드라는 긴 대화를 위해 가장 편안한 자세를 취하겠다는 듯, 가죽 좌석 위에서 아예 책상다리를 하고 앉는다.

「지난번에 여러분은 내게 약속했어요. 자신이 누구인지 얘기해 주겠다고요.」 그녀는 억양 없는 음성으로 말한다.

그녀는 최대 감광도 모드로 맞춰진 커다란 회색 눈으로 그들을 빤히 바라본다. 네 노숙자는 이 두 개의 눈부신 등대를 감히 마주하지 못하고 슬그머니 시선을 돌린다. 그들은 차례로 땅에 침을 뱉고는 몸을 긁는다.

「아니, 왜 우리가 네게 우리 인생을 얘기해 줘야 하는데? 네게 빚진 거라도 있어?」 에스메랄다가 병나발을 불면서 항변한다.

페트나는 일어나더니 김이 모락모락 피어오르는 따끈한 차 한 잔을 가져와 카산드라에게 내밀고, 그와 함께 유통 기한이 조금 지난 포테이토칩 한 상자와 뉴텔라 크림도 권한다.

「음…… 이 꼬마도 들을 권리가 있어. 자, 남작부터 시작하라고! 여기 처음 온 사람이 당신이니까.」

모두의 눈이 털보 바이킹 쪽으로 돌아간다.

65.

저 사람은 제대로 사랑을 받지 못해 거칠어진 덩치 큰 아기야.

66.

오를랑도는 수염을 긁적거리면서 일어나더니, 양철통에서 시가를 하나 꺼내 와 화톳불의 깜부기불로 불을 붙인다.

「좋아, 꼬마야. 내가 여기에 처음 왔지. 나를 여기로 데려다 준 것은…… 집시들이었어. 난 벨기에 출신이야. 내 부모는 샤를루아 방면의 한 〈경제적 재해 지역〉에서 살았지. 아버지는 나일론 공장의 작업반장이셨는데, 경제 위기가 닥쳐 일자리를 잃으셨어.」

그 즉시 으르렁거리는 소리가 솟아오른다. 여우 음양이 녀석이 금기어인 〈일〉이라는 말을 듣고 못마땅하여 내는 소리이다. 하지만 사람들은 녀석에게 눈길도 주지 않는다.

「그러고 나서 내 삶은 개판이 되어 버렸어. 우리는 정부에서 주는 각종 수당을 받게 되었지. 우리 부모는 가족 수당을 노리고 애들을 만들어 냈어. 자그마치 여덟 명씩이나. 어머니가 자궁 근종에 걸리지 않았더라면 더 만들어 냈을 거야. 아버지는 집에 뒹굴면서 텔레비전을 껴안고 살았지. 특히 축구와 일기 예보는 절대 빼놓지 않았어. 할 일이 없어지니까 신경만 날카로워지더군. 아무것도 아닌 일에 혼자서 흥분하는 일이 잦더니만, 급기야는 소리를 지르고 가족들을 위협하기 시작했어. 항상 사람들과 악을 쓰며 싸워 댔어. 가족뿐만이 아니라 이웃이나 경찰들하고도 붙었지. 또 사사건건 트집을 잡아 허리띠를 풀어 우리를 팼어. 아무 이유 없이 그러기도 했어. 어머니는 아무 말도 없었지. 우울증이었어. 때로는 어떤 쉼터에 가기도 하셨는데, 돌아올 때면 미소 띤 얼굴이었지만 눈은 먼 곳에 가 있었어. 형들과 누나들은 하루라도 빨리 부모님과 멀찌감치 떨어져서 살고 싶었는지 좀 컸다 싶으면 즉시 집을 떠나 버리더군. 그래 봤자 식당 종업원, 전단지 배포원, 혹은 파출부 같은, 개똥 같은 잡일이나 하는 신세가 되었지만. 나는 여덟째 아이, 즉 막내였어. 그래서 혼자서 집에 남게 되었지.」

그는 푸르스름한 담배 연기를 구름처럼 내뿜는다.

「사실을 말하자면 난 우리 부모를 별로 좋아하지 않아. 그리고 왜 사람들이 〈네 부모를 사랑하라, 그러면 그들도 너를 사랑해 줄 것이다〉라는 멍청한 의무를 만들어 냈는지 도무지 이해 못 하겠어. 보라고! 이게 바로 우리가 냉동식품 소비하듯, 이어받은 그대로 맹신하는 우리 조상님들의 지혜라는 거야. 오늘날에는 전혀 통하지 않게 된 무의미한 지혜.」

「오호!」 에스메랄다가 감탄한다. 「당신 말에 공감해 보기는 이번이 처음인데!」

「나도 전적으로 동감이야.」 페트나도 고개를 끄덕인다.

「우리는 인간이고, 따라서 모두가 달라. 그래서 어떤 사람은 제대로 돼먹은 부모의 품에 떨어지기도 하지만, 또 어떤 사람은 형편없는 부모에게 떨어지기도 하지. 그 확률은 반반이야. 그런데 만일 네가 어떤 재수 없는 집구석에 떨어졌다면 뭐라고 말할까? 단지 네 부모가 부모라는 이름을 달고 있다는 이유만으로 〈아, 그분들은 굉장한 분들이에요!〉라고 말할까? 물론 그러지는 않겠지. 넌 형편없는 인간들에게 떨어진 거고, 그래서 네 인생이 〈꽝〉이 된 거야. 그게 진실이라고.」

「맞아! 바로 인생 로토지.」 페트나가 맞장구친다.

「그러니까 내 결론은, 모든 게 엉망인데 아무 문제 없다는 듯 천사 같은 표정을 짓고 있을 필요는 없다는 얘기야.」오를랑도는 담배 연기를 깊이 들이마시며 다시 한 번 강조한다.

「내 생물학적 부모가 나한테 해준 유일한 일은 학교에 넣어주었다는 거야. 비록 그게 모든 아이가 의무적으로 가야 하는 공립학교였고, 그 목적 또한 귀찮은 날 떨쳐 버리기 위해서였다고 해도. 어쨌든 난 공부에 열정을 느끼게 되었어. 특히 철학을 좋아했어. 네가 놀랄지도 모르겠다만 공부도 꽤 잘했지. 내가 개인적인 사고를 하는 법을 배운 것은 분명히 거기였어.」

아까는 아나키스트 노숙자더니, 이제는 철학자 노숙자 한 분이 나타나셨군. 정말이지, 이 〈남작〉, 〈후작〉 들은 자신이 단순한 인생 낙오자라는 사실을 받아들이기 힘든 모양이야. 그래서 자기네 삶을 지식인의 삶으로 윤색하고 있어.

「오호! 그래서 그렇게나 음흉하게 내 속담들에 대해 이의를 제기하는 거로구먼! 오로지 당신이 개인적인 사고를 한다는 사실을 보여 주기 위해서? 안 그래, 남작?」김이 비웃는다.

오를랑도는 대꾸하지 않는다. 단지 처연하게 얼굴을 찡그리는데, 그 모습은 슬픈 어릿광대를 연상시킨다.

「자, 그래 가지고…… 내가 대학 입학 자격시험을 준비하고 있던 해에, 기름에 튀긴 송아지 고기 요리가 너무 익었다나, 너무 안 익었다나 하는 문제로 어느 날 아버지가 신경질이 났어. 아버지가 어머니를 좀 심하게 팼고, 난 어머니를 보호해 주려다가 아버지를 층계에서 밀치게 됐어. 재수가 없으려니 중력의 법칙이 작용해서 아버지가 잘못 굴러떨어졌어. 뭔가 마른 나무 부러지는 소리가 나더니, 더 이상 움직이지 않더군. 두개골이 척추랑 붙어 있는 각도가 별로 안 좋게 됐더라고.」

바이킹은 불안스레 시가를 씹어 댄다.

「불행한 사고였다고 구차스레 설명하는 게 귀찮아서, 난 그대로 줄행랑을 놓는 편을 택했어.」

「설명하는 게 귀찮아서? 웃기고 있네!」에스메랄다가 빈정 댄다. 「당신은 그 길밖에 없었어. 당신은 멍청한 짓을 한 거고, 짭새들에게 붙잡힐 뻔했잖아.」

「그리고 나 같은 수배자에게는,」 오를랑도는 대꾸하지 않고 말을 잇는다. 「과거를 묻지 않고 받아들여 주는 곳이 딱 하나 있었지. 바로 외인부대야. 난 이름을 바꿨어. 원래 이름은 보두앵 반 드 퓌트였는데(너무 웃지들 말라고!²¹ 드 퓌트는 〈우물의〉라는 뜻을 가진 벨기에식 이름이니까), 나 스스로 오를랑도 반 드 퓌트로 바꾼 거야.」

아, 그런 수가 있었네! 맞아, 우리는 운명을 조건 짓는 이름 의 프로그램을 풀어 버릴 수도 있어. 혼자만의 결정으로 간단 히. 그저 〈앞으로는 나를 다른 이름으로 불러 줘요〉라고 말 하기만 하면 되는 일이었어.

「오를랑도라…… 보두앵보다는 훨씬 고급스러운 게 사실 이군.」 페트나가 고개를 끄덕인다. 「이름 속에 〈금(金)〉이 있 으니까.」²²

「어디 그뿐이야? 럭셔리한 〈사륜마차〉도 있지!」²³ 김이 농 담한다.

「그 정도면 반 드 퓌트 남작님이라고 불러 줄 만하네그려.」 에스메랄다가 비꼰다.

「용병이 된 나는 여남은 개의 나라를 돌아다녔어. 어디를 가든 훈련과 야영과 모기, 정글과 산악 지역에서의 전투, 아무 도 알지 못하는 영웅적인 일들, 그리고 시체들과 파리들이 따

---

21 프랑스어 단어 *pute*는 〈퓌트〉라고 발음되며, 뜻은 〈창녀〉이다. 따라서 〈드 퓌트〉는 〈창녀의〉라는 뜻으로 들릴 수도 있다.

22 〈오르*Or*〉는 프랑스어로 금을 뜻한다.

23 〈랑도*landau*〉는 프랑스어로 사륜 포장마차를 뜻한다.

라다녔어. 지부티에서 복무를 시작한 나는, 이어 차드, 콩고, 코소보, 코모로 군도, 아프가니스탄, 그리고 또 구(舊)유고 연방을 거쳤어. 보스니아에서는 굉장한 여자를 하나 만났지. 그래서 결혼했고, 딸을 하나 가졌어.」

「보스니아 여자들이 꽤 반반하지.」에스메랄다는 고개를 끄덕인다.

「하지만 난 사랑하는 두 여자를 볼 기회가 자주 있지 않았어. 왜냐면 숨 쉴 틈도 없이 부르키나파소, 라이베리아, 기니, 르완다 등지로 임무 수행을 위해 떠나야만 했으니까. 그리고 거기서, 즉 내란이 일어나 인종 간 학살의 와중에 있던 르완다에서 두 번째의 재수 없는 사고가 일어난 거야. 포커를 치다가 우리 대위하고 언쟁을 벌였지. 그는 내가 속임수를 썼다고 생각했어. 하지만 난 결코 속이지 않아. 난 원칙에 따라 사는 사람이거든.」

「그래서? 당신의 그 고상한 원칙을 위해 또 한 번 그 대위를 충계에다 밀어 버렸군?」김이 비꼰다.

「아니. 우리는 정정당당하게 단검을 가지고 싸웠어. 그는 나만큼 빠르지 못해서 패배했지.」

「그것도 재수가 없으려니 그랬겠지?」에스메랄다가 킬킬댄다.

「그랬는데, 그게 정정당당한 결투였다는 사실을 다른 장교들에게 설명하는 게 그렇게 쉽지가 않더군.」

「그러고 보면 당신은 당신의 입장을 설명하는 데 언제나 어려움을 느끼는 것 같아.」김이 또 끼어든다. 「철학자로서는 참 안된 일이오, 남작.」

「후작! 인생사의 미묘한 뉘앙스를 모르는 그런 천치들하고 넌 어떻게 얘기하는지 한번 보고 싶다!」

오를랑도는 버럭 호통을 친 다음, 이내 한숨을 내쉰다.

「그래서 난 다시 한 번 내빼는 편을 택했어. 파리에 가서 가명으로 아파트를 빌렸고, 내 보스니아 아내와 딸을 데려왔지. 그리고 나도 거기 숨었어.」

「거기서 세 번째 뻘짓을 한 모양이지?」 스토리를 이미 알고 있는 듯이 보이는 김이 묻는다.

「뭐…… 그렇지. 아내와 싸웠어. 나한테 영 버르장머리 없이 굴어서 말이야.」

「왜, 송아지 고기라도 덜 익혔나? 아니면 부부가 함께 내란에 참전해서 포커를 치다가 속이기라도 한 거야?」 아시아 청년이 농담한다.

「정중하게 충고하는데, 아가리 닥쳐, 이 한심한 녀석아!」

「솔직히 자네 성질도 만만치 않은 게 사실이야. 뭐, 부전자전 아니겠어?」 페트나가 김의 편을 들어 준다.

오를랑도는 뭐라고 맞받아치려는 듯 잠시 망설이다가, 시가를 몇 번 잘근잘근 씹더니 체념한 어조로 웅얼댄다.

「아니야. 이번에는 텔레비전 때문이었어. 채널 선택에 의견이 맞지 않았지. 나는 축구 중계를 하는 2번 채널을 보고 싶었어. 다른 것도 아니고, 유럽 챔피언스 리그 경기가 있었단 말이야! 그녀는 어떤 옛날 로맨스 영화를 보고 싶어 했어. 〈해리가 샐리를 만날 때〉라든가 뭐라든가. 하여튼 우리는 리모컨을 가운데 놓고 싸웠지.」

「〈리모컨을 차지하는 자가 권력을 차지한다.〉」 김이 상기시킨다.

「그건 누가 한 말인고? 나폴레옹?」 페트나가 묻는다.

「아니. 내가 한 말.」 김이 대답한다. 「나폴레옹 시대에는 리모컨이 없었잖아, 이 산수도 제대로 못하시는 자작님아!」

「뭐야, 한번 해보자는 건가? 난 니들이 아프리카 역사를 아는 것보다 유럽의 역사를 훨씬 많이 알고 있어. 우린 너희들의 역사를 배웠지만, 너희는 우리 역사를 배운 적이 있어?」

이렇게 말하고 땅이 팰 정도로 세차게 침을 뱉는다.

「있고말고! 리빙스턴 박사도 알고, 슈바이처 박사도 알고 있잖아.」김이 맞받는다.

「그런 소리는 리빙스턴 박사 앞에 가서나 해!」

오를랑도는 이들의 입씨름 때문에 어수선해지도록 놔두지 않는다.

「아, 좀 조용히들 해! 지금 내가 이야기하고 있잖아! 그래서…… 나의 뚱땡이 마누라는 리모컨을 내놓으려 하지 않았어. 딸애는 한쪽 구석에서 울었고. 난 부아가 치밀었어. 우리의 새끼가 보는 앞에서 나의 반쪽이 그 따위로밖에 행동할 수 없다는 사실에. 하여 난 이 문제에 대한 나의 관점을 설명해 주었지.」

「때렸다는 거겠지.」에스메랄다가 묻는다.

「그녀에게 나의 다른 관점을 〈알려〉 주었다니까.」

「낯짝을 좀 갈겨 주셨다?」

「〈교육시켜〉 주었다고 해두자고.」

「맞아. 표현은 항상 정확하게 해야 할 필요가 있지.」페트나가 고개를 끄덕인다.

「이것들 보라고! 그건 비열한 수컷들이나 하는 헛소리라고!」에스메랄다가 열을 낸다. 「하여튼 똘똘 뭉쳐 가지고들!」

「〈예쁜 자식 매 한 대 더 준다〉라는 속담이 있어. 헛소리야. 난 개인적으로 이번만큼은 반속담이 맞는다고 생각해. 〈누군가를 진정으로 사랑하면 결코 폭력을 휘두르지 않는다〉.」김이 에스메랄다를 편든다.

「닥치고 있어! 혼나고 싶지 않으면!」

오를랑도는 시가를 짓눌러 끄고 상표가 뜯겨 나간 술병의 목을 붙잡아 꿀꺽꿀꺽 길게 들이켜더니, 병을 멀리 집어던져 박살을 내버린다.

「그다음엔 모든 게 복잡해졌어. 난 원하는 축구 경기를 봤고, 우리 팀은 졌어. 그런데 이튿날, 밤새 골똘히 생각한 마누라는 의사를 찾아가 구타로 인한 상해 진단서를 끊은 다음, 경찰서에 달려갔지. 그리고 날 가정 폭력범으로 고발해 버리더군. 난 또다시 도망쳐야만 했지. 참으로 한심한 신세가 돼 버린 거야! 꽁무니에는 아버지, 대위, 그리고 마누라 일 때문에 경찰들이 쫓아다녔고, 또 마누라는 악착같이 쑤시고 다니는 데는 도가 튼 어떤 변호사 놈의 도움을 받아서는, 내게서 아버지와 시민으로서의 권리를 박탈해 버렸어. 그래서 내 딸애를 방문할 수 있는 권리마저 빼앗겨 버렸지!」

오를랑도 반 드 퓌트는 머리를 절레절레 흔들면서 입을 다문다.

「남작이 네게 말하지 않은 부분이 있어. 그는 알코올 중독자이고, 술만 들어가면 지킬 박사가 하이드 씨로 돌변한다는 사실을 쏙 빼놓았지. 일단 그렇게 되면 더 이상 자신을 통제하지 못하는 인간이야.」김이 오를랑도에 대해서는 잘 알고 있는 사람처럼 설명해 준다.

「그리고 자기 아버지와 대위와 마누라의 낯짝을 박살내 버렸을 때도 술을 퍼마셨다는 사실을 빼먹었어. 혹시 자기 딸까지 그렇게 했을지 누가 알아?」에스메랄다가 덧붙인다.

바이킹은 그 거구를 벌떡 일으킨다.

「공작 부인! 어디서 그따위 소리를 하고 있어? 난 내 딸애의 머리칼 한 올도 건드리지 않아! 그 애는 신성하다고!」

딸은 이 남자가 살아가고 있는 이유로군.

에스메랄다는 계속 도발한다.

「알코올이 들어가면 고약한 인간이 된다는 사실을 인정하시지, 남작!」

그는 또 다른 병을 집어 들어 꿀꺽꿀꺽 오랫동안 병나발을 분 다음, 그것 역시 산산조각을 내버린다.

「좋아, 오케이. 내가 술을 좀 마시는 건 인정하겠어. 하지만 그게 이 큰 불행들을 당해야 할 만큼 엄청난 죄악인 거야?」

「여보세요! 우린 눈도 없고 생각도 없는 바보들인 줄 알아? 이 이야기에서 악당은 당신이야. 당신 아버지와 대위와 아내는 당신의 난폭함의 희생자들이고. 그리고 당신은 지금까지 당신이 해온 짓거리들을 전부 말한 것 같지도 않아.」

여우 음양이는 그들 주위를 빙빙 돌고 있다. 녀석은 한 쓰레기 더미 위로 기어 올라가더니, 역광을 받은 모습으로 뚜렷한 이유 없이 울어 대기 시작한다.

「오를랑도 남작님, 계속해 보세요.」 카산드라가 부드러운 음성으로 요청한다.

「그래서 난 집에서 도망쳐 나왔어. 어디를 가야 할지 막막했지. 그런데 내겐 집시 친구가 하나 있었어. 이 하치장에서 버려진 자동차 부품이나 세탁기 등속을 주우며 살고 있었지. 그의 패거리가 날 재워 주었는데, 얼마 후에 난 그들의 일원이 아니므로 언제까지나 데리고 있을 수 없다고 말하는 거야. 그러고 있는데 마침 저 공작 부인이 왔지. 그렇게, 그렇게 해서 지금에 이르게 된 거야.」

나도 내 어린 시절을 기억할 수 있다면 얼마나 좋을까? 설령 그 기억이 고통스러운 추억들로 채워져 있다 할지라도…… 이 사람의 삶은 실패의 연속이었지만, 적어도 거기엔 어떤 논리가 있었어. 즉 시작과 중간과 끝이 있는 한 편의 영화일 수 있는 거지…… 처음 만났던 날, 이 사람이 날 구해 준 것은 바로 이 때문이었어. 그는 알고 있었던 거지. 언젠가 자기가 자신의 지난 삶을 이야기해 주면, 자기 딸 연배인 내가 자신을 이해해 주리라고 믿었던 거야.

오를랑도는 땅에 가래침을 뱉는다. 다른 사람들도 그를 따라 한다. 김은 카산드라에 다가와 귀에다 대고 소곤거린다.

「너도 땅에다 가래침을 뱉어……」

「뭐?」

「가래침을 뱉으라고. 이건 우리의 관습이야. 우리의 일원이 되고 싶으면 여기에 맞춰야 해. 손을 더럽게 하고 다니고, 악취를 견뎌 내는 것만으로는 충분하지 않아. 가래침도 뱉을 줄 알아야 한다고.」

그녀는 시도해 보지만 잘되지가 않는다.

「넌 즙이 부족해.」 그는 전문가로서 지적해 준다. 「네 침샘들이 제대로 조정되어 있지 않은 게 문제야.」

김은 팩에 든 적포도주를 내밀면서 꼭지에 입을 대고 마셔보라고 권하지만 그녀는 거절한다. 오를랑도는 에스메랄다의 등덜미를 탁 하고 친다.

「자, 공작 부인, 이젠 당신 차례야! 우리 예쁜이, 어서 당신 인생을 얘기해 보쇼! 당신, 이런 기회가 오기만을 기다리고 있었잖아!」

67.

이 여자는 실현되지 못한 〈엄마〉야. 그녀의 모성 본능은 사용되지 못한 채로 남아 있고, 그 때문에 몹시 괴로워하고 있어.

68.

붉은 머리를 큼지막하게 틀어 올린 여자는 잠시 머뭇거리더니, 이윽고 그 풍만한 가슴을 불쑥 추어올린다.

「아, 그만 좀 해. 할머니가 자연을 좋아한다고 한마디 했다

268

고 해서, 우악스레 쐐기풀 수풀에 밀어 넣어서야 되겠어?」

그녀는 자신이 한 재담이 자못 만족스러운 표정으로 잠시 말을 멈추고 있더니, 침을 탁 뱉고는 다시 입을 연다.

「좋아. 다 하기로 했으니까 하지. 이 사람 말대로 난 여기에 두 번째로 왔어. 여기까지 오게 된 것은…… 그냥 우연에 의해서야. 전에 얘기한 것 같다만, 나의 기구한 역사는 어느 아름다운 6월의 아침 산 미켈란젤로 병원의 미스 우량아로 뽑히면서 시작돼. 나 역시 프랑스 사람은 아니야. 난 이탈리아의 풀리아 지방에서 태어났어.」

「프랑스는 다양한 민족의 교차로라 할 수 있지.」 페트나가 학자처럼 무게를 잡으며 설명해 준다.

「오를랑도와는 달리, 난 학교에서 별로 공부를 잘하지 못했어. 단지 아주 예뻤을 뿐이고, 미스 우량아로 선발된 이래로 나의 매우 뛰어난 외모 때문에 만인의 눈길을 끌었을 뿐이지.」

「〈필요는 발명의 어머니. 필요 없음은 폐기의 어머니.〉」 김이 또 한마디 던진다.

「뭔 소리야?」 에스메랄다는 경계심이 가득한 눈으로 묻는다.

「음…… 만일 당신이 똑똑하다면 예쁠 필요가 없고, 만일 예쁘다면 똑똑할 필요가 없지. 어느 한 재능의 발전은 다른 재능의 발현을 막는다는 뜻이야.」

「무슨 말인지 하나도 모르겠네! 하지만 이것도 뭔가 여성 혐오증 환자들이 즐기는 헛소리의 하나임에 틀림없어.」 그녀는 불만스레 웅얼댄다.

「허허, 진짜로 어이가 없네!」 오를랑도가 혀를 찬다.

「시끄러, 이 사악한 불신자야! 나는 아름다웠지만, 동시에 신앙심도 깊었지. 그래서 교단에 들어가 수녀가 되어, 처녀성을 간직한 채 그리스도와 결혼하고 싶었어. 그런데 수녀원에 들어갔더니 수녀원장님께서 말씀하시길, 난 갇힌 삶을 살기에는 너무도 매력적이라는 거야. 그분의 표현을 그대로 옮기자면, 내가 수녀로 있는 것은 너무도 큰 〈낭비〉라는 거야.」

「우리가 이 대목에서 웃어야겠지?」 외인부대원이 캘캘댄다.

「수녀원장님은 아예 발 벗고 나서서 나를 어떤 남자에게 연결해 주셨고, 난 그를 통해 각종 미인 대회에 참가하게 되었어. 그렇게 해서 먼저 〈미스 젖은 티셔츠〉로 선발됐지. 그다음에는 〈페퍼민트〉라는 동네 나이트클럽의 미의 여왕이었고. 그러고는 〈미스 해변 캠핑〉, 〈미스 포도 수확 축제〉로 연이어 뽑혔어. 그 무렵부터 사진 모델로 잡지들에 실리기 시작했지. 난 남자들이 나를 몹시 좋아한다는 사실을 깨닫게 되었어.」

「쳇, 웃기고 있네! 그래 봤자 그 흉물스러운 모르타델라 소시지 광고 모델이었을 뿐이잖아. 왜, 당시에는 지금처럼 사팔뜨기가 아니었다고 하시지.」

「시끄러, 상스러운 인간! 나를 비웃는 것은 달리다[24]를 모욕하는 거야! 가벼운 사팔뜨기는 오히려 매력을 더해 준다는 사실도 모르셔? 눈빛이 더 강렬해지잖아.」

「수녀로 출발해서 미스 젖은 티셔츠가 됐다…… 흠, 대단히 드라마틱한 경력인 건 사실이야.」 김이 논평한다.

왕년의 미의 여왕은 대꾸하지 않는다.

「하지만 난 예술적 경력을 더 쌓아 나가길 원했어. 배우가 되고 싶었지. 그래서 영화 제작 쪽에서 캐스팅 일을 좀 했어. 즉시 통하더군. 내가 배우로서의 커리어를 시작하게 된 분야는…….」

「……포르노 영화였지.」 오를랑도가 대신 말끝을 맺어 준다.

「……에로 영화야!」 에스메랄다가 정정한다. 「둘은 전혀 관계없어, 이 무식한 양반아! 그리고 난 알고 있었어. 제7의 예

---

24 Dalida(1933~1987). 이탈리아 출신으로 프랑스에 귀화한 여가수로 본명은 욜란다 글리오티.

술에서 성공하려면 처음에는 약간 노출하는 역을 받아들여야 한다는 사실을.」

「철없는 계집애들을 현혹시키려면 무슨 헛소린들 못 하겠어? 내 확신하는데, 이 카산드라도 그따위 사탕발림에는 안 넘어갔을 거야.」

에스메랄다는 어깨를 으쓱한다.

「이탈리아의 위대한 여배우 중에서 그런 식으로 시작한 사람이 한둘인 줄 알아? 어쨌든 난 카메라 앞에서 팬티를 벗은 적은 한 번도 없었다고! 내 맹세하는데, 내 그것을 본 촬영 기사는 한 명도 없었어. 그리고 난 항상 십자가 목걸이를 걸고서 영화에 출현했어.」

「홀딱 벗은 젖가슴 위에다 그 목걸이를 늘어뜨렸지. 그게 더 자극적이거든.」 이렇게 말하면서 오를랑도가 짓궂은 미소를 짓는다. 하지만 에스메랄다는 대구하지 않고 카산드라에게 묻는다.

「카산드라 양, 내가 출연한 작품 한 편 쯤은 봤겠지요?」

어라? 이제는 내게 〈양〉이라는 칭호까지 붙여 주네? 더 이상 〈꼬마〉, 〈백설 공주〉, 〈신데렐라〉, 혹은 〈거머리〉 등이 아니고?…… 봤다고 대답하면 날 아주 좋아하게 되겠지. 하지만 어떤 작품을 봤냐고 물을 거고, 그럼 골치 아프게 돼. 이 여자는 자신이 아주 중요한 존재이고, 따라서 숭배받아 마땅하다는 사실을 확인받고 싶은 강렬한 욕구가 있어.

「〈자유의 여인〉? 프랑코 마냐노의 작품이야.」

소녀는 고개를 좌우로 흔든다.

「그럼 〈아무 콤플렉스도 없이〉는? 토니오 로시의 작품이야.」

「죄송해요.」

「〈이비자의 가을〉은? 〈회색 모자의 사나이〉는? 〈보름달의 친구들〉은?」

「죄송해요.」

실망한 에스메랄다는 하지만 별것 아니라는 듯 가볍게 손을 내젓는다. 자신의 아름다운 이야기가 이어지는 데 있어서 이깟 무지쯤은 조금도 문제가 되지 않는다는 듯한 품이다.

「하여 난 중요한 여배우가 되었어. 심지어는 잡지 표지와, 잡지 중간에 접어 넣는 대형 포스터에도 실리게 되었지. 바로 『플레이보이』지 프랑스판에 말이야. 기사에서 기자가 한 말을 그대로 인용하자면 이래. 과거에는 지나 롤로브리지다, 소피아 로렌, 클라우디아 카르디날레가 있었다면, 이탈리아 영화를 밝게 빛낸 이 뇌쇄적인 미녀들 가운데 이제는 에스메랄다 피콜리니를 추가해야 한다. 아아아…… 한 세대의 남자들 전체가 밤마다 나를 꿈꾸면서, 나의 이름을 중얼거리면서 잠이 들었지. 에, 스, 메, 랄, 다.」

「맞아. 당신은 트럭 운전수들과 여드름쟁이 소년들의 우상이었지. 그들은 당신을 상상하며 딸……」

「지저분한 단어로 모든 걸 망치려 들지 마!」

「당신이 스타라는 사실은 다들 알고 있어. 그러니 어서 이야기나 계속하라고, 공작 부인.」 페트나는 격려해 준다.

「하지만 옷 안 벗고 찍은 진짜 영화가 한 편도 없는 것도 사실이잖아.」 오를랑도가 이죽거린다.

「무슨 소리야! 〈코랄리의 운명〉에서 바로 그런 연기를 하기로 예정되어 있었어. 누벨바그에 속하는 프랑스 감독 장샤를 드 브레티니가 연출하는 심리 드라마였지.」

아마도 매우 유명한 듯싶은 이름이 나왔지만, 카산드라의 얼굴은 전혀 모르겠다는 표정을 보인다.

「난 모두 해서 40행이나 되는 대사를 외워야 했다고! 촬영은 3주나 계속됐어. 그리고 난 어깨 피부를 단 1제곱센티미터도 보여 주지 않았다고요, 존경하는 남작님! 이 영화로 나는 칸 영화제의 레드 카펫을 밟을 수도 있었는데…….」

그녀의 목소리는 끝을 맺지 못하고 허공에 머문다. 자신의 경력을 축성해 줄 수도 있었던 그 지고의 순간을 상상하고 있는 모양이다.

「그 〈유감스러운 사고〉가 일어났어.」

왕년의 여배우는 젖가슴을 벅벅 긁는다. 신호가 떨어진 듯, 모든 사람들이 미친 듯 긁어 대기 시작한다.

「촬영이 한창 진행되고 있을 때, 장샤를은 영화 자금 조달을 위해 아주 중요한 사람들과의 저녁 모임이 있다며 나보고도 나오라고 했어. 염색한 머리에는 반들반들 젤을 바르고, 퉁퉁한 손가락마다 갖가지 반지를 끼고 있는 치들이었지. 식탁에서 유일한 여자였던 나는 장 샤를이 어떤 식으로 그의 친구들의 투자 동기를 유발하려는지 금방 깨닫게 되었어. 그 우아한 식사가 끝날 즈음, 모두가 거나하게 취해 있었고, 그치들 중 하나가 나를 껴안으려고 했어. 나는 그의 배에다 포크를 박아 주었지. 또 수석 조감독 녀석이 나를 제압한답시고 덤벼들기에 그 얼굴에다도 흉터를 남겨 주었고.」

「와, 정말로! 당신도 성격이 장난이 아니야!」 김은 파란 머리 가닥을 쓸어 올리며 혀를 내두른다.

「이 여자가 말하지 않은 사실이 하나 있지. 손님들의 비명 소리에 놀라 다른 배우들이 프로덕션을 구하기 위해 달려왔어. 그러자 공작 부인은 예의 그 포크로 두 명을 찌른 거야. 그중 한 명은 중상이었지, 아마?」

「좀 더 그럴듯한 역을 따내 보고자 충견처럼 설쳐 대는 엑스트라 녀석들이었어. 나는 정당방위였어. 그 엑스트라라는 인간들이 얼마나 고약한지, 당신들은 상상도 못 할 거야. 단역이라도 하나 따낼 수 있다면 살인도 불사하는 놈들이야.」

「웃기고 있네! 당신은 대화로 문제를 해결할 수도 있었어.

그들이 분명히 당신 말을 들었을 거라고.」 오를랑도가 반박한다. 「아니면 당신 젖가슴을 보여 주든지. 그럼 대번에 진정되었을 텐데 말이야.」

그때의 추억에 사로잡혀 있는 에스메랄다로서는 대꾸할 정신이 아니다.

「그날따라 경찰은 왜 그리도 빨리 달려오는지! 촬영소는 여기에서 조금 북쪽, 이 하치장에서 그다지 멀지 않은 곳에 있었어. 나는 도망쳐 나와, 이 운명의 장소에 숨어들었지. 그리고 집시들을 만난 거야. 그들이 나를 하룻밤 재워 주었어. 그 중 한 노파가 내게 말하길, 나와 비슷한 상황에 처해 있는 사람이 또 하나 있으니, 그와 가정을 이루는 게 좋겠다는 거야. 그리고 그들은 내게 한 뚱뚱한 털보를 소개해 주었지. 더러운 금발을 길게 늘어뜨린 그 뚱뚱이는 폐기물 자루들 위에 퍼져 앉아서 술을 퍼마시고 있었어.」

오를랑도는 수염을 긁으면서 인정한다.

「처음 본 공작 부인의 모습, 그것은 하나의 계시와도 같았어. 나는 속으로 외쳤지. 오, 이 여자야말로……」

그는 잠시 말없이 있다가, 이윽고 문장을 끝맺는다.

「……상당히 오랫동안 내 삶을 개판으로 만들어 놓을 인간이다!」

페트나와 김은 고개를 끄덕이며 공감을 표시한다.

「저 인간이 창녀 아닌 다른 종류의 여자를 만난 건 그게 처음이었거든. 당연히 충격적이었겠지.」 에스메랄다가 부연해 준다.

「맞아. 하기야 이 만남이 내 삶을 바꿔 놓았으니까. 그리고 나의 여성관도 바꿔 놓았고. 그건 분명한 사실이야.」

그녀는 어깨를 으쓱해 보인다.

「나와 오를랑도는 함께 이 하치장을 둘러보았어. 우린 낙원에서 추방된 아담과 이브와도 같았지. 이 신세계에 정착할 준비가 되어 있는.」

아담과 이브 같아 보이진 않는데.

「그려. 쓰레기들의 낙원을 만난 거지. 내 말뜻을 이해할랑가 모르겠지만.」페트나가 약간 뼈 있는 말을 한다.

「그리하여 우리는 이 장소를 찾아낸 거야.」왕년의 외인부대원이 설명한다.「각종 폐기물과 폐타이어들이 이룬 언덕들로 둘러싸여 은폐된 천연의 분지이지. 서쪽으로는 폐차들의 공동묘지가 우리를 집시들에게서 떨어뜨려 놓으면서 보호해 주고, 동쪽으로는 첨단 기기 폐기물의 산더미들이 우리를 알바니아 애들로부터 단절시켜 주고 있어. 이상적이지.」

「그리고 로마 시를 창건한 로물루스와 레무스 형제처럼, 우리는 우리의 영역을 정하고, 지극히 원시적인 것이나마 이마을 최초의 움막들을 지었어.」여자가 설명을 잇는다.「북쪽에다가는 샹젤리제 대로를 그어 놨고.」

「그래서 두 분은 커플이 되셨나요?」카산드라가 물어본다.

에스메랄다는 어이가 없다는 표정으로 머리칼 한 가닥을 쓸어 올린다.

「알코올 중독에 걸린 이 뚱뚱보 돼지하고? 내가 차라리 돼지는 편이 낫겠다. 저 인간이 내게 접근하려는 기미를 보였을 때, 난 상황을 명확하게 인식시켜 주려고 불알에다 니킥을 한 방 날려 주었어. 그러고 나서 내 관점을 보다 분명히 이해시켜 주기 위해 같은 장소에다 발뒤꿈치 한 방을 추가해 주었고.」

「아…… 그거!」오를랑도는 얼굴을 찡그리며 인정한다.「공작 부인은 애매모호한 상황은 별로 안 좋아하지.」

「곧바로 따로 움막을 만들었어. 일테면 우리는 어려운 상황에 처한 두 동업자였던 셈이지. 우리의 서로 다른 재능을 결합하는 것이 장기적인 차원에서 볼 때 생존을 위한 최선의 해결책같이 보였던 거야.」

참 신기하다. 어떻게 복잡한 단어들과 비속어들을 이처럼 마구 뒤섞을 수 있는 걸까? 이들은 언어조차 역설적이야.

「솔직히 당신은 오를랑도를 좋아하잖아.」 페트나가 에스메랄다에게 말한다. 「단지 스스로에게 고백하지 못하고 있을 뿐이지. 당신도 〈응응〉해 본 지 상당히 오래되었잖아. 안 그래, 공작 부인?」

에스메랄다는 포도주 병을 집어 들어 병나발을 분 다음 그윽 트림을 한다. 그리고 나서 오를랑도가 하는 식으로 페트나에게 빈 병을 냅다 집어던진다. 노인이 잽싸게 몸을 숙이자 유리병은 좀 더 멀리 떨어진 곳에서 맑은 음향과 함께 산산조각이 난다.

「이래서 좋은 파트너들이 필요한 거라니까. 정말이지 수컷들이란! 얼굴이 멀끔하면 머리가 멍청해요. 머리가 똑똑하면 얼굴이 폭탄이야. 또 잘생기고 똑똑하면 보나 마나 호모지.」

김예빈은 꽤 괜찮게 느껴지는 이 문장을 소중히 적어 놓는다.

「그리고 솔직히 말하자면 ─ 이건 내 잘못은 아냐 ─ 난 섹스를 좋아하지 않아. 그건 전혀 내 취향이 아니라고. 그 냄새 고약하고, 꺼끌꺼끌한 털로 둘러싸여 있는 혹 같은 살덩이를 자기 몸 안에, 다시 말해서 더 냄새가 고약한 그 축축한 입구에다 집어넣고서 짐승들조차 낯뜨거워할 우스꽝스러운 자세들을 하고서 함께 몸을 흔들어 대는 꼴이란…… 그 장면만 떠올려도 난 토할 것 같아! 내가 이 역겨운 뚱보의 썩은 내 나는 두 악골 사이에다 내 혀를 밀어 넣을 수 있을 것 같아? 내가 이자의 손가락보다도 작은 그 콩알만 한 물건을 내 신성한 틈에다 집어넣으라고 두 다리를 벌려 줄 수 있을 것 같으냐고? 부인하려 들지 마, 남작! 난 당신이 벌거벗은 모습을 여러 차례 보았고, 당신 거시기가 아주 작다는 걸 잘 알고 있어. 커다란 엉덩이에 조그만 물건, 자, 당신을 이보다 잘 정의해 주는 말이 또 있을까! 그래, 내가 그 짓을 허용하겠느냐고? 이 트림쟁이 멧돼지가 날 깔아뭉개고, 숨 막히게 만들다가 결국에는 그 끈끈하고 허연 액체를 나의⋯⋯ 아, 말도 안 돼! 나도 존엄성이 있는 사람이라고! 섹스? 아, 사양하겠어!」

「누가 당신에게 섹스를 얘기했나? 난 사랑을 얘기했다고.」 페트나가 그녀의 착각을 바로잡는다.

「그렇다면 난 사랑을 좋아하지 않아. 난 원래 수녀가 되고 싶어 했다는 사실을 잊지 않았으면 좋겠어. 그건 나의 최초의 소명이자, 진정한 운명이야. 단지 도중에 불의의 사고가 일어나 잠시 이러고 있을 뿐이지. 섹스가 내게 가져다준 것은 근심과 짜증뿐이었어.」

왕년의 미의 여왕은 두 젖무덤 사이의 깊은 계곡에서부터 튀어나온 커다란 도금 십자가를 기계적으로 만지작거린다.

「설사 내게 멍청한 짓을 하고 싶은 생각이 있었다 해도, 저 껑다리 페트나가 또 들어왔기 때문에⋯⋯ 자, 〈세 번째 시민〉, 이제 당신이 넋두리를 늘어놓을 차례야.」

69.

이 사람은 좀 달라. 원래 차분하고 냉철한 성격인데, 어쩌다 운명이 꼬여서 이런 처지가 되어 버린 것 같아.

70.

아프리카인은 자세를 고쳐 앉는다. 우선 녹색 가죽 바부슈를 벗어 맨발을 불 가까이에 댄 다음, 호주머니에서 해포석 재질의 긴 파이프를 하나 꺼낸다. 이어 해적 머리 형상의 파이프 대가리에 불을 붙이고는 담배 연기 몇 덩이를 느긋하게 뿜어낸다.

「나를 이곳으로 인도한 것은…… 까마귀들이었지.」

그는 파이프를 길게 빨면서 자신의 이야기에 빠져든다.

「난 아프리카 사바나 한복판에 위치한 한 멋진 작은 마을에서 태어났어. 국가는 세네갈이었지만, 나라 따위는 전혀 중요치 않아. 중요한 것은 내 부족과 신앙일 뿐이니까. 난 월로프족이야. 우리 월로프족은 90%는 이슬람교도에 10%는 기독교도이고, 애니미즘 신봉자가 100%이지. 내 말뜻을 이해할랑가 모르겠지만.」

「오, 완벽한 배합이군!」 킴이 킬킬댄다.

「나의 완전한 이름은 페트나 와데야.」

「당신 이름의 유래를 좀 이야기해 주지그래.」 오를랑도가 요청한다. 「그게 최고로 웃기더라고.」

껑다리 흑인은 능숙한 동작으로 어깨를 으쓱하더니, 오를랑도의 원대로 설명을 해준다.

「음…… 페트나Fetnat는 대혁명 기념일인 7월 14일, 즉 프랑스 국경일을 줄인 말이야.[25] 내 부모님은 친프랑스적 성향을 가진 분들이라서, 우체국 달력에서 프랑스식 이름을 하나 고르기로 결정했어. 그러다가 페트 나Fet Nat라는 약자를 보게 되었고, 그게 사람 이름이라고 생각하셨던 거지. 어쨌거나 난 이 이름에 익숙해졌고, 또 아주 예쁜 이름이라고도 생각해.」

「그렇다면 〈마르디그라〉나 〈아상시옹〉은 어때?[26] 뭐, 안 될 것도 없잖아?」

「아닌 게 아니라 괜찮은데요?」 카산드라는 자신이 이름에

25 프랑스 국경일은 프랑스어로 페트 나시오날Fête Nationale이다.
26 〈마르디그라〉는 사순절 직전 벌어지는 축제인 사육제의 마지막 날이며 〈아상시옹〉은 성모 승천일(8월 15일)이다.

관한 한 점차로 전문가가 되어 가는 것을 느끼며 고개를 끄덕인다.

「오, 정말로 그렇게들 생각해? 사실, 우리 마을에는 〈아르미스티스 18〉이나 〈빅투아르 45〉 같은 이름을 가진 소녀들도 있었어.[27] 그리고 당시에 나는 이름에 숫자가 들어가면 아주 세련되다고 생각했었지. 솔직히 얘기하자면…… 우리 마을은 나라에서 제일가는 마라부들을 배출하는 곳으로 명성이 높은, 그런 곳이었어.」

그는 푸르스름한 연기를 내뿜고, 카산드라는 그가 연기로 허공에 바오바브나무들로 둘러싸인 자신의 마을을 조각하고 있다는 느낌을 받는다.

「마라부가 뭔지 다시 한 번 설명해 주면 어때?」 오를랑도가 제의한다.

「주술사야. 이런 직업을 당신들 나라에선 뭐라고 부르더라? 그래, 약제사-약초 전문가-정신 분석가 정도로 표현할 수 있겠지.」

김이 풋, 하고 웃음을 터뜨린다.

「상대방을 좀 존중해 줘! 내가 너희들 관습을 비웃지 않듯이, 너희도 우리 관습을 비웃지 않아 줬으면 고맙겠어.」

「자작, 난 비웃는 게 아냐. 하지만 약제사-약초 전문가-정신분석가…… 이건 직업으로는 야심이 좀 지나친 게 아닐까?」

페트나는 표정에 조금도 변화를 보이지 않고, 계속 파이프를 뻑뻑 빨면서 말을 잇는다.

「나를 이 일에 입문시켜 주신 분은 다름 아닌 뎀벨레 대사부 바로 그분이셨지.」

그는 이 너무나도 저명한 이름이 일으킬 효과를 기다리며

---

27 〈아르미스티스〉은 제1차 세계 대전 휴전 기념일(11월 11일)이며 〈빅투아르〉는 제2차 세계 대전 승전 기념일(5월 8일)을 의미한다.

잠시 말을 중단한다. 하지만 반응하는 사람이 아무도 없자, 자기 영화를 아는 사람이 아무도 없다는 사실을 알게 된 에스메랄다만큼이나 실망한 기색으로 다시 말을 잇는다.

「바로 뎀벨레 사부님 당신께서 나를 신성한 월로프 주술에 입문시켜 주셨어. 그분은 저주를 걸고 또 푸는 방법, 신성한 약초들을 채취하는 방법, 죽은 자들에게 말하는 방법, 푸조 504 디젤차를 수리하는 방법, 부적을 만드는 방법, 악마들과 협상하는 방법, 프랑스어를 하는 법, 사랑의 묘약과 영약을 제조하는 방법, 그리고 〈엑스플로웨우웨Exploweuwe〉를 사용하는 방법 등을 가르쳐 주셨지.」

「뭐, 엑스플로웨우웨? 지금 웹 브라우저 프로그램 〈익스플로러Explorer〉를 말하는 거야?」 김은 어이가 없다는 듯 반문한다.

「월로프어에서는 r는 발음하지 않아! 대신 노래 부르는 듯한 소리를 내기 위해 e를 첨가해!」 아프리카 노인은 젊은 방해꾼에게 노여운 시선을 던지며 잘라 말한다. 「간단히 말해서 난 제1급의 도제 주술사였어. 각종 약 조제에 뛰어난 재능을 보였지. 그리고 이미 그때부터 반경 수 킬로미터 내에서 큰 명성을 떨쳤어. 누구든 문제가 있어 찾아오면 식은 죽 먹기로 고쳐 줄 수 있었지. 사마귀 치료, 〈불 끄기〉, 떠나간 애정을 돌아오게 하기, 등등. 이런 것들이 내 전문 분야였어. 내 말뜻을 이해할랑가 모르겠지만.」

「〈불 끄기〉는 뭐죠?」 카산드라가 끼어든다.

「불에 데었을 때, 주술사가 기도를 하면 그 즉시 화상이 사라져 버린대.」 에스메랄다가 대신 설명해 준다.

「맞아. 월로프의 마법은 투쿨로르나 세레르와는 차원이 다르지.」 페트나가 부연한다.

「투쿨로르? 세레르? 그건 또 뭐죠?」

아프리카인은 장죽을 휘두르며 얼굴을 찡그린다.

「이웃 부족들이야. 하지만 마라부로 말하자면, 우리보다 한참 아래야. 월로프의 마법은 실제로 효력이 있다고. 우리의 마법은 세계에서 가장 강력한 거야. 게다가 나는 뎀벨레 사부의 수제자였고……. 그런데 어느 날 마을 촌장인 디우프가 날 불러서 이르기를, 뎀벨레 사부께서는 이제 내가 준비되었다고 생각하고 계시다는 거야. 촌장님은 이렇게 말했어. 〈세상은 월로프족의 과학의 빛으로 밝혀질 필요가 있느니라. 그리고 진정으로 모든 것을 구할 수 있는 유일한 의학을 우리 월로프족이 지니고 있다는 사실을 세계만방이 알아야 하느니라. 그래서 우리는 부족의 활동 자금으로 자넬 파리에 보내려 하느니라. 파리의 문화적 명성은 어디에나 미치고 있으므로, 전 세계는 월로프 족의 마법이 가장 강력하다는 사실을 알게 될 것이니라.〉」

「흠, 제법 논리적이야.」 김이 고개를 끄덕인다.

「그들은 밀입국 브로커에게 돈을 지불해 주었고, 배표와 비행기 표를 사주었으며, 심지어는 파리에 조그만 원룸까지 얻어 주었어.」

「그래, 거기서 당신은 세계를 〈밝혀 주기〉 시작했나?」 오를랑도가 진지하게 묻는다.

아프리카인은 호주머니에서 청진기와 주사기가 얽혀 있는 문양으로 장식되어 있는 명함을 한 장 꺼낸다. 명함 아래쪽에는 요란하게 장식된 글자로 〈아프리카 전통 의학 학위 소지자, 페트나 박사〉라고 쓰여 있고, 그 아래의 깨알 같은 활자들은 다음과 같이 알리고 있다. 〈당신을 떠난 여자를 되찾으십시오. 당신의 정력을 회복하십시오. 수없이 효력을 입증한 바 있는 사랑의 묘약들을 시험해 보십시오. 페트나 박사는 종기, 암, 에이즈, B형 간염, 포진, 두통, 불면증을 치료합니다. 당신을 해고한 사장에게 복수하십시오. 동료가 당신의 자리를 훔치는 걸 막으십시오. 당신의 모발을 되찾으십시오. 페트나 박사는 발과 겨드랑이에서 발산되는 구역질 나는 악취를 제거해 줍니다. 파리에서 행해지는 각종 시험에 사용하면 절대 철자법 오류가 일어나지 않는 마술 볼펜 판매. 신분증을 제시하면 신용카드도 받습니다.〉 그리고 더 밑에는 굵은 글자로 이렇게 쓰여 있다. 〈효과가 없으면 환불해 드림.〉

카산드라는 입을 딱 벌리고서 고개를 끄덕인다.

페트나는 그의 영광의 시절의 마지막 추억인 그 소중한 네모꼴 판지를 집어넣는다.

「처음엔 모든 게 잘되어 갔어. 내 사업은 기하급수적 성장을 거듭해 나갔지. 내가 개업한 곳은 파리의 바르베스 구역으로, 동네 특성상 고객이 상당히 많았어.[28] 문제점이 하나 있었다면, 역시 동네 특성상 경쟁 또한 심했다는 거야. 다른 부족 출신의 마라부들이 있었지. 말린케족, 텐디크족, 심지어는 바사리족까지. 난 인종주의자는 아니지만, 이자들은 〈의사의 본분〉이라는 관점에서 볼 때는 문제가 좀 있었어.」

이 사람은 마음만 먹으면 언제든지 멋진 말을 할 수 있는 풍부한 어휘의 소유자야. 프랑스어를 제대로 배운 모양이야.

「그게 바로 이곳 대속의 이점이라고! 여기서는 〈정치적으로 올바를〉 필요가 없다는 거.」 에스메랄다가 잘라 말한다. 「페트나, 당신은 여기서는 인종주의자가 될 권리가 있어. 그래도 아무도 욕하지 않아. 얼마든지 계속하라고.」

「좋아. 그렇다면 내가 인종주의자임을 인정하지. 또 난 백인도 좋아하지 않아. 흰 피부는 시체의 색깔을 떠오르게 하거든. 또 당신들의 체취. 정말이지 끔찍해!」

28 바르베스 구역은 파리의 북부 18구에 위치한 지역으로, 아랍인과 혹인 등 외국인이 주민의 대부분을 차지하는 빈민가이다.

「악취가 나나?」

「아니, 더 고약한 거야. 아무 냄새도 안 난다고! 당신들은 로봇들 같아. 창백하고, 매끈하고, 냄새도 맛도 없는 로봇들! 한마디로 당신들은 밍밍해!」

「나 원 참, 흑인이 아니라서 죄송하기 짝이 없군그래!」 오를랑도는 어이가 없다는 듯 혀를 찬다.

「그런데 내가 백인보다도 훨씬 더 싫어하는 인간들이 있어. 바로 푈족이야.」

아프리카인은 그 이름을 입에 올리는 것만으로도 소름이 끼친다는 듯 오만상을 찌푸린다.

「호들갑 좀 그만 떨어!」 오를랑도가 쏘아붙인다. 「당신을 화나게 하려는 건 아니지만, 당신들 흑인은 우리 눈에는 다 똑같아. 그 많은 아프리카 부족들 간의 미묘한 차이가 우리 눈에는 보이지 않는다고.」

「푈족! 아, 제발 부탁하는데, 절대로 월로프족과 푈족은 혼동하지 말아 줘. 외모만 놓고 보더라도 두 부족은 전혀 닮지 않았을 뿐 아니라……」

「더 〈푈〉한 사람은, 더 작은 걸 할 수 있다?」[29] 김이 비꼰다.

아프리카 주술사는 이 재담에 대꾸하지 않고 이야기를 계속한다.

「그렇게 해서 나는 내 클리닉을, 다시 말해서 의료 센터로 탈바꿈한 내 원룸을 잘 운영해 나갔어. 이른바 내 〈동료〉들이라고 하는 작자들(진정한 마법에 대해서는 아무것도 모르

---

29 원문은 Qui 〈peule〉 plus peut le moins. 이 문장은 Qui peut le plus peut le moins(큰 일을 할 수 있는 사람은 작은 일도 할 수 있다)라는 속담의 변형이다. 읽었을 때 소리가 같아지는 점을 이용한 말장난이다. 이렇게 변형된 말장난 문장의 의미는 본문대로 〈더 〈푈〉한 사람은 더 작은 일을 할 수 있다〉이며, 이것이 암시하는 바는 〈푈족은 능력이 더 작다, 혹은 더 작다, 더 하찮다〉 정도의 의미일 것이다.

는 허가받은 사기꾼들인데, 이 문제에 대해서는 오래 얘기하고 싶지도 않아)이 경쟁해 왔지만 그따위 것들은 신경 쓰지도 않았고, 모든 게 잘되어 나갔어. 그런데 어느 날, 난 내 의술이 효력이 없어졌다는 사실을 알아차리게 되었어. 도무지 이유를 알 수 없더군. 어쩌면 내가 더 이상 신선한 약재를 쓰지 않는 탓일지도 모른다는 생각이 들었어. 예를 들어 난 냉동된 약초들을 사용하고 있었거든. 아니면 다른 동물들에서 나온 뼛가루를 쓰거나.」

「가젤의 뼈나 야생 코끼리 뼈는 바르베스에서 구하기 힘든 게 사실이지.」 오를랑도가 고개를 끄덕인다.

「그래, 말 한번 잘했어! 이곳 파리에서 뱀 한 마리, 두꺼비 한 마리, 혹은 거미 한 마리를 구하는 것은, 세상의 종말 때보다 더 어려운 일이야.」

「맞아! 가족 고유의 요리법은 바꿔서는 안 되는 법이지. 재료 하나하나가 얼마나 중요한데!」 에스메랄다가 맞장구친다. 「여기서 구한 재료로 스파게티용 정통 이탈리아 토마토소스를 만들려는 거와 같지.」

「설상가상이라고, 공정하지 못한 방식으로 경쟁하는 비아그라가 몰려왔어. 우리 재능 있는 마라부들은 남성들에게 정력을 되찾아 준다고 약속하지. 사실 고객의 80%가 이 때문에 찾아와. 그런데 백인 학자들은 약을 하나 만들어서 이 문제를 해결해 버렸어. 그것도…… 아무 약국에서나 살 수 있는 약으로! 아, 이 비아그라가 전문 마라부들에게 어떤 해악을 끼쳤는지, 그걸 어떻게 말로 다할 수 있겠어? 그때 그 〈불공정 경쟁〉에 대해 시위를 벌였어야 했는데…….」

페트나는 신경질적으로 담배 연기를 뿍뿍 내뿜는다.

「허나 아직 내겐 비장의 무기가 남아 있었어! 〈애정 귀환〉이라는 이름의, 물 한 컵에 타서 공복에 마시는 가루약이었지.

여자가 다른 놈팡이와 바람이 나 떠났을 때, 이 가루약의 효능으로 돌아오게 할 수 있지. 효력이 없으면 환불해 주는 확실한 제품이야. 그런데 별안간 어떤 고객 하나가 알레르기 발작을 일으켜 버렸어. 내 혼합 약의 비밀 처방에 건새우가 포함되어 있었기 때문이지. 그냥 맛을 위해 넣는 거야. 그런데 그 고객은 혈관 부종이 있었고, 재수 없게도 혼자서 귀가하여 발작해 죽어 가는데도 곁에서 도와주는 사람 하나 없었어. 다음 날 파출부가 주검을 발견했지.」

「아주 사소한 〈유감스러운 사고〉였군그래?」 김이 음산하게 낄낄댄다.

「경찰은 수사를 했고, 고인의 어머니는 그가 우리 집에 와서 내 묘약을 사 왔다고 증언을 했어. 그리고 그의 집에서는 아직 묘약 한 병이 남아 있었지. 액체를 분석한 경찰은 내가 그 안에다 건새우 외에도 세제와 오줌을 넣었다는 사실을 알아냈어.」

「정말이야?」 에스메랄다가 큰 관심을 보이면서 묻는다. 「그런 게 정말 효과가 있어?」

「이것들은 〈애정 귀환〉 제조를 위한 내 비밀 처방에 실제로 들어가는 재료들이야. 설명해 줘도 당신들은 이해 못해. 어쨌든 경찰이 나를 체포하러 들이닥쳤어. 그들이 몰려오는 것을 본 나는, 불법 체류를 하고 있는 상황이었으므로 그냥 비상계단을 통해 피신하는 쪽을 택했지. 그리고 나서 몇 가지 실망스러운 일들을 경험해야만 했어. 나는 동료 마라부들 집에 은신해 있으려고 했어. 같은 대륙 출신들이니 어떤 유대감이 있으리라고 믿었지. 그런데 웬걸! 다른 사기꾼 주술사들은 경쟁자 하나가 없어졌다고 오히려 신이 났던 거지. 아, 뙬족들! 세상에 그놈들만큼 추악한 인종주의자가 없어! 그래서 난 놈들을 아주 싫어해.」

「대략 말해서, 당신에게 있어서 인종주의자란, 당신을 받아들이려 하지 않는 사람을 뜻하는 모양이지?」 김이 슬쩍 한마디 던진다.

페트나는 파이프 물부리로 발가락 사이를 북북 긁는다.

「그래서 난 또 도망쳤어. 아프리카인의 유대감? 놀고 있네! 내 유색인 형제들은 경찰에 고발하지 않으면 다행이고, 그 개고생하고 있는 날 쳐다보지도 않더군. 아, 고마워, 사촌들! 과거에 비슷한 일이 있을 때마다 뎀벨레 사부님은 이렇게 말씀하시곤 했지. 〈인간에겐 아무것도 기대하지 말라. 자연만이 너의 친구이니라.〉」

「아, 속담들이 세상을 다 망쳐 놓는구먼!」 오를랑도는 거세게 가래침을 뱉으며 한탄한다.

페트나는 맥주 캔 하나를 집어 든다.

「난 자연의 음성에 귀를 기울였어. 내가 숭배하는 동물은 까마귀인데, 전 세계 어딜 가나 있기 때문이야. 그래서 난 까마귀들을 따라갔는데, 녀석들이 이리로 오더군. 그렇게 난 문명 세계의 한복판에 숨어 있는 정글과도 같은 이 장소를 발견하게 된 거야. 여기엔 야생 동물들이 있었어. 여기에선 밀매되는 화학 물질들이 아니라, 자연 상태에서 자라나는 진짜 약초들을 채취할 수 있었지.」

「자연? 이 엉겅퀴와 쐐기풀? 웃기고 있네!」 에스메랄다가 어이가 없는 듯 외친다.

「그렇게 생각할 수도 있지. 하지만 이 식물들은 특별한 의학적 효능을 가지고 있고, 난 아직도 그걸 연구 중이야. 이건 냉동된 풀들이 아니라, 진짜배기 야생 약초들이라고. 또 여기엔 각종 뱀, 거미, 벌레, 달팽이, 두꺼비도 있어. 아, 정말이지 난 이곳을 좋아하고, 별로 나가고 싶지가 않아. 어쨌든 아직도 체류증이 없으니까. 경찰이 날 잡으면, 즉각 우리나라에 돌려

보낼 거야. 그럼 난 내 동포들이 내 여행을 위해 모금해 준 돈에 대해 결산을 해야 해. 물론 나도 귀국하고 싶어. 하지만 나를 믿어 준 모든 사람들에게 돈을 갚을 수 있게끔, 부자가 되어서 돌아가고 싶어. 내 말뜻을 이해할랑가 모르겠지만.」

이렇게 말하고서 페트나는 땅에다 침을 뱉는다.

「자, 내 얘기는 끝났어. 이젠 네 차례야, 김.」

71.

얘는 그저 잘난 척하기 좋아하고, 컴퓨터 가지고 놀 줄이나 아는 멍청한 녀석일 뿐이야.

72.

구멍투성이의 청바지와 가죽점퍼 차림의 아시아 청년은 몸을 일으켜, 크고 우아한 동작으로 좌중에게 인사를 한다. 그럴 때 두 보조개가 쏙 들어가는 모습이 더욱 성룡을 연상케 한다.

그는 이마에 흘러내린 파란 머리 가닥을 쓸어 올린다.

「자, 내가 네 번째로 도착한 사람이야. 나를 여기로 데려온 것은…… 알바니아 애들이었어. 내 이름은 김예빈. 사실 김은 내 성이고, 예빈이 이름이지. 하지만 예빈이란 이름은 프랑스 사람들에겐 익숙하지 않은 이름이라서, 제대로 기억하는 사람이 별로 없더군. 그래서 그냥 이름을 김이라고 소개하는 습관이 들어 버렸지…… 난 평양에서 태어났어. 만일 누가 평양에서 태어나고 싶다는 생각을 한다면, 그건 최악의 생각이야. 이 세계 어디에 살든지 가난하다는 건 힘든 일이야. 하지만 조선 민주주의 인민 공화국에서 가난하다는 것은 크나큰 실수지.

이 나라는 공화국도 아니고 민주적이지도 않아. 〈인민〉의 정부는 더더욱 아니지. 이 나라는 주석을 아버지에서 아들로 이어 가는 세습 왕조로, 미친 독재자 김정일이 쥐고 있어. 핵미사일, 고문실, 그리고 자신의 영광을 기리는 어마어마한 기념물들을 만드느라 낑낑대고 있는 인물이야. 나라 전체는 거짓과 공포 속에서 살아가고 있지. 또 이른바 〈세계를 밝히는 살아 있는 햇살〉, 다시 말해서 굽 높은 구두를 애용하고 벗어진 머리에다는 모발을 이식하고서 스스로 〈모든 지혜의 근원〉이라고 선언한 그 잔인한 난쟁이를 숭배해야 하는 의무 아래 짓눌리고 있어. 하지만 그가 자기 국민을 다루는 방식은 한층 고약해. 그는 나라 전체를 거대한 강제 노동 수용소로 탈바꿈시켜 놓고 수백만의 사람들을 의도적으로 굶주리게 하고 있어. 그리고 그 목적은 오직 하나, 사람들을 억눌러 꼼짝 못 하게 하려는 거지. 경제는 완전히 팽개쳐져 있어. 지금도 수십만이 기아로 죽어 가고 있지만, 전 세계는 모른 척하고 있지. 김정일은 스스로를 〈영원한 지도자〉라고 선언했지만, 그가 지구상에 나타나서 한 일은 오직 하나, 사람들을 엿 먹이고 괴롭힌 것뿐이야. 그는 이란, 쿠바, 수단 등 세계의 다른 모든 독재자들을 지지하고 있기까지 해. 세상의 모든 미친 전체주의적 쓰레기들은 모두 한통속이지.

　「우리 아버지는 프랑스어 교수였어. 아버지는 프랑스에 대해 〈약속의 땅〉처럼 말씀하셨어. 자유로운 사고가 권장되는 자유롭고도 교양 있는 나라라고 하셨어. 어느 날, 그분은 더 이상 참을 수 없게 되셨어. 대충 구할 수 있는 재료로 얼기설기 배를 한 척 만드셨고, 어머니를 포함한 우리 세 가족은 나라의 남서부에 위치한 남포항에서 멀지 않은 곳에 있고, 감시가 그다지 심하지 않은 한 내포(內浦)에서 출발하여 바다로 탈출해 나왔어. 그리고 황해를 오랫동안 떠돌아 다녔지. 그러다가 이 해역에 출몰하면서 난파자들을 사로잡아 몸값을 받는 중국 해적들의 공격을 받게 되었어. 당시 난 여덟 살이었지. 어머니는 어린 나를 담요 속에 숨겨 주셨어. 그리고 해적들은 부모님을 살해해 버린 거야. 우리의 조각배는 계속 흘러 다니다가, 결국 한 민간 의료 구호 단체의 지원을 받는 난민 구조 그룹의 눈에 띄게 되었어. 그 단체는 바로 〈국경 없는 의사회〉였어. 프랑스 사람들이었지. 운명이 그때까지 일을 엉망으로 만들어 놓다가, 문득 내게 윙크를 했다고나 할까? 〈너, 프랑스를 좋아하지? 자, 이렇게 연결해 주었잖아.〉

구호 단체 사람들은 나를 파리로 데려가 한 기숙 학교에 넣어 주었어. 거기서 난 당신들이 말하는 이른바 〈종교색 없는 의무 공화국 교육〉을 받게 되었지. 남작과 자작처럼 나 또한 학교를 무척 좋아했어.」

「그래서 이 한심한 녀석은 자기 교양을 과시하려고 말끝마다 멍청한 속담들을 늘어놓는 거야.」 오를랑도가 설명한다.

「내 바람은 딱 한 가지였어. 이 나라에 잘 편입되어 선량한 프랑스 국민이 되는 것. 그리 되면 나를 여기까지 데려온 그 비극적인 일들을 그럭저럭 잊을 수 있을 테니까. 난 공부를 잘했어. 최고의 우등생이었지. 나는 컴퓨터 공학을 공부했고, 컴퓨터 프로그래밍과 기계 설계 분야에서 두각을 나타냈지. 하지만 난 신분에 관련된 서류들을 처리하는 일에는 그다지 신경 쓰지 않았어. 그런 일에는 좀 게으르기도 했지만, 무엇보다도 이곳에서의 내 신분은 당연한 거라고 믿었기 때문이지. 내가 생각하기에, 프랑스 국민이 되는 최상의 방법은 직업적으로 탁월해지고, 그럼으로써 나를 받아들여 준 나라를 내 〈일〉을 통해 풍요하게 만들어 주는 것이었거든.」

그 즉시 여우가 화난 기색으로 괴성을 내지른다.

음양이는 단지 저 단어를 듣고 소리를 지르기 위해서 여길 찾아오는 걸까?

「에그, 저런 멍청이! 쟤는 아직까지 아무것도 이해 못 했어.」에스메랄다가 마치 자기 일인 양 분통을 터뜨린다. 「사람들이 각자의 가치에 따라 보상받는 줄 알아? 천만에! 이 나라에서 국적을 어떻게 획득할 수 있지? 그건 꼭두새벽에 일어나 도청 행정 센터 창구 앞에서 몇 시간 동안 줄은 선 다음, 이해할 수 없는 서류들을 작성하고, 오로지 네게 생트집을 잡기 위해 고용된 공무원들과 말씨름을 벌일 능력이 있느냐 없느냐에 달려 있어!」

젊은 한국인은 냉정을 잃고, 짜증이 나 미칠 것 같다는 표정이 된다.

「난 명백한 사실을 증명해야 한다는 게 너무도 싫다고!」

「대략 말하자면, 넌 너무도 자존심으로 꽉 차 있어서, 이민국 사무실에 가서 꼭 해야 할 일들조차 하지 않았던 거야.」페트나가 보다 냉정하게 설명한다.

「뭐, 그렇다 치고…… 어쨌든 나는 공부를 마치기도 전에 사람들의 눈에 띄게 되었어. 컴퓨터 천재로서.」

우리 오빠처럼 말이지.

「그래서 한 대형 은행에 고용되어, 해외와의 전자 거래 업무 전반을 맡게 되었지. 구체적으로 말하자면, 엄청난 액수의 돈을 세계 각국의 은행들 간에 최대한 안전하게 돌게 하는 일이었어. 그러다가 어느 날……」

오를랑도는 그의 등을 탁 치며 싱긋 웃는다.

「〈멍청한 실수〉? 〈유감스러운 작은 사고〉?」

김은 갑자기 풀이 죽는다.

「난 중국 중앙은행 시스템 안에 들어갔어. 중국은 세계 강대국 중 유일하게 북한을 지지하는 국가이지. 중국인들 때문에 그 삼류 오페라에 나오는 인물 같은 독재자가 권좌에 앉아 있을 수 있는 거야. 그건 나의 작은 복수였어. 심지어 난 내가 훔쳐 낸 돈을 유용하게 사용하기도 했지. 〈국경 없는 의사회〉 계좌로 입금시켰어.」

「그런 일이 가능했어?」 에스메랄다가 신기한 듯이 묻는다.

「당연하지. 나는 점점 더 위험스러운 짓들을 하게 되었는데, 어느 순간 중국 마피아인 삼합회 애들이 날 추적하고 있다는 사실을 알아차리게 되었어. 경찰에 도움을 요청할 수도 없는 처지였지. 왜냐면 불법 체류 중이었기 때문에, 경찰이 날 내 조국으로 돌려보낼 게 뻔했거든. 거기 가면 어떻게 되겠어? 비행기에서 내리자마자 재교육원에 보내지거나, 배신자로 처형되었겠지.」

김은 가죽점퍼 앞섶을 펼쳐, 티셔츠에 적힌 오늘의 문구를 보여 준다.

〈독재는 《입 닥쳐》이고, 민주주의는 《떠들거나 말거나》이다.〉

「난 공황 상태에 빠졌어. 경찰관들, 그리고 삼합회와 연관되었을 수도 있는 눈이 째진 자들[30]을 피해 시내를 떠돌아다니기 시작했지. 그렇게 난 점차로 노숙자가 되어 갔어.」

「이그, 멍청한 놈.」 오를랑도가 끌끌 혀를 찬다.

「칭찬해 줘서 고마워, 남작. 하지만 얘기 좀 계속하게 해줘. 그리고 나서 난 알바니아 애들을 만나게 되었는데, 그들은 내 어린 나이를 감안하여 자기들을 위해 고등학교 입구에서 마약상을 해보라고 제안했어. 하지만 난 그보다는 컴퓨터 전문가로서 내가 할 수 있는 다른 서비스들을 제안했지. 예를 들어 컴퓨터로 그들의 재고 관리를 해주는 일 따위. 그들이 약속 장소로 정한 이곳을 처음 발견했을 때, 난 대번에 깨달았어. 이곳은 나라 한가운데 숨어 있는 미지의 무인도라는 사실

---

30 프랑스 사람들은 눈이 가느다란 황인종을 〈눈이 째진 사람〉이라고 부르곤 한다.

을. 신성불가침의 야생의 성소라는 사실을. 삼합회 놈들이 결코 날 찾아낼 수 없을 평화로운 은신처라는 사실을.」

그는 이 축복받은 땅에다 가래침을 뱉는다.

「나는 알바니아 애들의 야영지 너머에 있는 하치장에 들어가 보았어. 그리고 이곳이 나의 약속의 땅이라는 사실을 깨닫게 되었지. 그래서 내 개인적 물건들을 숨겨 놓을 곳을 하나 만들어 놔야겠다고 생각하고 적당한 장소를 물색하던 차에 바로 이 셋과 마주치게 된 거야.」

「말하자면 우리가 원주민이라고 할 수 있었지.」 오를랑도가 목소리에 무게를 잡으며 말한다.

「처음에 나는 이들이 정신 박약에 가까운 정신 이상자들이라고 생각했어.」

「칭찬해 줘서 고맙군!」 에스메랄다가 발끈한다.

「우린 얘기를 나눴어. 그리고 우리는 상호 보완적인 재능들을 가지고 있다는 생각이 들었지. 그래서 난 알바니아 애들을 뒤로하고 이 대속에 정착하게 된 거야.」

에스메랄다는 고개를 끄덕인다.

「후작은 괜찮은 녀석이야. 여기에 있을 자격이 있는 녀석이지. 그는 우리를 위해 전화, 텔레비전, 라디오, 컴퓨터를 설치해 줬어.」

「심지어는 풍력 발전기와 태양열 집열판, 그리고 감시 카메라들도 설치해 줬지. 그의 전자 기술자로서의 재능 덕분에 우리는 이 쓰레기 무더기 한가운데서 현대의 안락함을 누릴 수 있게 되었어.」

「가난한 것만도 불행한 일인데, 텔레비전마저 없다면 그야말로 지구의 종말이지!」 페트나가 덧붙인다. 「특히 나는 그래. 사족을 못 쓰는 시리즈가 몇 개 있거든. 특별히 〈로스트〉를 좋아하지. 정글이 나오기 때문이야.」

「나는 〈프리즌 브레이크〉야.」오를랑도도 끼어든다. 「리듬이 끝내주지.」

「난 〈위기의 주부들〉이야.」에스메랄다도 빠지지 않는다. 「거기 나오는 여자들이 꼭 나 같거든. 제각기 다른 방식으로 나를 닮았어.」

「흠, 나는 〈넘버스〉야.」김이 매듭짓는다.

그러고는 훅하고 입김을 날려 파란 머리칼을 불어 올린다.

「대속 전산망의 심장은 내 방에 있어. 몇 개의 배터리에 연결된 커다란 컴퓨터. 또 이 배터리들은 태양열 집열판과 풍력 발전기들로부터 전력을 공급받고.」

「발전기 덕분에 우리는 밤마다 대형 스크린에 투사된 영화도 보고 있지.」페트나가 고개를 끄덕인다.

「그리고 말이야, 이곳에서 미신과 주술과 비합리성에 사로잡혀 있지 않은 사람은 나뿐이야. 사실, 나는 이곳 유일의 합리적 정신이요, 과학자라고 할 수 있지. 그러니까 꼬마, 제발 무슨 마술 부리듯 미래를 봤다고 떠들면서 날 괴롭히지 좀 말아 줘. 난 그딴 건 안 믿으니까.」

「또 우리는 후작 덕분에 약간의 현금도 만지고 있어.」에스메랄다가 덧붙인다. 「그는 버려진 컴퓨터들에서 금을 채취해서 집시 고철상들에게 다시 팔지. 그 돈으로 우린 로토를 살 수 있고.」

「그리고 난 개 같은 아나키스트이며, 또 그것을 아주 자랑스러워하지. 난 이 세상을 바꿔 놓고 싶어!」한국인은 주먹을 휘두르며 소리친다.

그리고 자신의 단언에 서명이라도 하고 싶은 듯, 요란스레 땅에다 침을 뱉는다.

한 줄기 바람이 일더니, 쓰레기 담는 비닐봉지들이 덧없는 꽃잎처럼 흩날린다. 에스메랄다가 미소 짓는다.

「자, 신데렐라. 이제 넌 모든 걸 알게 됐어. 우린 사회에서 쫓겨난 사람들이고, 모두가 경찰에게 쫓기고 있는 신세야. 그래서 여기를 나갈 수 없는 거지. 우리는 추방된 인간들이야.」

그들은 또다시 돌아가면서 침을 뱉는다. 카산드라도 따라 해보려 시도하지만, 있는 힘을 다해 목구멍을 여러 차례 긁어보아도 제대로 되지가 않는다. 여우는 쓰레기 더미 위에 걸터앉아 조용히 그들을 지켜본다.

오를랑도가 갑자기 몸을 벌떡 일으키더니 우렁차게 선언한다.

「언젠가 넌 보게 될 거다! 우리가 쓰레기 더미 위에서 사는 이 세상 다른 공동체들과 굳건한 동맹을 이루는 것을! 전 세계적으로 이런 곳이 많아. 마다가스카르, 카이로, 멕시코, 리우데자네이루, 뭄바이…… 도처에 있지.」

「하치장 위에 세워진 세계 최대의 도시는 콜롬비아의 남부, 투마코에 있어.」 김이 설명을 보충해 준다. 「오물이 쌓여 이뤄진 거대한 둑 뒤, 해변을 따라서 한 도시 전체가 건설된 거야. 인터넷에서 봤지.」

「전 세계의 천민들이여! 진정한 천민들이여! 우리 모두 단결하여 이 쓰레기 더미들로 국가들을 건설하자!」 바이킹이 쩌렁쩌렁 외친다.

김도 주먹을 불끈 쳐든다.

「아나키! 아나키!」

그는 글렌리벳 위스키 병 하나를 가져와 크게 휘두르며 노래 부른다.

「일어나라, 이 땅의 저주받은 자들이여! 일어나라, 굶주린 도형수들…… 하하, 아냐, 농담이었어. 이건 공산당 혁명가 〈앵테르나시오날〉이고, 난 공산주의자들을 끔찍이 싫어해. 그들은 아나키스트들에게 나쁜 짓을 얼마나 많이 했는지 몰

라. 1917년의 러시아 혁명 때는 백군(白軍)보다도 적군(赤軍)이 아나키스트를 더 많이 죽였다고 하지. 이 세상에서 아나키스트를 좋아하는 사람은 아무도 없어. 특히 독재자들은 우릴 싫어하지.」

「자, 꼬마, 넌 여기에 다섯 번째로 들어온 사람이야…… 이제 너도 사연을 들려줘야지?」

카산드라는 그들을 한 명 한 명 쳐다본다.

「벌써 다 얘기했잖아요. 나를 여러분에게 데려다 준 것은 들개들이었다고요. 부모님을 돌아가시게 한 테러 사건 이전의 내 삶에 대해서는 다 잊어버렸고요.」

「원, 꼬마가 농담도 잘하네.」

소녀는 얼굴을 찌푸리면서 그들을 똑바로 쳐다본다.

「이제 나도 여러분의 일원이에요. 그러니 날 더 이상 꼬마, 계집애, 붉은 두건, 신데렐라 등등으로 부르지 말아 줘요. 그리고 나도 귀족 칭호를 갖고 싶어요.」

「자작 부인? 남작 부인? 공작 부인? 아니, 이것들은 벌써 우리가 쓰고 있는 것들이라 안 돼.」

카산드라는 잠시 생각해 보더니 이렇게 말한다.

「나를…… 공주라고 불러 줘요.」

73.

됐어.

결국.

이들은 내게 자신의 과거를 들려주었어. 나를 자기들의 동류로 간주했다는 뜻이지. 우리를 나누고 있는 구덩이를 어느 정도 메우는 데 성공한 거야.

난 더 이상 이방인이 아니야. 나도 저들처럼 더럽고, 귀족 칭호가 있어. 또 머지않아 이들처럼 자연스럽게 트림도 하고 방귀도 뀌게 되겠지. 그런 행동들이 이상할 게 있어? 모든 게 교육의 문제인데.

자, 이제 나도 대속의 시민이 되었어.

난 이제 그 어떤 꽃이라도 자라날 수 있는 비옥한 부엽토 속에 들어온 거야.

이 토대 위에, 나의 새로운 삶을 세워 나갈 수 있을 거야. 익명의 존재가 되어 내 과거의 잔해들을 파헤쳐 볼 수 있을 거야.

내 직관이 말해 주고 있어. 이 사람들 덕으로 부모님이 어떤 사람들이었으며, 오빠가 누구인지를 알게 될 거라고.

또 나를 대상으로 행해진 〈실험 24〉가 대체 무엇이었는지도.

74.

이날 오전, 시립 쓰레기 하치장 안에 위치한 작은 마을은 평소와는 다른 활기로 들썩이고 있다.

여우 음양이는 멀찌감치 떨어져 앉아, 분주히 움직이는 사람들을 머리를 까닥이며 지켜본다. 맑고 커다란 회색 눈의 소녀는 석공의 옷을 걸치고 있다. 또 커다란 고무장갑을 끼고, 그녀에겐 지나치게 큰 안전화까지 신고 있다. 긴 머리채는 몽땅 뒤로 틀어 올렸다. 그녀는 마을 한가운데서 서서 주위의 경관을 찬찬히 둘러본다. 먼저 자신이 앞으로 지낼 움막을 지을 자리부터 정하기 위해서다. 결국 그녀가 고른 곳은 오를랑도의 움막과 김의 움막 사이의 한 장소이다.

나의 첫 번째 구원자와 두 번째 구원자 사이야.

오를랑도는 집을 남남동향으로 지으라고 조언한다. 그리하면 아침 첫 햇살을 받을 수 있다는 것이다. 또 문과 창문이 마을의 중앙 광장 쪽으로 향하기 때문에 저녁에는 따뜻한 불기를 받을 수 있다고 한다.

그녀는 머리를 끄덕여 동의한다. 그리고 페트나에게서 조언을 받아 가며, 노끈을 줄자 삼아 바닥 부분을 이루게 될 사각형의 크기를 결정한다.

알고 보니 이 아프리카 노인은 탁월한 〈하치장 움막 건축가〉이다. 그는 지반이 너무 무른 곳들을 알려 주는 한편, 움막 전면에 차양으로 덮인 베란다를 낼 수 있게끔 부지를 조금 더 넓게 잡으라고 권한다.

오를랑도와 김은 찌그러진 카트 하나와 몇 개의 권양기를 교묘하게 사용하여 길쭉한 미국 자동차 넉 대를 수직으로 세워 땅에 박는다. 캐딜락, 시보레, 무스탕, 링컨의 60년대 모델들인 이 폐차들은 움막을 지지하는 네 기둥 역할을 할 것이다. 이어 그들은 물결 형태의 커다란 양철판으로 지붕을 올린다. 이제 벽을 올리는 일만 남는다. 남자들은 세탁기들을 외바퀴 손수레에 실어와, 레고 쌓기를 하듯 차곡차곡 쌓아 올린다.

오후 1시경에 새참을 먹는다. 둥글게 둘러앉은 그들 한가운데 놓인 음식은 오를랑도 반 드 퓌트가 특별히 준비한 벨기에 요리, 〈워터주이〉이다.

「원래 워터주이(관광객으로 보이고 싶지 않거든 〈워터주이〉로 발음하는 게 좋아)는 닭고기로 만들지. 하지만 난 쥐고기를 사용하여 나만의 요리법을 개발했어. 그런데 맛은 이게 훨씬 더 좋아. 꼬마…… 아니, 공주, 눈빛을 보아하니 뭔가 불안한 모양인데? 걱정 마! 아무것도 숨기지 않을 테니까. 자, 설명하지. 5인분을 만들려면 가급적 통통하게 살찐 걸로 큰 쥐 여섯 마리가 필요해. 우선 재료를 냄비에다 넣고 푹 삶은 다음, 잘 익으면 꺼내서 껍질을 벗기고 대가리와 다리를 잘라 내. 잘라 낸 것은 버리지 않고 잘 으깬 다음 고춧가루와 버무려서 보조 소스를 만들어 놓는 거야. 자, 다시 냄비로 돌아와 보지. 거기다가 약간의 생크림, 돼지기름, 맥주, 감자, 당근, 파, 셀러리, 파슬리 줄기, 월계수 잎, 달걀노른자, 소금, 흰후추를 첨가해. 어떤 사람들은 정향을 넣기도 하지만, 난 별로 안 좋아해. 고기 맛을 망쳐 놓거든. 이렇게 센 불로 45분간 끓인 다음, 뜨끈뜨끈하게 담아내면 되는 거야.」

카산드라는 반합에 담겨 모락모락 김을 내고 있는 요리를 정중히 사양하고, 대신 포테이토칩과 뉴텔라로 배를 채운다.

오후 시간은 세탁기를 쌓아 올린 벽에다 비닐포를 씌우는 벽 방수 작업에 할애된다. 전면에다는 창으로 쓸 수 있게끔 네모꼴의 구멍을 하나 내고, 그 틈을 거의 투명하다고 할 수 있는 플라스틱 유리로 막아 놓는다. 에스메랄다는 빨간 천 조각들을 자르고 기워서 커튼을 꾸며 준다.

페트나는 입구를 만들기 위해 초대형 냉장고 문짝을 하나 뜯어 와서는 설명한다.

「요렇게 해놓으면, 문에다가 자석 장식품들을 붙여 놓을 수도 있지.」

「신데렐라…… 아니 공주가 이 나라에서 제일 예쁜 움막을 갖게 될 것 같아.」 에스메랄다가 불만스레 웅얼댄다. 「내 움막도 신경 좀 써달라고!」

「공작 부인이 꼬마를 질투하기 시작하는구먼! 아무리 그래도 당신 움막이 제일 멋지다는 걸 자신이 잘 알고 있잖아?」

세 건축가는 다음 단계로 들어간다. 그들은 단열과 위장이라는 이중의 목적을 위해 움막 위에 온갖 잡동사니와 쓰레기들을 쏟아붓는다.

카산드라는 빈 집 안으로 들어가 방 한가운데 앉아서 실내 장식을 구상해 본다. 다른 사람들도 따라 들어와 방을 둘러보면서, 향상시킬 점들을 제안해 본다. 그런데 갑자기 카산드라의 손목시계가 〈5초 후 사망 확률: 73%〉를 표시한다. 그녀가 빽 소리친다.

「빨리 빠져나가요, 어서요!」

그들이 나오기가 무섭게 지붕과 그 위를 덮고 있는 쓰레기들이 와르르 무너져 내린다. 들여다보니 방 안은 알록달록한 쓰레기 더미에 파묻혀 있다.

페트나는 그녀를 이상한 눈으로 쳐다본다.

「대체 어떻게 알았지?」

「그냥 여자의 직감이에요.」

아프리카인은 의심쩍은 눈으로 그녀를 훑어본다. 한편 소녀는 무엇이 프로바빌리스에게 정보를 제공했을까 궁금해하며 주위를 살핀다. 그러고 보니 높다란 장대 위에 조그만 감시 카메라 하나가 달려 있다.

「저게 뭐죠?」

「통제 카메라야. 김이 마을 주위를 감시하기 위해 여기저기에 설치해 놓았지. 컴퓨터 전문가로서의 편집증이라고나 할까.」 오를랑도가 대답한다.

분명히 저 통제 카메라들은 모종의 경로를 통해 인터넷 망에 연결되어 있을 거야. 여기서 일어나는 일을 프로바빌리스가 훤히 알고 있는 것을 보면.

이어 그들은 무너져 내린 쓰레기를 함께 치우기 시작한다. 그런 다음, 축 역할을 하게끔 자동차에 끼워 넣는 강철 빔들로 지붕을 보강한다. 김이 말한다.

「대성당의 건축가들도 때로는 궁륭 천장의 지지대를 보강하는 걸 잊곤 했지. 사람들은 고딕 성당의 천장을 멋지게 지탱하고 있는 늑골 궁륭들을 올려다보면서 감탄하지. 하지만 하나의 늑골 궁륭이 제대로 축조되기 위해, 얼마나 많은 늑골 궁륭들이 성당 축성식에 참석하러 온 교구민들 위로 무너져 내려야 했을까? 사람들은 이 사실은 잊어버리고 있어.」

「어이, 우리가 진짜 건축가야? 왜 그렇게 폼을 잡고 그래? 그냥 있는 것 가지고 대충 만들면 된다고!」 오를랑도는 천장 한쪽을 접착테이프로 보강하며 핀잔한다.

그리고 자신의 선언에 마침표를 찍듯 방귀 한 방을 발사한다.

「어이, 살찐 돼지 같으니! 애 집에서 방귀 뀌지 마!」

「이래야 모기가 도망간다고. 그리고 말이야, 저 애도 우리의 일원이 되고 싶으면, 이제는 우리처럼 살아야 해. 이제 저 애도 여러 가지를 배워야 한다고. 첫째, 침 뱉기. 둘째, 트림하기. 셋째, 방귀 뀌기. 넷째, 코 후비기. 다섯째, 코가 비뚤어지도록 퍼마시기.」

「맞아. 〈로마에 가면 로마법을 따르라〉라고 했지, 아마?」

「네 속담은 정말 짜증이 나. 그래도 최소한 이번 것은 그 반대보다 진실인 것 같군.」

오를랑도는 소녀에게 몸을 돌린다.

「공주, 그거 알아? 옛날에 캐나다에서 말이야, 숲 속에서 살고자 했던 최초의 프랑스 덫 사냥꾼들은 대부분 죽어 버렸어. 그중에서 아주 지저분한 사람들만이 살아남았지. 왠지 알아? 그들의 악취가 치명적인 열병을 옮기는 모기들과 파리들을 쫓아 버렸기 때문이야.」

흠, 말이 되는데?

「그건 자연 선택의 한 형태였지. 깨끗한 자들은 죽었고, 더러운 자들은 살아남았어. 자연의 윤리는 부르주아들의 그것과는 달라.」 페트나도 설명에 가세한다.

김예빈도 소녀에게 몸을 돌리며 말한다.

「내가 최고의 방법을 가르쳐줄까? 몸을 지나치게 씻는 사람, 예를 들어 하루에도 몇 번씩 샤워를 하는 사람은 다른 사람들보다 더 많은 질병에 걸린다는 사실이 밝혀졌어. 아마도 이런 사람의 피부는 자기 방어 수단을 만들어 내지 않기 때문이겠지. 아기들도 마찬가지야. 이따금 더러운 고무젖꼭지를 무는 아기들은 면역 체계를 개발하게 돼. 반면 살균된 젖꼭지만 무는 아기들은 탁아소에 가는 순간, 온갖 병에 걸려 버리지. 과도한 위생이 아이들을 약하게 만들었기 때문이야. 내가 진심으로 충고하는데 말이야, 병에 걸리고 싶지 않거든 절대로 손을 씻지 말라고.」

그는 이런 사실들이 너무도 신나는 모양이다.

「그런 잡스러운 얘기들은 대체 어떻게 아는 거야?」에스메랄다가 묻는다.

「인터넷에서 읽었어.」

「인터넷? 그거 읽는 거야?」

「이것저것 쪼아 먹는 것. 여기저기 자유롭게 거닐면서 맘에 드는 것만 골라 먹으면 되는 일이야. 나는 아무도 흥미를 갖지 않는 정보들을 읽는 것을 아주 좋아해. 오래전부터 그런 것들을 읽어 오고 있지. 우리가 엉뚱한 세부들에 관심을 가지면, 많은 것들을 색다른 방식으로 이해할 수 있어. 참, 세부 이야기가 나왔으니 말인데, 공주 방의 실내 장식은 어떻게 할 건가?」

벽들과 지붕에 대한 보강 및 방수 처리 작업이 끝나자, 김은 소녀에게 자기와 함께 가구를 고르러 가자고 청한다.

두 사람은 마을을 떠나 시쓰장의 남서쪽을 향해 걷는다. 김은 그녀를 버려진 여성화들이 이룬 산의 정상으로 인도한다. 그녀는 처음에는 샌들, 굽 낮은 단화, 하이힐 등이 쌓인 비탈에서 연방 미끄러지지만, 차츰 그 유동적인 무더기를 기어오르는 기술을 터득해 간다. 둘은 마침내 정상에 이른다. 그녀는 수북한 여성 정장 구두들 속에 발이 약간 빠져 들어가긴 했지만, 그래도 김의 도움을 받아 균형을 잡고 서는 데 성공한다.

「이곳 역사는 이미 들어서 알고 있겠지? 자, 이제 하치장의 실제 모습을 한번 내려다봐!」

카산드라는 눈 아래 펼쳐진 360도의 파노라마 전경을 발견한다. 시쓰장은 완벽한 직사각형 형태이고, 그 둘레에는 높고도 무성한 나무들이 울타리를 이루고 있다.

사람들은 이곳의 비참함과 악취를 감출 편리한 방법을 찾아냈군.

김은 지난 세기의 것으로 보이는 망원경 하나를 건네주고는, 손가락으로 이곳저곳을 가리킨다.

「저 서쪽에 보이는 건 집시들의 야영지야. 끝내 주는 사람들이지. 고철 등 각종 재활용품을 모으는 일을 하고 살아. 그들에겐 따로 사용하는 입구가 있어. 하지만 그 문은 사용하지 않는 게 좋을 거야. 최소한 공식 소개가 있기 전까지는 말이야. 그들은 형식을 무척 중요시하는 데다가 성미가 몹시 급한 사람들이거든. 내 말뜻을 이해할지 모르겠지만.」

카산드라는 그쪽을 망원경으로 살펴본다. 폐차 무더기들 너머로 연기 피어오르는 화톳불들, 그리고 텔레비전 안테나들이 삐죽삐죽 솟은 캠핑카들이 둥근 원을 이루고 모여 있는 게 분간된다.

「저 사람들은 우리에게 초고속 인터넷 선을 제공해 줄 뿐 아니라, 부족할 때는 전기도 나눠 주고 있어. 또 컴퓨터에서 채취한 금을 가져다주면 유로화로 매입해 주기도 하지. 한마디로 우리는 외부 세계와의 연결을 위해 집시들에게 의존하고 있는 실정이야.」

이어 김은 정반대의 방향을 가리킨다.

「동쪽에는 알바니아 애들이 있어. 처음에는 루마니아 애들이었다가 헝가리 애들, 세르비아 애들로 바뀌었고, 결국에는 가장 난폭한 알바니아 애들한테 모두 다 쫓겨났지. 마치 공룡들 같아. 가장 사나운 녀석이 영토를 차지하는 세계지.」

가전제품 폐기물 무더기 저편에, 공사 현장에서 볼 법한 네모진 가건물들이 눈에 들어온다.

「알바니아 애들은 마약 밀매와 백인 여자 거래를 하고 있어.」

「백인 여자 거래라는 게 뭐야?」

「간단히 말해서 동구권의 매춘부들이지. 그들은 밀입국 브로커들에게서 그 계집애들을 사서, 저 가건물에 데려와 훈련시키지. 그들이 따로 사용하는 출입구가 있긴 하지만, 그 문은 공식적인 인사를 하고 난 후에도 절대 접근하지 않는 게 좋아. 걔들은 원칙주의자, 그 이상이거든. 걔들은, 어떻게 표현해야 할까, 극도로 〈깔끔한〉 녀석들이라고 할 수 있어. 노처녀들처럼 조금 건드리기만 해도 팔팔 뛰지.」

카산드라는 미간을 살짝 찌푸린다.

흠…… 표현의 미묘한 차이를 분간하는 감각이 있으시군! 그렇다면 나와 대화가 가능할 수도 있겠어.

그녀는 무의식적으로 손목시계도 한 번 들여다본다. 14%.

별일 없어…… 얘랑 같이 있으면 안전해.

김은 벌써 세 번째 방향을 가리키고 있다.

「남쪽엔 아무것도 없어. 나무, 비행기나 버스의 껍데기, 진흙 웅덩이, 엉겅퀴. 또 늪지대. 내가 알기로, 첫날 넌 저쪽으로 들어왔을 거야.」

카산드라는 망원경으로 그쪽의 무성한 수풀을 살펴보면서, 자기가 거쳐 온 지점들을 찾아본다.

「저곳은 오를랑도의 사냥터이기도 해. 그는 이따금 제법 덩치 큰 짐승들을 잡아 오기도 하지. 스라소니만큼이나 큰 들고양이, 늑대만 한 들개, 야생으로 돌아간 돼지 등등. 어느 날 여우 음양이가 불쑥 튀어나온 곳도 저기야. 녀석이 어디서 왔는지는 아무도 몰라.」

녀석들은 모두 부식(腐食)동물들이야. 〈부식 *saprophyte*〉이

란 그리스어에서 나온 말로, 〈썩은 음식을 섭취하는〉이라는 뜻이지. 까마득한 옛날부터 야생 동물들은 인간이 버린 쓰레기 주변을 어슬렁거리다가 인간과 관계를 맺게 되었어. 최초의 개, 최초의 돼지, 최초의 염소 들은 모두 이런 식으로 인간에게 다가왔지.

우리 생각과는 달리, 아무도 녀석들을 찾아가지 않았고, 대부분의 가축들은 제 발로 인간을 찾아왔다고 하지.

「야생으로의 환원이야. 인간 세계에 적응하기 위해 진화한 동물들이 이곳에서는 퇴행하여 원래의 모습을 찾아가고 있어.」

실제로는 한참 뒤에나 그렇게 되겠지.

「북쪽에 있는 저 큰 건물이 몰로크야. 하늘을 온통 갈색으로 오염시켰다는 그 악명 높은 소각장. 이제 문이란 문은 모두 자물쇠를 채웠고, 창문도 전부 막아 버렸어. 과거에 쓰레기를 삼키던 신은 이제 재갈이 물려지고 눈이 가려진 셈이지.」

두 개의 굴뚝이 뿔처럼 우뚝 솟아 있는 정육면체 모양의 건물이 눈에 들어온다.

「그 옆에 마치 발레 극의 무용수들처럼 들락날락하고 있는 것들이 보이지? 저게 바로 수도가 매일 배출해 내는 것들을 쏟아부으러 오는 쓰레기 트럭들이야.」

모락모락 김을 내는 뚱뚱한 코끼리와도 같은 것들이 열을 지어 움직이고 있는 광경이 어렴풋이 보인다. 그것들은 오만 가지 색깔의 물건들을 한 무더기씩 토해 낸 다음, 짐을 덜어 버려 너무도 시원하다는 듯한 기색으로 가뿐하게 떠나간다. 그때마다 공격적인 갈매기들과 까마귀들이 구름처럼 몰려와 이 일상의 행사에 경의를 표한다. 어떤 특수 트럭들은 빈 병, 폐지, 금속 등을 정해진 장소에 쏟아붓는다.

「자, 저게 바로 이른바 〈분리수거〉의 결과야.」 김이 내뱉듯

308

말한다. 「자, 보라고. 폐지를 일반적인 가정 폐기물 바로 옆에다 내려놓잖아?」

분리수거가 효율적으로 이뤄지리라고 믿어 왔던 소녀로서는 너무도 실망스러운 광경이다. 젊은 동양인은 설명한다.

「이 시스템이 처음에는 웬만큼 돌아갔을 거야. 하지만 곧 재활용을 위한 특별한 공장들이 더 필요하게 되었어. 돈이 많이 드는 일이었지. 다른 곳 사정은 어땠는지 잘 모르겠지만, 적어도 이곳에서는 사람들은 가장 간단한 해결책을 택했어. 바로 모든 것을 저렇게 방치해 놓고는, 그에 대해 더 이상 언급하지 않는 거야.」

「건전지는?」

「건전지도 마찬가지야. 나도 여기 오기 전에는, 건전지는 수거되어 재활용되리라고 믿고 있었지.」

그는 턱짓으로 한 곳을 가리킨다. 거기에는 녹이 슬어 거반 삭아 버린 조그만 금속 원통들이 이룬 산이 하나 솟아 있다.

「차라리 모르는 게 나은 또 하나의 현실이야. 그렇지 않아?」 청년은 삐딱한 미소를 짓는다.

김은 그녀에게 약간의 기분 전환을 시켜 주고자, 커다란 판지 상자를 이용하면 신발의 산에서 썰매를 탈 수 있다는 사실을 알려 준다. 둘은 이 임시 배를 타고 전속력으로 미끄러져 내려와, 눈 더미처럼 쌓인 가죽과 플라스틱의 무더기들에 처박힌다.

「이제 내 손도 너같이 됐어!」

카산드라는 새카매진 손톱들이며, 때가 덮여 반들거리는 두 손바닥을 자랑스럽게 보여 준다.

「음, 출발이 좋군. 하지만 침 뱉기, 트림하기, 방귀 뀌기도 배워야 해. 정말로 꼭 필요한 것들이니까.」

「근데 잘 되지가 않아.」

「여기서 받아들여지고 싶거든 노력해야 해. 그리고 술도 마실 줄 알아야 해. 특히나 맥주. 그건 트림하는 데도 도움이 돼.」

그런 다음 청년은 그녀에게 가구 무더기를 가리킨다. 그 무더기에 다가감에 따라 그녀의 눈이 점점 더 둥그레진다. 거기에는 반쯤 부서진 루이 14세풍의 서랍장, 일인용 가죽 소파, 터진 쿠션들이 널려 있다. 뿐만 아니라 청동이나 대리석으로 만든 조각상들이며, 썩어 들어가는 긴 소파들까지 잔뜩 쌓여 있다.

「이만하면 네 실내 장식을 위해 충분하지 않겠어, 공주? 게다가 가격도 괜찮고. 모두가 공짜거든. 그저 몸을 굽혀 맘에 드는 걸 골라잡으면 돼. 하지만 잠깐, 최고의 제품은 아직 안 보여 줬어.」

그가 한쪽 귀퉁이가 깨져 나간 대리석판 하나를 옆으로 치우니, 그 뒤에 가구의 산 속으로 파 들어간 동굴이 나타난다.

「자, 이게 내 알리바바의 동굴이야.」 그는 한 눈을 찡긋하며 속삭인다. 「이 속에다 가장 멋지고, 가장 덜 망가진 물건들을 숨겨 놓았지.」

그 터널을 따라가니 가로, 세로가 각각 3미터 정도 되는 공간에 이른다. 카산드라는 손전등으로 여기저기를 비춰 주는 김의 도움을 받아 몇 가지 장식품과 조각상을 꺼내 와서는, 김이 입구에다 세워 놓은, 모터사이클 바퀴가 달린 손수레에다 싣는다.

「이거 아주 예쁜 것 같아.」 그녀는 청동 큐피드 상 하나를 집어 흔들어 보인다. 활과 끝 부분에 하트 형상이 달려 있는 화살 하나로 무장하고 있는 녀석인데, 불쌍하게도 한쪽 팔이 떨어져 나갔다.

「접착제를 바르고 칠 좀 하고 해서 대충 고쳐 놓을 수 있을 거야. 하지만 좀 웃기는 모양이 되겠지.」

터널에서 나온 카산드라는 벌레 먹은 참나무 가구 무더기에 기어오른다. 필요한 물건들을 골라 김의 전천후 수레로 끌어내기 위해서다. 잡동사니 장식품들, 부서진 데가 거의 없는 거울 하나, 화장대 하나, 특히나 여러 개의 빨간 쿠션 등등. 김도 이 쇼핑이 아주 재미있다는 듯한 표정을 하고는 그녀를 열심히 돕는다.

대속에 돌아온 그녀는 다른 사람들의 흥미 어린 눈길을 받으며 실내를 꾸미기 시작한다. 양탄자로는 인조 표범 가죽을 깐다. 굵은 전화 케이블을 감는 커다란 나무 바퀴는 용도가 바뀌어 원탁이 된다. 속이 빈 구형 텔레비전 수상기는 플라스틱 꽃을 꽂는 화분이 된다.

오를랑도는 목각으로 장식되고 천개로 덮인 침대 하나와 찢어진 벨벳으로 덮인 빨간 소파를 나르는 일을 도와준다. 낮은 탁자 대용으로 변기를, 안락의자 대용으로는 치과 시술 의자를 들여놓았고, 천장에 매단 줄에 트럭 타이어를 달아 실내 그네로 삼는다.

김은 카산드라의 부탁에 따라 빨간색과 금색의 페인트 스프레이 두 통을 가져온다. 가구 전체에 조금이나마 산뜻한 분위기를 연출해 주려 함이다.

에스메랄다는 시트와 쿠션을 깁는 것을 돕는다. 모두가 벨벳 소파의 빨간색과 어울리게끔 진홍 일색이다.

「적색과 황금색이라…… 바로크풍이군.」 김이 고개를 끄덕인다.

「연극 무대 같아.」 오를랑도도 감상을 말한다.

「약간 사창가 분위기가 나는데?」 에스메랄다의 평이다.

「뭐 눈엔 뭐만 보인다고 했어, 공작 부인.」 왕년의 외인부대원이 핀잔을 준다.

그녀의 팔뚝에서 쥐에게 물린 곳 몇 군데가 곪기 시작하는 것을 본 페트나는 달걀, 우유, 구두약, 로크포르 치즈, 액체 비누 등을 재료로 해서 만든, 두 번째 〈비방(秘方)의 연고〉를 발라 준다. 그러면서 한껏 무게를 잡으며 설명해 준다.

「이 약은 소독을 하고 상처가 아물게 도와주지. 냄새가 좀 난다고 걱정할 건 없어. 우리나라엔 이런 말이 있지. 〈냄새가 지독하면 효과가 더 좋다는 뜻이다.〉」

「고마워요, 자작님.」

「천만에, 공주.」

이 호칭은 그저 하나의 단어에 불과하지만, 나의 사회적 상승에 한몫하고 있어. 말들은 힘을 품고 있으니까. 이제 나는 〈실험 24〉에서 〈카산드라〉가, 〈꼬마〉에서 〈공주〉가 된 거야.

그녀는 방바닥에서 마음껏 뒹굴 수 있기 위해, 그리고 방에 좀 더 따스한 분위기를 내기 위해 여기저기에 빨간 쿠션들을 뿌려 놓는다. 김은 움막 안에 전기를 끌어들여, 텔레비전과 컴퓨터와 전화를 설치해 준다. 카산드라가 인형들을 수집해 방의 선반들을 장식하겠다고 말하자, 에스메랄다는 대속의 남동쪽, 그다지 멀지 않은 곳에 있다는 장난감 산에 데려다 주겠다고 나선다.

이 빨간 머리 여인이 처음으로 보인 우호적인 태도이고, 카산드라는 제안을 받아들인다. 얼마 후 두 여자는 뻣뻣한 소인국 여인들의 공동묘지를 연상시키는 무더기 앞에 이른다.

「너 정말 우리와 같이 있으려는 거야?」 공작 부인이 불구가 되었지만 여전히 미소 짓고 있는 인형 하나를 줍다가 불쑥 물어 온다.

카산드라는 대답 없이 인형을 전천후 손수레에 집어넣는다.

「넌 노숙자들하고 같이 산다는 것이 뭘 의미하는지 잘 모르는 것 같아. 좋아, 넌 더러움과 악취와 쥐 떼는 견뎌 내고 있어. 하지만 여기 있으면 네 미래는 어떻게 되겠니?」

카산드라는 대답하지 않고 속으로 생각만 한다.

여기 있으면 세상 사람들을 피할 수 있어요.

「우린 널 결코 사랑해 주지 않을 거야.」

난 사랑이 필요 없어요.

「여기 있으면 네 미래는 없어.」

내 미래는 어디에도 없어요.

「난 널 이해 못하겠어. 너같이 예쁜 애는 이런 비참한 삶에 만족할 수 없는 거 아냐?」

이건 자유의 대가예요. 난 그걸 치를 준비가 되어 있고요.

두 여자가 백여 개나 되는 인형들로 채워진 수레를 낑낑대며 끌고서 돌아오자, 오를랑도도 어디론가 가서 수정 장식이 레이스처럼 늘어진 멋진 샹들리에를 하나 구해 와서는 천장 한가운데다 고정시켜 준다. 그래 놓으니 카산드라의 방에는 마치 귀족의 집 같은 분위기가 감돈다.

오후 6시, 대속의 주민들이 모두 모여 있는 앞에서 김이 스위치를 올리자, 화장대와 침대 머리맡 협탁과 수정 샹들리에의 전구들에 일제히 불이 들어온다. 그런데 전구 두 개가 불꽃놀이를 하듯 동시에 터져 버린다. 불똥 하나가 쿠션에 떨어져 불이 붙는다. 잘못하면 화재가 발생할지도 모르는 위급한 순간, 페트나가 잽싸게 달려들어 큰 바부슈를 신은 발로 탁탁 밟아 불을 꺼버린다.

이제 사람들은 수많은 전구 불에 휘황하게 빛나고 있는 수정 샹들리에를 황홀한 눈으로 올려다본다.

「음, 조금은 베르사유 궁전 같기도 하군. 내 말뜻을 이해할랑가 모르겠지만 말이야.」 페트나가 고개를 끄덕거린다.

「공주님에게 걸맞은 궁전이지!」 오를랑도는 자신의 작품이 사뭇 자랑스러운 듯 힘주어 말한다.

75.

드디어 내 집이 생겼어. 내가 내 방식대로 장식한 내 집이.

그리고 에스메랄다는 잘못 생각하고 있어. 이들은 나를 사랑할 수 있는 사람들이야.

이들은 날 사랑하게 될 거야. 내가 원할 때. 아니 내가 허락할 때……

하지만 먼저 난 여러 가지 비밀들을 파헤쳐야 해.

우리 부모님은 어떤 사람들이었을까?

오빠는 어디 있을까?

무엇보다도…… 난 누구일까?

76.

그날 저녁, 대속의 주민들은 카산드라의 통과 의례를 축하하기 위해 중앙 광장의 화톳불 주위에 모여 만찬을 준비한다.

페트나가 앞으로 나서서는, 이 의식의 집전자라고 자신을 소개한다.

「우리 국가와 우리 정부의 기본적인 것들에 대해 설명해 주겠다. 우선 국기!」

그는 매우 양식화된 두 개의 문양으로 장식된 밝은 청색의 천 자락을 휘두른다.

「이 문양은 스컹크야. 우리가 기꺼이 받아들이는, 그리고 우리를 보호해 주는 악취와 더러움을 상징하지. 스컹크는 우리와 가장 비슷한 동물, 우리가 숭배하는 동물이야. 녀석도 우리처럼 모두에게 배척당하고 있지만, 악취는 모든 포식자들로부터 녀석을 구해 주고 있어.」

「그리고 옆에 있는 이 문양은 손수레야.」 에스메랄다가 설명을 잇는다. 「왜냐하면 손수레는 노숙자에게 가장 귀중한 물건이기 때문이지. 이것 덕분에 노숙자는 자신의 집 전체라 할 수 있는 잡동사니를 어디든 끌고 다닐 수 있거든.」

국기치고는 좀…….

「그리고 우리의 국가(國歌)는…….」

김이 자기 방에 뛰어 들어가 컴퓨터 키보드를 두드리자, 노래 한 곡이 울려 퍼진다. 「우리 집 뒤에」라는 곡이다.

「〈레 샤를로〉라고 하는 1970년대 프랑스 그룹의 노래야.」

모두가 우렁차게 노래하기 시작한다.

우리 집 뒤에
뭐가 있는지 알아요?
우리 집 뒤에
뭐가 있는지 알아요?
숲이 하나 있어요.
숲 중에서도 가장 예쁜 숲.
작은 숲은 우리 집 뒤에 있지요.
트라론라레르, 트랄라론라론라.

그리고 이 숲 속에
뭐가 있는지 알아요?
그리고 이 숲 속에
뭐가 있는지 알아요?
군화 한 짝이 있어요.
군화 중에서도 가장 예쁜 군화 한 짝.
군화는 숲 속에,
작은 숲은 우리 집 뒤에 있지요.
트라론라레르, 트랄라론라론라.

노래는 여기서 끝나지 않고 절들이 계속 이어지는데, 그때마다 〈우리 집 뒤의 작은 숲〉에 널려 있다는 잡동사니 폐품들이 줄줄이 제시된다. 그리고 마지막은 이렇게 끝난다.

너희 집 뒤에 있는 것은 쓰레기 하치장.[31]

그들은 후렴을 신나게 합창하고는, 쾌활하게 서로의 잔을 부딪친다.

「그래서 이것은 하나의 진정한 국가이며, 우리는 하나의 진정한 정부를 수립한 거야. 오를랑도는 내무와 군대와 사냥을 담당하는 장관이고, 페트나는 건강과 움막 건설을 담당하는 장관, 그리고 김은 통신, 정보, 연구 분야의 장관이야. 그리고 나 에스메랄다는 공화국 대통령이자, 요리, 바느질, 재정을 담당하는 장관이기도 하지. 그리고 꼬마, 넌 어떻게 우리에게 봉사할 거야?」

카산드라는 곰곰이 생각해 본다.

「미리 말하겠는데, 미래에 대한 환상이라면 우린 별로 관심 없어.」 김이 알린다.

「에…… 내가 여러분에게 기여할 수 있는 것은…….」

더럽고도 거친 여러분의 세계에 약간의 부드러움과 젊음을 가져다주게 되겠죠.

하지만 그녀는 그렇게 대답하지는 않는다.

「……지금으로선 잘 모르겠어요.」

31 이 노래는 앞 절에 제시된 사물 속에 다음 절 사물이 들어 있다는 형식으로 계속 이어진다. 그러면서 사물이 누적적으로 열거된다. 〈숲 속의 군화 속의 타이어 속의 연감 속의 반창고 속의 핸드백……〉과 같은 식으로 이어지다가, 결국 집 뒤에 있는 것이 쓰레기 하치장이며 이런 곳에는 힘들어서 살 수가 없다는 내용으로 끝난다.

「여기선 모두가 자기 직무를 찾아야 한단 말이야!」에스메랄다가 다그친다.

「그럼 외무부 장관은 어떨까요?」

「뭐?」

「여러분에겐 알바니아인, 집시 같은 이웃들이 있잖아요. 그들과 소통하는 데 내가 도움이 될 수 있을지도……」

「기가 막혀 말이 안 나오네! 한 15분마다 한 마디씩 내뱉어서 벙어리라고 생각할 지경이고만, 뭐, 우리의 공식 대변인이 되겠다고?」

「별로 말을 하지 않으니까, 어쩌다 한마디 하면 모두가 귀를 쫑긋 세우는 건 있잖아? 내 말뜻을 이해할랑가 모르겠지만.」

에스메랄다는 깜짝 놀라 잠시 멍한 표정을 짓더니, 이윽고 어깨를 으쓱하고는 소녀에게 몸을 돌린다.

「좋아. 넌 노숙자 증서 획득에 필요한 몇 가지 시험을 통과했어. 악취를 견뎌 내고, 싸우고, 더럽게 하고 있을 능력이 있음을 보여 주었지. 자, 이제는 나머지 부분을 가르쳐 주지. 이를테면, 욕설을 퍼붓고 침을 뱉는 것.」

「알바니아 애들과 소통을 하려면 그건 중요해. 욕은 모든 훌륭한 노숙자의 기본적 언어이니까.」

「어…… 나도 할 수 있을 것 같은데요.」그녀가 썩 자신은 없는 얼굴로 우물거린다.

「어디 해봐.」

「음…… 바보*idiot*야?」

모두가 낄낄댄다.

난 이 단어의 정확한 어원적 의미를 알고 있어. 바보는 욕이 아니야. 바보는 다른 사람과 다름을 뜻하지. 그래서 〈관용어법*idiotisme*〉이란 단어는 어떤 언어에 있어서의 특수한 양상을 의미해. 사실 나는 스스로를 〈바보〉라고 느끼고 있고,

또 그 사실이 자랑스러워. 그러니 이 말을 욕으로 쓸 수 없는 게 너무도 당연하지. 내게는 이것이 하나의 찬사이니까.

「다른 걸로 해봐!」

「멍청이*stupide*야?」

이것도 찬사야. 이 말은 라틴어 스투페테*stupete*에서 왔어. 아무 일에나 깜짝깜짝 놀라는 사람이지. 따라서 모든 것에 경이를 느끼는 사람. 즉 호기심과 학습 능력을 간직하고 있는 사람…… 그렇다면 이 말도 욕으로 쓰기는 힘들겠지.

「좀 더 센 걸로!」

「등신*imbécile*아?」

이 말의 어원은 〈목발이 없다〉는 뜻의 임-베퀼레*Im-bequille*야. 즉 그 누구, 그 어떤 물건의 도움 없이 혼자 걸을 수 있는 사람을 뜻하지. 따라서 자유롭고도 독립적인 사람이야. 이것 역시 오히려 멋진 칭찬이라 할 수 있어. 정말이지 어원을 알고 나면 욕할 말이 하나도 없어!

「좀 더 심술궂게!」

「씨발 놈*con*아!」

이 말은 세상에서 가장 아름다운 것, 즉 아이를 낳는 여자들의 성기에서 나온 말이야. 씹은 생명을 주는 기관이지. 결국 욕이란 멋진 말들, 가장 아름다운 말들을 전용(轉用)한 것에 지나지 않아. 기막힌 역설이지.

에스메랄다는 땅에다 가래침을 뱉는다. 그러자 오를랑도가 설명을 이어받는다.

「그래 가지고는 절대로 안 돼. 아냐, 지금 넌 아주 평범하게, 무슨 부르주아 계집애들처럼 욕을 하고 있어. 욕을 하려면 과장적으로, 말로 상대방을 아예 죽여 버리겠다는 기분으로 욕을 해야 해. 욕이 너무도 더러워서 입속에 담고 있으면 입속이 삭아 버리기 때문에, 그걸 없애 버리겠다는 기분으로 상대방의 얼굴에다 퉤 하고 뱉어 버린다고 생각하라고. 이빨이 부러지고 나서 입속에 남아 있는 이빨 부스러기를 뱉어 버리듯이. 자, 그럼 〈빌어먹을〉을 한번 해보자.」

「에…… 빌어먹을?」

모두가 웃음을 터뜨린다. 그런 다음 모두가 나서서, 이 욕이 의도하는 효과를 얻을 수 있게끔 〈빌어먹을〉이라는 단어의 발음을 교정해 준다. 그들은 같은 식으로 〈새끼야〉의 올바른 사용법도 가르쳐 준다. 페트나는 어떤 욕을 내뱉을 때는 그 단어를 시각적으로 상상해야 한다고 설명한다.

「〈썩을 놈!〉이라고 할 때는 네 머릿속에서 썩어 문드러진 무언가를 보아야 해. 〈똥갈보 같은!〉이라고 할 때는 덕지덕지 화장한 얼굴에 반쯤 벌거벗은 천박한 여자를 떠올려야 하고. 그렇게 말-발사체를 충분히 시각화하여 입속에다 제대로 장전한 다음에는, 목표물이 되는 사람에게 마치 가래침을 뱉듯 세차게 날려 버리는 거야. 자, 한번 해봐! 뭔가 내용에 있어서나 이미지에 있어서 정말로 혐오스럽다고 생각되는 것을 찾아보라고!」

그녀는 자신도 모르게 몸을 긁으면서 생각해 본다.

「변기 표면에서 떨어져 내린 누런 찌꺼기 같은 놈아?」

「아, 좀 나아졌어. 적어도 이건 뭔가를 의미하니까. 자, 좀 더 강한 걸로 찾아봐!」

좀처럼 생각이 나지 않는다.

삶은 쥐로 만든 워터주이 같은 놈아?

그러자 에스메랄다가 다시 끼어든다.

「그래, 더 좋은 게 생각 안 나니? 좋아. 그런데 중요한 것은 무기만이 아니야. 그 무기를 언제 사용하느냐도 아주 중요한 문제지. 욕은 너의 자연스러운 표현 방식이 되어야 해. 예를 들어 네가 지금이 몇 시인지 알고 싶다고 하자. 그때 뭐라고 말할 거야, 공주?」

「에…… 지금이 몇 시죠?」

대속의 주민들의 입에서는 〈아!〉 하는 실망의 탄식이 일제히 터져 나온다.

「넌 이렇게 말해야 해. 〈빌어먹을, 지금 몇 시야?〉 혹은 〈씨발, 지금 몇 시냐고?〉 만일 네가 꼭 정중한 표현을 쓰고 싶다면 이렇게 표현할 수도 있어. 〈지금 몇 시인지 좀 말해 주겠니, 새끼야?〉」

카산드라는 수업을 열심히 듣는 학생처럼 진지하게 고개를 끄덕인다.

「마찬가지로, 어떤 모르는 사람을 만났다고 해봐. 그에게는 〈선생님〉이라든가 〈아저씨〉라고 하면 안 되고, 〈천치야!〉라는 말이 자연스럽게 흘러나와야 해.」

「자, 버스를 타는데 어떤 사내가 네 앞에 있다고 하자. 그런데 그가 빨리빨리 버스 안으로 들어가지 않아. 그때는 뭐라고 하겠어?」 페트나가 묻는다.

「〈야, 빨리 좀 가, 천치야〉?」

「음, 괜찮아.」

「어떤 남자가 집적거리면?」

「〈왜 지랄이야!〉」

「〈아, 빌어먹을, 시발, 왜 지랄이야, 새끼야!〉 이게 더 나아. 훨씬 더 풍부하지. 여러 개의 욕설을 줄줄이 연결하는 것을 두려워하지 말라고. 아! 애는 기본적인 자질이 너무 부족한 게 유감이긴 하지만, 그래도 열성은 있는 것 같아. 그래! 조금만 더 노력하면 해낼 수 있어.」

「어떤 여자가 시끄럽게 하면?」

「어…… 시끄러, 시발 년아?」

「음, 괜찮아. 하지만 처음 〈시〉자를 길게 끌면서 악센트를 주어야 해. 시 — 발 년아, 이렇게.」

「시 — 발 년아.」

「좀 더 세게!」

「시 — 발 년아! 시 — 발 년아!」

「이렇게 말한 다음에는 곧바로 신체적인 위협을 표시하는 말로 연결해 줘야 해.」

「시 — 발 년아! 시 — 발 년아! 네 빌어먹을 면상을 확 부숴 버린다? ……예를 들면 이렇게요?」

「음…… 좀 발전이 있군. 하지만 욕을 하는 모습이 어색하게 보이지 않게끔 거울 앞에서 열심히 연습해야 해. 특히 적절하게 악센트를 넣는 것이 중요하지. 악센트를 서툴게 넣었다가는, 잘못하면 목숨을 잃을 수도 있어.」

「그리고 인상을 북 긁으면서 거기에 맞는 몸짓을 동반하는 것을 잊지 마.」 페트나가 조언한다. 「입꼬리를 아래로 비틀어 내리고, 두 주먹을 불끈 쥐고, 어깨는 뒤로 쭉 빼고!」

카산드라는 성난 불도그 같은 자세를 취한다. 사람들은 모두 한마디씩 거들며 다리와 어깨와 입의 자세를 교정해 준다.

우린 동물들에게서도 관찰되는 위협의 영역을 다루고 있는 거야. 욕은 공격성을 실제로 행사하기에 앞서 표현함으로써 싸움을 피할 수 있게 해주지. 알고 보면 흥미로운 영역이야.

「노숙자 증서를 획득하기 위해서는 가래침 뱉는 법도 배워야 해. 욕을 강조하는 하나의 방법이지.」

「〈야, 이 자식아, 지금 나 쳐다봤어? 왜 지랄이야〉 바로 이 순간에 땅에다 침을 탁 뱉으면서 문장에 느낌표를 찍어야 해. 자, 잘 봤지?」 오를랑도가 시범을 보인다.

「그렇게 하면 말의 강도를 높일 수 있지.」 페트나가 고개를 끄덕인다.

카산드라도 여러 번 시도를 해보지만, 아무리 애써 보아도 입에서 몇 방울의 투명한 액체밖에는 나오지 않는다.

「이런! 침을 너무 아까워하는 것 같아? 좋아. 침을 잘 뱉으려면 우선 목구멍을 오지게 긁어야 해. 소리가 요란할수록 좋지. 그럼 점액이 쫙 빨려 올라올 거야. 그럼 그것을 뱉기 전에 입속에서 크르르 하고 몇 번 굴려. 그 맛이 느껴질 때까지. 그러고 나서는 입술은 발사 준비된 대포 포신처럼 위치시킨 다음, 잘 조준해서 발사하는 거야. 더 짜증이 나는 상대일수록 입을 얼굴 가까이에 가져가면 돼.」

카산드라는 사람들의 격려를 받아 가며 여러 차례 연습해 보지만 좀처럼 되지가 않는다. 그래서 이젠 포기하는 게 어떨까 하는 생각이 들려 하는데, 문득 콧속 깊은 곳에서 점액 한 덩어리를 끄집어내는 데 성공하고, 마침내 강력한 가래침 한 방을 날리는 데 성공한다.

그녀 위로 만장의 박수갈채가 쏟아진다.

「목표물을 가지고 연습을 해야 할 거야. 콧속 깊은 곳을 충분히 긁어 줘야 한다는 점을 유념하라고. 소리가 요란할수록 효과가 좋지.」

「가래침이 부족하면 방귀로 대신할 수도 있어.」 오를랑도가 설명을 계속한다.

이어 시범을 보여 주기 위해 매우 장중한 음조로 방귀 한 방을 발사한다. 그러자 다른 세 사람도 다른 음색과 음역으로 한 방씩을 차례로 연결한다. 내장을 이용한 이 묘기를 너무도 즐거워하는 품들이 꼭 어린애들 같다.

「내 나이 한창때는 이걸로 애국가도 연주할 수 있었지. 하지만 나이가 드니까 창자를 제어하기가 쉽지가 않아.」 페트나가 탄식한다.

일부러 하려니까 잘되지가 않아…….

「자, 이제 네 차례다. 한번 읊어 보라고!」

「아…… 죄송해요. 잘 안 되네요.」

사실 이런 걸 의도적으로 해본 적은 한 번도 없었던 것 같아.

그들은 실망한 기색으로 그녀를 쳐다본다. 얼굴에 온통 주름이 잡히도록 용을 쓰며 시도해 보지만 허사다.

「흰 강낭콩을 먹고 더 연습을 해보자고. 알겠어, 공주?」 왕년의 외인부대원이 보호자와도 같은 자상한 음성으로 제안한다.

「정 방귀가 안 나온다면, 그냥 트림을 해도 상관없어!」 김이 자못 이해심 깊게 알려 준다.

그것도 잘 안 되는걸.

대속의 주민들은 방귀를 뀔 때와 마찬가지로 너무도 신을 내며 트림의 음악을 연주한다. 오를랑도는 다양한 음의 트림을 몇 개 연결시키며 동요 「자크 수사님」의 첫 부분을 시작해 본다. 그야말로 신기에 가까운 솜씨다.

카산드라도 시도해 보지만 결과는 방귀 때보다 나을 게 없다.

「〈대속의 시민이 될 자격이 있는 노숙자〉 증서를 받기 위해서는, 최종 승인을 받기 전에 거쳐야 할 간단한 형식적인 절차가 하나 있어.」 에스메랄다가 적갈색의 긴 머리칼 몇 가닥을 쓸어 올리며 말한다. 「더러움과 쥐 떼와 악취를 참아 내고, 침을 뱉고, 방귀를 뀌고, 욕을 하는 것만으로는 충분치 않아. 술도 마실 줄 알아야지. 공주 너, 저번에 보니까 12도짜리 보졸레 포도주만 보고도 얼굴을 찡그리던데? 하지만 빌어먹을, 우린 노숙자란 말이야! 페트나! 이제 의식의 다음 단계로 넘어가자고!」

왕년의 여배우가 위엄 있게 턱짓을 하자, 세네갈 출신의 마라부는 자기 움막 쪽으로 멀어져 간다. 그리고 몇 분 후에 다시 나오는데, 한 줄기의 푸르스름한 연기가 피어오르고 있는 금빛으로 반짝이는 컵 하나를 들고 있다. 그는 엄숙한 동작으로 그 잔을 카산드라에게 내민다.

「이게 뭐죠?」 소녀는 조그만 불꽃들이 일렁거리고 있는 수면을 의심쩍은 눈으로 살피면서 묻는다.

「이곳의 비법으로 만든 술이야. 이름은 〈환영(歡迎)의 칵테일〉 혹은 〈대속인들의 키르〉[32]라고 하지. 〈장수의 영약〉이라고도 하고.」 에스메랄다가 대답한다.

「근데 이건 웬 연기인가요?」

「내가 위에다 그랑마르니에를 붓고 불을 붙였어. 아무 의미도 없는 거지만, 분위기가 환상적이잖아.」 페트나가 설명한다.

「이 마법의 영약의 비밀 처방에는 파스티스와 보드카, 맥주가 들어간다는 것, 이게 우리가 말해 줄 수 있는 전부야.」 김이 나름대로 최대한의 정보를 제공한다.

「파스티스가 너무 독해서 테킬라도 좀 넣었어.」 페트나가 다시 덧붙인다. 「그렇게 해야 목구멍에서 부드럽게 넘어가거든.」

「거기다가 백포도주도 좀 넣지 않았어?」 오를랑도가 묻는다.

「아주 쬐끔. 손가락 끝만큼. 또 맛을 내기 위해 편도 즙과 생강도 약간 넣었지. 그리고 물론 색도 내야 하니까 큐라소[33]도 좀 넣고. 나머지는 그냥 균형을 맞추기 위해 넣는 것들인데, 나만의 비법이라 밝힐 수는 없어.」

「위험한가요?」 카산드라는 다소 안심이 되는 것을 느끼며 묻는다.

모두가 몸을 긁기 시작한다.

「아니. 〈정화되지 않은 자에게 화학적 결혼은 재난을 가져오리라.〉 하지만 넌 마음이 순수하니까 두려워할 게 아무것도 없어.」 김이 안심시켜 준다.

32 〈키르〉는 백포도주에 까막까치밥 열매 즙 등을 섞어 만드는 프랑스 특유의 칵테일이다.
33 리큐어의 일종.

「아! 그 멍청한 속담을 또 늘어놓기 시작하는 거야? 난 속담이 끔찍하다고!」

카산드라의 손목시계는 여전히 〈5초 후 사망 확률: 13%〉를 표시하고 있다. 그녀는 미심쩍은 표정으로 음료의 냄새를 맡아본다. 아니스[34] 향이 섞인 강렬한 냄새와 함께, 후추 냄새 같은 것이 느껴진다.

그녀는 입술 끝에 음료를 살짝 묻혀 보고는, 자신도 모르게 얼굴을 찡그린다.

「공주, 그냥 쭉 들이켜! 한입에 털어 넣으라고!」 오를랑도가 충고한다.

소녀는 망설인다. 그녀는 눈을 들어 주의 깊게 주위를 살펴본다. 시야에 들어오는 감시 카메라는 한 개도 없다.

프로바빌리스는 이 상황의 위험도를 판단할 방도가 전혀 없어. 설사 시스템이 김의 카메라들을 통해 나를 보고 있다 해도, 지금 이 컵 안의 내용물은 분석할 수 없지. 그렇다면 판단은 나 스스로 해야 된다는 얘기야. 전적으로 내 직관에 달려 있어.

카산드라는 컵을 들어 마신다.

「그렇지, 꿀꺽! 그렇지, 꿀꺽! 그렇지, 꿀꺽!」 대숲의 주민들은 일제히 소리치며 그녀를 응원한다.

터키옥 빛의 음료는 마치 세면대의 배수구를 통해 황동관으로 빠져 내려가듯, 그녀의 소화관으로 흘러 들어간다. 소녀는 캑캑 기침을 하고는 다시 몸을 바로잡는다. 그녀는 음료를 속으로 다져 넣듯 여러 차례 침을 꾹꾹 삼킨 다음, 후우 하고 큰 숨을 내쉰다.

「자, 어때?」 김이 묻는다.

---

34 미나릿과 약초의 일종으로 독주 파스티스의 원료이다.

무언가 따끔따끔한 것이 내장 속에 들어차는 것이 느껴진다. 화끈거리면서도 싸르르하다. 시뻘겋게 달아오른 운석 하나가 가슴 속을 새카맣게 태워 버리는 것 같은 감각이다. 용해된 마그마가 온몸의 혈관에 퍼진다. 다 토해 버리고 싶은데 그렇게 되지가 않는다.

그런 그녀를 보고 있는 사람들의 시선은 하지만 너무도 냉정하다.

에스메랄다가 뭐라고 했더라? 그래. 〈두 번째 시험은 간단한 형식적인 절차에 불과하다〉고 했지.

주위의 모든 것이 휘청휘청 흔들린다. 그러더니 갑자기 세상이 다시 똑바로 일어선다.

카산드라는 미소를 짓는다. 트림이 한 차례 나오더니 어떤 억누를 수 없는 힘에 사로잡혀 부르르 몸서리를 친다.

「어때, 공주?」 김이 호기심 가득한 얼굴로 물어 온다.

그녀는 고개를 끄덕인다.

「괜찮아.」

그렇게 불안해할 필요가 없었어. 난 감수성이 극도로 예민하고, 그 때문에 피해망상적 성향이 있지. 하지만 이건 기껏해야 알코올과 과일즙과 발효된 곡물의 혼합물일 뿐이라고.

모두가 약간 불안해진 눈으로 그녀를 뚫어지게 쳐다본다.

「그래서?……」 에스메랄다가 묻는다.

「괜찮아요. 아무렇지도 않아요.」

「아무렇지도 않다고?」 페트나가 깜짝 놀라 되묻는다.

「아무렇지도 않아요.」

네 사람 모두 안도하여, 고개를 끄덕이며 미소를 짓는다.

「좋아……」 에스메랄다가 결론을 내린다. 「그렇다면 얘가 마지막 시험을 훌륭히 통과했다고 봐야겠지. 얘는 알코올을 견뎌 내고 있어. 따라서 이제는 완전히 우리의 일원이야.」

「브라보!」

그들은 일제히 합창하기 시작한다.

「그녀는 우리의 일원이다아아아아아…… 그녀는 우리처럼 영약을 마셨다아아아아아아……」

그들은 서로서로 팔짱을 끼고 한 줄로 서서 노래를 부른다. 소녀의 광대뼈는 급속도로 붉어진다. 카산드라는 손바닥으로 파닥파닥 얼굴을 부채질한다. 얼굴에 열기가 치밀어 오르기 때문이다. 그녀는 아무렇지도 않은 듯이 보이려고 미소를 지으려 애쓴다.

「가서 팻말을 가져 오라고!」 오를랑도가 말한다.

김예빈은 팻말과 검은색의 굵은 매직펜을 가지고 돌아온다. 에스메랄다는 팻말을 받아 들고는, 〈총 주민 수, 4명〉에서 〈4명〉 위에다 줄을 그어 버리고, 대신 〈5명〉이라고 써넣는다.

바로 이 순간, 카산드라가 뒤로 벌렁 자빠진다. 온몸은 뻣뻣하고, 두 눈은 부릅떴는데, 동공이 크게 확장되어 있다. 그리고 더 이상 움직이지 않는다.

페트나는 즉시 무릎을 꿇고 앉아 그녀의 가슴팍에 귀를 대고 심장의 박동을 들어 본다. 또 맥을 짚어 본 다음 손을 놓는데, 팔 전체가 힘없이 떨어져 내린다. 그가 알린다.

「죽었어.」

77.

자, 이렇게나 간단한 거였어. 언젠가는 이렇게 죽는 거였어.

사람들은 여러 가지의 어처구니없는 이유들로 죽는다고 하지. 하지만 이런 식의 죽음은 정말이지 꿈에도 생각 못했어. 지독하게 독한 술을 퍼마셔 사망하게 되다니……. 이건 불쌍하다기보다는 차라리…… 우스꽝스러워.

난 마침내 목표에 도달했어. 모든 시련을 극복했고 가족까지 얻게 되었지. 그런데 여기서 내 몸이 날 배신해 버리다니.

내 두뇌는 미래를 꿰뚫어 본다고 으스대지. 하지만 파스티스와 보드카에 섞은 그랑마르니에는 통제하지 못하는군.

나의 배 역시 나름의 논리들과 약점들, 그리고 나름의 지성을 가지고 있었어.

어쨌든 이제 내 과거가 어떠했는지 영원히 알 수 없게 됐어.

실험 24가 무엇이었는지도.

다니엘 오빠를 영원히 만날 수 없게 되었어.

죽는다는 것, 정말로 한심한 거야!

......

가만, 내가 생각하고 있잖아?

왜 죽은 내가 생각하고 있지?

78.

카산드라는 두 눈을 뜨고 있었다. 그녀의 시야 안에 몇 개의 실루엣이 지나간다. 대속 주민들은 낙담한 표정으로 몸을 숙여 그녀의 얼굴을 들여다본다. 귓전에 그들이 뭐라고 말하는 소리가 들려오지만, 그 뜻이 잘 이해되지 않는다.

난 지금 일종의 혼수상태에 빠져 있는 모양이야. 아직 영상은 눈에 들어와. 소리도 감지되고. 하지만 나머지 감각들은 모두 막혀 버렸거나, 기능이 정지되어 버렸다.

그녀는 귓속을 가득 채운 흐릿한 음향들에서 이해 가능한 단어들을 분간해 보려고 애쓴다.

〈이게 바로 부르주아 계집애들의 문제라고. 너무 연약해.〉

〈이 꼬마는 좀 다를 줄 알았는데.〉

꼬마? 죽음은 공주 지위도 앗아가 버리는군.

〈남작, 이게 다 당신 잘못이야! 왜 이 꼬마를 여기 데려왔어? 아휴, 한심한 인간!〉

〈뭐야, 한번 해보자는 거야? 그 통과 의례 음료를 먹일 생각을 한 건 누구고? 거들먹거릴 줄이나 아는 뚱땡이 여편네 같으니!〉

〈네 꼬라지를 좀 알라고, 이 커다란 똥 무더기야!〉

〈그래, 난 커다란 똥 무더기일지는 모르지만, 적어도 어린 여자애들을 독살할 생각은 안 해!〉

〈그렇겠지! 그보다는 여자애들의 엄마를 패는 걸 더 좋아할 테니까.〉

〈망할 년아, 그 말 당장 취소 안 해? 취소 안 하면 냄새나는 그 주둥이를 확 뽑아 버릴 테니까!〉

〈다시 한 번 말해 봐, 이 빌어먹을 남작아!〉

내가 가는 곳마다 사람들에게는 결국 문제가 생기고 말아. 나 때문에 문제가 생기지. 난 세상을 혼란스럽게 하고 있어. 호수에 던져져 파문을 일으키는 돌멩이처럼. 나는 사람들을 도와주기보다는 짐이 될 뿐이야.

난 정말 형편없는 존재야.

그래. 내가 죽을 때가 왔던 거라고.

페트나는 다시 몸을 일으키면서 고개를 절레절레 젓는다.

오를랑도가 힘없이 내뱉는다.

〈그냥 이렇게 놔둘 수는 없잖아? 제대로 묻어 주기라도 해야지. 아니면 쥐들이 뜯어 먹겠어.〉

〈얘가 들어갈 만한 쓰레기봉투 가진 것 있어? 75리터짜리가 적당할 것 같은데.〉 김이 냉철하게 제안한다.

〈아, 난 손대지 않을 거야! 난 애를 여기 데려오지도 않았고, 애를 죽이지도 않았으니, 난 상관하지 않겠어. 어이, 남자들! 왜 그런 눈으로 날 쳐다봐? 내 이마에 《가정부》라고 쓰여

있기라도 해?〉

〈알았어, 공작 부인! 그렇게 말 안 해도 잘 알고 있다고. 당신에겐 기대할 게 아무것도 없다는 걸.〉

〈저 남작이 그렇게 똑똑하고 힘 좋은 인간이잖아? 그가 남쪽 구역에 가서 구멍 하나만 파면 끝나는 일이야. 거기 땅은 무르니까.〉

〈아니면 불량품으로 폐기된 냉장고 속에 집어넣든지. 방수까지 되는 튼튼한 금속제 관(棺)이 될 수 있을뿐더러, 그거라면 아무도 열어 보려고 하지 않을 테니까.〉 김이 또다시 제안한다.

〈아! 움막을 짓고 또 꾸며 주느라고 그 개고생을 했는데 말이야! 쓸데없이 헛수고했어!〉 페트나가 한탄한다.

〈그 움막을 어떻게 할 거야? 내가 접수해도 돼?〉 에스메랄다가 뜻을 밝힌다.

〈난 애당초 그 금칠한 실내 장식이 맘에 들지 않았어. 뭔가 천박한 《졸부》 냄새가 나잖아?〉 페트나는 얼굴을 잔뜩 찌푸린다.

〈흡연 휴게실로 사용하면 되잖아?〉 오를랑도가 제안한다.

그들은 눈을 부릅뜨고 있는 소녀의 얼굴 위에 다시금 몸을 굽힌다.

〈그런데 경찰이나 부모가 애를 찾으면 어떡하지?〉

〈애가 말하는 거 안 들었어? 애에겐 부모가 없어. 테러 사건에서 모조리 죽었다고 했잖아?〉

〈그래도 친척이라도 있을 거 아냐? 삼촌이나 숙모라든가.〉

〈아마 경찰이 애를 찾고 있었을 거야. 고아라도 실종되면 찾는 법이니까.〉

〈이런 상태로 아무 조치도 안 하고 사흘 동안 놔두면, 온몸에 벌레가 꽉 차고, 시체 썩는 냄새가 사방에 진동할 거야.〉

〈오케이, 무슨 말인지 알았다고! 내가 구덩이를 깊이 파 애를 집어넣고, 그 위를 큼직한 냉장고로 덮어 놓지 뭐.〉

그들은 그녀 주위에 둥글게 둘러서서는 잠시 침묵에 잠긴다.

〈이 신데렐라가 자기가 미래를 안다고 믿고 있었다니! 이렇게 자기 미래가 갑자기 뚝 멈춰 버릴 줄도 모르고!〉 빨간 머리의 여자가 농담을 해본다.

파리 한 마리가 반쯤 벌어져 있는 카산드라의 입가에 내려앉더니 슬금슬금 아랫입술 쪽으로 기어가기 시작한다.

〈어쨌든 살아 있어 봤자 우리에게 골치 아픈 일들만 몰고 왔을 애였어.〉 에스메랄다가 내뱉은 말은 소녀의 묘비명이 된다.

파리는 반들거리는 붉은 입이 이루는 우물 속으로 조심조심 내려가기 시작하더니, 송곳니의 뾰족한 끝에 아슬아슬 균형을 잡고 선다. 곤충에게 그것은 한번 구경해 보고 싶은 음습한 동굴인 셈이다.

〈자, 어떻게 한다?〉

〈당신이 발을 잡고, 나는 팔을 잡아서 아주 두꺼운 벽돌 포장용 비닐 속에 집어넣는 거야. 그렇게 해놓으면 쥐들은 냄새조차 못 맡을 테니까.〉

〈그렇게 해서 어디다 갖다 놓지?〉

〈인형들 있는 데다.〉 에스메랄다가 대답한다.

그들은 그녀를 손수레 위에 걸쳐 놓는다. 무거운 침묵 속에 행렬이 나아간다. 그 뒤로는 파리와 까마귀들만이 따라오고 있다.

오를랑도는 인형들이 쌓여 이룬 언덕을 파서 참호처럼 깊숙한 구덩이를 만든다. 그런 다음, 카산드라의 주검을 비닐봉지에 집어넣고는 한 면이 직물로 보강된 접합 테이프로 단단히 밀봉한다.

페트나가 조사(弔詞)를 읊는다.

「공주야, 우린 네가 누구인지, 어디에서 왔는지 잘 모르겠다. 네가 왜 왔는지도 모르겠고, 왜 죽었는지도 잘 모르겠다. 알코올은 본디 소독을 해주는 건데 말이다. 그건 몸에 해를 끼치는 게 아니라, 몸에 좋은 건데 말이다.」

「마음에도 좋은 거지.」오를랑도가 덧붙인다.

「영혼에도 활력을 불어넣어 주고.」에스메랄다가 보충한다.

「어쩌면 네가 너무 연약했던 건지도 모르겠다. 그렇다면 살아 있어 봤자 고통스럽기만 했을 삶, 차라리 그렇게 죽어 버린 게 나았어. 공주야, 이제는 공주들 곁으로 돌아가려무나. 인형아, 이제는 인형들 곁으로 돌아가려무나. 아멘.」

투명한 비닐 막 아래에서 카산드라는 두 눈을 크게 뜨고 있다.

그들은 차례로 가장 예쁜 인형들을 한 아름씩 골라 와 그녀 위에 뿌린다. 그렇게 인형으로 완전히 덮여 더 이상 한 점의 빛도 보이지 않게 되었을 때, 그녀는 생각한다.

79.

자, 이젠 끝났어. 이래서 아무 데서나 죽어서는 안 되는 법이야. 내가 죽었다는 사실을 누가 알 수 있겠어? 어떤 사람들은 자기 무덤 위에 이렇게 새겨 놓을 수 있겠지. 〈내가 죽어 이렇게 묻혀 있지 않다면, 아무도 내가 존재했다는 사실을 몰랐으리라.〉 하지만 난 그런 비석조차 남길 수 없게 되었어. 나는 이렇게 죽지만, 이 세상 그 누구도 신경 쓰지 않아. 곧 나를 잊어버리게 될 네 노숙자 외에는.

곧 나의 시신마저 사라져 버리겠지. 내게서 남는 것은 아무것도 없겠지. 난 마치 어떤 괄호에 묶여서 이 행성에 왔던 것 같아. 과거도 없고, 부모도 없고, 친구도 없고, 추억도 없어. 그 무엇도 이루지 못했지.

너무나도 허무한 삶이었어.

80.

처음에는 빨간색. 이어 주황색과 노란색. 녹색과 파란색. 그리고 검정색. 그리고 다시 빨간색. 주황색의 실들로 짜이는 현란한 레이스. 형광기 감도는 주황색의 점액이 그녀의 뇌 속에서 퍼져 나간다.

이 색채들은 머릿속에서 만화경처럼 현란한 이미지들을 이룬다.

이어 그녀의 배에서 용암이 솟아 나오더니 혈관을 타고 올라가 두 관자놀이를 쿵쿵 뛰게 만든다. 혈액은 걸쭉해진다. 묵직하면서도 환한 용암은 그녀의 심장에 의해 희석되어 대뇌 쪽으로 올라간다. 어지러이 명멸하던 색깔들은 연두색, 진녹색, 하늘색의 세 색띠로 안정된다. 그리고 이 색띠들은 잔디밭 하나, 숲 하나, 그리고 하늘을 이룬다.

고대의 카산드라가 나타난다. 여전히 옥좌에 앉아서 『카산드라 카첸버그의 모험』을 읽고 있다. 그녀는 소녀가 오는 것을 보고는 책을 아래로 내린다.

「우리 예지자들은 너무도 예민하단다. 꿈, 시간, 마약, 사랑, 진실…… 모든 것이 우리에겐 효과가 수십 배로 나타나지. 알코올도 마찬가지야.」

「미래는 어떻게 되나요?」 현대의 카산드라가 묻는다.

「어떤 미래를 말하는 거니? 너의 미래? 나의 미래? 그들의 미래? 내일 아침? 내년? 다음 세기?」

「우선 내 미래요. 난 죽게 되나요?」

「물론이지. 모든 사람은 죽어. 세상사를 요약하는 문장들을 좋아하는 네 친구 김이라면 이렇게 말했을 거다. 〈인생이란 끝이 형편없는 한 편의 영화이다.〉」

「난 지금 죽게 되나요?」

「그건 너의 내장 속에서 협상되어야 할 문제야. 현재로서는 그 결과가 확실치 않아. 하지만 독을 마시는 것이 건강에 좋지 않다는 것은 분명한 사실이지.」

「그건 독은 아니었어요.」

고대의 카산드라는 미소를 짓는다.

「페트나가 그 속에다 무얼 집어넣었는지 잘 모르는 모양이구나. 이번에는 세제를 넣지는 않았어. 하지만 유리창을 닦는 데 사용하는 인화성 알코올을 상당량 섞었지. 하지만 널 해치려는 의도는 없었단다. 그들은 그걸 마셔도 아무렇지도 않거든. 네가 그들보다 민감했을 뿐이야.」

「그럼 난 죽는 거군요! 지금 내가 고개를 돌려 손목시계를 볼 수 있다면 그건 〈100%〉를 표시하고 있을 게 분명하고요.」

「천만에! 거기에 숫자 칸은 두 개밖에 없어. 그러니 100은 표시될 수가 없지. 최대한으로 나와 봤자 99%야! 그 손목시계는 이 세상에 100% 확실한 건 없다는 사실을 의식하고 있단다. 오, 그리고 말이야, 너의 그 자기중심적인 근심일랑 이제는 좀 집어치워. 이 세상에 네 관심의 대상은 오로지 너 자신뿐이니? 아, 정말 사람들이란 얼마나 옹졸하고도 소심한지! 사람들은 죽으면서 그게 세상에서 가장 중요한 일인 양 생각하지!」

고대의 카산드라는 다소 흥분한 듯이 보인다.

「알았어요. 그럼 다른 얘기를 해요. 곧바로 오게 될 나의 개인적인 미래 외에, 인류의 전체적인 미래는 어떻게 되나요?」

토가 차림의 여인은 미소 짓는다.

「드디어 내가 대답할 수 있는 좋은 질문을 하는구나. 인류의 미래? 방금 전에 내가 말했듯이, 그것도 끝이 형편없는 영화라고 할 수 있어. 사람들은 서로가 서로를 죽이고 모든 것을 파괴해 버릴 거야. 지구가 살기 힘든 곳이 되는 시기가 올 것이고, 모든 것이 야만 상태로 돌아가게 될 거야.」

「그렇다면 우리가 무얼 하든 아무 소용없다는 얘기인가요?」

「꼭 그렇지만은 않아. 원칙적으로 모든 것은 나쁘게 끝나는 것이 사실이다만, 최후의 순간에는 항상 어떤 해결책이, 어떤 탈출구가 남아 있는 법이니까. 어떤 희망이 있지. 극히 미세한 것이긴 하지만.」

「희망이라고요? 그건 바로 우리의 고통을 연장하는 것이 아닌가요?」

「죽음이 너를 침울하게 만들었구나.」

「왜 인간들은 그토록 파괴적이죠?」

「욕심을 못 이겨 너무 많은 아이들을 낳기 때문이지. 그래서 과도한 인구를 없애려고 전쟁을 벌이는 거란다.」

「말도 안 돼요!」

「동물들은 말이다, 근방에 사냥감이 없어지거나 영역이 줄어들면 새끼 낳는 걸 중단한단다. 그게 자연의 지혜이지. 편안하게 살 수 있고, 제대로 먹고 교육되고 사랑받을 수 있는 개체들에게만 생명을 줘야 하는 법이다. 이 기본적인 법칙을 인간만이 무시하고 있지. 인간들이 왜 아이를 낳는 줄 아니? 그건 병사들을 만들어 전쟁을 벌이고, 국기(國旗)와 전통과 국경을 지키기 위해서야. 그리고 정치 선전들과 각종 광고들은 그렇게 하라고 부추기고 있어.」

「그렇지 않아요.」

「게다가 항상 보면 가장 파괴적인 사람들과 가장 보수적인 사람들이 아이를 더 많이 낳는 경향이 있어. 우연인 듯싶지만 항상 그래. 자, 보다시피 인간의 논리는 자연의 논리와는 반대로 움직인단다. 그리고 이 논리를 알 때 우리는 미래를 예측할 수 있지. 하지만 네가 그 미래를 말한다 해도, 아무도 네 말을 들으려 하지 않을 거다.」

「고대의 카산드라님, 당신은 잘못 생각하고 있어요. 우리는 인류를 구할 수 있어요. 난 확신해요.」

「그래, 공주야, 어떻게 구할 수 있지?」

「성공적인 미래를 상상하기만 하면 돼요. 그리고 거기에 이르기 위한 방법들을 갖추는 거죠.」

고대의 카산드라는 소녀를 신전 뒤쪽의 정원으로 이끌고 가 철망 울타리를 가리킨다. 거기에는 수백만의 아기들이 철망에 다닥다닥 달라붙어서 울부짖고 신음하고 있다.

「저 애들이 누군지 아니? 바로 미래의 세대들이란다! 그래, 넌 저들을 구하고 싶은 거니?」

「네.」

「그럴 능력이 있다고 생각해?」

아기들은 분노에 찬 얼굴로 악을 쓰고 있다. 수백만의 성난 신생아들이 자신들에게도 이 세상에서 살아갈 수 있는 한자리가 마련되기를 기다리고 있다.

「시도해 봐야 해요. 작은 일들부터 해볼 수 있어요. 난 미래는 아직 결정된 게 아니라고 생각해요. 우리는 역사의 흐름에 영향을 미칠 수 있다고요. 때로는 자기가 처한 곳에서 조그만 결정을 내림으로써 그럴 수 있겠죠. 당신도 말했잖아요. 아직 탈출구가 남아 있다고요. 극히 미세하지만 분명히 있다고요.」

철망에 달라붙은 아기들의 울음소리는 한층 거세진다.

「그 시간의 푸른 나무로 다시 한 번 가보고 싶어요!」

고대의 카산드라는 책을 덮어 땅에다 내려놓는다.

「정말 그러고 싶니? 내가 너라면, 난 절대로 그렇게 하지 않겠다.」

「시간의 나무를 보여 주세요!」

「좋아. 따라와.」

카산드라가 몸을 돌리자, 지평선 위를 어둡게 뒤덮고 있는 거대한 푸른 나무가 눈에 들어온다. 두 여자는 나무 둥치 안으로 들어가, 오르락내리락하는 복도들이 미로처럼 이어지는 통로에 접어든다.

그렇게 얼마 동안 걸은 두 여자는 시간의 교차로 중의 한 곳에 다다른다.

「어떤 길로 가고 싶니?」

소녀는 머뭇거린다.

「아하! 드디어 너도 그 위대한 법칙을 이해했구나! 〈선택하는 것은 포기하는 것이다〉라는 법칙.」

「난 이미 만들어진 문장들을 좋아하지 않아요.」

카산드라는 왼쪽 길을 택한다. 여사제는 그녀를 따라온다. 가지들이 여러 갈래로 분기되는 곳에 이르렀을 때, 두 여자는 얼어붙는다.

잎사귀들 틈에서 불쑥 솟아나 있는 잎사귀 하나를 발견한 것이다.

그리고 정신 속에 떠오르는 그 강렬한 영상들에 그녀의 얼굴은 하얗게 질린다.

81.

이 영상은 그녀를 혼수상태로부터 난폭하게 끄집어낸다. 카산드라는 입을 비닐에 댄 채로 울부짖는다. 이에 따라 비닐은 부풀어 오르지만, 정말이지 이 비닐은 너무도 두껍다. 그녀는 손톱과 이를 비닐에 박아 보려 애쓰지만 아무런 결과가 없다. 그것은 너무도 두껍다.

공황감에 사로잡힌 그녀는 미친 듯 발버둥 친다. 입김으로 비닐 안이 뿌예짐에 따라 숨이 막혀 오기 시작한다. 얼굴이 시뻘게지도록 소리를 질러 보지만, 힘만 더 빠질 뿐이다. 결국 수의 대신 씌워진 포장용 비닐 속에서 홀로 질식해 간다.

그녀의 폐로 유입되는 공기 속의 산소는 점점 희박해진다. 그녀의 몸은 이산화탄소로 중독된다. 두 관자놀이는 왱왱거리고, 그녀는 요란한 소리를 내면서 호흡을 계속해 보지만 그마저 점점 더 힘들어진다. 그런데 갑자기, 그녀의 입 가까운 곳에서 껍질이 쭉 찢어져 벌어진다.

이빨들이 투명한 막을 자른다. 축축하고 둥그스름한 까만 코가 보인다. 털이 난 밤색 주둥이도 보인다. 바로 쓰레기를 파헤쳐 그녀를 찾아낸 여우 음양이다.

그녀는 알의 속껍질을 빠져나오는 새 새끼처럼 이로 비닐을 찢고 나온다. 그리고 사방을 파헤쳐 인형의 무더기에서 빠져 나온다. 무릎을 꿇은 그녀는 폐가 타는 듯한 통증을 느끼며 바깥 공기를 허겁지겁 들이마신다. 그 고약한 악취마저 달콤하기 그지없다. 여우는 옆에 서서 그녀를 지켜본다.

그녀는 있는 힘을 다해 소리 지른다. 여우도 그녀와 함께 울어 댄다.

그리고 이 맑고 커다란 회색 눈의 소녀가 내지르는 고함 속에는, 살아 있다는 행복감과 움직이려는 욕구가 함께 꿈틀댄다.

82.

난 죽었고, 난 다시 태어났어.
이젠 모든 것이 달라졌어.

83.

그녀의 실루엣이 유령처럼 나아온다.

오를랑도와 김과 에스메랄다와 페트나는 입을 딱 벌리고 서 그녀가 다가오는 것을 멍하니 바라본다.

카산드라는 또박또박 말한다.

「어젯밤, 난 또 다른 환상을 봤어요.」

사람들은 소녀에게 눈을 못 박고 있다.

「또 다른 테러가 있을 거예요. 서둘러야 해요. 폭탄은 하얀 가방 속에 있어요. 테니스 라켓 하나가 밖으로 삐져나온 스포츠 가방이에요. 가방을 운반하는 남자는 녹색 스포츠 재킷을 입고 있고요.」

에스메랄다는 눈썹을 찌푸린다. 맑고 커다란 회색 눈의 소녀는 말을 잇는다.

「이번엔 샹젤리제 지하철역에서 폭발할 거예요. 정확히 8시 19분에.」

그리고 말을 멈추고 중얼거린다.

「당신들이 사람들을 구해야 해요.」

사람들은 마치 돌이 되어 버린 듯, 꼼짝도 하지 않는다.

「당신들이 그들을 구해야 한다고요!」

「……알코올로는 문제가 해결된 것 같지 않군.」

마침내 입을 연 에스메랄다가 빈정대기 시작한다.

그러자 카산드라는 그녀의 얼굴에 세차게 따귀 한 대를 날린다. 쪽머리가 다 풀어져 버릴 정도로 거센 일격이다.

「입 닥쳐, 이 여편네야! 그들을 구해야 한다고 하잖아! 그러니까 그 멍청한 주둥이 닥치고 내 말을 들어! 알았어, 이 망할 년아?」

그녀는 대답도 기다리지 않고 니킥을 한 방 날려 왕년의 미스 〈젖은 티셔츠〉의 몸을 반으로 꺾어 놓은 후, 두 주먹을 한데 모아 다시 턱을 강타하여 쓰레기 더미 한가운데 넉장거리를 하게 한다.

순식간에 일어난 일이라 누구도 손쓸 틈이 없었다. 카산드라는 웅크리고 있는 여자에게 달려들어 있는 힘을 다해 두드리다가, 상대가 더 이상 움직이지 않자 아직 멍한 얼굴로 서 있는 세 사람에게 다시 한 번 소리친다.

「사람들을 구해야 한다고!」

그리고 그들의 발치에다 침을 탁 뱉는다. 충격 주기의 효과는 너무도 큰 것이어서 그들은 마침내 움직이기 시작한다.

「괜찮아, 공작 부인?」 왕년의 외인부대원은 대속 공화국의 대통령을 흔들어 정신을 차리게 하며 묻는다.

그들은 머리가 완전히 풀어져 산발을 하고 있는 여자를 도와 몸을 일으키게 해준다. 그녀는 욱신거리는 턱뼈를 어루만지면서 다만 이렇게 내뱉는다.

「음…… 다음에 독한 술을 대접할 때는 얼음 한 덩이를 넣어 주라고. 이번 건 너무 강했나 봐.」

84.

그동안 난 너무 많은 시간을 허비했어. 내 행동을 정당화하고, 사람들을 설득하느라. 또 내가 누구이며, 무엇을 하고 있으며, 왜 그리하고 있는지 설명해 보려고 애썼지. 아냐. 이제는 행동해야 해. 사람들이 어떻게 생각하든, 이젠 더 이상 신경 쓰지 않겠어.

85.

클리냥쿠르 지하철역의 감시 카메라들에는 재빠르게 이동하는 노숙자 다섯 명의 모습이 포착되고 있다. 대속의 다섯 시민은 이번 일을 위해 특별한 차림으로 복장을 통일하고 있다. 즉, 영화 「옛날 옛적 서부에서」에 나오는 카우보이들처럼 모두가 발목에까지 내려오는 긴 외투를 걸치고 있는 것이다. 또 캡을 눌러쓰고 그 위에 여러 장의 스카프를 겹겹이 둘러 두 눈만 하얗게 내놓고 있다.

이게 노숙자의 이점이야. 사람들은 이들이 자신이 가진 옷 전부를 걸치고 다닌다고 생각하지. 따라서 이렇게 옷을 잔뜩 껴입어도 아무도 이상하게 보지 않아.

이렇게 정체를 숨긴 이들은 지하철 자동 개표구를 뛰어넘어 지하 복도로 달려간다. 순전히 우연으로 지하철의 구내 스피커들에서 베르디의 오페라 「레퀴엠」이 힘차게 흘러나온다.

카산드라의 힘을 불끈 솟게 하는 음악이다.

그들이 나아감에 따라 사람들은 역겨운 악취를 견디지 못하고 멀찌감치 달아난다. 심지어는 마주치는 다른 노숙자들마저 악취에 오만상을 찌푸리며 그들과 거리를 둔다.

「어이! 태어나서 적어도 한 번쯤은 몸을 씻어야 하는 거 아냐?」 멀리서 한 10대 소년이 소리친다. 「태어날 때 빠져나온 태반 썩는 냄새가 아직도 나고 있는 것 같다고!」

오를랑도가 당장에 달려가 요절을 내겠다는 표정을 해 보이자, 소년은 걸음아 나 살려라 내뺀다.

「난 어린 녀석들이 싫어.」 에스메랄다는 코를 덮은 스카프를 내리고 침을 탁 내뱉는다.

「난 지하철이 싫어.」 페트나도 내뱉는다.

「난 부르주아들이 싫어.」 김도 내뱉는다.

「난 한심한 애새끼들이 싫어.」 오를랑도도 내뱉는다.

「난 테러가 싫어.」 카산드라가 결론을 내린다.

그녀 역시 스카프를 아래로 내리고 침을 뱉어 보려 하지만 그리 신통한 결과를 얻지 못한다.

플랫폼에 한 줄로 쭉 늘어선 그들은 사납고도 결의에 찬 눈으로 사방을 쏘아보며 플랫폼 앞쪽으로 나아간다. 지하철 이용객들은 얼굴을 찌푸리고 옆으로 비켜선다. 어떤 이들은 코를 틀어쥐며 혐오감을 노골적으로 드러낸다.

대속의 다섯 시민은 1호선으로 연결되는 노선의 객차에 올라탄다. 주위의 승객들은 빨리 도망가려고 서로 밀치면서 법석을 떤다. 어떤 사람들은 멀찌감치 떨어져 경계심이 그득한 눈으로 그들을 훔쳐본다. 꼬맹이들은 코를 쥐고 그들을 놀린다.

페트나 와데는 위협적인 기세로 아이들 쪽으로 몸을 굽힌다.

「어이, 꼬마들! 우리가 걸린 병은 전염력이 아주 지독해서 말이야, 그렇게 오래 쳐다보고 있으면 그대로 옮아 버려! 내 말뜻을 이해할랑가 모르겠지만.」

그 즉시 아이들은 얼굴이 새파랗게 질려 뒷걸음질 친다. 지하철 이용객들은 눈을 얌전히 내리깔고, 아무것도 못 들은 척한다.

「내 몸에는 이와 벼룩들이 득실거려!」 오를랑도가 알린다.

「난 에이즈와 조류 독감에 걸렸어!」 에스메랄다도 소리 지른다.

「난 에볼라 바이러스와 치쿤구니야 바이러스를 합쳐 봤어!」 김예빈은 아직 사정거리 내에 남아 있는 사람들을 모두 감염시키려는 듯 열심히 침방울을 튀겨 대며 마무리를 짓는다.

그러자 승객들은 모두 다음 역에서 내려, 그렇잖아도 비좁은 다른 객차들에 쑤시고 들어간다. 그런 그들을 보면서 에스메랄다가 코웃음을 친다.

「공주, 잘 들어. 부르주아들은 우리의 적이야. 만약 할 수만 있다면 우릴 죽여 버릴 사람들이지. 그들이 자제하고 있는 까닭은 단지 우리에게 가까이 오면 몸이 더러워질까 두려워서야. 그런데 우리가 저들의 생명을 구해 줘야 한다고? 공주, 난 단지 너의 그 예쁜 눈 하나 보고서 여기 나온 거야……. 아,

정말이지 우리가 대체 무슨 생각으로 네 말을 들은 걸까!」

「우리가 저들을 위해 이 짓을 하는 건가? 우리 자신을 위해 하는 거라고.」오를랑도가 말을 받는다.「우리나라의 이름이 뭔지 생각해 봤어? 대속이야. 여기엔 뭔가 의미가 있잖아? 그리고 이 이름을 찾아낸 건 바로 공작 부인 당신 아니었던가?」

「그렇긴 하지. 하지만 내가 무슨 엿 같은 생각으로 우리 마을 이름을 그렇게 지었는지 모르겠어. 다시 지을 수만 있다면, 차라리〈무사태평〉이라고 짓고 싶은데.」에스메랄다가 투덜댄다.

그들을 실은 열차는 마침내 샤를-드골-에투알 전철역에 도착한다.

「지금 몇 시야?」

「빌어먹을! 시계를 하나 가져와야 했는데……. 다른 사람들에게 시간을 물어보면서 돌아다녀야 하는 신세가 돼버렸어. 그런데 카산드라, 네게 시계가 하나 있는 것 같던데?」

소녀는 아니라고 고개를 젓는다. 킴이 대신 대답해 준다.

「이건 시간이 나오지 않는 조크숍 손목시계야.」

카산드라는 문자판을 들여다본다.〈5초 후 사망 확률: 17%〉.

손목시계는 지하철 안에 테러리스트가 있는 걸 모르고 있어. 단지 감시 카메라들 덕분으로 우리를 따라오고 있을 뿐이지. 위험 수치가 조금 올라간 것은 내가 긴장해서 심장 박동이 약간 빨라졌기 때문일 거야.

「7시 51분이에요.」카산드라는 한 행인이 차고 있는 스와치 손목시계를 훔쳐보며 말한다.

「좋아, 그럼 남은 몇 분 동안 테러리스트가 샹젤리제 역에 도착하기 전에 붙잡아 보자고!」

그들은 지하철의 통로들을 내달린다. 그런데 갑자기 카산드라가 오를랑도의 팔을 붙잡는다.

「그쪽으로 가면 안 돼요!」

「또 어떤 미래의 환상을 봤냐?」에스메랄다가 빈정댄다.

「그건 아니고, 내가 거지 생활 할 때 지나다녀 본 일이 있어서 잘 아는데, 이쪽에는 지하철 단속원들이 자주 나와요.」

「우린 네 예감 따위는 안 믿어.」에스메랄다는 고집을 부린다. 「우린 이쪽으로 갈 거야. 자, 다들 날 따라와!」

그렇게 그들이 계속 가고 있는데 제복 차림의 세 공무원과 딱 마주쳐 버린다. 여자 단속원 하나와 정복 차림의 두 경찰이 길을 막고서 사람들을 검문하고 있는 것이다. 여자는 몹시 까다로워 보이는 인상이고, 두 사내는 퉁퉁한 몸집이다.

알고 있는데 아무도 귀를 기울이지 않는 것, 세상에 이보다 더 끔찍한 일이 있을까?

이게 바로 힘든 점이야. 정보를 지닌 것만으로 충분치 않아. 그걸 사람들에게 전달하는 능력도 있어야 하지. 그리고 내게는 아직 그런 재능이 없어.

「뭐야, 그런 못마땅한 표정은? 이건 순전한 우연이라고!」심사가 뒤틀린 에스메랄다가 투덜거린다.

더욱 고약한 것은 이들에게 경험이란 아무런 의미도 없다는 점이야. 내가 또다시 경고한다 해도, 여전히 나를 짖는 개 보듯 하겠지. 정말이지 〈카산드라의 저주〉야.

곧이어 매우 불쾌한 문장 하나가 그들의 귓전에 울린다.

「실례지만 차표를 제시해 주세요.」여자 단속원이 요청한다.

「이거야, 원, 세상에!」오를랑도가 소리친다. 「우린 부르주아들을 구하겠다고 달려왔어. 그런데 놈들의 경비견들이 이렇게 태클을 걸어 와? 여보쇼! 이것들 보라고! 지금은 그따위로 우리 성질 긁을 때가 아니란 말이야!」

「특히 지금은 절대 아니지!」에스메랄다도 같이 핏대를 올린다. 「암! 지금은 절대 아니고말고.」

「뭐라고요?」두 경찰관 중에서 키 작은 쪽이 되묻는다. 「지금 단속원께서 여러분에게 차표를 요구하고 있어요. 자, 어서 제시해요!」

「자, 자, 진정들 하자고. 모든 걸 사실 그대로 설명하면 돼.」 페트나가 나선다. 「자, 나한테 맡겨.」

부부 통옷을 걸치고, 그 긴 외투 아래에서 덜거덕거리고 있는 신성한 장신구들로 몸을 휘감은 아프리카인은 제복 차림의 세 사람 앞으로 걸어간다.

「자, 이건 오해입니다! 우리가 이렇게 이 장소에서 존경하는 여러분 앞에 서게 된 것은, 현재의 상황에 다소 예외적인 성격이 있기 때문입니다.」

김은 잘하고 있다는 뜻으로 고개를 끄덕인다. 반면 오를랑도는 조그맣게 웅얼댄다.

「저 사람, 너무 오버하는 거 아냐……?」

「차표요.」 제복의 여자는 눈썹 하나 까딱하지 않고 차분히 말한다.

「이 사람들한테 말할까?」 페트나는 마치 엄청난 비밀을 밝히려는 사람 같은 표정으로 동료들을 돌아본다.

「아니. 저들은 이해 못 할 거야.」 에스메랄다가 고개를 젓는다.

「아니, 저들은 분명히 이해할 거야.」

「아무 소용 없어.」 김도 손을 내젓는다.

「얘기해? 말아?」 페트나가 다시 묻는다.

「아, 얘기하지 말라니까!」 오를랑도가 성질을 낸다.

「끼어들어서 죄송합니다만, 무슨 말들을 하는 거죠?」 단속원이 묻는다.

「에, 그러니까…… 지하철 내의 평화의 수호자이신 여러분! 마침 잘 만났습니다. 왜냐면 지금 상황이 매우 위급하거든요.」

「안 돼! 얘기하지 마!」 김이 끝까지 말리려 든다.

꺽다리 아프리카인은 잠시 망설이더니, 마침내 결정해 버

미래의 이야기 **345**

린다.

「아냐, 할 거야! 자, 한 가지 중요한 정보를 말씀드리겠어요. 녹색 재킷 차림에 하얀 테니스 가방을 든 놈 하나가 지금으로부터 몇 분 후에 폭탄 하나를 내려놓을 거예요.」

세 공무원은 그들을 위아래로 훑어본다.

「그래서요?……」단속원 여자가 묻는다.

「에, 그러니까…… 그놈을 잡아야지요! 우린 그 일 때문에 왔어요. 손을 쓰지 않으면 많은 사람이 죽게 돼요.」

「으흠, 그렇군요.」단속원은 최대한의 관심을 보여 주려 애쓰면서 짧게 내뱉는다.

「그러니까 우리는 같은 편이지요.」

페트나는 커다란 미소를 지으면서 여자에게 공모자 같은 윙크를 보낸다. 여자의 얼굴에는 조금의 변화도 없다.

「따라서 잡아야 할 것은 우리가 아니란 말이죠. 무슨 말인지 아시겠어요?」

「더 이상 애쓰지 마!」에스메랄다가 보다 못해 그의 말을 자른다.

틀렸어. 진실을 들을 수 있는 사람은 아무도 없어. 사람들은 너무나도 거짓 속에 사는데 익숙해져 있기 때문에 모든 것이 뒤집혀 버렸어. 진실은 가짜 같고, 거짓은 진짜 같이 보이지. 우리는 우리가 알고 있는 사실을 결코 전달할 수 없을 거야. 아니면 믿음이 가는 어떤 거짓말들로 현실을 포장해야 하겠지.

「체포해야 할 사람은 녹색 재킷을 입은 남자, 테러리스트예요. 위험한 인물은 그자라고요. 내 말뜻을 이해할랑가 모르겠지만.」

「아니, 미안합니다만 〈난 당신 말뜻을 전혀 이해 못 하겠어요.〉」여자가 차갑게 대꾸한다.

「자, 차표들 보여 줘요.」결국 작달막한 경찰이 손을 내밀면서 다시 한 번 요구한다.

「좋아요.」에스메랄다가 한숨을 내쉰다.「자, 솔직히 까놓고 얘기해서 우리에겐 표가 없어요. 우리는 개표구를 뛰어넘어 들어왔어요.」

「하지만 우린 이곳을 개판으로 어질러 놓지는 않을 겁니다.」페트나가 다시 말한다.「그저 15분만 우릴 가만히 좀 내버려둬 주세요. 왜냐면 모든 부르주아들을 위해서, 그리고 특히 우리 공주를 기쁘게 해주기 위해서 우리가 해야 할 일이 쬠끔 있어서 그렇습니다. 그 일만 마치면 우린 아무런 소동도 일으키지 않고 그저 조용히 떠날 것이고, 그다음에는 우리에 대한 얘기는 영원히 듣지 않으실 겁니다. 이렇게 해서 죽어야 할 사람들이 죽지 않아도 되는 거죠. 자, 이상이 제가 드리고 싶었던 말씀입니다.」

대속의 시민들은 그들이 보기에 아주 지혜롭게 느껴지는 이 선택에 공감하며 함께 고개를 끄덕인다. 하지만 앞에 선 여자 단속원은 무전기를 뽑아 든다.

「4구역. B15 지점에 인력 지원 바람. (이어 그녀는 목소리를 낮추어 속삭인다.) 올 때 위생 장갑과 소독약을 가져와요.」

그녀는 무전기를 제자리에 건 다음, 벌금 고지서 수첩을 꺼내어 약식 기소장의 칸들을 채워 넣기 시작한다. 그녀 주위에 선 승객들은 위험스럽게 설치고 다니는 이 구역질 나는 존재들이 마침내 처벌받게 된 것이 만족스러운 듯 미소를 머금는다.

「자, 한 명씩 말하세요! 성, 이름, 주소.」

이번에는 오를랑도가 오른 주먹의 관절을 우두두둑 꺾으면서 앞으로 나선다.

「내 친구가 지금 이 상황에는 예외적인 성격이 있다고 아주 정중하게 설명했는데, 당신은 제대로 알아듣지 못한 것 같아.

혹시 당신, 청각에 문제가 있는 거 아냐?」

단속원은 눈 하나 깜짝 않고 계속 서류를 쓰고 있는데, 두 경찰관의 손은 벌써 권총집 위에 올라가 있다.

이번에는 또 에스메랄다가 좀 더 외교적인 어조로 애원한다.

「지금 우리 말 듣고 있어요? 아니, 지금 우리 말 들려요?」

하지만 벌써 그들은 곤봉과 비닐봉지를 흔들고 있는 십여 명의 건장한 제복의 남자들에게 둘러싸여 있다. 그들은 마치 공수병 걸린 개라도 잡으려는 듯 무릎까지 바짝 굽히고 있다.

「알았어요.」에스메랄다가 체념한 듯 말한다. 「음…… 이걸 어떻게…… 좋아요! 전철 표 다섯 장을 사겠어요. 얼마죠?」

「표를 사기엔 너무 늦었어요. 이제는 범칙금을 내야 해요.」 단속원은 감정 없는 목소리로 대꾸한다.

「범칙금?」

「신분증 좀 보여 줄래요?」경찰 중 하나가 요구한다.

묵묵부답.

「야, 웃기지 마!」그의 동료가 낄낄댄다. 「이런 꼴을 하고 있는 인간들이 언제 신분증 만들 생각을 하고 있겠어? 이들은 세 주정뱅이에 그들의 두 썩어 빠진 자식들이라고. 정말이지, 젊은 놈들이 부모 잘못 만나 이렇게까지 형편없는 꼴이 되다니 참으로 불행한 일이야! 아, 그런데 빌어먹을! 진짜 냄새 한 번 고약하다! 누가 토해 놓은 걸 가지고서 세수를 했나?」

「아무런 증거 서류가 없다면, 신분증 제시 불응에 대한 추가 벌금을 물겠어요.」단속원은 여전히 단조로운 목소리로 선언한다.

이때, 여러 명의 경찰이 도착하더니, 우선 두꺼운 고무장갑을 손에 낀다.

「저것 봐! 우리 몸에 직접 손대는 게 겁이 나는 모양이야!」 김이 놀라며 말한다.

페트나는 검은 피부의 경찰에게 말을 건다.

「이봐, 형제! 자네는 무슨 부족 출신인가?」

흑인 경찰은 대꾸하지 않는다.

「얼굴을 보아하니 퓔족은 아닌 것 같은데. 혹시 소닌케족이나 밤바라족 아니야? 아냐, 알아냈다! 자네는 말린케족이야. 그렇지, 형제?」

하지만 당사자는 그에게 눈길 한 번 주지 않는다. 카산드라는 한 경찰관이 차고 있는 손목시계를 슬쩍 들여다본다.

「더는 시간이 없어요. 사람들을 구해야 해요.」 그녀가 다급하게 속삭인다.

「그냥 구하지 말아 버리면 어떨까? 이대로 뛰어서 내빼 버리면 어때?」 에스메랄다도 속삭인다. 「때로는 확실한 징표들이 나타나기도 하는 법이야. 이 단속원과 경찰들이 바로 그 징표지. 내가 생각하기엔 지금 그만두는 게 최선일 것 같아.」

「음…… 그래, 얼마요?」 오를랑도가 끓어오르는 성질을 억누르며 묻는다.

단속원은 일이 큰 소동 없이 해결되는 데에 오히려 실망하는 눈치다. 그녀는 으르렁대듯 말한다.

「다섯 명 모두 표가 없어요? 그럼 표 값이 1인당 2유로씩이고, 거기에다 1인당 범칙금이 75유로예요. 모두 합해서 385유로 되겠어요.」

「385유로? 당신 지금 제정신이야?」 에스메랄다 피콜리니가 비명을 지른다.

「그리고 여러분은 지금부터 사흘 안으로 아무 파출소든 방문하여 신분증을 제시해야 해요.」

「오케이, 오케이, 오케이!」 김이 소리친다. 「자, 수표를 끊어 줘도 됩니까?」

단속원들의 굳어진 얼굴들은 그들은 거지의 수표는 거의

신뢰하지 않는다는 뜻을 표시하고 있다.

「더 이상 시간이 없어! 사람들을 구해야 해!」 마음이 너무도 급하여 눈앞의 광경은 눈에 들어오지도 않는 카산드라가 다시 말한다.

「그냥 지불해 버려!」 오를랑도가 명령한다.

「385유로를? 지금 농담하는 거야?」 에스메랄다가 버럭 소리 지른다.

「그 돈은 있어?」 페트나가 묻는다.

「물론 있지. 난 항상 우리 활동 자금을 몸에 지니고 다니잖아. 그건 문제가 아니야. 문제는 우리에게 남아 있는 돈이 전부 합해서 390유로라는 사실이지.」

오를랑도는 잠시 머뭇거리더니, 마침내 내뱉는다.

「할 수 없지! 지불해! 돈은 또 얻으면 되니까.」

「절대 안 돼.」

「지불해!!」

그러자 에스메랄다는 온갖 잡동사니로 가득 찬 핸드백을 고고학 발굴을 하듯 뒤지더니, 할머니들이나 쓸 법한 커다란 구닥다리 가죽 지갑을 하나 찾아내어 다시 거기서 더러운 지폐들과 꺼무스름한 자국들이 새겨져 있는 동전들을 꺼낸다. 단속원들은 오만상을 찌푸리며 그 돈을 손가락 끝으로 받아들어 비닐봉지 속에 퐁당 떨어뜨린다. 여자 단속원은 그들에게 무슨 글자인지 모를 정도로 마구 휘갈겨 쓴 분홍빛 영수증을 끊어 준다.

장갑을 꼈던 다른 경찰관들은 향기가 너무나도 지독한 다섯 노숙자들과 직접 접촉하지 않아도 된다는 안도감을 얼굴에 드러낸다.

「하지만 사흘 안으로 신분증을 지참하고 어디든 파출소를 방문해야 해요. 그리고, 흠! 다음번에 지하철에 돌아올 일이 있을 때에는…… 흠…… 몸을 씻어야 합니다. 이 말이 무슨 뜻인지 알아요? 이건, 어떻게 말해야 할까, 하나의 전통이에요. 안 그러면 당신들에게 〈돌아다니는 공해〉죄로 벌금을 물릴 수밖에 없어요.」

「〈돌아다니는 공해〉? 지금 이 여자가 무슨 말을 한 거야?」

「시간!」 카산드라가 외친다. 「지금이 몇 시죠?」

그녀는 가장 가까이에 있는 경찰관의 손목을 낚아챈다. 디지털시계는 8시 23분을 표시하고 있다.

너무 늦었어!

경찰은 깜짝 놀라 한 걸음 물러서더니 설명해 준다.

「이 시계는 15분 일찍 가. 지금은 아직 8시 8분이야.」

그들은 더 얘기를 나눌 틈도 없이, 역에 전철 한 대가 도착하는 것을 보고는 그쪽으로 일제히 달려간다. 그리고 번개같이 시선을 교환한 것을 신호로 하여, 서서히 정지하고 있는 객차들 앞에 한 명씩 나누어 선다. 열차가 정지해 있는 그 몇 초 동안, 그들은 객차 안으로 뛰어 들어가 흰 스포츠 가방을 지닌 승객이 있는지 조사한다.

그들의 악취는 여전히 큰 위력을 발휘한다. 그들이 지나갈 때마다 모든 사람이 썰물처럼 몸을 비켜 주어 작업을 한결 쉽게 해준다.

이 첫 번째 열차에서는 아무것도 찾아낼 수 없었다.

「다음 차를 기다리자고!」 오를랑도가 손가락 스냅으로 딱 소리를 내며 소리친다.

한 승객의 손목시계가 정확히 8시 15분을 가리킨 순간, 그들은 녹색 재킷 차림의 한 사내가 중간 부분의 객차에서 내리는 것을 본다.

「저기! 저 사람이야!」 카산드라가 외친다.

오를랑도는 한순간 그자를 쫓아가 잡으려고도 생각해 보

지만, 그것이 아무 의미 없는 일임을 깨닫는다. 지금은 폭탄을 해체하는 일이 더 급한 것이다.

객차는 콩나물시루 같지만, 다섯 사람 모두 그 안에 비집고 들어가 곧바로 샅샅이 뒤지기 시작한다. 승객들이 얼굴을 찌푸리고 불평을 토하자, 페트나는 호주머니에서 어떤 가루를 손가락으로 집어 꺼내더니, 미세한 검은 입자들을 허공에 분다. 즉시 승객들은 재채기를 하고 눈을 비벼 댄다. 혹은 문이 닫히기 직전에 객차를 뛰쳐나간다.

「후춧가루야.」 페트나가 짤막하게 설명한다.

덕분에 수색 작업은 좀 더 체계적으로 진행된다. 다섯 사람은 몸을 굽혀 좌석 밑까지 들여다보며 구석구석을 샅샅이 뒤진다. 누군가가 그들을 제지하려 들자 페트나는 하얀 분말을 확 퍼뜨려 승객들을 물러서게 만든다.

「시야 교란용 가루?」 김이 묻는다.

「활석이야.」 페트나의 대답이다.

열차는 어두운 터널 속을 맹렬히 달린다. 억제 무기의 열렬한 신봉자인 페트나는 배 속에 부글거리던 가스를 요란한 소리와 함께 방출한다.

「화학 무기 다음에, 이번에는 가스 무기!」 그는 허공에 대고 외친다.

이번에는 사람들이 공황 상태에 빠져 앞다투어 도망간다.

「뭐가 어때서? 동물들도 쫓아오는 놈들을 물리치기 위해 이렇게 한다고!」

열차가 프랭클린-루즈벨트 역과 샹젤리제-클레망소 역 사이를 달리고 있을 때, 김이 한 좌석 아래에 처박혀 있는 하얀 가방을 발견한다. 승객들의 손목시계는 대부분 8시 17분을 가리키고 있다. 김은 대뜸 비상벨 레버를 당긴다. 열차는 고막이 찢어질 듯한 제동음을 내며 멈춰 선다.

「이 가방 안에 폭탄이 들어 있어요! 모두들 물러서요! 멀리 떨어지라고요!」김이 고래고래 소리 지른다.

「폭탄 경보! 폭탄이요!」에스메랄다도 목이 터져라 외친다.

열차가 급제동하는 통에 비틀거리다 간신히 균형을 잡은 사람들은 멍한 얼굴로 서로를 쳐다본다.

「폭탄 경보요!」페트나가 다시 외친다.「폭발할 거니까, 다들 나가요! 당신들 모두 뒈진단 말이야!」

처음에는 미세한 머뭇거림이 감도는 듯하더니, 이내 군중은 공황감에 사로잡혀 우르르 출입구 쪽으로 뛰어간다. 비명을 지르고 악다구니를 쓰고 싸우고 몸부림을 쳐대면서. 마침내 출입구들이 열린다. 아우성치는 조난자들의 물결은 자갈이 깔린 철로에 쏟아져 내린다. 하이힐을 신은 여자들은 난리통에 신발을 잃어버린다. 떠밀려 엎어지는 바람에 사람들에게 짓밟히는 이들도 있다. 심지어는 열차 운전사까지 황급히 자신의 자리를 버리고 도망간다.

다섯 노숙자 역시 열차에서 뛰어내려, 다행히 멀지 않은 곳에 있는 샹젤리제-클레망소 역 플랫폼을 향해 내달린다. 플랫폼에 기어올라서는 다시 출구 쪽으로 달린다.

플랫폼에서 열차를 기다리고 있던 승객들 역시 공황감에 휩싸인다. 〈폭탄〉이라는 단어는 입에서 입으로 퍼지면서 점점 더 커져 간다. 파리 교통 공사, 즉 RATP의 직원들은 처음에는 사태를 수습해 볼 생각을 하다가, 이내 포기하고는 다른 사람들처럼 내빼는 쪽을 택한다. 곧 복도마다 계단마다 아수라장이 된다.

땀에 흠뻑 젖은 오를랑도는 떨리는 손으로 테니스 가방을 뒤져 모직 모자로 감싸 놓은 화약 덩어리들을 발견한다. 빵처럼 뭉쳐 놓은 것 같은 베이지색의 화약 덩어리들이 타이머에 연결되어 있고, 타이머의 발광 화면에서는 채깍채깍 숫자가 줄어들고 있다. 60, 59, 58……

「당신들도 도망가!」 오를랑도는 동료들을 향해 울부짖듯 외친다.

「싫어. 우리도 당신과 같이 있을 거야!」 에스메랄다가 선언한다.

「엿같이 좀 굴지 마, 공작 부인! 내가 뇌관 제거에 대해 기본적인 것을 알고 있으니, 별문제 없을 거야. 자, 이따가 위에서 보자고!」

「내가 도와주겠어. 이 안에는 전자 장치도 있을 거라고.」 김이 제의한다.

폭탄 타이머는 55와 54를 표시한다. 카산드라는 본능적으로 자신의 손목시계를 들여다본다. 거기에는 〈5초 후 사망 확률: 48%〉가 나타나 있다.

그리고 곧바로 49%로 올라간다.

그녀는 고개를 들어 지하철 구내 여기저기에 설치된 통제 카메라들을 발견한다.

프로바빌리스는 우리를 지켜보고 있고 폭탄도 인식했어. 그래서 이 상황의 의미를 해석해 낼 수 있었고, 지금은 우리의 생존 가능성을 계산하고 있는 거야. 자, 이제 위험도가 50%를 넘어섰어. 내가 즉각 행동 방침을 바꾸지 않으면 살 확률보다는 죽을 확률이 더 많아. 다니엘이 이렇게 말했지. 〈이게 50%를 넘으면, 아무 생각 하지 말고 무조건 뛰라고!〉

「다들 빨리 꺼지라고!」 신경이 극도로 예민해진 오를랑도가 빽 하고 소리 지른다. 「게다가 당신들 때문에 일이 제대로 되지 않잖아!」

마지막으로 조금 더 머뭇거린 후, 네 사람은 폭탄과 오를랑도만 플랫폼에 남겨 놓고서 바깥을 향해 뛰어간다.

86.

　결국 내가 본 미래의 환상들은 정신병자의 헛소리만은 아니었어. 내 예감은 잘못된 게 아니었어. 난 폭탄을 분명히 봤어. 테러리스트도 봤어. 난 찾아내기 전에 알고 있었어.

　그리고 난 행동하는 데 성공했어!

　난 더 이상 앉아만 있지 않아. 난 행동하고 있다고!

87.

　어마어마한 굉음이 천지를 울린다.

　갑자기 하늘이 어두워진다. 배때기가 시커먼 무수한 적란운들이 첩첩이 쌓이며 내리쬐던 햇살을 가로막는다. 공기 중에는 금방이라도 전기가 튀어 오를 듯한 긴장이 흐른다. 홀연, 아주 가까운 곳에 있는 지붕들 위에 한 줄기 번개가 용틀임을 한다. 그 눈부신 전광에 짐승들과 사람들은 몸서리친다.

　다시 벼락 소리가 나고, 또 다른 벼락 소리가 뒤를 잇는다. 그 충격으로 구름들마저 박살 나버리는 듯하다. 온 자연은 비를 기다리고 있는데, 비는 떨어지지 않는다. 하얀 번갯불들만이 지평선 위의 성난 하늘을 밝히고 있다.

　샹젤리제-클레망소 역 출입구 중의 하나 앞에 모여 있는 작은 무리는 불안한 양 떼처럼 발을 동동 구른다. 그들은 쭉 내민 혓바닥 같은 에스컬레이터만이 한없이 솟아나고 있는 뻥 뚫린 지하철 입구 쪽으로 시선을 고정한 채 애타게 기다리지만, 거기에서는 아무것도 나오지 않는다.

　문득, 카산드라는 친구들의 호흡에 섞인 불안감을 의식한다. 그리고 아주 가까운 어딘가에서 시계 하나가 채깍거리고 있는 것 같은 느낌을 받는다. 주위를 둘러보니 한 보석상의

입구 위에 벽시계 하나가 걸려 있다. 그 시계는 모두가 땅에 올라온 지 5분이 지났음을 알려 준다. 폭탄이 폭발했을 시간은 이미 지난 것이다.

「어쩌면 아래에서 벌써 터졌는데 벼락 소리 때문에 우리가 못 들은 건지도 몰라.」 페트나가 자신 없는 목소리로 추측해 본다.

그 말에 대답이라도 하듯, 다시금 하늘은 수천 개의 음향의 조각들로 쪼개어진다. 여전히 비는 내리지 않는다. 카산드라는 자신의 손목시계를 들여다본다. 〈5초 후 사망 확률: 18%〉.

그녀는 이것이 바로 이 확률 시계가 지닌 한계 중의 하나라고 생각해 본다. 그녀 개인의 생존 가능성은 알려 주지만, 다른 사람들의 생존 확률은 계산할 수 없는 것이다.

조금 전부터 혼자서 숨을 몰아쉬고 있던 에스메랄다가 갑자기 맹렬한 분노에 사로잡혀 카산드라에게 달려든다.

「이게 다 너 때문이야! 널 처음 봤을 때부터 알고 있었어. 넌 우리에게 골치 아픈 일들만 가져오리라는 것을. 네가 그를 죽였다고! 더러운 마녀 같으니! 내 오를랑도를 책임지라고!」

그녀는 카산드라의 복부에 어마어마한 주먹 한 방을 꽂아 넣는다. 소녀는 두 손으로 배를 움켜쥐고 땅바닥을 뒹군다. 두 눈을 감고 꺽꺽거리기만 할 뿐, 반격은 전혀 불가능하다.

「오를랑도! 오를랑도! 그는 저 아래에서 폭발해 버린 게 틀림없어! 더러운 마녀 같으니! 내 오를랑도를 돌려줘!」 에스메랄다는 고래고래 소리치며 땅바닥에 뒹구는 소녀를 맹렬히 걷어찬다.

카산드라는 새우처럼 몸을 잔뜩 웅크리기만 할 뿐 방어하려 들지 않는다.

이건 치러야 할 대가야.

다시금 하늘이 진동하면서 대지를 뒤흔든다. 두 여자 주위의 군중은 극도의 불안감에 어찌할 바를 모르고 다만 허둥대기만 한다.

「그가 죽었어! 그가 죽은 걸 느낄 수 있다고! 사랑하는 나의 오를랑도가!」

두 노숙자 여인 간의 격투 앞에서 군중은 멀찌감치 물러선다. 에스메랄다가 품에서 단검을 꺼내어 그녀를 찌르려 할 때, 카산드라는 손목시계에 〈5초 후 사망 확률: 68%〉가 표시되는 것조차 보지 못한다.

다만 체념한 채로, 자신이 세상의 질서를 어지럽힌 것에 대한 대가를 치를 준비를 하고 있을 뿐이다. 바로 이때 커다란 손 하나가 단검을 쥔 손을 감싸 잡으며 동작을 멈추게 한다. 뒤이어 그녀의 등 뒤에서 어떤 목소리가 들린다.

「아, 그래? 날 사랑한다고?」

88.

성공했구나!

89.

에스메랄다는 멈칫 굳어 버린다.

「아, 나쁜 놈, 거기 있었어? 내가 얼마나 겁났는지 알아? 남작, 다시는 그런 짓 하지 마! 안 그러면 내가 당신을 죽여 버리겠어!」

군중이 아직도 정확히 어떤 일이 일어났는지 알지 못하여 공황 상태에 빠져 있는 것을 본 김은 선뜻 그들 앞에 나선다.

「자, 자, 걱정하지 마세요! 이건 〈몰래 카메라〉라고 하는 텔레비전 방송 촬영이었어요. 자, 카메라는 저쪽에 있습니다!」

그는 저 멀리 거리 모퉁이에 위치한 건물의 위층 발코니 두 개를 가리켜 보인다.

효과는 즉각적이다. 안도의 물결이 지나가면서 군중의 긴장은 사르르 풀린다. 〈폭탄〉이라는 단어 뒤에, 이제는 〈텔레비전〉이라는 단어가 입에서 입으로 떠돌아다닌다. 〈이건 텔레비전에 나올 코미디였대.〉 심지어 어떤 사람은 〈난 다 알고 있었어〉라고 주장하기도 한다.

바로 이 순간, 후두둑 빗방울이 떨어지기 시작한다. 사람들은 모두 비를 피할 곳을 찾아 흩어진다. 마침내 경찰차 한 대가 도착하지만, 운집한 군중들이 어지러이 흩어지는 틈을 타서 대속의 다섯 시민은 이미 오래전에 사라지고 난 후이다.

90.

우리는 해냈어!
됐어!
카산드라의 저주는 이제 끝났어!

현재의 이야기

IL EST UNE FOIS

91.

우리는 미래를 볼 수 있는가?

92.

이제 난 이렇게 대답할 수 있을 것 같아. 우리는 이따금 직관을 통해 미래를 보게 돼. 이를 통해 참극이 일어나는 것을 막을 수도 있지.

난 보았고, 보게 해줄 수도 있었어.

난 들었고, 듣게 해줄 수도 있었어.

난 알고 있었고, 깨닫게 해줄 수도 있었어.

하지만 문제가 하나 있어. 내가 이렇게 해준 사람들이란 게, 아무런 힘이 없는 아주 작은 무리에 불과하다는 사실이야……. 나의 군대는 저 한심한 노숙자들이라는 사실이지.

93.

그들이 대속에 도착하자 마침내 비가 그친다. 여우 음양이는 위터주이 요리 찌꺼기로 남은 쥐와 까마귀 고기를 아작아작 씹고 있다.

다섯 사람은 비에 흠뻑 젖어 있는 등걸이 없는 소파에 쓰러지듯 주저앉는다.

「공작 부인, 아직 내 질문에 대답 안 했어. 당신, 날 사랑한다고?」 오를랑도가 은근하게 묻는다.

「아니, 하도 화가 나서 그냥 지껄였을 뿐이야. 저 골칫덩어리 계집애의 면상을 부숴 버리려는 핑계였지. 내 안엔 다혈질적인 이탈리아의 피가 흐르고 있잖아. 이번에야말로 저것의 버릇을 확실하게 고쳐 주려 했는데, 남작 당신이 또 밥에다 재를 뿌린 거야. 그래, 항상 결정적인 순간에 모든 걸 망쳐 버리는 당신 같은 미련곰탱이 뚱보를 내가 어떻게 사랑할 수 있겠어?」

「그런데 말이야, 폭탄은 어떻게 해체했지?」 김은 남작의 무훈 중에서 무엇보다도 기술적인 측면에 관심이 많다.

오를랑도는 입고 있는 외투 속에서 시가 하나를 찾아낸다. 시가는 한 개비만 빼놓고 모두 흠뻑 젖어 있다. 그는 얼굴에 미소를 가득 담고서 시가에 불을 붙인 다음, 너무도 만족스러운 표정으로 뻑뻑 빤다.

「외인부대에서 받은 지뢰 해체 수업을 떠올렸지. 그때 교관이 충고하기를, 헷갈릴 경우에는 언제나 빨간 전선을 자르라고 했어. 자, 후작, 내게 맥주 한 캔 건네줘!」

청년은 미지근한 캔 하나를 가져와 뚜껑을 열고 털보 바이킹에게 건넨다. 바이킹은 그저 시가를 피우고 맥주를 마시기만 한다. 이야기의 효과를 높이려고 뜸을 들이는 것이다.

「……그런데 재수가 없었어. 보니까 빨간 선은 없고 검은 선만 세 개 있더라고.」

오를랑도는 그의 가방에서 화약 덩어리와 뇌관을 꺼내어
보여 준다.

「다행히도 이건 내가 아프가니스탄에 있을 때 한 번 봤던
모델이야. 아주 간단하게 조립된 거지. 처음에는 그냥 선들을
뽑아 버릴까도 생각해 봤어. 하지만 여기에 안전장치가 되어
있을지도 모른다는 생각이 떠올랐어. 하여, 그냥 뇌관 내부에
있는 건전지들을 빼버리기로 생각을 바꿨지.」

「그래서?」

「음…… 그게 전부야.」 왕년의 전사는 트림을 한 방 터뜨리
며 말한다. 「뇌관이 없으면 폭발도 없는 거지 뭐.」

사람들은 일이 그렇게나 간단했다는 사실에 실망감마저
느낀다. 그들이 상상했던 것은, 영화에서 본 것처럼 거기에 수
많은 선들이 얽혀 있고, 따라서 그 가운데서 올바른 것을 찾
아내야만 하는 진땀나는 장면이었다. 혹은 카운트다운을 멈
추기 위해 어떤 비밀스러운 조합을 발견해 내야만 하는 긴박
한 상황이었던 것이다. 다시 오를랑도가 말한다.

「여러분한테 제안하는데, 이걸 우리 마을 표지판 말뚝 위에
다 올려놓자고. 앞으로 우리의 트로피가 될 거야. 그걸 보면,
우리가 인생을 살면서 적어도 한 번쯤은 뭔가 좋은 일을 했다
는 걸 기억할 수 있지 않겠어?」

그는 즉시 말을 행동으로 옮긴다. 굵은 매직펜 하나를 찾
아와서는 팻말에 한 줄을 더 써넣는다.

〈대속
총 주민 수 5명.
성가신 놈 0명.
해체된 폭탄 1개.〉

에스메랄다는 이 새로운 장식물에 별로 열광하는 기색이

아니다.

「아니, 남작! 당신 확실해? 저게 정말로 폭발할 위험이 없는 거냐고?」

「공작 부인, 그게 터지려면 말이야, 뇌관 속에다 전지를 넣어야 해.」 오를랑도의 간단한 설명이다.

에스메랄다는 뻣뻣한 실뱀 같은 전선들이 늘어져 있는 그 이상한 물체를 의심 그득한 눈으로 훑어본다.

혼자서 깊은 성찰에 잠겨 있던 페트나가 불쑥 입을 연다.

「그런데 그 테러리스트 말이야. 혹시 이럴 위험성은 없는 거야? 그자가……」

「그자가 뭘? 우리가 자기 장난감을 훔쳐 갔다고 원한을 품고 있을 거라고?」 오를랑도가 소리친다. 「그래! 그자가 폭탄 절도죄로 우리를 고소하겠구먼!」

바이킹은 널찍한 어깨를 들썩이면서 큭큭큭큭 요란하게 웃어 댄다. 페트나는 다시 말을 잇는다.

「지금 놈들이 이상하게 생각하고 있을 것은 분명한 사실 아니겠어? 그러니까…… 그 테러리스트들 말이야. 적어도 그들만큼은 우리가 개입했다는 사실을 알고 있다고.」

「그럴까? 놈들은 뇌관이 고장 났다고 생각할 거야. 알다시피, 놈들의 살인 장치들은 조작 중에 터져 버리는 경우가 다반사야. 민간인 학살이라는 게 정밀과학은 아니니까.」

그는 시가 연기를 후우 하고 몇 차례 내뿜은 다음, 맥주 캔의 내용물을 꿀꺽꿀꺽 다 마셔 버리고는, 하치장에 사는 이점을 과시라도 하듯 깡통을 아무 데나 저만치 집어던진다. 이곳에서는 쓰레기를 버릴 때 쓰레기통을 찾아 헤멜 필요가 없는 것이다.

카산드라는 가슴이 벅차오른다.

죽을 수도 있었던 사람들이 죽지 않아! 나의 특별한 능

력이 수많은 생명을 구해 낼 수 있었어! 난 해냈어. 난 해냈어. 그래, 난 해냈어!

그들은 단결을 위해 술병을 돌리고, 돌아가면서 트림을 터뜨린다. 카산드라만이 고개를 저으며 알코올을 거절한다. 지난번에 술 취하고 나서의 끔찍한 결과가 아직도 뇌리에 생생한지라, 그들도 굳이 권하려 들지 않는다.

「그 객차가 얼마나 콩나물시루였는지 봤어? 그 감방 같은 금속 상자 안에서, 그것도 터널에 갇힌 상태에서 그게 터졌다면…… 정말로 참혹했겠지!」 페트나가 그 광경을 상상해 보며 중얼거린다.

「맞아! 그건 분명히 이렇게…….」

이 문장을 끝맺기 위해 오를랑도는 어마어마한 방귀 한 방을 터뜨린다.

「하지만 우리가 한 일을 아무도 모르니, 우리에게 고맙다고 하는 놈은 하나도 없겠지……. 내 말뜻을 이해할랑가 모르겠지만.」

「더 심하게 얘기하자면, 사람들이 이번 사건에서 기억하는 것은 어느 노숙자 떼거리가 요금도 안 내고 지하철에 난입했다는 사실뿐이겠지.」 킴이 킬킬댄다.

「아, 내 말이 바로 그거야!」 에스메랄다가 맞장구친다. 「그들은 우리가 저희들을 구해 줬다는 사실을 까맣게 모를 뿐만 아니라, 심지어는 우리를 어디다가 치워 버려야 할 귀찮은 존재들로 여기고 있어. 완전히 거꾸로 된 세상이지. 우리가 도대체 왜 그 일을 했는지 모르겠어!」

당신의 대속을 위해서죠.

에스메랄다는 몸을 벅벅 긁는다. 다른 사람들도 따라서 긁는다.

「그런데 말이야, 나는…….」 오를랑도가 수염 아래로 미소를 지으며 화제를 바꾼다. 목소리에 징그러운 애교까지 섞어 가면서. 「난 오늘 일을 통해 몇 가지 사실을 알게 됐어……. 안 그래, 나의 사랑 공작 부인?」

그는 입술에 손을 대어 키스를 보내고, 그 대답으로 그녀는 그의 발치에다 가래침을 탁 뱉는다.

「뚱뚱아, 저쪽으로 가서 엿이나 먹어! 엉뚱한 꿈꾸지 말고, 주제 파악 좀 하란 말이야! 〈할머니가 자연을 좋아한다고 해서…….〉」

「〈……쐐기풀 수풀에 밀어 넣어서야 되겠어?〉 이젠 당신 레퍼토리 뻔히 알고 있다고. 아, 난 당신이 사용하는 그 진부한 표현들이 정말이지 마음에 안 들어! ……그건 그렇고, 우리는 기막힌 특공대 같지 않아? 공주는 예측하고 공작 부인은 재정 관리, 자작은 화학 및 가스 무기에 후작은 정보 통신. 정말이지 기동 타격대 일을 멋지게 해냈잖아!」

음양이는 〈일〉이라는 단어가 나오자마자 네 발로 벌떡 서며 으르렁댄다. 무덤에서 카산드라를 구해 준 이후로 녀석은 부족의 영웅이 되었고, 다섯 사람은 녀석을 무리의 일원으로 대접하며 잘 먹여 주고 있다.

「어쨌든 이번에 우리는 비싼 대가를 치렀어. 우린 파산했단 말이야.」 에스메랄다가 으르렁대듯 투덜거린다.

「어차피 우린 노숙자야. 돈 없는 게 당연한 거 아니겠어?」 김예빈이 제법 철학자처럼 말한다. 「또 돈이 행복을 가져다주는 건 아니잖아.」

「이거야, 원! 여봐, 반대 속담이 속담보다 나은 경우가 있다면, 바로 그 속담이라고!」 오를랑도가 쏘아붙인다.

「우린 파산했어. 오늘 저녁에 로토도 살 수 없게 됐어.」 에스메랄다의 불만은 쉽게 수그러들 것 같지 않다.

페트나는 곰곰이 생각해 본다.

「음, 그렇긴 하지……. 하지만 내일 돈을 걸면 다음 주 로토는 가능해. 그리고 다시 돈 좀 만들려면 해결책은 하나지. 집시들이야.」

94.

일이 성공하고 나면, 사과하는 걸 잊어서는 안 되겠어. 그러지 않으면 사람들은 원망을 품게 되지.

저들에게 사과해야 했어. 일어날 일을 예측해서 미안하다고.

저들에게 사과해야 했어. 남들과 다른 능력을 지녀서 미안하다고.

열광의 순간이 지나면 저들의 머릿속에는 한 가지 생각만이 남게 되지. 우린 편안히 살고 있었는데, 조것 때문에 삶이 피곤해졌다고.

자고 있는 자들을 깨우는 사람은 결코 좋은 대접을 받지 못해. 그러니 앞으론 조심해야 해. 잘못하면 저들이 날 쫓아낼 수도 있는 일이야.

나 같은 이들을 결국에는 쫓아내 버린 그 모든 사람들처럼.

95.

그들은 일을 분담한다.

에스메랄다는 아직 빗물이 뚝뚝 떨어지는, 널어 놓았던 쥐가죽과 개가죽을 거둔다.

오를랑도는 자기 작업실에 들어가 단검과 화살촉의 날을 갈아 날카롭게 만든다. 페트나는 긴 낫으로 그의 움막 지붕 위로 올라올 정도로 웃자란 식물들을 자른다.

김예빈은 카산드라에게 자기를 따라오라고 손짓한다. 두

사람은 어깨를 나란히 하고 악취 풍기는 축축한 공기 속을 걷는다. 그렇게 얼마를 가다 보니 낡은 컴퓨터, 모니터, 키보드, 마더보드 등이 산처럼 쌓여 있는 무더기 앞에 이른다. 동양 청년은 이 전자 부품들 속에 금, 구리 같은 귀금속들이 감춰져 있다고 설명해 준다.

「사람들은 잘 모르지만, 쓰레기는 보물을 포함하고 있어.」

첫 번째 컴퓨터 무더기를 뒤져 본 뒤, 청년은 그녀를 두 번째 무더기로, 그리고 다시 각종 전자 제품 폐기물들이 쌓여 있는 세 번째 산으로 인도한다. 그는 잡다한 보드들이며 이상한 물건들을 주워, 메고 있는 잡낭을 가득 채운다. 그런 다음 카산드라에게 다가와 껌 하나를 권한다.

「저 사람들을 너무 나쁘게만 생각해서는 안 돼.」 그는 껌을 짝짝 씹으며 말한다. 「모두가 저마다의 절실한 문제가 있는 사람들이니까. 에스메랄다에게 중요한 문제는 뭇 남성의 숭배를 받는 스타가 되는 거야. 오를랑도의 문제는 딸을 잃어버렸다는 거고. 페트나의 문제는 의사로서의 자신의 재능을 의심하고 있다는 점이지.」

「그렇다면 후작, 네 문제는 뭔데?」

「나? 난 말이야, 전체주의적 독재자들의 마피아 같은 조직, 불쌍한 사람들을 노예로 부리려고 한통속이 되어 있는 전 세계의 개자식들 때문에 미치겠어! 게다가 놈들은 이 모든 것이 불쌍한 사람들을 위한 일이라고 선전하고 있지. 내게 나의 개인적 투쟁의 길을 제시해 준 자는 바로 김정일이야. 그게 뭐냐고? 그자의 그 구역질나는 친구 목록을 한번 들여다보기만 하면 알 수 있는 일이야. 그 친구들이란 게 다름 아니라 세계에서 가장 흉측한 부스럼들이거든. 미얀마, 이란, 수단, 소말리아, 리비아, 콩고 민주 공화국, 쿠바, 베네수엘라, 그리고 여기에다 150여 나라를 더 추가할 수 있어. 태어날 만한 곳이 못 되는 나라들, 당신으로 하여금 현실을 영원히 볼 수 없게 만들려고, 당신의 입을 닥치게 만들려고 유치원 때부터 증오를 주입하는 전체주의적 국가들이지. 그들이 불쌍한 국민들에게 가리고 있는 현실이 뭔지 알아? 그것은 어떤 사기꾼 개자식이 현 상태를 이용하여 자기 주머니를 채우고 있다는 사실이지. 으으으으으!!!!!! 이런 깡패 중의 하나가 이 세상 어딘가에서 자리를 잡고 있는 한, 난 내게 뭔가 할 일이 있다고 생각해. 그리고 내가 장담하는데, 오늘 우리가 방해를 놓은 그 테러리스트들은 내 친구 김정일네 집에 놀러 가서 먹고 마시고 낄낄대곤 하는 자들을 두목으로 두고 있을 거야.」

그녀는 이해가 된다는 듯 고개를 끄덕인다.

애에겐 독재 체제 혐오증이 있었어……. 하지만 이런 하치장에 처박혀서 뭘 어쩌겠다고?

한 무리의 쥐 떼가 무언가 바쁜 일이 있는 듯 후닥닥 지나간다.

「그리고 우리 대속의 주민들에 대해 다시 이야기해 보자면…… 그들을 나쁘게 생각할 필요는 없지만, 그렇다고 지나친 환상을 품을 필요도 없어. 오를랑도, 에스메랄다, 페트나, 이 사람들은 결코 친절한 사람들이 아니고, 결코 네 친구가 될 수 없을 거야. 그러기엔 너무 늦었어. 그들은 더 이상 사랑할 줄 모르게 된 사람들이니까. 그들의 과거는 너무도 더럽혀져 있어서, 그걸 씻어 다시 깨끗하게 만든다는 건 불가능해. 그들이 네게 거짓말한 건 아니지만, 모두가 이야기의 끝 부분을 빼놓고 얘기했어. 노숙자들은 저마다 나름의 영광스러운 과거를 꾸며 내지. 자기들은 영웅이나 희생자이고, 자기를 제외한 모든 사람은 잘못된 그런 과거의 세계를.」

동양 청년은 문장에 마침표를 찍듯이 침을 뱉는다.

「그러나 현실은 전혀 달라. 즉 네가 들은 버전은 사실은 불

완전한 버전이야. 자, 그들이 빼먹은 끝 부분을 얘기해 주지. 에스메랄다는 자기는 성적(性的)인 영화를 촬영한 적이 없다고 말했지? 좀 더 정확하게 말해 줬어야 했어. 그녀 자신은 그런 적이 없었겠지만, 포르노 영화 제작자들에게 자기 친구들을 공급했다는 사실은 빼놓았지. 그중 몇몇은 아주 어린 애들이었어. 채 성년도 되지 않은 애들…… 내 말뜻 이해하겠어? 에스메랄다는 미스 〈젖은 티셔츠〉 선발 대회의 후견 마담이 되었는데, 그 대회들에서 만난 애들이었어. 즉 자기의 동료들이었지. 그 일에 대한 대가로 그녀는 돈을 좀 만졌어. 어때? 포주들 하는 짓하고 좀 비슷하지 않아?」

젊고 예쁜 여자애들을 멸시하는 듯한 그녀의 태도가 이제야 이해가 되는군. 그들을 파괴하고 더럽히는 데서 쾌감을 느꼈던 거야.

「그럼 오를랑도는 어떨까. 때로는 약간 퉁명스럽고, 술을 먹으면 주먹을 휘두르기도 하지만 그래도 따뜻한 구석이 있는 외인부대원? 맞아. 하지만 네게 빼놓은 부분이 있지. 그는 자기 주머니를 채우려 틈틈이 무기 밀매를 했어. 대위하고 문제가 있었다는 게 무슨 말인지 알아? 무기를 빼내다가 딱 걸린 거라고! 이때 그는 꽁무니를 빼는 대신에 대위의 입을 막으려고 말 그대로 난도질을 해버린 거야. 오를랑도, 그에게는 가만히 있는 사람을 정당방위의 미명하에 해치는 경향이 있지. 내 말뜻 이해하겠어?」

페트나가 말끝마다 붙이는 〈내 말뜻을 이해할랑가 모르겠지만〉이라는 표현이 좋아지기 시작하고 있어. 마치 말줄임표 같은 게, 머릿속에서 영화가 돌아가게 만들거든.

파란 머리 가닥의 청년은 또다시 땅에다 침을 뱉는다.

「페트나는 자기는 뎀벨레 사부의 제자였고, 그 뎀벨레는 품질 좋은 약재를 좋아했다고 말했지. 그런데 말하지 않은 부분이 있어. 그는 뎀벨레가 약을 만드는 데 사용하는 원료를 공급했지. 그런데 그들이 가루약의 재료로 가장 귀하게 여기는 것 중의 하나는…… 바로 알비노들이었어.」

그는 잠시 말을 멈춘다.

「너 알비노가 뭔지 알아? 색소에 문제가 있어서 피부색이 엹거나 완전히 하얀 사람들이야. 모발도 하얗고, 눈은 때로 빨간 경우가 있지. 인종이 흑인이라도 마찬가지야.」

카산드라는 더 이상 이해하고 싶지도 않다.

「그는 백인들을 좋아하지 않는다고 말했지. 그때 좀 더 자세히 말했어야 해. 흰 피부를 가지고 태어난 죄밖에는 없는 가련한 사람들을 자기가 죽였다고 말이야. 그곳의 주술사들 사이에서는 알비노가 매우 인기가 높지. 알비노의 팔 한 짝, 다리 한 짝은 그들에겐 신성한 약재거든. 또 주술사들이 죽으면 어떻게 하는 줄 알아? 그들의 주검을 알비노의 시체들로 겹겹이 덮어 놔. 이런 일이 얼마나 성행하는지, 유럽의 인도주의적 단체들이 보호소들을 만들어 알비노들을 모아 놓지 않으면 안 되었을 정도야. 그런데 주술사들에게 약재를 공급하는 자들은 기관 단총으로 무장하고 이런 보호소들을 공격했다고!」

세상에, 그런 일이 있었다니!

「심지어 탄자니아, 콩고 민주 공화국, 부룬디 같은 곳에서는 알비노 사냥이 공공연히 자행되었어. 그들을 마치 짐승처럼 쫓으며 사냥한 거지. 페트나가 바로 알비노 사냥 대장이었어. 아마 수백 명은 죽였을걸.」

김은 이 모든 더러운 일들을 자기에게서 떨쳐 버리겠다는 듯, 퉤하고 침을 뱉는다.

「그렇기 때문에 그들에겐 널 판단할 권리가 없는 거야. 오히려 네게 감사해야지. 그들이 태어나서 처음으로 명예로운 일을 할 수 있게 해주었잖아.」

카산드라 눈앞에는 주술사의 관 위에 겹겹이 쌓인 알비노들의 시체들이 떠오른다. 순간 치미는 역겨움에 진저리가 인다.

「후작, 그럼 넌? 너의 완전한 스토리는 뭐야?」

「난 말했잖아. 전체주의 체제들을 증오한다고. 난 독재자들에게 갈 돈을 빼돌렸어. 그게 다야.」

「그게 전부라고?」

「그럼, 정말이야.」

「확실해?」

그는 잠시 머뭇거리더니 조그맣게 우물댄다.

「그거 말고…… 그때는 좀 어려서…… 여자들 핸드백을 날치기했고, 호주머니에서 삐져나와 있는 지갑을 슬쩍했지. 배가 고플 때 그랬어. 뭐, 어릴 때는 다들 그렇게 하잖아.」

그녀는 고개를 끄덕인다.

아니지. 모든 사람이 그렇게 하는 건 아니지.

「그리고 한때는 아나키스트 무리와 어울린 적이 있었어. 그러면서 가끔씩 극우파 스킨헤드 애들이랑 붙기도 했지. 난 비관용은 관용할 수 없었거든. 놈들은 다가와서 킬킬대며 시비를 걸곤 했어. 내겐 쌍절곤이 있어서, 그걸로 방어를 했고.」

카산드라는 그의 고백이 어디까지 이어지는지 지켜본다.

「난 폭력을 좋아하지 않아. 하지만 시비를 걸어오면 기꺼이 상대해 주지. 다시 말해서 나도 경우에 따라서는 약간…… 공격적인 방어자가 될 수도 있어. 맞아, 그게 정확한 표현이야. 난 공격받지 않기 위해 강력하게 공격할 수도 있는 사람이야. 이런 점에선 오를랑도와도 비슷하다고 할 수 있지.」

추억을 더듬고 있는 듯 그의 시선은 저 멀리 지평선 어딘가를 헤맨다.

「그리고…… 좋아, 얘기하지! 알바니아 애들하고 같이 있을 때 쌍절곤을 몇 번 휘두른 적 있어. 놈들로 하여금 나를 존중하게 해주려고. 뭐, 그런 건 무법자들 세계에선 일상적인 일이니까.」

「마약도 했어?」

「내가? 지금 농담한 거지? 원, 세상에! 흐음, 말하자면……내가 잠시 마약상을 하던 시절에, 제품을 팔기 전에 맛을 본 일이 있기는 해. 그래야 고객들에게 제품에 대해 설명해 줄 수 있거든. 포도주 상인이 포도주를 맛보지만 반드시 알코올 중독자는 아니듯이 말이야.」

카산드라는 수긍하는 표정을 지어 보인다.

「하지만 단지 그것뿐이야. 정말이라고. 난 한 번도 내 몸에 주삿바늘을 찌른 적이 없어. 그리고 강간을 한 적도 없고, 손에 피를 묻히는 범죄를 범한 적도 없어. 기회가 없었던 건 아니야. 하지만 항상 유혹에 저항했어. 난 깨끗한 놈이야! 정말이라고!」

「그럼 왜 이렇게 도망 다니는 거지?」

「난 프랑스 국적을 취득하지 못했고, 단지 그것 때문에 일이 꼬였을 뿐이야. 지금 잡히면 은행 돈 빼돌린 일만으로도 당장 국외 추방이지.」

아냐. 김도 저들과 다를 바 없어. 거짓말을 하고 있어. 아마 뭔가 심각한 일을 저질렀을 거야. 하지만 내게 고백하려 들지 않아.

「그럼, 공주 너는? 그렇게 잘난 척하는데 정말로 아무런 죄가 없는 거야?」

카산드라는 대답하지 않는다. 그저 묵묵히 폐타이어 산의 꼭대기로 기어오를 뿐이다. 그리고 더는 연기를 뿜지 않는 두 개의 굴뚝이 솟아 있는 거대한 소각장을 물끄러미 바라본다.

「뭘 보고 있어? 아, 몰로크! 재갈 물린 우리의 용을 보고 있군.」

소녀는 타이어 산을 내려가, 공장 쪽으로 달려간다. 그러고는 거대한 철문 앞에 멈춰 선다. 소각장 입구는 굵은 쇠사슬로 묶여 있고, 그 위에 큼직한 자물쇠 하나가 채워져 있다. 관인 찍힌 봉인들이 빗물에 반짝이며 통행을 금지하고 있다.

그녀는 쇠사슬을 만져 본다.

「어마어마한 건물이지만 속은 텅 비었어.」 김이 설명해 준다.

그녀는 굵직한 막대기 하나를 집어 들어 벽을 두드려 본다. 반향음을 통해 건물 내부의 규모를 가늠해 보려는 것이다.

「조심해!」 청년이 소리친다.

너무 늦었다.

그녀는 두 벽이 만나는 구석에 깃들여 있는 야생 꿀벌의 둥지를 막대기로 때리고 말았다. 즉시 벌떼가 몰려나와 그들을 공격해 온다. 두 젊은 남녀는 버려진 폐차 쪽으로 달려간다. 그리고 그 안에 들어간 다음 잽싸게 차창을 닫아 버린다.

「꿀벌이야. 야생 꿀벌인데 하치장에서 자라는 꽃들을 먹고 살지. 그런데 말이야, 저 녀석들은 꿀까지 만든다고! 놀랍지 않아? 요즘은 전 세계적으로 꿀벌들이 사라져 가고 있다는데, 이 녀석들은 아주 튼튼해. 돌연변이를 했거든.」

카산드라의 얼굴에 문득 미소가 떠오른다.

「왜 웃지, 공주?」

「이 상황 때문에. 왜, 아이들이 꿀벌을 잡으면 위에다 유리컵을 덮어 놓잖아. 그런데 지금 감옥에 갇혀 있는 것은 우리이고, 꿀벌들은 유리벽을 통해 밖에서 우리를 관찰하고 있어. 우습지 않아?」

이 말에 김은 이마를 덮은 머리칼을 쓸어 올리더니, 왠지 침중한 눈빛으로 그녀를 응시한다.

꿀벌들은 여전히 차 주위를 빙빙 돌고 있다. 카산드라의 손목시계는 〈5초 후 사망 확률: 15%〉를 가리킨다.

그녀는 두 눈을 꼭 감고는 꿀벌들과 정신적인 접촉을 시도해 본다. 김이 묻는다.

「방금 뭘 한 거야? 벌들이 약간 진정된 것 같은데?」

「내 정신 속에서 우리와 꿀벌 사이의 울타리를 허물어 버렸어. 녀석들은 이해했을 거야. 나 역시 자기들처럼 이 하치장의 한 주민이라는 사실을.」

그래서 두 젊은이는 차에서 나오지만…… 곧바로 벌들에게 쏘인다. 둘의 팔뚝은 금방 여기저기 부풀어 오르며 불에 덴 듯 쓰라려 온다.

「아직 주파수가 맞춰지지 않는 모양이야. 하지만 역시 정신력을 통해 내 몸의 자연 방어력으로 벌독을 다스리게 할 수는 있을 거야.」

손목시계를 보니 〈5초 후 사망 확률: 41%〉가 떠 있다.

50%의 턱밑까지 올라왔어! 프로바빌리스는 꿀벌은 포착하지 못했어. 이 부근에 감시 카메라도 없고, 컴퓨터가 우리에게 일어나는 일을 알아낼 방법이 전혀 없으니까. 하지만 지금 프로바빌리스는 내 빨라진 심장 박동을 통해 뭔가 문제가 있음을 알아챈 거야.

침이 뽑힌 꿀벌들이 발밑에 떨어져 웅웅 소리를 내며 죽어가는 게 보인다.

파파다키스가 옳았어. 꿀벌들은 깊이 성찰하지 못해. 녀석들은 단지 공격하고 죽게끔 프로그래밍되었을 뿐이야. 물러설 줄도 모르고, 자유 의지도 없지. 종교 학교에서 킬러 교육을 받고 자라나, 아무런 고민도 문제의식도 없이 무슨 짓이든 할 수 있다는 그 소년들처럼.

그들은 죽기 살기로 도망친다. 마침내 위험에서 충분히 벗어난 거리에 이르렀다고 생각했을 때, 둘은 비닐봉지가 수북한 땅바닥에 그대로 주저앉고 만다.

「야, 이 멍청이야!」 그가 헉헉 거리면서 소리친다.

너도 멍청이라고.

그들은 헐떡대며 숨을 고른다.

「아, 난 멍청이들이 싫어!」

난…… 날 좋아하지 않는 사람들이 싫어.

〈5초 후 사망 확률: 32%〉.

「근데 그게 뭐지? 그 시계 말이야.」

「설명해 줘도 넌 믿지 않을 거야.」

96.

하기야 나 자신도 완전히 믿는 건 아니니까.

오빠는 누구지?

이 물건을 발명해 낸, 천재인지 악마인지 모르겠는 그 사람은 과연 누구지?

자질구레한 일들이 어느 정도 정리되면 오빠를 찾아 나서야겠어. 오빠를 찾아내야만 내가 누구였는지 알 수 있을 테니까. 왜 내가 이렇게 되어 버렸는지를 알 수 있을 테니까. 왜 과거는 없고 오직 미래만을 보려 하는 존재가 되었는지 알 수 있을 테니까.

내 추억들을 되찾고 싶어. 그러기 위해선 내 기억의 하치장을 파헤쳐야 할 거야.

97.

페트나 와데는 두 사람의 벌에 쏘인 상처에다 치약, 로크포르 치즈, 구두약을 기본 원료로 만든 특수 연고를 살살 문질러 발라 준다. 그 김에 쥐에 물린 카산드라의 상처들이 제대로 아물었는지도 확인한다. 몇 걸음 떨어진 곳에서는 에스메랄다가 개가죽들을 접어서 몇 개의 자루 가방에 쟁여 넣는다.

오를랑도는 지금껏 정성스레 갈아 날을 세운 단검이며 화살촉들에 개의 굳기름을 얇게 발라 놓는다. 모두가 이렇게 부산히 움직이고 있을 때, 김은 치료해 주는 페트나의 손에서 잠시 벗어나 텔레비전 채널을 뉴스 방송에 맞춘다. 볼륨을 조정하자 스피커에서 흘러나오는 앵커의 목소리가 차츰 높아진다.

1. 먼저 축구 소식입니다. 유럽 챔피언스 리그에서 토리노의 유벤투스가 경기가 끝나 갈 무렵 로날디노가 페널티킥을 성공시킨 데 힘입어 첼시를 2대 1로 격파했습니다. 경기가 끝난 후 곳곳에서 폭력 사태가 발생했습니다. 영국 관중 중에는 사망자 두 명과 중상자 한 명이 나왔고, 이탈리아 쪽에서는 두 명이 사망했습니다. 주심도 공격을 받아 병원에 후송되었습니다. 생명에는 지장이 없지만 한쪽 눈을 실명할 수도 있다고 합니다.

2. 환경 사건입니다. 그리스 선적의 유조선 한 척이 브르타뉴 해안 카르나스 해변을 마주 보는 곳에서 좌초했습니다. 유조선의 옆구리에서 쏟아져 나온 엄청난 양의 석유가 인근 해안으로 유입되고 있습니다. 벌써부터 환경 단체들은 이 지역 동물상과 식물상에 큰 재앙이 있을 거라고 예고하고 있습니다. 해안 주민들의 피해 보상 문제를 논의하기 위한 협상이 시작되었습니다.

3. 또다시 경제 스캔들입니다. 자동차 업계는 앞으로 자동차 판매가 감소한다는 예상하에 대량 해고를 시작했습니다. 이는 실업률을 높여 프랑스 국민의 구매력을 낮출 것이며, 결국…… 자동차 소비를 감소시키게 될 것으로 전망됩니다.

4. 국제 정치입니다. 콜레라가 짐바브웨를 휩쓸고 있습니

다. 이미 4천 명 이상이 사망했고, 수만 명에 달하는 사람들이 감염되었지만 치료를 받지 못하고 있는 실정입니다. 프랑스 대통령은 이 나라를 돕기 위해 국제적인 구호 활동을 제안했습니다. 하지만 85세의 짐바브웨 대통령 로버트 무가베는 〈다른 나라들은 자기 일이나 잘해라〉라고 선언했습니다. 그는 이어 주장하기를, 자신도 프랑스에 광우병 위기가 있었을 때 아무 비판을 하지 않았으니, 〈짐바브웨 내부의 사소한 의학적 문제들〉을 가지고 자기를 비난해서는 안 된다고 말했습니다. 세계 보건 기구가 심각한 우려를 담은 보고서를 발표하자, 로버트 무가베는 즉시 각국 기자 및 인도주의적 구호 단체들의 입국을 금지하면서, 이들은 이 나라에 거짓된 정보들을 퍼뜨림으로써 그의 정적들을 밀어 주려는 속셈을 가진 스파이들에 불과하다고 주장했습니다.

5. 국제 정치입니다. 지금 중국에서는 여성이 부족하다고 합니다. 이는 〈초음파 검사〉가 성행하여 여성 태아를 사전에 낙태하는 풍조에서 기인합니다. 전통적으로 중국 가정들은 남아를 선호하며, 조상 대대로 내려오는 이러한 행태를 바꾸려 하지 않고 있습니다.

6. 파리에서 일어난 조그만 사건입니다. 매우 불결한 노숙자 몇 명이 지하철에 난입하여 폭탄 경보를 허위로 퍼뜨리며 소동을 벌인 일로 인해 이용객들의 불평이 잇따르고 있습니다. 이에 대해 RATP 회장은 〈통제를 강화해야 하지만 인력이 부족하다〉라고 입장을 밝혔습니다. 하지만 야당 당수는 〈이것은 더 이상 아무도 관심을 가져 주지 않아, 사회의 시선을 끌기 위해 절망적으로 무슨 일이라도 벌이려 드는 이 사회의 새로운 빈곤 계층이 제기하는 문제의 한 예〉라고 반박했습니다. 이어 그는 〈경제 위기로 말미암아 노숙자가 점점 더 늘어가고 있습니다. 이 유감스러운 사건은 부자들만 위하고 가난

한 사람들은 까맣게 잊어버린 이 나라 정책의 본질을 드러내는 한 증상〉이라고 덧붙였습니다.

　7. 로토입니다. 오늘 추첨된 당첨 번호는 다음과 같습니다…….

　모두가 동작을 멈추고 차례차례 발표되는 숫자들에 귀를 곤두세운다. 페트나가 벌떡 일어서더니 침을 탁 뱉는다.

　「이런 빌어먹을! 이건 내가 평소에 하던 번호잖아!」

　「이게 다 저 개똥 같은 계집애 덕분이야.」에스메랄다가 웅얼댄다.

　그러자 오를랑도는 빈 병을 가급적 요란한 소리가 나도록 있는 힘껏 집어던진다.

　「더 이상 개똥 같은 계집애라고 부르지 마! 이제는 공주니까! 자, 집시들에게 가서 거덜 난 주머니나 채워 놓자고!」

98.

　무엇을 하든, 난 세상에 혼란만 가져오고 있을 뿐이야.

　어떤 의미에서 우리 모두는 연못에 던져져 파문을 일으키는 돌멩이들이라고 할 수 있겠지. 하지만 나라는 돌멩이는 어마어마한 물결을 일으키고 있어.

　그리고 그것을 좋아하는 사람은 아무도 없어.

99.

　그들이 서쪽에 위치한 보헤미안[35]들의 야영지에 다가감에 따라 고기 굽는 고소한 냄새가 콧속을 파고들며 하치장의 악

　35 보헤미아는 체코 한 지방의 옛 이름이며 집시들은 이곳 출신이 많았기 때문에 프랑스 사람들은 집시를 보헤미안이라고도 불렀다.

취를 덮어 버린다.

붉은 체크무늬 식탁보가 덮인 커다란 식탁들이 서 있고, 그 위에는 알록달록하니 때깔도 고운 향기로운 음식들로 그득한 접시들이 줄지어 놓여 있다. 긴 쇠꼬챙이에 꿰뚫린 큼직한 쇠고기 덩어리들은 시뻘건 잉걸불 위에서 천천히 돌고 있다.

대속의 시민들이 야영지의 언저리에 나타날 무렵, 백여 명에 달하는 사람들이 베이지색 캠핑카 주위에 모여 있다. 그들은 걱정스러운 얼굴로 뭔가를 기다리고 있다. 카산드라는 무슨 일이 일어나고 있는지 궁금했지만, 아무래도 누구를 붙잡고 물어볼 분위기는 아닌 듯하다. 오를랑도는 아무 말 말고 그냥 보고만 있으라는 눈짓을 한다.

캠핑카는 간헐적으로 세차게 들썩인다. 헐떡이는 소리가 새어 나오는가 싶더니, 그 소리는 이내 깩깩대는 소리로 바뀐다. 이어 울부짖는 소리가 터져 나오더니 한없이 이어진다.

지금 누군가를 죽이고 있나?

소녀는 반사적으로 자신의 손목시계를 들여다본다. 〈5초 후 사망 확률: 14%〉.

이윽고 차 안이 조용해지더니, 어떤 사람의 실루엣이 캠핑카 창에 나타난다. 실루엣은 창 커튼을 들어 올리고는 침대보 한 장을 흔들어 보여 주는데, 그 흰 천에는 붉은 얼룩이 세 군데 묻어 있다. 즉시 집시 무리는 환호성을 올리고, 잠옷 차림의 젊은 부부 한 쌍이 쏟아지는 박수갈채 속에서 캠핑카를 빠져나온다.

김예빈은 카산드라의 귀에다 대고 소곤소곤 설명해 준다.

「결혼식이야. 이들은 방금 첫 잠자리를 가졌지. 침대보에 묻은 피는 신부가 처녀라는 증거야.」

아닌 게 아니라 두 젊은 남녀는 땀에 흠뻑 젖어 너무도 행복한 표정을 짓고 있다. 네 명의 기타 주자, 그리고 바이올린

주자와 탬버린 주자 각각 한 명씩이 미친 듯한 리듬의 음악을 연주하기 시작하자, 아낙네들은 비명에 가까운 새된 환성을 질러 댄다.

모든 사람이 춤을 추기 시작한다.

에스메랄다는 우람한 체격의 한 남자에게로 다가가 가져온 쥐 가죽과 개가죽 제품을 보여 준다. 또 자신이 직접 재봉하여 만든 담배쌈지와 방한용 토시 중 몇 가지 모델도 소개한다. 남자는 특히 쥐 털로 만든 벙어리장갑에 마음을 뺏긴 기색이다. 두 사람은 잠시 얘기를 나누더니, 한 캠핑카 안으로 함께 들어간다.

오를랑도는 역삼각형 얼굴에 바짝 마른 한 남자에게 다가가 각종 칼, 활, 화살 등속을 꺼내어 보여 준다. 사내가 가장 큰 관심을 보이는 물건은 제1차 세계 대전 때에 사용하던 진짜배기 총검이다.

페트나는 한 무리의 사내들에게 가루약이 든 약 첩들을 보여 주면서, 이 약만 먹으면 엄청난 정력을 얻게 되어 여자들에게 진한 감동을 선사할 수 있다고 장담한다. 사내들은 자기들은 이미 비아그라를 사용하고 있노라고 대꾸한다. 하지만 너무도 익숙한 이 반론 앞에서 세네갈인은 조금도 움츠러들지 않는다. 오히려 비아그라는 나온 지 얼마 안 되는 신약이라 어떤 부작용이 나타날 지 아무도 모르는 일이지만, 이 가루약으로 말할 것 같으면 이미 수천 년 전부터 백 퍼센트의 약효와 안전성이 이미 검증된 터라고 맞받는다. 또 이것은 최음제로 유명한 부아방데 나무와 딱정벌레의 일종인 가뢰를 빻은 가루, 그리고 생강의 혼합물이라고 설명한 다음, 이렇게 덧붙인다.

「게다가 맛도 기가 막히지!」

그는 신중을 기하기 위해서라도 새로운 실험을 하느니보다는 확실한 전통적인 제품을 사용하라고 권한다. 고객들은 잠시 망설이다가 결국 가격을 흥정하기 시작한다.

껑다리 세네갈인은 이번에는 한 무리의 아낙네들에게 다가가 이름표를 붙여 놓은 조그만 요구르트 단지들과 누르스름한 액체로 채워진 병들을 내민다. 그리고 이 음료를 아침마다 마시면 하룻밤에도 수십 번씩 오르가슴에 이를 수 있으며, 폐경 연령을 늦출 수 있다고 단언한다.

카산드라는 그 모습을 지켜보고 있으려니, 문득 수상쩍은 느낌이 든다. 페트나가 수다를 떨어 대며 팔고 있는 노란 액체는 혹시 그 자신의 오줌이 아닐까? 하지만 그 역겨운 감정은 잠시뿐, 장사꾼으로서의 그의 재능에 그저 감탄만 나온다.

「자, 이젠 우리 차례야!」 김이 말한다.

그는 전자 제품 폐기물로 가득 채워진 배낭을 흔들어 보이고는 키가 후리후리하고 체격도 좋은, 밤색 재킷 차림의 한 사내 쪽으로 걸어간다. 사내는 오른쪽 눈에 원통형의 확대경을 끼운 다음, 규소 판들과 구리판들을 하나하나 면밀히 검사하면서 승인하기도 하고 거부하기도 한다.

「배고프면 가서 뭐 좀 먹어, 공주.」 파란 머리 가닥의 청년이 권한다. 「나는 이 사장님하고 일 좀 봐야 하니까.」

카산드라는 춤을 추고 있는 사람들을 에돌아서 참나무를 대충 깎아 만든 벤치로 와 걸터앉는다. 그러고는 나무 수저를 집어 들어 식탁에 차려진 음식 하나를 맛본다. 알고 보니 가지 무침에 파프리카 소스를 덮은 것이다. 한쪽에는 삶은 달걀 으깬 것에 양파 튀김을 곁들인 요리도 있다. 토마토 샐러드, 커민 향이 나는 빵, 고춧가루로 맛을 낸 찐 당근.

참 오랜만이야. 유통기한이 지나지 않은 재료로 조리한 신선한 음식을 먹어 보는 것도.

한 여자가 미소를 지으며 정체 모를 어떤 음식을 덜어 준다. 입술 끝으로 살짝 맛을 보니, 뭔가 좋은 것 같기는 한데 도통 감을 잡을 수가 없다. 옆에 있던 또 다른 여자가 알려 준다.

「고슴도치 구이야. 진흙에다 굴려서 큼직한 흙 공을 만든 다음, 그걸 불에 넣고 굽지. 흙 공이 벽돌같이 단단해지면 그걸 깨내고 구운 고기를 먹는 거야. 이렇게 요리하면 가시가 점토에 박혀 빠지기 때문에 먹기가 한결 쉬워져.」

카산드라는 접시를 밀쳐 버린다. 그와 동시에 거의 씹지도 않은 음식을 웩 하고 손바닥에 뱉어 땅바닥에 던진다.

이때 카산드라보다 나이가 어려 보이는 한 소녀가 다가와 그녀 앞에 떡하니 마주 앉는다. 금속 고리들로 팔목과 발목을 치장한 소녀는 다짜고짜 묻는다.

「네가 김의 약혼녀야?」

카산드라는 고개를 젓는다.

「웃기지 마! 그럼 김이 너같이 예쁜 계집애를 가만히 놔뒀단 말이야? 내가 그 말을 믿을 것 같아?」

카산드라는 하도 어이가 없어 반박할 필요성조차 못 느낀다.

「넌 더러운 거짓말쟁이야! 하지만 그에게 가서 이 말은 해 줘도 좋아. 그의 인생에는 오직 한 여자만 있을 뿐이라고! 그건 바로 나, 이 나탈리아라고!」

네가 가서 직접 얘기하면 되잖아.

〈자기 똥은 자기가 치운다〉라는 말도 모르니?

저쪽을 보니, 다시 나타난 에스메랄다의 모습이 보인다. 『피플』 유의 잡지를 종류별로 구비하고 있는 한 집시에게서 잡지 여러 권을 구입하는 중이다. 그때 노란색과 검은색 무늬가 어울린 볼레로 조끼 차림의 한 남자가 카산드라에게 다가온다.

「왜 너같이 예쁜 여자애가 저런 맛이 간 인간들하고 같이 다니지?」

이렇게 말할 때 그의 입속에 누런 금니 몇 개가 보인다. 왼쪽 귀에도 금 고리 하나가 반짝이고 있다. 동일한 금속으로 된 굵직한 반지 하나가 그의 엄지를 감싸고 있다.

「마놀로! 그 애를 가만히 내버려 둬!」 휠체어에 앉은 한 집시 노파가 소리친다.

「하지만 할머니……」

노파는 휠체어를 굴려 카산드라 쪽으로 다가온다.

「아가씨, 내 손자 녀석들이 버릇없이 굴어서 미안해요. 저 애들은 이방 여인들에게는 무슨 짓을 해도 괜찮다고 생각하고 있지요. 우리 집에 초대해서 술 한잔 대접하고 싶은데, 괜찮으시겠수?」

여자는 가발을 쓰고 가슴이 풍만한 장 가뱅[36] 같은 느낌이다. 얼굴에는 짙은 화장을 했는데, 그 두꺼운 화장은 오히려 자글자글한 주름을 강조할 뿐이다. 목소리는 그 유명한 남자 배우만큼이나 묵직하다.

그녀가 카산드라를 데리고 간 캠핑카의 옆면에는 〈위대한 카드 점술가, 그라지엘라 부인〉라는 표지판이 붙어 있다. 또 캠핑카의 전면에는 분홍색의 손바닥, 형광색의 별들, 파란색과 검은색으로 묘사된 수정구가 그려져 있다. 또 그 아래에는 〈국제적 명성〉, 그리고 약간 떨어진 곳에는 〈텔레비전에 출연했음〉이라고 쓰여 있다.

캠핑카에는 지면과 연결하는 경사판이 있어, 집시 노파는 휠체어를 타고도 쉽게 올라갈 수 있다. 차 내부는 온갖 잡동사니로 장식되어 있다. 설화 석고 천사상들, 기도하는 성모를 묘사한 작은 조각상들, 플라스틱 사자(獅子) 인형들과 싸움을 벌이는, 역시 플라스틱으로 만든 중국제 성자(聖者) 상들.

집시 노파는 소녀에게 알프스 야생 염소 가죽이 씌워진 어마어마하게 큰 안락의자의 높다란 좌석을 가리키며 앉으라

---

36 Jean Gabin(1904~1976). 프랑스 남자 영화배우. 「암흑가의 두 사람」 등에 출연했다.

고 권한다.

바깥에서는 손톱 끝으로 아르페지오의 애절한 선율을 현란한 레이스처럼 뽑아내는 집시 연주자의 격정적인 기타 연주가 절정으로 치닫고 있다.

그라지엘라 부인은 소음을 줄이려 캠핑카의 미닫이 유리창을 닫아 버린다.

「네 얘기는 페트나에게서 들었어. 넌 미래를 본다고 하더군. 그렇다면 우리 잘 만났어! 그건 바로 내가 가장 관심 있는 분야이니까.」

집시 노파는 대뜸 그녀의 두 손을 붙잡더니 손바닥이 위를 향하게끔 뒤집는다. 그러고는 지그시 두 눈을 감는다. 노파의 갑작스러운 행동에 그대로 도망쳐 버리고 싶은 마음도 들지만, 늙은 사과처럼 쭈글쭈글한 그녀의 얼굴에서 그다지 적의가 느껴지지 않는다.

「우선 알아 둬야 할 게 있어. 이 세상에 정말로 미래를 볼 수 있는 사람은 아무도 없어. 아무도! 심지어는 나조차도 몰라. 이렇게 자신 있게 말할 수 있는 까닭은, 내가 45년 전부터 프로 카드 점술가 국제 노조에 속해 활동하고 있는 점성술사 겸 카드 점술가이기 때문이야.」

그녀는 소녀의 눈 속을 깊숙이 들여다본다.

「넌 지금 이렇게 묻고 싶을 거야. 〈미래를 알지 못한다면 우리는 뭐하는 사람들인가요?〉 자, 내가 설명해 주마. 우리 점성술사들에게는 하나의 명확한 사회적 기능이 있어. 바로 사람들을 안심시켜 주는 일이지. 사람들은 끊임없는 의혹과 불안 속에서 살고 있어. 그리고 우리는 그들에게 대답을 제공해 줘. 그 대답은 맞을 수도 있고 틀릴 수도 있지만, 분명한 것은 우리 덕분에 어떤 대답이 존재한다는 사실이야. 때문에 중요한 것은 어조야. 만일 네가 사람들에게 〈당신에게 돈이 들어올 거라는 느낌이 와요〉라고 확신에 찬 어조로 말해 주면, 그들은 무슨 수를 써서라도 그 일이 실현되도록 만들어 놓지.」

그녀는 자신의 말이 잘 들리게끔 몸을 앞으로 숙인다.

「왜냐면 그들은 우리의 예언들이 실현되기를 바라기 때문이야. 만일 네가 〈당신이 운명적인 사랑을 만나게 될 거라는 느낌이 와요〉라고 말해 주면, 그들은 이후에 오는 감정적인 관계에 더 많은 것들을 쏟아붓게 돼. 그래서 장난스러운 연애에 불과할 수도 있었던 것이 결혼으로 발전하지. 이 모든 것이 바로 우리, 미래를 아노라고 주장하는 점쟁이들 덕분이라고.」

노파는 손을 입으로 가리고서 조그맣게 웃는다.

「우리는 사람들이 미래를 지어 나갈 수 있게끔, 그들에게 청사진을 제시해 주고, 그들을 프로그래밍해 주는 사람들이야. 미래를 만들어 가는 사람은 바로 우리인 거라고! 자, 이 놀라운 사실을 이해하겠니?」

그라지엘라 부인은 어떤 엄청난 비밀을 밝히는 사람처럼 눈을 반짝이며 소곤소곤 말한다.

「그런데 제가 정말로 미래를 본다면요?」 카산드라가 묻는다.

잠시 노파는 그녀를 뚫어지게 쳐다보더니 이윽고 웃음을 터뜨린다. 하지만 소녀의 너무도 확신에 찬 태도에 약간은 놀란 기색이다.

「그렇다고 달라지는 건 아무것도 없어. 만에 하나 정말로 그런 능력을 가졌다 해도 그건 네게 득이 되지 못해. 아니, 오히려 골치 아픈 문제들만 생길 뿐이지. 뭐, 어차피 네 말에 귀를 기울이는 사람은 아무도 없을 테지만.」

카산드라는 자신의 내부를 샅샅이 뒤지려는 듯한 노파의 비수 같은 시선을 똑바로 마주 본다.

「아뇨. 사람들이 제 말에 귀를 기울인 적이 한 번은 있어요.」

그라지엘라의 두 손은 독수리의 발톱 같은 힘으로 소녀의 두 손을 꽉 움켜쥔다.

「아냐. 널 원망하게 될 거야! 모든 사람이 결국에는 널 끔찍이도 싫어하게 될 거야. 그것이 인간의 자연스러운 행태거든. 사람들에게 뭔가를 경고해 주어도, 그들을 듣고 싶어 하지 않아. 로마 황제 카이사르가 그랬지. 개인 신탁 사제로부터 3월 15일에 암살당할 가능성이 있다는 경고를 받았지만 그는 듣지 않았고, 결국 비수로 수십 차례 찔려 죽었어. 그리고 얼마나 많은 사람들이 이 카이사르처럼…… 이것은 미신을 믿지 않는다는 그런 단순한 문제가 아니야. 사람들은 불안스러운 진실보다는 달콤한 거짓말을 더 듣고 싶어 할 뿐이야. 」

늙은 집시 여인은 소녀에게 이렇게 중요한 정보를 밝혀 주었다는 사실이 자못 자랑스러운 기색이다.

「일반적으로 말해서, 꼭 무리를 다스리는 큰 지도자들이 아니더라도, 사람들은 하지 말아야 할 것이 무엇인지를 항상 알고 있었어. 하지만…… 그럼에도 사람들은 계속 그것을 해 왔던 거야.」

그녀는 수정구를 어루만진다.

「또 그들에게 경고한 사람들은 어떻게 되었을까? 대부분 남들이 부러워할 만한 운명을 누리지는 못했어. 철저하게 배척당했지. 처형당하지 않으면 조롱받거나 잊혀 버렸고.」

카산드라는 이런 말을 늘어놓는 그라지엘라 부인의 의도가 무엇인지 궁금하기만 하다.

「제 환상 덕분에 오늘 전 사람들을 구해 줄 수 있었어요.」

「그래, 알고 있어. 페트나가 얘기해 줬지. 넌 어떻게 대속 사람들은 설득해 냈더구나. 하지만 그들은 노숙자들일 뿐이야. 넌 이 사회에서 잊힌 자들의 신탁이 된 거라고. 대단도 하지! 그들에게는 별 힘이 없어. 그들에겐 돈이 없다고. 위대한 점성술사들은 항상 궁정에서 살아 왔어. 왕, 대통령, 황제 같은 권력자들 곁에서 살아 왔지. 저런 비렁뱅이들하고는 아니야.」

「하지만 당신이 말하는 그 〈비렁뱅이〉들이 죄 없는 사람들이 학살당하는 것을 막았다고요.」

그라지엘라 부인이 이 정보를 의심하는 것 같지는 않다.

「테러 하나는 막았지만, 그다음에 얼마나 많은 테러들이 이어질지 생각해 봤어? 너의 그 작은 두 손으로 범람하는 강을 막아 보겠다는 거냐? 테러 예측이라…… 정말이지 그건 좋은 시장이 아니야. 고객도 없는 시장이지. 이 세상 그 누가 그런 끔찍한 일을 미리 알기 위해 돈을 쓰려고 할까?」

도대체 이 할머니가 원하는 게 뭐야? 지금 세상이 무너져 가고 있는데, 그걸 텔레비전으로 구경만 하면서 수수방관하고 있으란 말인가? 세상에는 두 종류의 사람이 있어. 왜 세상이 이런 상태로 되어 있는가를 생각해 보는 사람과, 어떻게 세상을 바꿀 수 있는가를 생각해 보는 사람. 난 두 번째 범주의 사람이야. 〈어떻게〉는 〈왜〉보다 더 강한 거라고.

「어쨌든 그건 아무 소용 없는 짓이야. 하나의 사건은 집단의 기억에 새겨지지 않는 한 존재하지 않은 거나 마찬가지야. 그러기 때문에 테러가 한두 번 일어나도 사람들은 신경도 안쓰지. 그리고 너의 예외적인 능력은 영원히 인정받지 못할 거야. 아무도 네게 고맙다고 하지 않을 거라고. 네가 집단의 운명에 관계된 엄청난 환상들을 보았노라고 주장하고 있으면 그런 대접을 받게 돼. 반대로, 만일 네가 개인들의 운명에 관계된 소소한 환상들을 말해 준다면, 너는 단지 인정받는 것을 넘어서 부자가 될 수 있고 존경도 받을 수 있어. 나처럼 말이야. 사실은 진짜 능력을 갖고 있을 필요도 없어. 그냥 사람들을 안심시켜 주기만 하면 되는 일이야.」

대체 내게서 뭘 원하는 거지?

「자, 나랑 같이 일하자. 널 고용하고 싶어. 왜냐면 요즘 난 주문은 폭주하는데 고객들을 만족시켜 줄 시간이 없거든. 복채를 인상했지만, 그게 고객들을 막기는커녕 오히려 더 몰려들게 하고 있을 뿐이야. 사람들은 더 비쌀수록 이것이 돌팔이가 아니라 진지하고 권위 있는 점술가일 거라고 생각하지. 그래서 난 더 잘 나가게 되는 거고. 정신분석 요법에서와 마찬가지야.」

그라지엘라 부인은 몸을 앞으로 기울여 소녀의 귀에 대고 속삭인다.

「네게 제안하는 것은 70대 30이야. 내가 70%고 넌 30%. 물론 내가 더 먹어. 왜냐하면 내가 너한테 자리, 고객, 기술, 이 모든 걸 다 제공해 주니까.」

「전 사람들이 개인적인 미래는 보지 못해요. 제겐 그런 능력은 없어요.」

「네가 미래를 보든 보지 못하든, 난 그딴 건 관심 없어. 중요한 것은 페트나가 그걸 믿고 있다는 사실이야. 제법 똑똑한 누군가가, 그것도 〈눈으로 볼 수 없는 세계〉에 관련된 일에 정통한 누군가가 네게 어떤 능력이 있다고 믿고 있다는 사실이지. 내겐 그걸로 충분해. 그게 바로 네 능력이니까. 질긴 사람 하나를 확신시킬 수 있다면, 순진한 사람은 천 명이라도 확신시킬 수 있지.」

집시 노파는 천사들이 조각된 구리 받침대 위에 올려져 있는 수정구가 놓인 조그만 탁자를 가리킨다. 천사들은 날개 끝으로 투명한 구체를 떠받치고 있다.

「자, 그럼 좀 더 실제적인 문제로 들어가 보지. 운명 상담은 어떻게 이루어지느냐고? 우선 돈을 내게 해. 매춘부들처럼 정신적인 문제에 들어가기에 앞서 우선 물질적인 문제부터 해결하는 거지. 나는 한 번 상담할 때마다 50유로씩 받아. 만일 그

호구…… 아니 고객이 그럴싸한 옷차림을 하고 있으면 더 요구해도 돼. 특히 신발과 손목시계를 눈여겨봐야 해. 그게 많은 걸 말해 주는 단서이니까. 그리고 나서는 이 수정구를 손으로 잡아. 고객에게 수정구 중앙을 응시하라고 한 다음, 몇 가지 대수롭지 않은 질문들을 던져 가면서 그를 파악해 보는 거야. 직업, 가정생활, 건강…… 뭐, 이런 게 기본적인 것들이지. 그러고 나서 그에게 적당한 미래를 하나 만들어 줘. 고객을 믿으라고! 아까 내가 말했듯이, 자기가 무슨 짓을 해서라도 미래를 실현해 낼 거야! 고객이 모든 걸 다 한단 말이야…….」

카산드라는 믿기 힘들다는 듯 입을 조금 삐죽한다.

「항상 긍정적이어야 해. 만일 고객이 자기가 독신자라고 말하면, 평생을 함께할 여자를 곧 만나게 된다고 말해 주는 거야. 만일 고객이 얼마 전에 해고당했다고 말하면, 더 나은 직장이 기다리고 있다고 말해. 자, 보다시피, 이 일은 전혀 복잡하지 않아. 모두가 스스로 외롭고 버림받았다고 느끼는 이 세상에서 휘청거리는 사람들을 붙잡고 격려해 주는 일이라고 할 수 있지. 만일 어떤 여성 고객이 자기 남편이 바람을 피우고 있느냐고 물으면, 아니라고 대답해. 하지만 남편과 한 번 허심탄회한 대화를 나누는 것은 꼭 필요하다고 말해 줘. 주택이나 뭐든 중요한 재산을 구입해야 할지 말아야 할지 몰라 망설이고 있다면? 그런 때는 항상 모험을 하게끔 격려해 줘. 어쨌든 그렇게 함으로써 그들의 삶에는 변화가 올 것이고, 이것이 가장 중요한 점이니까. 자, 봤지? 넌 힘들이지 않고도 큰돈을 벌 수 있어. 이건 학위도 자격증도 필요 없는 일이야. 내가 이 수정구와 안락의자, 그리고 원한다면 양초까지 몇 개 빌려주겠어. 자, 내가 70에 네가 30. 어때, 괜찮겠어?」

카산드라는 벌떡 일어선다. 하지만 그라지엘라 부인은 즉시 그녀의 손목을 붙잡고, 그 나이 여자의 힘이라고는 믿어지는 엄청난 악력으로 꽉 조인다.

「아, 알겠어. 만만치 않은 아가씨란 걸 알겠다고. 좋아, 내가 60에 네가 40. 하지만 더 위로는 안 돼.」

카산드라는 노파의 손을 뿌리치고는, 지체 없이 캠핑카를 빠져나온다. 결혼 잔치가 벌어지고 있는 장소에 이르니, 화톳불 가에서 일종의 집시 플라멩코를 연주하고 있던 기타 연주자가 손을 멈추더니 그녀에게 다가온다.

「아까 나탈리아하고 얘기하는 걸 들었는데, 넌 아직 혼자인 것 같던데? 같이 있을 사람을 원해?」

김이 어디선가 튀어나와 둘 사이를 가로막는다.

「썩 꺼져. 얘 건드릴 생각 하지 말라고.」

두 남자는 서로를 노려본다. 순간, 뭔가 은빛이 번쩍하는가 싶더니 집시가 꺼내 든 단검이 허공을 가르며 파란 머리 가닥 한국인의 복부를 살짝 스친다. 김은 간발의 차로 물러선다. 그는 등에 메고 있던 쌍절곤을 잡아, 정확한 곤봉 한 방으로 공격자의 손에서 비수를 떨어뜨린다. 하지만 집시는 신고 있는 장화에서 더 긴 단검을 뽑아 든다. 쌍절곤의 곤봉은 허공에서 휙휙 돌고 있고, 집시의 칼날 역시 번득이며 춤을 춘다.

음악은 계속되고 있다. 대부분 젊은 나이인 한 무리의 집시들이 두 사람을 빙 둘러싼다. 그들에게 있어 이런 종류의 수탉 싸움은 제대로 된 결혼식에는 당연히 있어야 하는 구경거리인 모양이다.

집시는 크게 한 걸음 내딛으며 칼을 찌른다. 그 칼끝을 간발의 차로 피한 김은 분절된 자신의 무기로 반격하지만, 상대 역시 만만치 않게 재빠르다. 그러자 이번에는 옆차기로 그의 손을 적중시켜 다시 한 번 무기를 떨어뜨리게 한다. 집시가 멧돼지처럼 돌진해 온다. 두 남자는 서로를 붙잡고 흙먼지 속을 데굴데굴 뒹굴고, 구경꾼들은 대놓고 김의 적수를 응원한다.

나이가 위이고, 특히 덩치가 더 큰 집시는 떨어뜨린 단검을 다시 집는 데 성공한다. 이제 김을 말 타듯 올라탄 그는 무기를 높이 치켜들고 그의 숨통을 끊어 버릴 일격을 준비한다. 하지만 갑자기 눈알이 뒤집히더니만 무너져 내린다. 카산드라가 벽돌 하나를 집어 들고 달려가 그의 뒤통수를 힘껏 내리친 것이다. 집시의 몸뚱이는 천천히 옆쪽으로 기운다.

음악이 뚝 그친다. 잔치판 위로 무거운 침묵이 내려앉는다. 정정당당하게 행해지고 있는 결투에 어린 이방 소녀가 감히 끼어들었다는 사실에 집시들은 상당히 충격을 받은 기색이다.

신랑은 벌써 자신의 단검을 빼 들고 있다. 군중 가운데서도 여러 명이 다양한 무기들을 뽑아 들고 있다. 카산드라의 손목시계에는 〈5초 후 사망 확률: 71%〉가 표시되어 있다.

무조건 뛰어야 해. 빨리!

집시들은 험상궂은 얼굴로 조용히 다가온다.

「비 올 것 같은 날씨구먼! 자, 이젠 돌아가자고!」 오를랑도가 커다란 외투 안쪽에서 꺼낸 권총식 석궁을 겨누어 집시들을 더 이상 가까이 오지 못하게 하면서 소리친다.

100.

또 바보 같은 짓을 한 것 같아. 난 어디를 가든지 문제를 해결하기보다는 사고만 치고 있어.

101.

여우 음양이가 캥캥거리며 그들을 맞아 준다.

페트나는 지폐를 다시 세어 에스메랄다에게 내밀고, 에스메랄다는 그것을 자기 지갑에 쑤셔 넣는다. 그러고 나서 페트나는 김의 상처에 발라 줄 연고를 찾으러 간다.

에스메랄다는 땅에다 침을 뱉는다.

「이것 봐, 공주. 외무부 장관의 활동으로는 대단히 성공적이었어!」

「시끄러!」 오를랑도가 빽 소리친다. 「집시들은 결투와 명예가 뭔지를 아는 애들이야. 만일 그렇게 모욕해 오는데도 당하고만 있었다면, 우릴 경멸했을 거란 말이야.」

「난 집시들이 싫어.」 페트나가 말한다.

「난 문제를 일으키는 게 싫어.」 에스메랄다가 말한다. 「집시들은 우리가 용돈을 벌 수 있는 유일한 방법이라고.」

「이번 일은 잘 넘어갈 거야.」 김은 잊고 있었던 지폐를 꺼내며 말한다.

카산드라는 꿀 먹은 벙어리가 되어 있다.

모두가 폐차에서 뜯어내어 화톳불 주위에 빙 둘러 놓은 등받이 없는 좌석들에 걸터앉는다. 오를랑도는 병에 든 가연성 알코올을 흔들어 뿌려 화톳불의 불길을 돋운다. 그리고 불 위에 다시 냄비를 건다.

「와, 워터주이가 아직 남았어! 누구 원하는 사람 없소?」

잠시나마 타올랐던 열광은 이제 간 곳이 없다. 모두가 고개를 젓는다.

「워터주이를 우리의 공식 요리로 삼으면 어떨까?」 오를랑도가 다시 제안해 본다.

아무도 대꾸하지 않는다. 그러자 오를랑도는 냄비에 국자를 담가 한 접시 그득 담아서는 혼자서 먹기 시작한다. 혓바닥으로 골라낸 쥐의 뼛조각을 퉤퉤 뱉어 내면서.

「이 빌어먹을 공주야, 네가 우리에게 가져다준 것은 근심거리뿐이야.」 에스메랄다가 낮게 으르렁댄다. 「우리가 얻은 게 뭐야? 돈은 잃었고, 그 대신 뇌관이 해체된 폭탄 하나 얻어 왔어. 참, 장사 한번 잘했군! 거기다가 우리 모습이 분명히 지하철의 감시 카메라에 찍혔을 거고. 지금 경찰이 우리를 쫓아다니고 있다고.」

「다시 나가게 될 때에는 다른 식으로 변장해야 할 것 같아.」

김이 무심코 한마디 던지자, 공작 부인이 벌떡 일어나며 소리친다.

「여기서 다시 나간다고? 앞으로 그런 일은 절대 없어! 듣고 있어? 절대 없을 거라고! 이번 일을 통해 우린 적어도 한 가지 교훈을 얻었어. 부르주아들이 돼지든 말든 우린 상관 안 해! 에잇, 빌어먹을! 정말 재수 없는 신데렐라야!」

그녀는 몹시 흥분한 얼굴로 맥주 한 캔을 벌컥벌컥 들이켠다. 그러고는 트림을 한 다음에 자기 움막으로 들어가 버린다. 곧이어 볼륨을 최대한으로 높인 곡이 울려 퍼진다. 하모니카로 연주하는 「옛날 옛적 서부에서」의 주제곡이다.

오를랑도는 오랫동안 코를 후빈 끝에 — 그가 깊은 성찰에 빠져 있다는 표시이다 — 더러운 무언가를 한 점 꺼내어, 마치 그것이 자신의 생각이 물질화된 것이기라도 한 양 물끄러미 들여다보더니, 이윽고 둥글게 뭉쳐서는 손가락 끝으로 튕겨 먼 곳으로 날려 보낸다.

페트나 와데는 부욱 방귀를 뀌고는 부부 통옷을 흔들어 냄새를 털어 낸 다음 어디론가 총총히 사라져 버린다.

김예빈은 잠시 머뭇거리다가 침을 뱉고는 역시 자기 움막으로 들어가 버린다.

물렁한 물질, 가스, 액체…… 이렇게 노숙자들은 그들의 생각을 세 개의 다른 형태로 표현한 것인지도 모른다. 대속의 중심 광장 한복판에는 카산드라 혼자 동그마니 남아 있다. 여우만이 고개를 까닥이며 그녀를 지켜보고 있을 뿐이다.

그래. 이들의 애정은 얻기는 힘들지만 잃기는 너무도 쉬운 거였어.

맑고 커다란 회색 눈의 소녀는 몸을 일으킨다. 그리고 잠시
망설이다가 오를랑도의 움막으로 가 문을 두드린다. 대답이
없자 허락 없이 그냥 들어간다.

「공작 부인은 너한테 단단히 화가 난 모양이야.」 그는 그녀
를 돌아다보지도 않고 말한다.

「당신은요?」

「나는 아냐. 에스메랄다에게는 유명해지고 싶은 꿈이 있
어. 그녀의 목표는 오직 하나, 자기 사진이 잡지 표지에 실리
는 거야. 최근에 일어난 일들이 그 목표를 이루는 데 썩 도움
이 된다고는 할 수 없지.」

「죄송해요.」

「아니 괜찮아! 네가 우리의 일상을 좀 흔들어 놓긴 했다만,
우리의 삶이 지나치게 굳어지고 있었던 것도 사실이니까. 그
런데 공작 부인은 집시 할멈하고 너에 대해 얘기한 것 같더군.
할멈은 네게 어떤 저주가 있다고 말했대.」

카산드라는 어깨를 으쓱한다.

「그분이 나보고 자기 밑에서 일해 달래요. 난 거절했죠.」

뚱뚱한 외인부대원은 금색 턱수염을 긁는다.

「같이 점쟁이 일 하자는 거지? 사실 우리는 미래를 좋아하
지 않아. 솔직히 미래란 것은 겁나는 거거든. 공작 부인이 읽
는 어떤 잡지 표지에 이런 제목이 붙어 있더군. 〈설문 조사 결
과, 프랑스 국민 중 75%는 미래를 두려워한다〉 그리고 〈62%
는 생각조차 하기 싫어한다〉.」

오를랑도는 낄낄거리더니 다시 말을 잇는다.

「하지만 미래를 전혀 생각하지 않고 살아갈 수 없는 것도
사실이야. 그것이 아무리 두렵다 하더라도 우리의 삶을 이어
가기 위해선 최소한의 미래가 필요하지. 그렇지 않아? 그리

고 우리 모두는 나름의 방식을 사용하여 각자의 미래를 찾아내고 있어. 여기서 〈미래〉란 다른 미래가 아니라 〈밝은 미래〉, 〈희망찬 미래〉를 말하는 거고. 내 생각으로는, 65억에 달하는 인간들 중에서 4분의 3은 벌써 한 번쯤은 도사, 영매, 주술사, 마라부, 혹은 점성술사 따위를 보러 간 적이 있을 거야. 차마 고백할 수는 없겠지만 말이야. 어떤 사람은 아마추어로서 자기가 직접 예언하기도 하지. 지금 세계 각국에서 로토가 성행하고 있는 사실은 무엇을 의미할까? 그건 바로 사람들이 자신의 미래를 굳게 믿고 있다는 증거가 아닐까?」

뚱뚱한 바이킹은 담배 생각이 나는지 담뱃갑에서 피우다 남은 시가 꽁초 하나를 찾아낸다.

「내 방법은 커피 찌꺼기야. 자, 어떻게 하는지 보여 주지.」

그는 소녀에게 앉으라고 권하고는, 긴 손잡이가 달린 냄비에다 물을 데운다.

「난 이걸 전쟁 중에 배웠어. 전장에서는 죽음이 도처에 깔려 있지. 누구든 자기가 죽을지도 모른다는 두려움에 사로잡혀 있어. 그래서 내일 자기가 빗발치는 총알 사이를 요리조리 빠져나가 목숨을 건질 수 있을 것인지 알고 싶어 하지.」

그는 시가 꽁초에 불을 붙여 연기를 뿜어 대어 방 안을 너구리 굴로 만든다. 공중에서 어지러이 날고 있는 파리와 모기들을 쫓아내기 위함이다.

「외인부대에서 우리 대위는 이렇게 말하곤 했지. 〈난 내 적들의 미래를 읽어 낼 수 있어…… 김이 모락모락 나는 놈들의 창자를 보고서! 그리고 틀린 적이 한 번도 없지.〉」[37]

그는 요란스레 웃음을 터뜨리면서 손바닥으로 소녀의 등을 탁 친다.

37 점술 중에는 동물 내장의 상태를 통해 미래를 읽어 내는 것이 있다.

「이 농담 정말 재밌지 않아? 이것도 남이 만들어 놓은 얘기이긴 하지만 적어도 확실하게 웃게는 해주잖아.」

그는 잔 하나를 들어 네스카페 커피 두 티스푼을 넣은 후, 그 위에다 끓는 물을 붓는다.

「인간의 내장보다는 커피 찌꺼기가 훨씬 더 멋지잖아? 냄새도 덜 나고.」

세상에! 커피 찌꺼기로도 미래를 예측할 수 있었다니……

「사실 나는 미래를 예언하는 것에 대한 반감은 전혀 없어. 더구나 과거와 현재의 모든 국가 원수들도 ─ 그 사실을 철저히 숨기고는 있지만 ─ 개인 점성술사들을 가지고 있었고, 또 지금도 그러고 있는 판국에 말이야. 미테랑 전 대통령은 대통령 관저인 엘리제 궁에 아프리카 주술사 하나를 아예 상주시켰다는구먼. 또 역시 프랑스 전 대통령들인 지스카르 데스탱과 자크 시라크는 어떤 점쟁이 집에 갔다가 서로 마주쳤다고도 하고.」

오를랑도는 소녀 쪽으로 몸을 굽힌다.

「그런데 우리라고 하지 말란 법이 있겠어?」

카산드라는 어두운 색의 액체를 홀짝홀짝 방울도 남기지 않고 다 마신다. 오를랑도는 잔을 기울여 액체를 따라 낸 다음, 남은 찌꺼기를 살피며 얼굴을 찌푸린다.

「그 유명한 인격 진단 검사인 로르샤흐 테스트도 이 커피 찌꺼기 점에서 유래했다지 아마? 한 심리학자가 아주 간단한 진실 하나를 깨닫게 된 거야. 〈사람들은 커피 찌꺼기가 이루는 얼룩들을 해석하면서 자신의 심리를 드러내게 된다〉는 진실. 그래서 그는 우리가 커피 찌꺼기로 얻는 것들과 비슷한 얼룩들을 커피 대신 잉크로 찍어 냈고, 거기서 무엇이 보이느냐고 사람들에게 물었던 거지! 어때, 이 이야기도 웃기지 않아?」

카산드라는 웃지 않는다. 오를랑도는 잔을 돌려 가며 여러

각도로 얼룩을 관찰한다. 그는 어떤 영감을 받았는지 여러 차
례 얼굴을 찡그린다. 그러고는 어깨를 으쓱하면서 잔을 내려
놓는다.

「흠. 아주 긍정적이지는 않은 게 사실이야. 내 생명, 혹은
너와 아주 가까운 누군가의 생명이 갑자기 멈춰 버릴 수도 있
겠어. 그래, 공주, 네 곁에 붙어 있으면 그렇게 좋을 것 같지는
않아. 어쩌면 집시 할멈의 말이 맞을지도 모르겠군. 네게는
모종의 저주가 드리워져 있어.」

카산드라는 고개를 끄덕인다. 그녀는 화제를 돌리기 위해
주위를 둘러보다가 배내옷을 입고 있는 아기 사진 한 장을 발
견한다.

「누구죠?」

「내 딸이야. 생후 18개월 때 찍은 사진이지. 헤어진 후로는
한 번도 본 적이 없어. 이 애 엄마가 내가 접근하는 걸 금했거
든. 지금은 어엿한 아가씨가 되어 있겠지.」

그는 거칠게 시가를 짓눌러 끈다.

「자, 공주, 이젠 나가 줘! 공작 부인 말이 틀리지 않았어. 넌
그 애를 생각나게 해. 내 위장에는 별로 좋지 않은 일이지. 위
궤양이 생기게 하니까.」

그는 그녀에게 등을 돌려 버리고 아이의 사진만 응시한다.

102.

우리는 자신이 사람들에 대해 잘 알고 있다고 생각하지. 하
지만 난 이 사람들을 아주 조금 이해하기 시작했을 뿐이야. 이
들에게 관심을 갖기 위해 좀 더 노력해야 해. 이 노숙자들이야
말로 내가 행동하고 이해할 수 있게 해줄 견고한 기반이니까.

나는 테러를 막기 위해서만이 아니라, 오빠를 찾기 위해서

도 이들이 꼭 필요해.

그래, 그게 분명히 느껴지고 있어. 이들에겐 미래가 없을지 모르지만, 내겐 미래가 있다고!

103.

하치장에 바람이 불면서 비닐봉지들이 날아오른다. 박쥐들이 나방을 쫓아 어지러이 선회하고 있는데, 어디선가 부엉이 한 마리가 울기 시작한다.

카산드라는 잠시 망설이다가 결국 에스메랄다의 움막 문을 두드린다.

문은 이미 반쯤 열려 있다. 그녀는 문을 살며시 밀고 들어가 방 안을 둘러본다. 스타들의 사진으로 그야말로 도배가 되어 있다. 그래, 오를랑도의 말이 맞았다. 에스메랄다는 이모든 꿈의 커플들에 자신의 환상을 투사하며, 또 그들을 통해 살아가고 있다.

영화 「바람과 함께 사라지다」의 포스터가 벽 한 가운데 떡하니 붙어 있고, 그 주위로는 로미 슈나이더, 메릴린 먼로, 클라우디아 카르디날레, 지나 롤로브리지다, 밀렌 드몽조, 미셸 메르시에, 달리다, 시드 샤리스, 그레타 가르보 같은 여배우들의 포스터들이 에워싸고 있다.

한쪽 구석에는 낡은 영화 프로젝터가 놓여 있고, 아직 젊은 시절의 에스메랄다의 모습이 담겨 있는 사진들, 그리고 에스메랄다 피콜리니라는 이름이 형광펜으로 강조되어 있는 영화 포스터들이 그 옆에 붙어 있다.

왕년의 여배우는 불이 반밖에 들어오지 않는 전구들로 둘러싸인 거울 앞에 앉아 얼굴에 크림을 바르고 있다. 그녀의 뒤쪽에는 드레스들이 개켜져 차곡차곡 쌓여 있다.

「당신은 나를 미워해요. 그렇죠?」 소녀가 묻는다.

「어, 웬일이야? 벙어리가 또 입을 열었네?」

「왜죠? 왜 날 미워하죠?」

「정말로 알고 싶어? 넌 내가 끔찍이 미워하는 모든 걸 갖고 있어. 넌 젊고, 예쁘고, 또…… 자유롭지.」

「당신도 자유로워요.」

「세 형용사 중에서 앞의 두 개는 빼먹은 걸 보니, 그럼 난 못생겼고 늙었다는 얘기네.」

「죄송해요.」

「이 재수 없는 계집애야, 네가 도대체 뭔데? 네가 도대체 뭔데, 아직 열일곱 살밖에 안 된 새파란 것이 인생의 모든 걸 다 아는 양 온갖 폼을 잡으면서 모든 사람에게 설교를 하고 다니는 거야? 〈당신들은 그들을 구해야만 해요, 어쩌고저쩌고〉, 〈당신들은 이 하치장에서 나와야 해요〉, 〈난 점성술을 하지 않을래요, 왜냐면 그런 일은 내게 어울리지 않거든요〉, 〈난 술을 견뎌 내지 못해요〉, 〈난 이건 못 먹어요, 난 저것도 못 먹어요〉, 〈난 아침마다 손을 씻어야 해요〉 등등으로 말이야.」

「죄송해요.」

「넌 기껏해야 재수 없는 골칫덩어리 부르주아 계집애일 뿐이야. 그리고 난 네가 여기서 도대체 무슨 볼일이 있다고 개개면서 우리의 삶을 망쳐 놓는지 모르겠어. 네가 오기 전에는 우린 아무 문제 없었어. 우린 행복했다고! 그런데 지금은 너 때문에 경찰이 우릴 찾고 집시들하고도 사이가 틀어져 버렸고, 오를랑도는 폭탄이 터져 걸레가 될 뻔했고, 김은 칼침을 맞을 뻔했어. 그래, 네가 행복해지기 위해서 또 어떤 불행이 필요하지? 지금 여기 온 것은, 이제는 나를 좀 손봐 주기 위해서인가? 벌써 내 따귀를 한 대 갈겼는데, 그걸로 충분하지 않았어? 내 등짝에다 칼을 꽂으러 온 거야? 그런 거야?」

……그래, 에스메랄다 말이 맞아. 이 사람들 말이 맞아. 난 괴물이야. 난 내가 선한 일을 하는 괜찮은 사람이라고 생각하지만, 사실 난 괴물일 뿐이야. 프랑켄슈타인 같은 괴물. 부모에 의해 인위적으로 창조되어, 스스로 의식하지 못하면서 모든 것을 파괴해 버리는 괴물.

에스메랄다는 자리에서 일어나 커다란 젖가슴을 불쑥 내밀고 카산드라에게 다가온다.

여기서 나가야 해. 이곳엔 오지 말아야 했어.

에스메랄다는 그 사팔뜨기 눈동자를 한데 모아 그녀를 똑바로 응시한다. 눈을 그렇게 모으고 있으니 우스꽝스럽다기보다 오히려 살벌하게 느껴진다. 그녀는 소녀의 턱을 치켜 올린다.

「저 소파에 앉아!」 그녀는 명령하듯 말한다.

카산드라는 시키는 대로 한다. 빨간 머리의 여인은 몸에다 파촐리 향수를 뿌린 다음, 낡은 서랍장의 서랍을 열어 타로 카드 한 벌을 꺼내어 그녀에게 내민다.

「난 배우였을 때 이것을 발견했어. 촬영할 때는 대부분의 시간을 기다리면서 보내지. 한 컷을 찍기 전에 조명을 조정하고 카메라 위치를 잡느라 몇 시간이 걸리거든. 나는 마르세유 타로 점을 칠 줄 알면 단지 시간을 보낼 수 있을 뿐 아니라, 촬영 팀원들의 호감을 얻어 낼 수도 있다는 사실을 알아채게 되었어. 그래서 어떤 이들은 단지 타로 점술가를 데리고 있으려는 목적으로 나를 영화에 출연시키기도 했지. 나중에는 사업상 집시들을 접촉하면서 이 점술을 써먹었고. 아까 내가 그 집시 남자하고 그의 캠핑카에 들어간 것은 네가 상상하는 그런 일을 하기 위해서가 아니었어. 타로 점을 쳐주기 위해서였다고.」

난 아무것도 상상하지 않았는데?

「마르세유 타로 점. 자, 이제 넌 나의 비밀 하나를 알게 되었어. 그라지엘라 할멈은 가짜 점쟁이야. 구변만 번드르르할 뿐 재능은 조금도 없어. 장식만 그럴듯하고 목소리만 묵직할 뿐이지. 사실 배우는 그녀고, 진짜 카드 점술가는 바로 나야. 그리고 그녀와는 달리, 난 이 카드 점을 진심으로 믿지.」

그건 나도 알죠.

「자, 카드를 섞은 다음 아무거나 한 장 뽑아 봐. 다섯 장을 뽑아서 십자형으로 늘어놓는 방식으로 해보겠어. 첫 번째 카드가 말하고 있는 것은 너 자신이야. 자, 여기 왼쪽에다 내려놔.」

카산드라는 17번 아르카나, 〈별〉을 뽑는다. 거기에는 한 벌 거벗은 여자가 두 개의 물병 속 물을 강에다 쏟고 있고, 그 위에는 여덟 개의 별이 오색찬란하게 빛나고 있다.

「흠, 넌 몽상가야. 자, 두 번째 카드는 네가 앞으로 하게 될 일이야. 그건 첫 번째 카드의 맞은 편, 여기 오른쪽에다 내려놔.」

그녀가 뽑은 것은 아르카나 13, 〈죽음〉이다. 해골 하나가 땅에서 삐죽삐죽 나와 있는 왕관 쓴 머리들을 긴 낫으로 자르고 있다. 주위의 검은 땅에서는 새순들이 돋아나고 있다.

「좋아. 너는 어떤 변화를 가져오기 위해, 어떤 혁신을 일으키기 위해 왔어. 비록 그 혁신이 고통스러운 것일지라도. 자, 계속 해 봐. 세 번째 카드를 뽑아서 십자가의 위쪽에다 내려놔. 이 카드는 너를 돕는 것이야.」

카산드라는 아르카나 11, 〈힘〉을 뽑는다. 큰 모자를 쓴 여자가 맨손으로 개의 아가리를 잡아 벌리고 있다.

「넌 에너지가 넘쳐 나는군. 이제는 무엇이 네게 문제를 가져오게 될지 알아보겠어. 네 번째 카드를 뽑아서 십자가의 아래에다 내려놔.」

소녀는 아르카나 12, 〈매달린 남자〉를 뽑는다. 한 남자가 한쪽 발목에 줄이 묶여 나뭇가지에 거꾸로 매달려 있는데, 두 손도 뒤로 묶여 있다.

「넌 혈연들로 인해 꽉 막혀 버려서 옴짝달싹 못 하고 있어. 몸부림쳐 보지만 아무 소용 없지.」

이 말을 들으니 오를랑도가 쳐놓은 올가미에 거꾸로 매달려, 자신을 물려고 펄쩍펄쩍 뛰어오르는 개들을 내려다보던 때의 자세가 떠오른다. 이 12번 카드의 그림은 바로 그 자세를 보여 주고 있다.

「마지막으로 다섯 번째 카드를 뽑아서 십자가 중앙에다 내려놔. 가장 중요한 거지. 이 모든 일들이 어떻게 끝나게 될지를 보여 주니까……」

카산드라는 아르카나 16, 〈탑〉을 뽑는다. 탑 하나가 무너지고 있고, 그 주위는 온통 불바다인데 두 사람이 탑 꼭대기에서 아래로 떨어지고 있다.

「이게 어떤 의미죠?」

왕년의 미인 대회 우승자는 눈썹을 찌푸린다.

「좋지 않게 끝나.」

두 여자는 서로를 쳐다본다.

「자, 보아하니, 네가 가져다주는 것은 골치 아픈 일들뿐이야. 공주, 넌 저주받았다고. 하지만 네 잘못은 아니지. 그냥 그렇게 태어났을 뿐이야. 사람마다 나름의 엿 같은 문제들을 갖고 있어. 난 가슴이 너무 큰 데다 사팔뜨기야. 오를랑도는 알코올중독에 난폭하고, 페트나는 미신적이며 인종주의자이지. 김은 거짓말쟁이에다 고약한 편집증 환자이며, 지금 세상에서 벌어지는 일들로 겁에 질려 있고. 그리고 넌…… 저주받았어.」

카산드라는 문을 세차게 닫고서 움막을 나와 버린다.

그녀가 가고 난 후에도 에스메랄다는 호기심에 사로잡혀 계속 카드 점을 쳐본다. 카산드라가 왜 이러한지 알아보기 위해 카드를 또 한 장 뽑아 십자가의 오른쪽에 놓는다. 아르카나 2, 〈여교황〉이 나온다. 이 카드엔 무릎 위에 책 한 권을 펼쳐 놓고 읽고 있는 한 여인이 그려져 있다. 에스메랄다는 고개를 끄덕인다. 아마도 이 모든 것은 매우 강력한 인물이었을 카산드라의 죽은 어머니와 연관 있으리라.

에스메랄다는 또 하나의 카드를 뽑아 〈문제〉의 상징인 십자가의 오른쪽 카드 위에 포개 놓는다. 아르카나 1, 〈마법사〉가 나온다. 카산드라의 아버지이기에는 너무 젊은 어떤 남자이다. 아마도 그녀의 오빠이리라. 그는 환상 속에서 살고 있고, 어떤 독특한 탐구를 시작하고 있다.

에스메랄다는 무거워진 마음을 달래 보고자 마지막 카드를 뽑아 가운데에 놓인 〈탑〉 위에 내려놓는다. 그 카드가 예고한 일이 결국에는 어떻게 끝나게 되는지 보고자 함이다. 이번에는 아르카나 22 〈어릿광대〉로, 봇짐을 둘러메고 방황하는 한 거지를 보여 주고 있다. 옆에서는 어떤 짐승이 달라붙어 그의 허벅지 피부를 뜯어 먹고 있다. 그녀는 이것이 방황과 고독을 의미함을 잘 알고 있다. 하지만 대부분의 인생이 이렇게 끝난다는 사실 또한 알고 있다.

에스메랄다는 액운을 쫓아 버리고 싶기라도 한 듯, 땅에다 침을 탁 뱉고는 어깨를 으쓱하면서 중얼거린다. 그녀에게는 주문과도 같은 이 문장에 매달려 양심의 짐을 덜어 보려 애쓰는 것이다.

「어쨌든…… 자기 똥은 자기가 치워야 해.」

104.

카산드라는 인형들을 돌리고 또 돌려본다. 그러다가 별안간 검은 사인펜을 집어 들더니 인형들의 눈 주위를 시커멓게 칠하여 그것들을 모두 섬뜩한 고딕 스타일로 만들어 놓는다.

그래, 난 저주받은 사람이었어. 〈탑〉! 불에 휩싸인 탑에서 추락하는 사람들! 자, 이게 바로 나의 미래야.

트로이가 화염에 휩싸이는 것을 보았던 고대의 카산드라처럼, 내 눈에 보이는 것은 불행뿐이야. 내가 가져오게 될 것은 재앙뿐이라고! 차라리 태어나지 않는 편이 나았어. 예지력이 없는 편이 훨씬 나았다고! ……그런데 왜 나는 이런 걸까? 왜? 왜?

맑고 커다란 회색 눈의 소녀는 목이 터져라 외치기 시작한다.

「왜!!!!」

대답이라도 하듯 여우도 긴 울음을 발한다. 그러고는 정적이 내려앉는다. 무거운 정적이다.

누군가가 문을 두드린다.

밖을 내다보는 문구멍이 없기 때문에, 카산드라는 그냥 김이 온 거라고 추측한다. 문을 열어 본다. 키가 훌쩍하고 바짝 마른 실루엣 하나가 역광 속에 서 있다. 두 발은 끝이 뿔처럼 뾰족하게 올라간 바부슈 신발 속에 파묻혀 있다.

「이젠 너도 우리의 일원이야. 또 난 네가 보는 환상들이 한낱 헛것만은 아니라는 걸 알게 되었어. 자, 그러니 내가 널 좀 도와줄 수 있을 것 같다.」페트나 와데가 말한다.

「아무도 날 도와줄 수 없어요.」그녀는 잘라 말한다.

「쯧쯧! 백인들의 짜증 나는 점이 뭔지 알아? 그건 항상 절망해야만 성이 찬다는 점이야. 내 고향 마을에서는 끔찍한 병이 돌아서 눈이 멀어 버리거나, 계속 잠만 자야 하는 꼴이 된 사람이 많았지. 끼니를 제대로 잇지 못하는 날도 부지기수였고……. 어떤 때는 옆에 있는 호수에서 악어들이 올라와 호숫가에서 놀고 있던 아이들을 잡아먹기도 했어. 하지만 절망하는 사람은 하나도 없었다고! 우리 마을 사람들은 항상 깔깔대고 웃었고, 아침부터 밤까지 농담하면서 지냈어. 물론 콩크리트와 안개로 뒤덮인 여기와는 달리, 그곳엔 어디에나 태양과 상큼한 과일들과 자연이 있었던 건 사실이야. 어쨌든 우리는 언제나 탐탐 리듬에 맞춰 춤을 추었고, 날마다 축제를 벌였고, 부모와 자식들 간에 항상 껴안으면서 화목한 가정을 유지했어. 내 말뜻을 이해할랑가 모르겠지만.」

그는 고개를 설레설레 흔들면서 다시 말을 잇는다.

「이 나라, 이곳 사람들, 그리고 이곳의 사고방식은 정말이지 내 맘에 안 들어. 여기 사람들은 걸어다니는 시체나 마찬가지야. 그들은 미소 짓지 않아. 피부와 그 환한 이를 감추고 다니지. 그들에겐 더 이상 냄새도 나지 않아. 공장에서 만들어낸 향수와 나일론 섬유 아래 숨겨 버렸지!」

「그렇다면 자작님은 대체 무엇 때문에 여기 있는 건가요?」카산드라가 딱딱하게 묻는다.

「왜 여기 있냐고? 난 유럽인들을 교육하고 문명화하기 위해서 온 아프리카의 탐험가야! 너희들을 무지 가운데 남겨 놓지 않으려면, 우리 아프리카인 중에도 누군가 헌신하는 사람이 있어야 하지 않겠어? 나는 일테면 야만인들을 가르치러 온 월로프의 크리스토퍼 콜럼버스, 혹은 마젤란 같은 사람이지. 우리는 겉모습이 컴컴할지 모르지만, 너희들은 속이 컴컴하니까. 나는 너희들 마음에 광명을 비춰 주려고 왔다고!」

「사람들에게 독을 먹이고, 그들의 위 속에다 세제를 집어넣어서요? 그렇게 사람들 속을 깨끗이 씻어 주겠다는 건가요?」

그녀는 눈가가 거무스름한 인형들을 정돈한다. 페트나가 다가온다.

「공주, 난 널 돕고 싶어.」

카산드라는 대답하지 않는다.

「아니, 이렇게 말하는 게 더 정확하겠지. 난 널 도울 수 있어.」

그녀는 동작을 멈춘다.

「난 도움 받는 걸 싫어해요.」

「아, 그래! 이제 너도 우리처럼 말을 하는군! 이젠 진짜배기 〈대속인〉이 되었구먼. 문장을 〈싫어〉라는 말로 끝내는 걸 보니 말이야.」

그녀는 인형 하나를 집어 들어 옷을 찢어 알몸으로 만들고, 팔과 다리를 모두 뽑아내고는, 달랑 머리만 남자 그 밑에 검지를 꽂는다. 그리고 인형 머리가 달린 검지를 페트나의 얼굴 앞에 곧추세운다.

「그래, 날 위해 무엇을 해줄 수 있는데요, 자작님?」 그녀는 복화술사가 된 양 코맹맹이 목소리로 묻는다.

「네가 과거를 볼 수 있는 상태에 빠지게 해줄 수 있어.」

「또 무슨 마법의 영약을 사용하실 건가요? 지난번에는 그 〈환영의 영약〉을 마시고 뒈져 버릴 뻔했는데요?」

「이런! 얘는 평소에는 별로 말이 없는데, 한번 입을 열었다 하면 사람을 박살을 내버린단 말이야! 자, 네 질문에 대답하지. 아니야. 이번에는 마시는 음료가 아니야. 이건 그런 액체가 아니라……」

「가스 같은 건가요?」

「……순한 거야. 샤머니즘의 황홀 상태 같은 것. 여기서는 이런 걸 뭐라고 부르더라? 아, 그래, 최면이라고 하지.」

「난 최면이 싫어. 내 말뜻을 이해할랑가 모르겠지만.」 그녀는 페트나의 언어를 흉내 내어 그를 조롱한다.

아프리카인은 은밀한 무도회에라도 가려는 듯 한껏 치장을 한 인형들 앞을 지나간다.

「그게 너한테 도움이 될 수 있다는 걸 어떻게 설명해야 좋을까?」

그는 방 안을 왔다 갔다 한다.

「……이렇게 말하면 어떨까? 너의 그 〈시간의 푸른 나무〉,

나도 그걸 알고 있어. 우리 월로프의 전승에도 존재하는 거지. 그리고 나의 월로프 사부님께서는 가끔씩 그 나무를 보러 가는 법을 내게 가르쳐 주셨어. 난 그것을 멀리서 봐. 넌 가까이에서 보고 있지만.」

그로부터 10분 후, 카산드라는 페트나의 움막에 와 있다.

방 안 풍경은 매우 특별하다. 한 선반 위에는 박제된 박쥐 한 마리가 입이 찢어져라 하품을 하고 있다. 그 아래에 선반을 채우고 있는 것은 개구리와 두꺼비로 가득 채워진 큰 유리단지들, 머리카락 혹은 잘라 낸 손톱, 발톱이 그득한 조그만 유리병들, 먼지를 뒤집어쓴 채 말라붙은 도마뱀들, 꼼짝 않고 있는 곤충들, 검은색 혹은 회색 분말들을 담은 상자들이다. 이 모든 용기들에는 제각기 이름표가 붙어 있다. 〈시험을 잘 보고 싶은 대학생들을 위한〉, 〈모발 성장 촉진을 위한〉, 〈침대에서 방귀가 잦은 분들을 위한〉, 혹은 〈집을 구입할 때 실수를 하지 않기 위한〉 등등.

그 맞은편 벽의 선반들에 놓인 투명한 화분들에는 회색, 녹색, 밤색의 열매를 맺은 식물들, 혹은 잎은 까만데 조그만 빨간 꽃들이 피어 있는 식물들이 담겨 있다. 파안대소를 하거나, 얼굴을 험상궂게 찡그리고 있는 사람의 나무 조각상들도 보인다.

세네갈인은 말린 개가죽으로 덮인 안락의자를 가리킨다.

「눈을 감고 몸의 긴장을 풀어.」

그녀는 시키는 대로 한다.

「호흡을 점점 더 느리게 해.」

카산드라는 숨을 들이마신 다음 천천히 숨을 내쉰다.

「정신을 편안히 가라앉혀. 그래, 괜찮아.」

그녀의 몸은 안락의자 속으로 조금 더 빠져든다. 최면을 거는 목소리가 조금씩, 조금씩 그녀를 황홀 상태로 이끌어 간다.

「이제 네 영혼이 몸에서 빠져나온다고 상상해. 영혼은 천장을 통해서 밖으로 나가고 있어. 하늘 높이 올라가고 있어. 대기권과 아무것도 없는 허공이 만나는 경계에까지 올라갔어. 거기서 넌 철로를 하나 볼 거야. 철로의 앞쪽은 미래야. 뒤쪽은 과거고. 몸을 돌려서 너의 과거 쪽으로 걸어가 봐. 무엇이 보이지?」

「에스메랄다의 움막이 보여요. 〈탑〉 카드가 나온 타로 카드 점을 하고 있는 광경이. 두 사람이 추락하고 있어요.」

「그건 5분 전 일이야. 좀 더 뒤로 가봐. 분 단위에서 날 단위로 넘어가 봐.」

「내가 하치장에 도착하는 모습이 보여요. 개들이 날 쫓아오고 있어요.」

「더 뒤로 가봐. 더 뒤로. 더 뒤로.」

「〈이롱델 학교〉에서의 기숙사 생활이 보여요.」

「더 뒤로.」

카산드라의 얼굴은 고통으로 일그러진다.

「이집트의 쿠푸 왕 피라미드 앞에서 일어난 테러 장면이 보여요. 난 갈기갈기 찢어지고 검게 그을린 시체들 사이에서 부모님을 찾고 있어요. 사방에 연기가 자욱해요.」

「더 뒤로.」

그녀는 꼼짝도 하지 않는다.

제법 긴 시간이 흐른다.

페트나 와데는 자신이 개입하는 것이 좋지 않을까 생각하며 망설이고 있다가, 그녀의 호흡이 다시 차분해져 있는 것을 발견한다.

「난…… 난…… 가족들에 둘러싸여 있어요.」

「네 부모들이야?」

「아뇨.」

「그럼 누구지?」

「내…… 자녀들.」

「무슨 말을 하는 거야?」

「내 자녀들과 손자들이 있어요. 그들은 내 침대 주위에 있어요. 그들이…… 나한테 말을 하는데 프랑스어가 아니에요. 하지만 난 그 말을 이해할 수 있어요.」

페트나는 그녀의 말을 중단시킬까 하다가 꾹 참는다.

「의사가 한 명 와요. 그는 나를 진찰하고는 괜찮아질 거라고 말해요. 내 건강이 좋아질 거라고요. 하지만 난 그가 거짓말한다는 걸 알고 있어요. 난 가족들 모두에게 한 명씩 와서 내게 몸을 꼭 붙여 달라고 부탁해요. 난 온몸이 아파요. 온몸의 근육에 불이 난 것 같아요. 피부도 쓰라려요. 병석에 너무 오래 누워 있어서 생긴 욕창이에요. 움직일 때마다 살갗이 벗겨지는 듯한 느낌이에요. 내 손이 보이는데, 아주 늙어 있어요. 피부는 갈색 반점투성이고, 손톱은 온통 갈라져 있어요. 의사는 지난 세기의 옷차림을 하고 있어요. 조그맣고 둥근 모자를 썼고, 프록코트를 걸쳤죠. 내 자녀들과 손자들은 금발이에요. 내 왼손에는 반지를 끼고 있네요. 난 결혼했어요. 그런데 내겐 젖가슴이 없어요. 턱에는 털이 나 있고요. 내겐…… 음경이 달려 있어요.」

다시 긴 침묵이 흐른다.

「난 남자예요. 터럭은 온통 희고…… 난 늙었어요. 그리고 이 언어가 뭔지 이제 알겠어요. 러시아어예요.」

「당신은 누구시죠?」

「조금 있으면 죽게 될 한 늙은 러시아 의사예요.」

페트나의 말투는 반말에서 존댓말로 변해 있다. 지금 그의 앞에 앉아 있는 사람이 더 이상 열일곱 살짜리 소녀가 아니라 어느 점잖은 노인이기라도 한 듯이.

「내가 당신께 부탁했던 것은 단지 당신의 어린 시절을 회상해 달라는 것뿐이었어요. 자, 그걸 얘기해 보세요.」

카산드라 카첸버그는 부들부들 몸을 떤다.

「그런들 무슨 소용이 있나요? 나를 치료할 수 있다고 주장하는 이 의사는 형편없어요. 난 다른 사람들을 치료해 주었는데, 내 병은 치료받을 수 없다니요! 허, 참 기막힌 운명이네요!」

「구두장이들이 가장 형편없는 신발을 신고 다닌다고 하잖아요.」

「난 기침을 해요. 점점 심하게 기침을 해요. 난 결핵에 걸린 것 같아요. 온몸이 아파요. 하지만 내 생의 마지막 순간을 함께 해주는 가족이 있기에 마음은 편안해요. 난 그들을 사랑해요. 살아남은 아이들이 10여 명 되네요. 내가 그들을 한 놈 한 놈 어떻게 교육해 키웠는지, 모두가 기억나요. 내가 직업으로 했던 일도 생각나요. 내 이름도요. 다비드였어요. 그리고 내 성도 생각나요. 카민스키예요. 난 기침해요. 기침하는 게 끔찍이 싫어요. 기관지가 불에 덴 듯 쓰라려요.」

「자, 카민스키 박사님, 이젠 깨어나세요. 자, 깨어나라고, 공주! 음, 그보다는 네가 제로를 셀 때 깨어나도록 해. 셋…… 둘…… 하나…… 제로.」

카산드라는 눈을 뜬다. 그러고는 나쁜 꿈에서 빠져나온 것처럼 몸서리를 친다. 페트나 와데는 해적 머리가 조각된 그의 장죽에 불을 붙이고는 푸르스름한 연기를 몇 줄기 뿜어낸다.

「꼬마, 네겐 어떤 문제가 있어. 네 생 가운데는 커다란 검은 구멍이 나 있다고. 열세 살 때부터 시작해서 네가…… 전생에서 임종하는 그때까지는 모든 것이 깨끗이 지워져 있어. 녹음 테이프에 자석을 대고 훑어 낸 것 같아. 테러 사건 이전으로 가면 갑자기 어떤 구멍 같은 곳으로 떨어져서는, 곧바로 너의 전생으로 연결되어 버려. 우리나라에서는 이런 것을 〈시간 가운데 난 찢긴 틈〉이라고 말하지. 아주 드문 거야.」

페트나는 흔들의자에 앉아서는, 몸을 까딱거리면서 생각에 잠긴다.

「보통의 경우 새로운 생을 살 때마다 기억의 단절이 있게 돼. 그것은 이전의 삶들에서 겪었던 고통, 두려움, 혹은 신경증들이 의식 속에 쌓이는 걸 피할 수 있게 해주지. 그런데 너, 네겐 이런 방호벽이 없어.」

그는 다시 장죽에 불을 붙인다.

「다시 말해서 너는 망각이라는 방호벽 없이 한 삶에서 또 한 삶으로 넘어온 거야. 내 말뜻을 이해할랑가 모르겠지만.」

카산드라는 어머니의 저서에서 읽은 한 문장을 떠올린다.

〈태어나기 직전, 천사는 손가락으로 아기의 입술을 누르고서 이렇게 속삭인다. 《너의 전생들을 모두 잊어버리렴. 그래야 그 기억이 이 생에서 너를 번거롭게 하지 않는단다.》갓난아이의 입술 위에 인중이 찍혀 있는 것은 이 때문이다.〉

그녀는 멍한 얼굴로 일어난다.

105.

좋아. 아무도 날 도와줄 수 없다는 얘기야······.

그런데 페트나에게 말하지 않은 부분이 있어. 난 조금 전에 나의 다른 전생들도 보았어. 그가 열어 준 창을 통해 본 것은 단지 가장 가까운 전생만이 아니었어. 더 먼 전생들, 훨씬 옛날의 전생들도 보았어.

난······ 다비드 카민스키의 죽음을 보았을 뿐 아니라, 중세와 고대에 살았던 남자와 여자들, 이전의 〈나〉였던 그 모든 이들도 보았어. 난 지금 선사 시대의 사람들, 아니 심지어는 그 이전의 사람들까지 생생하게 느끼고 있다고. 그래. 내가

420

누군가와 싸울 때 그토록 맹렬할 수 있는 이유를 알겠어. 그 신 내 살 속에 생생한 기억으로 남아 있는 그 영장류 조상들 로부터 올라오는 힘 덕분이었어.

어디에서 온 것일까, 문장 하나가 기억의 수면에 떠오른다.

〈너는 밑바닥 없는 우물이다……〉

뒤이어 어머니의 책에서 봤던 또 다른 구절도 떠오른다.

〈무언가가 부족한 사람은 무언가를 더 갖고 있다.〉

106.

하치장을 홀로 배회하던 카산드라 카첸버그의 발길은 부 지중에 장난감의 산에 이른다. 그녀는 뒤죽박죽 쌓여 있는 인 형들의 무더기를 기어 올라가다가, 그중 하나를 집어 들고는 물끄러미 들여다본다.

뒤에서 누군가의 음성이 울린다.

「그건 바비 인형이야!」

김예빈이 씨익 웃고 서 있다.

「너, 이런 유머 알아? 어떤 친구가 상점에 들어가 이렇게 물었대. 〈정원사 바비는 가격이 얼마죠?〉 상인은 대답했어. 〈35유로요.〉〈그럼 무도회에 간 바비는요?〉〈37유로요.〉 그 러자 손님은 199유로짜리 바비 인형을 가리키면서 그것의 특 별한 점이 뭐냐고 물었어. 상인은 대답하기를, 〈아, 그건 이혼 한 바비죠…….〉〈왜 이게 다른 것들보다 더 비싸죠?〉 하고 손 님이 물었지. 〈왜냐면 이혼한 바비를 사면 말이죠, 당신은 켄 의 자동차, 켄의 집, 켄의 풀장 등등을 덤으로 가질 수 있기 때 문이에요.〉」

카산드라는 전혀 웃어 줄 기분이 아니다.

애는 만들어져 있는 문장들을 좋아한다더니, 유머도 좋아하는 모양이야. 이유야 뻔하지. 유머 역시 이미 만들어진 문장들의 연결에 불과하니까. 오를랑도의 말이 맞았어. 이런 것들은 자기 생각을 말할 용기나 능력은 없고, 그래도 스스로를 안심시키려면 입으로 무슨 소리라도 내뱉어야 하니까 사용하는 메커니즘에 지나지 않아. 속담, 유머, 격언, 이 모든 것들은 심심할 때 입을 채워 주는 패스트푸드 냉동식품이나 마찬가지야. 하지만 나는 말과 단어들이 얼마나 중요한 것인지를 잘 알고 있어. 또 이것들의 가치를 지키기 위해서는 아낄 줄도 알아야 한다고. 정말로 기억해야 할 격언이 하나 있다면, 바로 이거야. 〈해야 할 말이 침묵보다 흥미로운 것이 못 된다면, 그냥 입을 다물고 있는 편이 낫다.〉

이 격언을 그에게 침 뱉듯 던져 주고 싶은 마음이 치민다. 하지만 집시 마을에서 돌아온 이후로 상황이 약간 미묘한 데다가, 또 김이 굳어진 분위기를 풀어 보려는 뜻으로 이 농담을 던졌다는 것을 알기 때문에 이 언어적 침 뱉기의 충동을 꾹 누른다.

「공주, 기분이 별로 좋지 않은 모양이네? 그럼 네가 흥미를 가질 만한 또 다른 장소를 한 곳 가르쳐 줄까? 지난 세기에 만들어진 진짜 도자기 인형들의 산이야. 아주 비싼 것들이지. 물론 대부분은 깨졌지만, 그래도 약간의 접착제와 인내심만 있으면 인형들에게 청춘을 돌려줄 수도 있어.」

카산드라는 마지못해 몸을 돌리고 그의 얼굴을 본다.

「내가 지금 원하는 게 있다면, 그건 무엇보다도 책이야.」

그는 어깨를 으쓱하고는 자기를 따라오라고 한다. 그의 티셔츠에는 서예 글씨로 이렇게 쓰여 있다. 〈사랑은 지성에 대한 상상력의 승리이다.〉 이 문장에 그녀는 잠시 생각에 잠긴다.

「……오늘 집시 동네에서 도와준 것, 고마워.」 이윽고 그녀가 입을 연다.

「뭐, 내가 성미가 급한 게 탈이지.」

「근데 나탈리아는 누구야?」

「친구.」

카산드라는 깊은 웅덩이에 발이 빠질 뻔하다가 가까스로 피한다.

「같이 잤어?」

「공주, 호기심이 아주 많은데? 왜, 너하고 상관있어?」

그들은 질척거리는 지대를 조심조심 통과한다. 진흙 가운데 난 바퀴 자국들에만 발을 디디느라 두 다리를 쫙쫙 벌려가면서.

「뭐, 숨길 것은 하나도 없어. 둘 다 마음이야 있었지만 하지 못했지. 그게 문제였어. 그러고 나면 그 애의 부모가 당장에 결혼시키려 들 게 뻔한데, 난 열일곱 살에 약혼하고 싶은 맘은 없거든. 또 난 대체로 무언가에 결정적으로 얽매이는 것에 찬성하지 않아. 일에도, 감정에도, 조국에도, 가족에도, 심지어는 우정에도 얽매이고 싶지 않아. 내게 있어서 커플이란 결합이라기보다는 하나의 병립 관계야. 들어간 것만큼이나 쉽게 빠져나올 수 있어야 하지.」

맑고 커다란 회색 눈의 소녀는 눈썹을 살짝 찌푸리지만 대꾸는 하지 않는다.

「집시 애들은 어떤가 하면, 여자는 처녀로 결혼해야 하고, 핏자국이 묻은 흰 침대보를 내보이는 의식을 치러야 하고, 그 다음에는 죽음이 두 사람을 갈라놓을 때까지 오로지 그녀 곁에 붙어 있어야 해. 만일 바람이라도 피우면 그 즉시 여자의 아버지, 오라비, 사촌 등이 우르르 몰려오지. 최소한 가족 개념은 있는 사람들이거든!」

그는 어깨를 으쓱해 보인다.

「그리고 너 아까 그 여자 봤을 거야. 처음에는 〈싫어요! 싫

어요! 싫어요!〉…… 하다가 한번 〈좋아요〉하고 나면, 그때부터는 더 이상 놔주지 않아. 바로 케첩 병 증후군이라고 하는 거지. 처음에는 케첩이 쉽게 흘러나오지 않아 애를 먹는데, 병 속을 칼로 좀 휘저어 주면 내용물 전체가 쑥 빠져 접시에 풍덩 떨어져 버리지.」

여자를 묘사한다는 이미지가 참 시적이기도 하다!

김예빈은 부서지고 찢어진 판지 상자들로 이루어진 작은 언덕 위에 올라선다. 거기서부터는 가시 식물들이 무성한 골짜기다. 그들은 산업용 페인트로 오염된 조그만 도랑을 끼고 간 다음, 음식물 포장지며 가시덤불들이 뒤얽혀 있는 오솔길을 따라 올라간다. 그 앞에 펼쳐진 광경이 소녀를 생각에 잠기게 만든다.

책, 만화, 신문, 공책 등이 산처럼 쌓인 무더기가 모습을 드러낸 것이다.

「자, 종이의 산이야!」 김이 소개한다.

얼마 전에 꿈에서 케이크의 나라를 본 적이 있었지. 이제는 현실 속에서 책의 나라에 오게 되었군. 케이크들이 몸의 식탐을 위한 것들이었다면, 이 모든 종이들은 정신의 식탐을 위한 것들이야.

「이게 바로 이른바 〈쓰레기 분리수거〉의 결과야! 자, 종이와 신문을 어떻게 분리수거했는지 한번 보라고!」

「난 폐지들은 모두 펄프가 되어 종이로 재활용되는 줄 알고 있었어.」

「나도 그렇게 믿었지. 건전지도 다 그런 줄 알았고. 아마 처음에는 그랬으리라고 생각해. 그런데 어느 순간, 쇠사슬의 한 고리가 고장 나버렸지. 어떤 지자체의 말단 공무원이 실수를 했든지, 환경미화원 노조들 간에 분쟁이 있었든지, 아니면 어느 폐기물 분리 공장에서 고장이 있었든지 했겠지…… 어쨌든 지금은 트럭들이 폐지를 싣고 와 여기다 쏟고 가는 아주 간단한 방법이 통용되고 있어.」

카산드라는 앞으로 나아가 그 가운데 『블루베리』, 『아스테릭스』 같은 만화책들도 있는 것을 발견한다. 비록 비바람과 설치류에 의해 심하게 손상되기는 했지만 아직은 읽을 만한 것들이다.

너무나도 명성 높은 그 표지들 사이로 쥐들이 기어 다닌다.

「그래, 나도 알아. 이 중 어떤 것들은 인터넷 경매에 내다 팔면 상당한 돈을 받을 수 있다는 사실을. 그래, 이 무더기 속에는 수집가들이 탐낼 만한 물건들이 꽤 숨어 있을 거야.」

카산드라는 무두질한 가죽 표지로 된 두툼한 책들을 발견한다. 도판이 들어간 백과사전으로, 어떤 것들은 아주 오래된 것들이다.

김예빈은 책을 한 권 집어 들어 제목에 쌓인 먼지를 닦아 낸다. 빅토르 위고의 『레미제라블』이다.

「그게 뭐지?」

「우리처럼 아무 걱정 할 것 없는 이런 하치장에서 지내지 못하고, 온갖 문제들이 도사리고 있는 거리를 떠돌아다녀야만 하는 가난한 사람들의 이야기. 별의별 엿 같은 일들을 다 겪게 되지.」

그는 무더기를 뒤져 가죽 장정의 또 다른 책 한 권을 뽑아 낸다.

「세상에 고전만 한 것이 없어. 자, 이 친구 볼테르를 보라고! 내가 아무 페이지나 펼쳐서 읽어 볼 테니 잘 들어 봐. 〈자기 종교의 이름으로 내 목을 자름으로써 자기는 천국에 갈 것을 확신한다고 말하는 친구에게 대체 뭐라고 대꾸할 것인가?〉 아주 시사적인 문제 아니야?」

「내가 좋아하는 것은 SF 소설뿐이야.」

「희한하군. 여자애들은 SF를 안 좋아하는데 말이야. 어쨌든 난 아주 싫어해. 그건 하급의 문학이라고.」

또 틀에 박힌 말을 하고 있군. 하기야 얘 입에서 이런 말이 안 나왔으면 더 이상했겠지.

「내가 좋아하는 건 시와 노래하는 듯한 멋진 문장들이야. 누구도 믿지 않을 황당무계한 이야기들이 아니라고. SF는 1970년대 영국에서 유행했어. 지금은 한물갔다고.」

아, 그렇다면 미래에 대해 관심을 갖는 것도 하나의 유행인가?

「SF를 좋아하는 사람은 아무도 없어. 난 진지한 비평가가 이런 종류의 책에 관심을 갖는 것은 한 번도 본 적이 없다고.」

아인슈타인은 말했지. 〈인간의 편견을 줄이는 것보다는 원자핵의 크기를 줄이는 것이 더 쉽다.〉

「내가 생각하는 최고의 비평가가 뭔지 알아?」 카산드라가 묻는다.

「말해 봐, 공주.」

「시간. 나쁜 책들, 그리고 비슷비슷한 내용의 그렇고 그런 책들은 흐르는 시간 속에서 살아남지 못해. 반면, 좋은 책들은 처음 출간되었을 때는 주목받지 못한다 해도 결국에는 그 가치가 드러나게 되고 인정받게 되지.」

그리고 겉멋만 번드르르한 책들, 혹은 유치하기 짝이 없는 감상적인 이야기들은 모두가 잊혀 버렸어. 사람들이 기억하는 것은 뚜렷한 독창성을 지닌 작가들뿐이야. 프랑수아 라블레, 에드거 앨런 포, 쥘 베른, 아이작 아시모프, 보리스 비앙 등은 자아도취적인 자서전이나 써 갈겨 비평가들의 칭송과 영광을 누리는 작가들보다는 시간의 흐름을 훨씬 잘 견뎌 낼 거야. 왜냐면 결국 중요한 것은 작품에 담긴 가치 있는 생각들이니까. 이 작가들은 자신의 시대를 변화시키려고 글을 썼지.

하지만 이 불쌍한 김은 전혀 이해 못 할 거야. 그러니 구태여 설명해 주려고 애쓸 필요도 없어.

「어쨌든 나는 눈곱만큼의 가치라도 있는 공상 과학 소설은 한 권도 없다고 생각해. 그런 책들은 애들이나 보는 거라고.」

애들? 애들이 뭐가 어때서? 애들은 호기심을 고스란히 간직하고 있어. 반면 어른들은 어떨까? 그들은 절대적인 진리들을 아노라고 으스대기 때문에 오히려 경이감을 느끼지 못하는 존재들이야.

「그리고 말이야.」 김이 말을 잇는다. 「난 위대한 역사 소설들을 좋아해. 최소한 근거 없는 헛소리는 아니니까. 진지한 작가는, 실제로 존재했고 그래서 그 삶을 우리가 아는 사람들에 대해 말하는 법이야.」

그러니까 그들은 아무것도 발명해 내지 못해. 아무것도 새로운 것을 내놓지 못해. 새로운 장면들을 창조하지 못해. 이런 작가들은 기억들, 혹은 증인들에 불과해. 그런 작가들은 우주의 위대한 시나리오 작가인 신이 상상해 낸 사건들을 수동적으로 이야기하고 있을 뿐이야. 그런 역사책들의 저작권을 가져야 할 이가 있다면, 바로 신이지. 왜냐면 인물들과 상황들을 창조해 낸 게 바로 신이니까. 김은 아무리 똑똑한 척해도 다른 사람들과 다를 바가 없어. 그 역시 미래를 두려워하고 있어. 그래서 미래를 얘기하는 SF를 경멸하는 척하는 거야. 괜히 허세를 부리는 거지.

카산드라는 자신의 방과 오빠의 방이 SF 책들로 꽉 차 있었다는 사실을 떠올린다.

나와 오빠는 이런 책을 수없이 읽었어. 어린 시절은 내 기억에서 사라졌지만, 한 가지 사실만큼은 어렴풋이 기억나고 있어. 과거의 언젠가, 미래에 대해 말하는 소설들을 내가 탐독했다는 사실이야.

맑고 커다란 회색 눈의 소녀는 각양각색의 장정들의 무더기를 뒤진 끝에 노란 표지의 책 한 권을 건져 낸다. 표지 중앙에는 파란색 나무 한 그루가 우뚝 서 있다. 김은 뜨악한 표정으로 책을 훑어본다.

「뭐? 〈나무〉? 이게 뭐야?」

표지는 하도 형편없는 상태여서 저자 이름은 제대로 보이지도 않는다.

난 잊어버렸지만, 이건 어쩌면 내가 오래전에 읽어서 요즘의 나의 꿈에 영향을 주고 있는 책일지도 몰라. 우리는 과거에 읽었던 어떤 세계를 어느 순간 다시 창조해 내기도 하니까. 아무튼 잎사귀 하나하나가 미래의 모습들을 보여 주고 있는 내 꿈속의 파란 나무는 이 표지에 그려진 이미지로 설명될 수 있어.

청년은 거반 찢어져 버린 책을 시큰둥하게 뒤적여 보다가, 기회가 닿는 대로 쓰레기통에 던져 버릴 샌드위치처럼 일단 호주머니에 쑤셔 넣는다.

「우린 상호 보완적인 두 개의 열정을 가지고 있군. 넌 미래에 관심이 많아. 난 과거에 관심이 많고. 왜냐면 난, 과거를 잘 이해하면 미래에 똑같은 실수들이 되풀이되는 것을 막을 수 있다고 생각하거든.」

다람쥐 쳇바퀴 도는 신세를 면하려면, 새로운 출구들을 상상하는 것도 필요하다고. 다시 말해서 끊임없이 과거만 분석하고 있어서는 결코 새로운 미래를 열 수가 없어. 〈전구를 발명한 것은 양초를 개선함에 의해서가 아니다.〉 아마 이 말도 아인슈타인이 했을 거야.

하지만 그녀는 구태여 그런 생각을 입 밖에 내지 않는다. 그녀는 약간의 아쉬움을 느끼며 공상 과학 책들을 뒤로하고, 두툼한 사전들이 있는 곳으로 발길을 옮긴다.

「공주, 지금 정확히 뭘 찾고 있는 거야?」

「내가 형성될 수 있게 해준 것, 즉 사전을 찾고 있어. 넌 멋진 문장을 좋아하지. 난 예쁜 단어를 좋아해. 난 단어들을 수집하고 있어.」

「단어를 수집한다고?」

「좀 더 정확히 말하자면, 난 흔히 쓰이지 않는 단어들을 아주 좋아해. 예를 들어 〈모순 어법〉 같은 단어. 이 단어의 뜻이 뭔지 알아?」

「아니. 이건 정말 모르겠는데? 처음 듣는 말이야.」

「모순 어법이란 뜻이 반대되는 두 단어를 나란히 붙여 놓는 표현법이야. 예를 들어 우리 어머니의 책 제목인 〈귀 멍멍한 침묵〉이 바로 이 모순 어법이었지. 하지만 다른 예들도 있어. 〈하얀 밤〉, 〈달콤 쌉싸래한〉…… 너도 분명히 찾아낼 수 있을 거야.」

「글쎄…… 〈서글픈 기쁨〉은 어떨까?」

「그보다는 〈고통스러운 행복〉이 낫겠지.」

그는 손가락 하나를 입술에 대고 잠시 집중해 본다.

「내 차례야. 〈산송장〉.」

「〈오래된 미래〉.」

「〈끔찍한 아름다움〉.」

카산드라는 잠시 입을 다물고 있다가 중얼거린다.

「너와 나.」

「뭐?」

「우리는 서로 아무런 관계없는 두 개의 실체야. 하지만 같이 붙여 놓으면 어떤 재미있는 효과를 낳게 되지. 우리는 하나의 모순 어법이야.」

두 사람은 다시 책의 산을 뒤지기 시작하고, 김은 절단면이 몇 군데 쥐에 쏠렸을 뿐, 그다지 망가지지 않은 사전 한 권을 찾아낸다. 카산드라는 좋아서 어쩔 줄을 모른다.

「그런데 왜 그렇게 단어들을 좋아하는 거야?」김이 묻는다.

「대부분의 사람이 일상생활에서 사용하는 단어 수가 평균 120개래. 생각해 봐. 120개! 우리의 정신이 얼마나 제한되겠어! 대체 그걸 가지고 무얼 표현할 수 있겠냐고. 안녕하세요. 고맙습니다. 또 봐요. 부탁해요. 알았어. 예. 아니요. 단지 이 정도뿐이야. 난 벌써 10여 개의 단어를 사용했지. 어휘의 빈곤, 이거야말로 진정한 가난이야. 이것은 우리가 수천 개의 미묘한 색조를 표현할 수 있음에도 다섯 가지 색깔만 사용하고 있는 거나 마찬가지라고.」

파란 머리 가닥의 한국인의 얼굴에도 관심의 빛이 떠오른다. 카산드라는 말을 잇는다.

「하지만 단어들은 공짜야. 게다가 도둑맞을 염려도 없지. 왜냐면 사람들은 이 보물을 사용할 생각을 하지 않거든. 저번에 당신들이 내게 시범을 보여주었듯이, 심지어는 욕을 할 때도 다양한 어휘 중에서 구미에 맞는 것을 골라 쓸 수 있는데 말이야.」

카산드라는 사전을 소중하게 쓰다듬는다.

「누구든 마음만 먹으면 무진장한 단어들을 마음껏 사용할 수 있건만, 거기에 관심을 갖는 사람은 거의 없어! 그래서 단어들은 수확되지 못하고 모두의 무관심 가운데 썩어 가고 죽어 가는 과일들처럼 내버려져 있어. 〈허튼소리〉, 〈스콜라적인〉 또는 〈서창부(敍唱部)〉 같은 말의 뜻을 아직도 기억하고 있는 사람이 있을까?」

그녀는 설레설레 고개를 흔든다.

「하지만 단어들은 엄청난 힘을 간직하고 있어. 어떤 특별한 어휘들을 알고 있으면 미묘한 감정 상태를 정확하게 표현해 낼 수 있지. 예를 들어 〈멜랑콜리〉 같은 말. 이 단어는 마치 노래와도 같은 아름다움이 있는 데다가, 여러 개의 긴 문장들로도 제대로 표현할 수 없는 것을 단 하나의 단어로 요약해 내고 있어. 단어들은 살아 있다고!」

그는 완전히 수긍하는 기색이 아니다.

「내가 특별히 좋아하는 것은 어원학이야. 단어들의 연원과 그것들의 역사와 생을 알아보는 일이지. 예를 들어 〈단죄된*condamné*〉은 〈……와 함께 저주받은*damné avec*〉란 뜻이었어. 〈봉급*salaire*〉은 로마 병사에게 급료로 주던 〈소금*sel*〉이었고. 또 〈사람〉을 뜻하는 *personne*란 단어의 유래도 재미있어. 그것은 〈연기하기 위한〉이라는 뜻의 이탈리아 말 〈*personare*〉에서 왔어. 사실 그것은 코메디아 델라르테[38]의 배우들이 각자의 배역을 연기하기 위해 사용하는 가면이었지. 따라서 한 사람은…… 결국은 하나의 가면이야!」

비로소 김예빈의 얼굴에 감탄의 빛이 떠오른다. 그는 부탁한다.

「자, 네가 알고 있는 희귀한 단어들을 몇 개 더 얘기해 봐.」

「〈프로크라스티네*proscrastiner*〉.」

「그건 또 뭐지?」

「이 단어는 그날 할 수 있는 일을 다음 날로 미루는 것을 의미해.」

김은 고개를 주억거린다. 그녀는 사전을 아무 곳이나 뒤적여 본다.

「아주 희귀하고, 아주 멋진 단어 중에 〈액어법*zeugma*〉란 말이 있어. 이게 무슨 말인지 알아? 표현법의 하나인데, 한 문장 안에서 서로 아무 관계 없는 두 단어를 하나의 동사에 연결하는 거야. 예를 들면 이런 거지. 〈외투와 위엄을 몸에 걸치고〉. 자, 후작, 이제 네가 한번 해봐.」

---

38 16~18세기의 이탈리아에서 유행했던 즉흥 소극. 인물들이 가면을 썼기 때문에 즉흥 가면극이라고도 한다.

그는 눈을 지그시 감고는 이렇게 말해 본다.

「그는 두 손으로 용기를, 세 번째 손으로는 검을 쥐어 든다.」

카산드라는 풋 하고 웃음을 터뜨린다.

「또 우리가 원래의 뜻을 모르고 사용하는 단어들도 있어. 예를 들어 〈일〉을 의미하는 〈트라바유*travail*〉는 로마 시대의 어떤 형벌이었어. 또 〈골프*golf*〉는 〈*Gentleman Only Lady Forbidden*(신사 전용, 숙녀 금지)〉이라는 영어 표현에서 나온 거지.」

「영어 단어들도 좋아하는 모양이지? 난 〈게이*gay*〉의 말의 뜻을 알아. 〈당신들처럼 좋은*Good as You*〉을 의미하지. 또 〈*fuck*〉은 아내를 만나도록 허가받은 죄수들을 위한 거야. 그들이 받는 공식 허가의 명칭이 〈*Fornication Under the Consent of the King*(국왕 윤허하의 통정)〉이었어.」

애도 단어들을 좋아해. 그렇다면 우린 통합 수도 있겠는걸.

그녀는 지적인 진미들로 가득 채워진 책을 탐욕스레 뒤적인다.

「네가 좋아하는 프랑스어 단어는 뭐야?」

「요즘 좋아하는 걸 말해 볼까? 〈앙파티*empathie*(공감)〉.」

「무슨 뜻이지?」

「문자 그대로 다른 사람들의 고통을 구체적으로 느끼는 능력이야. 다른 사람들의 고통을 나누는 〈생파티*sympathie*(동정)〉나, 다른 사람들의 고통 안으로 들어가는 〈콩파시옹*compassion*(연민)〉과는 전혀 다른 거야. 하지만 이 세 말은 모두 같은 어근인 〈파토스*pathos*〉에서 나왔어. 〈파톨로지*pathologie*(병리학)〉, 〈파시앙*patient*(환자)〉, 〈파시오네*passionné*(정열적인)〉 등도 모두 이 어근에서 나왔지.」

카산드라 카첸버그는 새로 발견한 단어들을 적어 놓을 수 있게끔 공책 한 권을 찾아 달라고 부탁한다. 김은 두더지처럼 종이 무더기를 파헤치고 깊숙이 들어가더니 두툼한 수첩 하나를 입에 물고 돌아온다. 대부분의 페이지들이 백지로 남겨져 있는, 제법 쓸 만한 물건이다.

「이 사전과 수첩, 정말 고마워. 내게 꼭 필요한 거였어.」

「천만에. 그런데 어쩌다 단어들에 열을 올리게 됐어?」

「나와 그것들 사이에 뭔가 중대한 일이 있었나 보지. 그게 뭐였는지 정확히는 알 수 없지만. 이제 이 수첩은 내 금고야. 이 안에다 보물 같은 단어들로 가득 채워 놓을 거야. 더구나 이 모든 게 다 공짜잖아!」

그녀는 잊어버리게 될까 겁이 나는 단어 몇 개를 수첩에다 베껴 놓기 시작한다. 김은 그녀가 쓰고 있는 것을 어깨너머로 들여다본다.

「내게 일어날 수 있는 최악의 일은 내가 배운 모든 것이 기억에서 사라지는 거야. 그게 나의 가장 큰 강박 관념이야. 알츠하이머병. 단어들이 내 머리에서 하나둘 사라지게 되는 병.」

소녀의 몸이 파르르 떨린다.

「난 벌써 내 어린 시절을 잊어버렸어. 그런데 여기에다가 단어들마저 잊게 된다면, 난 더 이상 아무것도 아니야.」

그녀는 극도로 격동된 듯, 갑자기 망연자실한 얼굴이 된다. 김이 다가와 두 팔로 그녀의 어깨를 감싸 준다.

「넌 정말 이상한 애야.」

「후작, 내가 미쳤다고 생각해?」

「물론이지. 하지만 난 너의 그 광기가 좋아. 그리고 사실 나 자신도 그렇게 정상은 아니잖아.」

카산드라는 살며시 몸을 뺀다.

「요즘 난 혼잣말을 하기도 해. 전략의 두 번째 단계를 넘어섰나 봐.」

「혼잣말을 한다고? 별거 아냐. 귀에다 휴대 전화 이어폰을 하나 끼우기만 하면 돼. 그럼 사람들은 네가 휴대 전화 통화를 하고 있나 보다고 생각하게 되지. 이어폰은 전자 제품 무더기에 가면 얼마든지 있으니까 골라잡으라고.」

카산드라 카첸버그는 갑자기 심각한 표정이 되어 그를 똑바로 쳐다본다.

「만일 내가 정말로 미쳐 버렸다는 느낌이 들면…… 부탁하는데, 날 죽여 줘.」

김예빈은 이 말에 어떻게 반응해야 좋을지 몰라 잠시 머뭇거린다. 웃음을 터뜨릴 것인가, 아니면 심각하게 받아들일 것인가. 그는 두 번째 해결책을 택한다.

「어떻게 죽고 싶은데?」

「셋푸쿠[割腹]가 이상적이겠지.」

이 일본어 단어의 뜻을 잘 모르는 한국 소년은 고개를 갸우뚱한다.

「하라키리와 같은 건데, 귀족들을 위한 거야. 하라키리는 장검을 복부에 깊이 박아 Z자를 그리지. 반면 셋푸쿠는 T자를 긋고, 상처로 창자가 쏟아져 나오는 순간, 가장 친한 친구로 하여금 자기 목을 자르게 하는 거야.」

김은 흥미롭다는 표정으로 고개를 끄덕인다.

「그래서, 나를 너의 가장 친한 친구로 생각한다는 거야?」

그녀가 한 말 중 오직 이 말만이 귀에 들어온 것처럼, 그는 이렇게 되묻는다.

그녀는 잠시 생각해 본다.

「아니.」

「그것 보라고. 너도 다른 인간들처럼 날 거부하잖아.」

「아니, 난 널 거부하는 건 아니야. 단지 널 길들이기 위해서는, 우선은 교육해야 한다고 생각해.」

「날 교육하겠다……. 다시 말해서 네 목을 깔끔하게 자르는 법을 가르쳐 주겠다는 건가?」

「그것도 포함되지. 무릇 여자란 남자를 교육해야 하는 법이야. 여자가 이 세상에 온 것은 바로 그것을 위해서이기도 하고. 오늘 난 네게 단어들의 힘에 대해 가르쳐 주었고, 미래를 얘기하는 책들에 대한 관심을 일깨워 주기도 했어.」

멀리서 한 무리의 쥐들이 알베르 카뮈의 『페스트』를 조금이라도 더 뜯어 먹겠다고 요란한 싸움을 벌이고 있다.

「그렇다면 나도 좀 너를 교육해 보면 안 될까?」청년이 슬며시 제안해 본다. 「자, 날 따라와 보라고!」

107.

김에게 기대할 수는 없어. 알고 보니 그는 생각했던 것만큼 강하지 않았어. 필요한 순간에 독하게 결심할 용기는 없을 거야. 나 자신이 미쳤다는 걸 확신하게 되었을 때, 나를 죽여 줄 수 있는 다른 사람을 찾아내야 할 거야.

108.

두 사람은 수백여 개의 낡은 영화관 의자들이 뒤죽박죽 쌓여 있는 한 언덕을 기어오른다. 의자는 대부분 가죽이 터져, 그 안의 노란색 스펀지 살을 내보이고 있다.

「난 광기를 예방하고, 정신을 단련하는 방법으로 책 말고 다른 것을 알고 있어.」

이렇게 말하며 그는 이 기이한 언덕의 정상을 가리킨다. 거기에 두 개의 보랏빛 안락의자가 다른 것들과는 달리 똑바로 서 있는 게 보인다.

「이 훈련 방법은 네가 하는 것과는 정반대로 하는 거야. 즉 미래를 상상하는 대신 현재를 철저하게 사는 거지!」

대체 무슨 말을 하는 거지?

「자, 그럼 첫 번째 수업으로, 너의 〈천연적인 창(窓)들〉을 사용하는 방법을 가르쳐 주겠어. 난 이것을 〈오감의 열림〉이라고 부르지. 자, 내 옆에 와서 앉아. 그리고 편한 자세를 취해 봐.」

그녀는 책상다리를 하고 앉는다. 김도 마찬가지로 한다.

「몸을 똑바로 세워.」

카산드라 카첸버그는 그의 말에 따라 척추를 곧게 편다.

「네 머리를 한 지점에 고정시키고 그 점을 변경하지 않도록 해. 자, 이제 각 감각을 차례로 열어 볼 거야. 먼저 시각이야. 목을 조금 돌릴 때마다 보이는 것들을 아주 세세하게 묘사해 봐. 그 색채들과 미묘한 뉘앙스들을 세밀하게 묘사해 보라고.」

그녀는 두 눈을 크게 연다.

「하얀 양떼구름이 떠가는 파란 하늘이 보여. 오른쪽에는 태양이 있어. 까만 까마귀들이 왼쪽에서 오른쪽으로 지나가고 있고, 그 아래로는 잿빛의 쓰레기 산들이 있고, 다시 그 밑으로는 안락의자들이 보라색 얼룩처럼 나타나고 있어.」

「내가 말해 보지. 왼쪽에 연기 기둥이 하나 있어.」

「오른쪽에는 몇 그루의 초록색 나무도 보여.」

「그리고 껍데기만 남은 트럭과 자동차들도 쌓여 있군.」

「북쪽에는 갈매기들이 있어. 희거나 회색인데, 부리는 더 짙은 색이야.」

「공주는 나보다 시력이 낫군. 자, 이제는 눈을 감고 두 번째 감각인 청각만을 사용해 봐.」

소녀는 미간에는 주름이 잡히도록 바짝 집중한다.

「무슨 소리가 들리지?」

「까악까악 울고 있는 까마귀 소리. 좀 더 멀리서는 갈매기 울음소리도 들려. 북쪽에서는 쓰레기를 쏟아붓는 트럭들의 엔진 소리. 책들 위로 톡톡 뛰어다니는 동물들이 내는 소리. 쥐들이겠지. 너는?」

「난 바람 소리가 들려. 비닐봉지들이 바람에 나부끼는 소리. 파리들이 윙윙대는 소리.」

그들은 상대방이 묘사하는 것에 주의해 가며 귀를 기울여 본다.

「촉각으로 넘어가자. 눈을 뜨지 않은 채로 몸에 느껴지는 것을 얘기해 봐.」

「엉덩이 밑에 찢어진 안락의자 속의 용수철들이 느껴져. 너는?」

「난 피부에 닿은 옷들의 감촉. 요추를 누르고 있는 쌍절곤. 약간 조이는 신발. 다음에는 후각으로 넘어가자. 어떤 냄새가 나지?」

「하치장의 전체적인 악취. 그리고 어떤 연기 냄새들도 느껴져. 너는?」

「약간 부패된 천의 냄새. 쥐 냄새도 느껴져. 그리고 멀리 어딘가에서 고무가 타고 있는 냄새도 느껴지고.」

「재미있네. 넌 나보다 훨씬 많은 냄새를 맡을 수 있나 봐.」

「미각은 어때?」

「아침에 먹은 것의 뒷맛이 아직 입속에 남아 있어. 그리고 하치장 냄새가 일종의 맛이 되어 코에서 목구멍으로 넘어오고 있고. 너는?」

「나도 그 정도야.」

김은 천천히 눈꺼풀을 들어 올린다.

「자, 이젠 눈을 뜨고 다섯 감각을 동시에 느껴 봐. 시각, 청각, 후각, 촉각, 미각을 통해 이 순간을 철저하게 포착해 봐.」

굉장해! 모든 것이 훨씬 풍부한 정보들을 가지고 다가오는 느낌이야. 나 자신이 갑자기 모든 것에 대해 고화질 모드로 들어간 듯한 기분. 외부의 신호들이 훨씬 더 많아지고 또 미 묘해졌어.

「이런 걸 어디서 배웠어?」

「내가 아주 어린 나이였을 때, 한국에 계신 할아버지께서 가르쳐 주셨어. 그래서인지는 몰라도 누구에게 특별히 배웠 다기보다는 그냥 자연스럽게 알고 있었던 듯한 기분이 들어. 어쩌면 본능적으로, 혹은 무의식적으로 알고 있었는지도 모 르지. 우리가 살아 있다는 사실을 상기하기 위해서는 때때로 이 훈련을 해야 한다는 사실을 말이야. 우리의 감각들은 우리 에게 무수한 정보들을 가져다주고 있지만, 우린 그 사실조차 잊고 있을 때가 많거든. 」

김의 말이 맞아. 우리의 문제는 이런 정보들을 끊임없이 받 아들이고 있으면서도 거기에 주의를 기울이지 않는다는 점 이지. 맞아, 바로 이거였어! 우리를 둘러싸고 있는 것들에, 우 리 주위에서 실제로 일어나고 있는 일들에 주의를 기울이는 것. 이 간단한 훈련은 결코 하찮은 것이 아니야. 이걸 하면 할 수록 우리의 감각들은 예리해지지. 잠깐, 이걸 뭐라고 불렀더 라? 아, 그래, 〈오감의 열림〉. 조금 전에는 페트나가 나의 전 생들로 거슬러 올라가는 법을 가르쳐 주었지. 에스메랄다는 타로를, 오를랑도는 커피 찌꺼기 점을 쳐주었고. 그러고 보면 이 이른바 〈사회에서 거부된 자들〉이야말로 내게는 없는, 하 지만 너무나도 중요한 지식들을 지닌 사람들이 아닐까?

그들은 눈을 뜬 채로 잠시 동안 움직이지 않는다. 그렇게 마치 명상을 하듯, 그들 앞에 놓여 있는 세계의 일부분을 관 찰하고, 또 거기서 흘러나오는 색채들과 음향들과 방향(芳香) 들의 모든 뉘앙스들을 포착해 간다.

나는 일종의 진공청소기야. 점점 더 섬세해지는 정보들을 빨아들이는 진공청소기. 이제 난 감지할 수 있게 되었어. 끊임없이 몰아쳐 오고 있는 이 자극들의 소음 속에 감추어져 있는 새로운 뉘앙스들을.

이제 그녀는 분명히 의식하게 된다. 1초 1초 그녀의 눈이 보는 것은 놀라운 그림이라는 사실을.

1초 1초 그녀의 귀가 듣는 것은 장엄한 교향악이라는 사실을.

1초 1초 그녀의 코가 감지하고 있는 것은 아찔한 향수라는 사실을.

1초 1초 그녀의 살갗에 스치는 직물, 가구, 혹은 그 밖의 무수한 접촉들은 모두가 감미로운 애무라는 사실을.

확률 시계는 11%를 가리키고 있다. 카산드라는 어떻게 평상시의 수치인 16% 아래로 내려갈 수 있었는지를 자문해 본다. 그리고 곧바로 이것은 자신의 심장 박동이 느려졌기 때문임을 깨닫는다. 프로바빌리스는 그녀의 심장이 평온해졌음을 알고 있으리라. 따라서 그녀의 건강이 좋아졌다고 판단했던 것이다.

그리고 아주 오랜만에 그녀는 더없는 편안함을 느낀다.

5초 후에 사망할 확률이 단 11%에 불과해서일까.

109.

김을 너무 빨리 판단한 건지도 몰라. 대부분의 사람들이 그렇듯 바탕은 그다지 좋지 않지만, 자신을 향상시키고 배우려는 의지가 있고, 또 그럴 능력도 있는 애야.

이 젊은 노숙자는 내게는 없는 깊은 지혜를 경험했었어.

주위에 있는 것들을 충분히 지각한다는 것…… 이것은 너무나도 간단하기 때문에 오히려 아무도 생각하지 않는 일이었어.

또 현재 가운데 존재한다는 것.

나의 〈향상된 자아〉는 바로 이런 모습을 보여 줘야 해.
온전한 의식 가운데 모든 것을 이루게 될 그 자아는.

110.

이제 카산드라는 머릿속에 뱅뱅 돌고 있는 그 말을 모기 같은 소리로 내놓고야 만다.

「사랑은 어떤 거야?」

「그건 또 무슨 뚱딴지같은 소리지?」

「우린 다섯 감각에 대해서 얘기했잖아. 그런데 사랑은 여섯 번째 감각이잖아. 음…… 하여튼 난 그렇게 생각해…… 그건 어떤 거야? 음…… 그러니까 육체적으로 말이야, 느낌이 어떻냐고.」

한국 청년은 어이없는 듯 그녀를 쳐다본다.

「너 바보야, 뭐야?」

「난 그걸 알지 못한 채로 죽고 싶지는 않아.」

그는 거북한 표정으로 머리를 흔든다.

「글쎄…… 그걸 어떻게 설명해야 할까? 우선…… 음…… 그러니까…….」

갑자기 들개와는 전혀 비슷하지 않은 무언가가 짖는 소리가 귓전을 스친다. 가만히 들어보니 어린 강아지가 짖을 때 내는 새된 소리다. 두 사람은 깡통이 쌓인 무더기로 기어 올라가, 차례로 망원경에 눈을 들이댄다. 김예빈은 동쪽을 가리킨다.

「알바니아 애들이야.」

그는 망원경 초점을 맞춰서 소녀에게 건넨다. 그러자 활짝 트인 공터에 반원을 이루고 둘러서 있는 한 무리의 사람들이 눈에 들어온다. 그다지 멀지 않은 곳에는 번들번들 빛나는 커다란 사륜구동 차들이 일렬로 세워져 있다. 검은 양복, 검은

와이셔츠에 검은 넥타이를 맨 사내들이 가건물들 앞에 서서 담배를 돌려 피우며 연기를 내뿜고 있다.

「저 사람이 두목 이스미르야.」 김이 가리킨 것은 가느다란 콧수염을 달고 머리에는 젤을 바른 뚱뚱한 사내다.

그의 손은 반지로 뒤덮여 있고, 두 눈은 커다란 선글라스 뒤에 숨겨져 있다.

「동구권 출신 매춘부를 거래하는 3대 조직 중의 하나를 이끄는 사람이야. 매춘부 대부분은 서유럽에서 비서로 취직시켜 주겠다는 꼬임에 빠져 오는 불쌍한 여자애들이지. 하지만 일단 여기 도착하면 오른쪽에 보이는 저 가건물들에다 처넣어. 거기서 고객들에게 사납게 굴지 않도록 훈련을 시키지.」

백인 여자들을 거래한다더니 바로 저거였구나.

「지금은 시즌이 아니야. 여자애들은 여름에야 도착하지. 마치 철새들처럼. 그때 되면 울부짖는 소리들을 들을 수 있어.」

다시금 개 짖는 소리가 울려온다. 카산드라는 아주 커다란 개들이 갇혀 있는 철망 우리들을 발견한다. 하지만 그들을 놀라게 했던 짖는 소리의 임자는 녀석들이 아니었다. 그것은 사자를 방불케 하는 커다란 맹견의 우리 앞에 묶여 있는 요크셔테리어가 내는 소리였다.

우리 속 거대한 동물의 주둥이에는 입마개가 씌워져 있는데, 목은 황소만큼이나 굵고 짤막한 두 귀는 삼각형이다. 저 정도의 덩치를 다루려면 적어도 장정 두 사람은 필요하리라.

「저 개는 내가 알아. 솜씨를 보고 알지. 이름은 아틸라야. 알바니아 애들이 데리고 있는 가장 사나운 핏불 중의 한 놈이지. 그들은 녀석의 귀를 잘라 버렸어. 그래야 싸울 때 다른 개들의 송곳니에 붙잡히는 일이 없거든. 녀석은 싸움을 적어도 백 번은 이겼을 거야. 챔피언이지. 내기에 거는 돈은 아주 높게 올라가. 자, 보면 알겠지만, 모두들 아주 흥분할 거야.」

소녀의 눈에는 젤을 바른 금발의 젊은 사내가 아틸라의 우리 앞에서 요크셔테리어를 붙잡고 있는 것이 보인다.

「저 조그만 개 이름은 뭐야?」

「저 녀석? 알 것 없어. 보면 알겠지만 챔피언은 아니잖아.」

　카산드라는 요크셔테리어의 머리 위에 분홍색 리본이 달려 있는 것을 분간한다.

「알바니아 애들은 공원 같은 데서 저런 부르주아들의 개를 훔쳐 오지. 개싸움이 시작되기 전에 사용하기 위해서야.」

　어깨가 떡 벌어진 두 친구가 넘어뜨려 놓은 공중전화 부스에 핏불을 집어넣는다. 그리고 입마개를 푸는 것과 동시에 유리로 된 우리의 문을 쾅 닫는다. 맹견은 곧바로 사납게 으르렁대기 시작한다. 공중전화 부스 안에는 녀석이 알고 있는, 그리고 녀석을 흥분시키는 냄새들로 채워져 있었던 것이다. 녀석은 그가 싸웠던 다른 핏불들의 땀과 오줌의 희미한 냄새들을 맡고 있다.

　그러자 머리에 젤을 바른 친구는 분홍 리본을 단 작은 요크셔테리어를 부스의 투명한 유리판 앞에 들이댄다. 아틸라의 반응이 달라진다. 녀석은 유리를 물려는 것인지, 그 송곳니들로 유리벽을 마구 두드려 댄다. 녀석의 두 눈은 분노로 뒤집혀 있고, 맹렬히 돌아가는 모터가 내는 소리와도 같은 거센 포효를 발한다.

　뭐야? 설마 저 조그만 요크셔테리어를 부스 안에다 핏불과 함께 가둬 놓지는 않겠지?

「저들은 녀석의 킬러 본능을 깨우기 위해 저 짓을 하는 거야. 저 작은 개를 갈가리 찢으면서 아틸라는 더욱 흥분하게 되고, 따라서 녀석의 덩치에 걸맞은 도전자를 더욱 사납게 상대할 수 있지.」

　공포에 질린 요크셔테리어가 짖어 대는 소리가 한층 높아진다. 정장 차림의 사내들은 이 상황이 너무도 즐겁다는 듯 신나게 웃어 댄다.

인간은 왜 이렇게 폭력을 좋아하는 걸까? 우리는 심지어 우리의 아이들까지 폭력에 의해, 또 폭력을 위해 교육하고 있어. 역사 교과서들이 들려주는 것은 전투와 학살과 전쟁과 군사 지도자들의 생애뿐이지. 역사를 가르친답시고 어린 호모 사피엔스들에게 전쟁과 광기의 역사를 주입시키고, 그럼으로써 최대한 장엄하게 연출된 죽음에 매혹되게끔 준비시키고 있어.

「어, 저것 좀 봐! 왼쪽에 있는 저 커다란 맹견. 저 녀석이 아틸라의 도전자가 될 거야.」

카산드라는 아틸라와 비슷한 또 다른 핏불을 한 마리 발견한다. 그 녀석은 한 사내가 내미는 나뭇조각들을 송곳니로 사납게 물어뜯고 있다. 굵직한 몽둥이 같은 것쯤은 한 입으로 두 동강을 내버린다.

「이름은 블랙 킬러야. 역시 쓸 만한 녀석이지. 오늘 저녁은 빅 매치야. 아틸라 대 블랙 킬러. 사람들이 구름처럼 몰려오겠군.」

김은 전문가처럼 설명해 준다.

「자, 저기 통들 뒤에 있는 인간들 좀 보라고. 오늘 밤에 꽤 많은 돈이 오갈 거야. 상당히 큰 내기가 있을 거라고.」

소녀는 아무 말도 못하고 경악과 공포에 사로잡힌 얼굴로 공터의 광경을 응시한다. 이제 우스꽝스러운 분홍 리본을 단 요크셔테리어는 부스 속으로 내던져진다.

작은 개가 부스 속에 네발로 내려서자마자 핏불의 강력한 이빨이 녀석의 허벅지에 깊숙이 박혀 든다. 피가 튄다. 완전히 겁에 질린 요크셔테리어는 고통을 못 이겨 울부짖는데 아틸라는 벌써 다른 물 곳을 찾고 있다. 하지만 아틸라는 너무 빠른 죽음은 원치 않는다. 분노를 폭발시킬 시간이 줄어들기 때문이다. 녀석은 전문가처럼 치명적이지 않은 부위들만 골라서 문다. 심지어는 작은 개의 뼈가 으스러지지 않도록 아가리의 힘을 조절하기까지 한다.

극도의 공황감에 휩싸인 요크셔테리어는 애절하게 깨갱대면서 도와 달라고 자신의 주인들을 부른다. 하지만 유리벽 너머에서 껄껄대고 있는 얼굴들 가운데에는 아는 사람이 하나도 없다. 더구나 부스 안은 너무도 비좁아서 몸을 피할 데도 없다. 녀석은 핏불의 뭉툭한 꼬리를 깨물어 본다. 이렇게 싸움을 걸면 자기도 화를 낼 수 있다는 것을 보여 주기 위함이다. 여기에 맹견은 가볍게 이빨을 한 번 흔들어 요크셔테리어의 뒷다리를 뽑아내는 것으로 대답을 대신한다.

마침내 카산드라는 망원경을 내던지고 산 아래로 내닫는다. 「안 돼! 가지 마!」 김은 그녀를 붙잡으려 하면서 소리친다.

소녀는 그대로 내달려, 검은 안경의 사내들이 몰려 서 있는 곳 한가운데에 불쑥 나타난다. 사내들은 너무도 뜻밖의 일에 어리둥절하여 어떤 반응도 보이지 못한다. 그녀는 굵직한 철봉을 하나 집어 들고는, 전화 부스 문을 연다. 핏불은 요크셔테리어의 다리를 뱉어 버리고 카산드라 쪽으로 머리를 돌리는데, 지금의 상황을 전혀 이해하지 못하는 눈빛이다. 그녀는 녀석이 멍하니 있는 그 짧은 순간을 틈타 철봉으로 녀석의 대가리를 세차게 내리친다.

아틸라는 휘청, 갑자기 힘을 잃는다.

카산드라 카첸버그는 지체하지 않는다. 아직 그 누구도 반응할 생각을 못하고 멍청히 서 있는 틈을 타서, 부스 바닥에서 끈적끈적하고 붉은, 작은 털 뭉치 같은 것을 주워 들어 품안에 꼭 껴안는다. 무자비한 침략군을 비웃으며 나부끼는 깃발인 양, 털 뭉치와도 같은 요크셔테리어의 작은 몸뚱이 위에는 여전히 분홍 리본이 자랑스럽게 팔락인다.

이스미르는 경악하여 입을 딱 벌린다. 황금빛 필터의 담배가 그의 발치에 떨어진다. 기습의 효과는 완벽했다. 철봉을 내던진 소녀는 피투성이가 된 요크셔테리어를 가슴에 꼭 안은 채 벌써 폐기물의 산을 타고 올라가고 있다. 마침내 사태를 파악한 투견 대회 주최자들은 알바니아어로 고래고래 욕설을 퍼부으며 그녀를 뒤쫓아 달려오기 시작한다.

카산드라가 폐기물 산의 꼭대기에 다다랐을 때, 김은 단지 이 말만을 내뱉을 수 있을 뿐이다.

「넌 단어들의 진정한 의미를 아는 것을 좋아한다고 했지. 자, 〈실수〉란 단어의 의미가 무엇인지 금방 알게 될 거야.」

111.

소년과 소녀는 가슴이 터지도록 숨차게 내달린다. 그리고 화가 머리 꼭대기까지 치민 10여 명의 알바니아인들은 사냥감을 쫓듯 그들 뒤를 달려온다.

「공주, 내 뒤를 그대로 쫓아와! 한 발도 옆으로 빠지지 말고!」

김예빈은 소녀를 데리고 폐차들 사이에 난 좁은 통로로 들어가더니, 도르래에 걸린 줄에 연결된 레버 하나를 어느 구석에서 찾아낸다. 그가 레버를 당기자, 어마어마한 양의 가정용품 폐기물들이 산사태처럼 허물어져 내려 두 개의 폐기물 산사이의 골짜기를 막아 버린다. 그녀의 귀에 이 쓰레기 댐에 의해 저지당한 개들과 사람들이 짖어 대는 소리가 들려온다.

「봤어, 공주? 대속은 마을이기도 하지만, 동시에 하나의 성채이기도 하지. 그러나 여기서 꾸물대고 있으면 안 돼. 곧 저들이 장애물을 기어서 넘어올 거니까.」

그녀는 손목시계가 〈5초 후 사망 확률: 16%〉라고 표시하고 있는 것을 본다.

별로 높지는 않아. 그렇다고 해서 지금 위험이 없다는 얘기
는 아니야. 단지 이 주위에 감시 카메라가 없어서, 프로바빌리
스가 현재 상황을 이해하지 못하고 있을 뿐이지. 위험 확률이
3% 올라간 것은 내 심장 박동이 빨라졌고, 또 땀이 나서 몸의
전기 저항이 변했기 때문일 거야. 프로바빌리스는 이를 불안
감의 신호들로 파악했어.

두 사람은 죽어라 달린 끝에 마을이 위치한 분지에 이른다.
소녀는 대속의 주민들에게, 도망쳐 오면서도 결코 놓지 않았
던 그 더럽고도 미지근한 작은 털 뭉치를 내보인다.

페트나와 오를랑도, 에스메랄다는 각기 하던 일을 멈추고
두 사람에게로 몰려온다.

「애를 살려 줘야 해요!」카산드라가 외친다.

요크셔테리어는 헐떡거리면서 듣기에도 안쓰러운 소리로
희미하게 낑낑댄다. 털가죽 여기저기에 뚫린 상처들에서 선혈
이 흘러나와 소녀의 두 손을 온통 적신다. 다리가 뽑혀 나간
곳에서는 허연 뼛조각 같은 것들도 보인다.

에스메랄다는 개의 목덜미를 붙잡아 들어 올리더니, 진단
을 어떻게 내려야 좋을지 모르겠다는 듯 미간을 찌푸리고 녀
석을 이리저리 돌리며 들여다본다. 그러고는 마지막으로 다
시 한 번 살펴본 다음, 페트나에게서 식칼을 뺏어 들고는 그
누가 말릴 틈도 없이 요크셔테리어의 목을 댕강 잘라 버린다.
리본으로 장식된 머리는 동그란 방울 술처럼 그녀의 발치로
굴러 떨어진다.

「미안해, 공주. 여기서는 이런 종류의 감상은 허용되지 않아.
이 녀석도 더 이상 고통받지 않을 테고. 녀석의 가죽으로는 방
한 토시를 만들 수 있을 거야. 아니면 벙어리장갑을 만들든지.」

에스메랄다가 머리는 없지만 아직도 조금씩 파닥거리고

446

있는 몸뚱이를 들어 올린다. 카산드라는 입만 멍하니 벌리고 이 믿을 수 없는 광경을 바라본다.

「우리가 네게 외무부 장관 일을 맡기겠다고 말했었지.」 페트나 와데가 입을 연다. 「그런데 너는 집시들과 알바니아 애들과 우리의 관계를 틀어 놓았어. 음…… 앞으로는 네게 다른 일을 맡겨야 할 것 같아.」

「투견은 조상 대대로 이어 오는 그들의 전통이야. 그렇다면 너도 그걸 존중해 줘야지.」 오를랑도 반 드 퓌트도 시가를 피우며 얼굴을 찌푸린다.

그 순간 카산드라는 손톱을 세우고 달려들어, 왕년의 여배우의 팔뚝을 있는 힘을 다해 물어뜯어 그녀를 고통으로 울부짖게 한다. 두 여자는 땅바닥을 뒹군다. 그리고 누구도 개입하려 들지 않는 남자들이 내려다보는 가운데, 진흙과 쓰레기 속에서 처절한 싸움을 벌인다. 서로 머리칼을 잡아당기고, 할퀴고, 물고, 비명을 지르고, 상대의 옷을 갈가리 찢는다.

결국 우위에 선 것은 에스메랄다로, 열일곱 살짜리 적수의 턱에 주먹으로 엄청난 일격을 날린다. 그러고는 몸을 일으켜 얼굴에 흘러내린 진흙투성이 머리카락 몇 가닥을 가다듬은 다음, 차분한 목소리로 또박또박 말한다.

「너 이번에 불난 집에 뺨 때린 건 줄이나 알아. 아니면 울고 싶은데 부채질한 거든지. 꺼져. 더 이상은 널 보고 싶지 않다고, 더럽고 재수 없는 년 같으니라고!」

112.

나는 시도했어. 일이 잘되게 하려고 모든 것을 했어. 하지만 이것은 내 힘을 벗어나는 일이야. 하긴 내가 저런 노숙자들에게서 무얼 바랐던 거지? 이들의 의식 수준은 원시인의 그것에 불과해. 이들은 난폭하고, 알코올 중독이며, 비천하기 짝이 없어. 한마디로 향상의 의지라고는 눈곱만큼도 없는 인간들이야. 지하철에서 한 번 성공을 거두긴 했지만, 그건 우연에 불과했어.

그건 법칙이 아니라 예외였다고.

저번에 저들이 몸을 움직였던 것은, 내가 인형의 산에 매장되었다가 다시 살아나 돌아온 것을 보고서 모종의 기분 좋은 충격을 느꼈기 때문이었을 거야. 하지만 저들에게 선행의 욕구를 불어넣고 싶을 때마다 매번 내가 죽는 시늉을 할 수는 없는 노릇이잖아.

내가 잘못 생각했어.

여기는 성소가 아니야. 여기는 한갓 쓰레기 하치장일 뿐이야. 갖가지 유기성 폐기물들과…… 인간 폐기물들이 가득한.

113.

또다시 카산드라 카첸버그는 수도 쪽으로 내려가는 장조레스 대로를 홀로 걷고 있다. 다시금 비가 내리기 시작한다.

비는 나의 적이 아니야. 자연은 나의 적이 아니야. 나의 유일한 적은 겁 많고 공격적인 인간들이야. 꿈에 나타나는 고대의 카산드라의 말이 맞았어. 인간들이란 타조와도 같아. 포식자에게 용기 있게 맞서려 하지 않고, 땅에다 대가리를 처박고 애써 위험을 외면하려 하는 그 한심한 새들.

빗물이 그녀의 몸을 씻어 준다. 그녀는 지금 자기 몸에서 악취가 사라지고 있는 중이라고 뇌까린다.

나는 더 이상 스컹크가 아니야. 난 더 이상 대속의 천민이 아니라고.

그녀는 이 혐오스러운 냄새만 없으면 자신도 부르주아들

사이를 활보할 수 있다는 걸 알고 있다. 그들로부터 철저히 배척받지 않아도 된다는 걸 잘 알고 있다. 그래서 하치장을 나오기 직전에 다시 한 번 모습을 바꿨다. 처음 하치장을 나왔을 때는 운동복 차림이었다. 그다음에는 고딕 스타일이었고, 어머니의 샤넬 정장 차림이었고, 또 지하철에서 행동할 때에는 외투를 걸치고 얼굴에 머플러를 둘렀었다. 그리고 이제 그녀는 1970년대 히피 여학생의 옷차림을 택했다. 큼직한 둥근 테의 보랏빛 안경, 물결치는 검은 머리를 감추기 위한 해적 두건, 발목 부츠, 긴치마, 그리고 무스탕 재킷.

그녀가 이런 생각에 잠겨 보도의 물웅덩이들을 피해 걷고 있는데, 뒤에서 철벅거리는 걸음 소리가 들린다. 누군가가 그녀를 따라오고 있다. 그녀는 몸을 돌려 그 주인공을 마주 본다.

파란 머리 가닥에서 빗물이 뚝뚝 듣고 있는 김이 말없이 그녀를 바라본다.

「꺼져! 난 너와 네 동정이 필요치 않아!」

이렇게 내뱉고 다시 걸음을 옮기는데, 그가 바짝 붙어서 따라온다. 그녀는 걸음을 멈추고 다시 그를 마주 본다.

「무슨 문제 있어? 네 집으로 돌아가라고!」

그녀는 다시 출발한다. 하지만 결국 다시 몸을 돌리고 마는데, 그는 여전히 거기에 있다.

「원하는 게 뭐야?」

「왜 항상 이유를 설명해야 하는 건데?」

이렇게 대답하고 김은 씩 웃는다.

「좋아, 이렇게 말해 보지. 너 없이 나 혼자 대속에 남아 있으면 심심할까 봐 겁이 나서 그런다. 네가 우리의 단조로운 일상을 좀 흔들어 놓은 건 사실이잖아. 그리고 나는 모험을 좋아하거든.」

카산드라는 확률 시계가 갑자기 32%로 치솟는 것을 본다.

무슨 일이 일어나려고 해. 혹시 얘가 날 폭행하려나?

바로 그 순간 한 줄기의 벼락이 세상을 끝내 버릴 듯한 굉음과 함께 하늘을 환하게 밝힌다.

손목시계는 기상 관측 시스템에 연결되어 있어. 프로바빌리스는 지금 내가 소나기가 쏟아지는 지역에 있음을 아는 거야. 위험도가 아직 50% 밑이긴 하지만 위험한 건 사실이지.

다시 걷기 시작하자, 김이 등 뒤에서 말한다.

「야, 멍청하게 굴지 마. 어차피 넌 내 도움이 필요하게 될 거라고.」

난 아무도 필요 없어.

그녀는 걸음을 서두른다. 그는 그녀를 따라잡기 위해 거의 뛰듯이 걸어야 한다.

「도대체 어떻게 하겠다는 거야? 노숙자로 정처 없이 떠돌아다니겠다는 거야?」

그런 곳에 죽치고 있어서 내가 얻을 게 뭔데? 아무런 가치도 없는 인간들의 친구가 되는 대가로 내 소중한 영혼을 잃게 될 뿐이야. 히스테릭한 미친 여자, 난폭한 알코올 중독자, 사람들에게 독이나 먹이는 주술사, 그리고······.

「그래, 내 잘못이야! 널 알바니아 애들 있는 곳으로 데려간 내 잘못이야. 속죄를 하고 싶어. 너도 말했듯이, 모든 인간은 죄를 용서받고 구원받을 권리가 있잖아.」

카산드라는 어깨만 으쓱할 뿐 듣지 못한 척한다. 그녀는 대답하지 않고 계속 걷는다. 하지만 그 역시 아랑곳하지 않고 계속 따라온다.

「이것 봐, 공주, 내 말 좀 들어 봐! 처음에 난 네가 끔찍이도 싫었어.

그다음엔 네가 짜증이 났어.

그다음엔 네가 불쌍하게 느껴졌어.

그다음엔 네가 재미있게 느껴졌어.

그리고 지금은, 만일 그렇게 가버린다면…… 네가 몹시 그리울 거야.」

보랏빛 안경 뒤에 감춰진 회색 눈의 소녀는 돌아보지도 않는다.

「난 네가 좋아하는 타입의 여자가 아닌 걸로 아는데? 네 표현을 빌리자면, 넌 〈미래를 보지 않는 가슴 큰 금발 여자들〉만 좋아하는 거 아니었어?」

「그러면 너도 머리를 물들이고 가슴 성형 수술을 하면 되잖아. 우리는 현대에 살고 있다고. 야심이 있는 여자에게 불가능한 게 뭐가 있겠어?」

김예빈은 그녀를 앞질러 앞을 딱 가로막고 서더니, 자기 티셔츠를 아래로 잡아당겨 보여 준다. 거기에는 이런 말이 적혀 있다. 〈둘이 산다는 것은 혼자 살면 생기지 않을 문제들을 함께 해결하는 것이다.〉

카산드라 카첸버그는 잠시 머뭇거리더니, 결국 그를 자기 옆에서 걷게 해준다.

「좋았어! 자, 공주, 이젠 어디로 가지?」

114.

얘는 내게 골치 아픈 문제들만 가져다줄 거야. 하지만 이제는 혼자 있는 것이 너무 피곤해.

115.

벽돌과 기와지붕으로 된 〈이롱델 학교〉 교장의 집은 바깥에서 보니 비어 있는 것 같다.

「평소대로라면 낮잠을 자러 2시에 들어올 거야.」카산드라가 알려 준다.

그런데 벌써 한국 청년은 집 대문 옆에 굴러다니는 커다란 녹색 쓰레기통 속을 열심히 들여다보고 있다.

「대체 왜 그래? 지금은 쓰레기 뒤지고 있을 때가 아니잖아.」

「공주는 복잡한 단어들을 좋아한다고 했지? 자, 네가 분명히 모르고 있을 단어를 하나 소개해 주지. 바로 〈쓰레기 분석학rudologie〉이야. 이것은 쓰레기를 관찰함으로써 사람을 파악하는 기술이지.」

카산드라는 이해할 수 없다는 듯 눈썹을 찌푸린다.

「사람들은 자기가 원하는 모습만을 남에게 보여 줘. 하지만 그들이 버린 쓰레기는 그들의 정체를 드러내 주지. 바로 이 때문에 사람들은 쓰레기를 불투명한 비닐봉지에 넣어서 버리는 거야. 그것도 꽁꽁 싸서. 사람들이 배출하는 것들은 그들의 비밀을 드러내 주지. 이 세상에 쓰레기통 뒤지는 걸 좋아하는 사람은 별로 많지 않아. 하지만 그 교장이라는 친구를 꼼짝할 수 없게 만들려면 먼저 그가 어떤 사람인가를 정확히 알아야 해. 우리 좀 약삭빠르게 놀자고.」

이렇게 말하고 그는 쓰레기통 속에 손을 쑤욱 집어넣는다. 운 좋게도 환경미화원들이 아직 지나가지 않았다.

카산드라도 그를 도와 뒤진다. 이런 그들에게 관심을 갖는 사람은 아무도 없다. 거지들이 쓰레기통을 뒤지는 것은 너무도 당연한 일 아닌가.

〈현재를 뒤지는 고고학자〉 김예빈은 의기양양하게 몇 가지 물건을 쑤욱 뽑아낸다.

「자, 벌써 몇 개 나왔어! 하루분 쓰레기에 맥주 캔 여섯 개하고 위스키 병 하나라. 너의 그 교장이라는 친구, 약간 알코올 중독 경향이 있군그래.」

아닌 게 아니라 내 기억에도 그는 입에서 술 냄새를 좀 풍겼어.

「콘돔은 없고.」

그는 대신 판지 상자 하나를 보여 준다.

「그는 인스턴트 냉동식품을 즐겨 먹어. 독신자들을 위한 음식이지. 자, 그에 대한 내 처음 느낌이 이렇게 확인되는군. 그는 혼자 살아. 식생활을 보자면, 돼지고기 쪽을 상당히 좋아하고. 소시지. 햄. 돼지 족발 등등.」

카산드라는 그에게 잡지 한 뭉치를 내민다. 그는 재빨리 그것을 뒤적여 본다.

「경마 잡지들이야.」

그는 구겨서 공처럼 뭉쳐 놓은 종이 뭉치들을 발견하고는, 펴서 주의 깊게 살펴본다. 그리고 내용을 읽어 감에 따라 얼굴이 환하게 밝아진다.

「빙고! 약점을 찾아낸 것 같아. 그의 회계야.」

이때 바바리코트를 입은 남자 하나가 그 작은 단독 주택으로 들어간다.

「저 사람이야?」

카산드라는 고개를 끄덕인다. 김은 호주머니에서 스위스 만능 칼을 꺼내어 현관의 도어록을 연다. 집 안에 들어간 그들은 문을 다시 잠가 놓는다. 그러고는 이층의 침실로 이르는 계단을 살금살금 올라간다. 필리프 파파다키스는 옷을 입은 채로 침대에 길게 누워 잠들어 있다.

카산드라는 그의 곁으로 다가간다.

「일어나야 할 시간이에요.」 그녀가 나직이 속삭인다.

꿈속에서 무언가 악취 풍기는 것과 마주치기라도 한 것일까, 그는 역겨운 듯 얼굴을 찌푸리더니, 눈을 뜨고는 앞에 있는 카산드라를 알아본다. 아직도 소녀의 의복에 배어 있는 시큼한 땀 냄새와 썩는 냄새는 그로 하여금 콧등을 잔뜩 찡그리

게 한다. 그는 한쪽 팔꿈치로 몸을 일으키고는 기계적으로 눈을 비빈다. 그러고는 이죽거린다.

「오호, 꿀벌 양이 돌아오셨군. 그런데 이번에는 웬 땅벌 군을 동반하고 오셨어. 그래, 고맙다고 인사하려고 왔나?」

「정보를 더 얻으려고요.」

필리프 파파다키스는 일어선다.

「고대의 카산드라에 대해서? 아니면 배은망덕의 원리에 대해서?」

소녀는 덥석 그의 멱살을 쥐고는 얼굴을 그의 얼굴에 바짝 붙인다.

「나 자신의 비밀, 나의 미스터리, 나의 과거에 대해서요! 빌어먹을, 내가 누구냐고요! 대체 나에게 무슨 짓을 해놨기에 내가 이렇게 된 거냐고요!」

파파다키스는 대답하지 않는다.

「첫 번째 단서, 나의 이름. 두 번째 단서, 나의 부모. 그럼 세 번째 단서는 뭐죠?」

「혹시 이 이야기 아는지 모르겠는데……」

카산드라는 멱살 쥔 손에 더욱 힘을 준다.

「수수께끼는 이제 충분해요! 난 내가 누구인지 알고 싶어요. 왜 내가 나의 과거를 전혀 기억 못 하는지, 왜 내가 미래의 환상을 보는지 알고 싶다고요. 당신은 알고 있잖아요, 안 그래요? 당신은 알고 있어요, 말해 보라고요!」

필리프 파파다키스가 그녀의 손아귀에서 벗어나려 버둥대자, 이번에는 김이 끼어들어 그를 침대 쪽으로 밀친다.

「우리는 당신의 작은 비밀들을 찾아냈어!」 그는 쓰레기통에서 건져 낸 구겨진 종이들을 보여 주면서 싸늘하게 내뱉는다. 「당신이 회계 장부를 가지고 장난했다는 걸 잘 알고 있지. 당신은 학교 식당과 학교 경비 시설에 써야 할 돈을 빼돌려 경마하는 데 썼더군.」

교장은 처음에는 아무렇지도 않은 척하려고 애쓴다. 하지
만 결국 어조를 바꾼다.

「……좋아요. 카첸버그 양의 개인사에 대해 내가 아는 바를
얘기해 주죠.」

그들은 거실로 자리를 옮겨 낮은 탁자를 중심으로 삼각형
으로 자리 잡고 앉는다. 파파다키스는 실내에 가득 찬 악취를
몰아내려는 듯 담배 한 대를 피워 문다.

「카첸버그 양의 어머니는 뛰어난 심리학자였어요. 문제 아
동 전문가였고, 특히 자폐증 아동의 전문가였죠. 그녀는 환자
들 중에 엄청난 능력의 소유자들이 있다는 사실에 주목하게
되었어요. 〈무언가가 부족한 사람은 무언가를 더 갖고 있다〉
라는 개념을 처음 만들어 낸 이가 바로 그녀였죠. 그녀는 처
음에는 보건부의 후원을 받았어요. 역대로 공권력들은 자폐
아 연구에 큰 관심을 보여 왔지요.」

그는 담배 맛이 달다는 듯 길게 연기를 내뿜으며 잠시 침묵
을 지킨다.

「그래서요?」 카산드라는 짜증이 이는 것을 느끼며 재촉한다.

「그래서 양의 어머니는 자신의 이론을 확증해 줄 연구들에
점점 더 깊이 빠져들게 되었죠.」

「어떤 이론인데요?」

「그녀는 좌뇌가 우뇌를 폭군처럼 지배한다고 생각했어요.」

「지금 도대체 무슨 얘기를 하고 있는 거죠? 또 무슨 귀신 씻
나락 까먹는 소리를 하는 거냐고요!」 카산드라는 버럭 신경질
을 낸다.

「알고 싶다고 하지 않았나요?」 파파다키스가 맞받는다. 「그
렇다면 내게 덤비려고만 하지 말고 조용히 좀 듣고 있어요!」

이 사람 말이 맞다. 마음을 가라앉히자.

「우리의 뇌에는 두 개의 반구가 있죠. 우뇌는 몽상을 하고 좌뇌는 설명을 해요. 우뇌는 이미지로 생각하고, 좌뇌는 언어로 생각해요. 우뇌는 감정과 감각의 영역에 속해 있고, 좌뇌는 전략과 논리의 영역에 속해 있어요.」

「그게 어머니의 연구와 무슨 관계가 있죠?」

「그녀는 자폐아들이 우뇌의 능력들을 온전히 간직하고 있다고 생각했어요. 바로 이 때문에 이른바 〈정신 장애자〉라고 하는 사람들이 소위 〈정상인〉들로서는 꿈도 꿀 수 없는 엄청난 일들을 할 수 있다는 거예요. 예를 들면, 어떤 자폐아들은 끝없이 암산을 이어 갈 수 있어요. 우뇌가 숫자들을 마치 음악처럼 인식하기 때문이에요. 또 그들은 한없이 계속되는 목록들을 몽땅 외울 수도 있어요. 왜냐하면 우뇌가 모든 것을 분리된 요소들로서가 아니라 길게 펼쳐진 프레스코 벽화처럼 전체로 간직하기 때문이지요.」

카산드라는 조급함을 감추지 못한다.

그런 것쯤은 나도 알고 있어. 나 자신이 직접 경험해 본 일들이니까. 이게 뭐 새로운 사실이냐고. 정신을 조금 집중하기만 하면 되는 일인데.

교장은 말을 잇는다.

「예를 들어 우리가 꿈을 꿀 때는 우뇌가 활동하는 거예요. 하지만 아침에 일어나서 간밤의 꿈을 기억하려 할 때에는, 좌뇌가 꿈에 어떤 논리적이고도 합리적인 의미를 부여하기 위해 이야기를 다시 꾸며 내죠. 처음과 중간과 끝이 있는 이야기를 말이에요.」

「묘한 녀석이군.」 김예빈은 자신도 모르게 내뱉는다.

「우리의 실제의 꿈에서는 인물들이 예를 들면 모습을 여러 가지로 바꾸어 나타나기도 하죠. 그런데 좌뇌는 이것을 받아들일 수가 없어요. 그래서 좌뇌는 꿈 내용을 바꾸고 다시 꾸며서 모든 것에 논리적인 의미를 부여해요. 왜냐하면 좌뇌는 모든 것을 설명하고, 모든 것을 분석하며, 모든 것에 질서를 부여하고 싶어 하니까요. 좌뇌는 기존 질서를 좋아하는 한편, 자유와 새로움은 두려워해요. 말하자면 우리 정신의 독재자라고 할 수 있죠.」

「아니, 형편없는 놈이네?」청년은 이번에는 분개한다.

「학교, 부모, 그리고 우리가 살아가는 환경은 이 우뇌에 대한 좌뇌의 지배를 강화하고 있을 뿐이죠. 사람들은 우리에게 요구해요. 모든 것을 설명하고 모든 것을 정당화하라고요. 반면 우리의 꿈과 비논리적 창의성에는 재갈을 물려 버리죠.」

두 젊은이는 이제 그의 설명에 완전히 매료되어 있다. 교장은 자신이 전달하는 지식의 질 덕분으로, 주도권이 자신에게로 넘어왔음을 알아챈다.

「카첸버그 양의 어머니가 보기에, 자폐아들은 좌뇌의 폭정을 받아들이지 않는 사람들, 그래서 자신의 자유로운 생각을 정당화할 필요가 없게끔 입을 다물어 버리고 스스로를 세상으로부터 단절시키는 사람들이에요. 양의 어머니는 이에 대한 예로서 일곱 살이 될 때까지 거의 말이 없었던 알베르트 아인슈타인을 들었어요.」

「아인슈타인이 자폐아였나요?」

「그는 아주 조용한 아이였어요. 그의 부모는 그를 반벙어리, 혹은 일종의 자폐아로 여겼죠.」

카산드라는 가슴이 짠해지는 걸 느낀다.

그는 말할 줄 모르는 게 아니었어. 단지 그는 나처럼 알고 있었던 거야. 말은 사람들과 사물들이 존재하는 것을 방해한다는 사실을. 따라서 말을 아껴야 한다는 것을. 그에게는 외부 세계가 부과하려 드는 조건들에서 벗어나, 혼자 조용히 구축해야 할 자신만의 내적 세계가 있었어.

「물론 당국은 자폐증을 하나의 이점으로 간주하는 양의 어머니의 이론을 그다지 좋게 보지 않았어요. 그녀는 자신의 주장을 입증하기 위해 실험을 하기 시작했죠. 자폐아들이 정상 아들은 도저히 할 수 없는 것들을 할 수 있다는 사실을 보여 주고 싶었던 거예요. 하여 그녀는 인위적으로 아동들을 자폐적으로 만드는 방법까지 찾아냈어요. 하지만……」

그는 여기서 말을 딱 멈춘다.

「……이상한 결과들이 나왔어요. 사고가 몇 차례 일어난 거죠. 결국 보건부는 그녀의 작업에 대한 지지를 중단했어요. 바로 그 무렵에 그녀는 〈미래 전망부〉의 신임 장관이었던 카첸버그 양의 부친을 만났어요. 양의 부친은 미래 전망부를 직접 창설한, 당시에는 아주 잘나가는 사람이었죠! 두 분의 만남, 그것은 비정상 아동 전문가와 미래 전문가의 만남이었어요.」

카산드라는 침을 꿀꺽 삼킨다.

「결국 양의 아버지의 격려와 지지를 한꺼번에 얻게 된 양의 어머니는 연구를 한층 과감하게 밀고 나갔어요. 그녀는 미래 전망부의 재정 지원을 받아 자폐증 영재 아동을 위한 학교도 창설했지요.」

「바로 이곳인가요?」 김이 묻는다.

「예, 여기에요. 전에 시립 학교였던 〈이롱델 학교〉가 그녀의 주도하에 〈크레아스CREAS 이롱델 학교〉로 탈바꿈한 거죠. 이 이니셜의 뜻이 뭔지 아나요?」

「아뇨.」

「〈자폐증 영재 아동을 위한 연구 센터Centre de Recherche pour Enfants Autistes Surdoués〉예요. 이 약자를 만들어 낸 사람은 양의 어머니예요. 또 나를 이 학교 교장으로 고용한 사람도 그분이죠.」

「당신은 어디서 왔죠?」

「난 아동 정신과 의사였어요. 나도 자폐아들을 치료했죠. 내 전문 분야는 말[馬]에 의한 치료였어요. 난 아이들을 이 너무도 아름다운 말과(科) 동물들과 접촉하게 함으로써 치료했지요.」

그는 양식화된 말의 문양이 새겨진 자신의 반지를 본능적으로 어루만진다.

「그리고 바로 여기서 양의 어머니는 그 문제의 실험들을 계속해 나갔던 겁니다.」

아! 드디어 비밀을 밝혀지는구나…….

「양의 어머니는 이 실험을 LCD라고 불렀어요. 〈좌뇌의 해방Libération du Cerveau Droit〉의 약자이죠. 여기 있을 때 양은 북관에서 생활해서, 남관은 한 번도 구경한 일이 없었죠? 자, 이제 양이 알지 못하는 학교의 한 부분을 보여 주겠어요. 아마 양이 저학년 아이들을 위한 교실이라고 생각했었을 곳 말이에요.」

카산드라가 제안을 받아들이자, 김은 주머니칼을 꺼낸다.

「조금이라도 허튼짓하면, 이걸 사용하겠어!」

「그래, 알고 있어요! 군의 여자 친구도 신체 손상의 애호가이죠. 나도 톡톡한 대가를 치러 그 사실을 알게 되었지만.」

그는 얼굴을 찡그리면서 아직도 커다란 붕대로 덮여 있는 자신의 귀를 어루만진다.

그들은 교장의 집을 나와, 학교 곁문을 통해 한 현대식 건물 안으로 들어간다. 반투명한 지붕이 덮여 있고 벽마다 그림들이며 다양한 악기들이 걸려 있는 일종의 놀이터에는 열 살 남짓한 아이들이 돌아다니고 있다. 어떤 아이들은 그들에게 다가와 꼼짝 않고 서서는 뚫어지게 쳐다본다. 또 어떤 아이들은 마치 이 침입자들이 자기들을 때리려고 하기나 한 듯, 두 손을 쳐들어 방어 자세를 취한다.

「자, 얘들이 바로 그 문제의 자폐증 영재 아동들이에요. 아이들을 우리에게 데리고 오는 부모들은 잔뜩 겁에 질려 있지요. 얘들이 마치 장애아나 정신 이상자이기라도 한 듯 우리에게 맡기고 후다닥 도망가 버려요. 그들은 얘들을 무서워하죠. 이 아이들의 변덕과 분노와 난폭성을 두려워해요. 다른 치료 센터들에서는 이런 아이들을 진통제로 다루면서, 최소한의 사회성을 심어 주는 쪽으로 가고 있어요. 하지만 우뇌 개발과 활용에 대해 이해한 양의 어머니 덕분으로, 우리는 이들을 다른 방식으로 다루죠. 다른 곳에서는 결점으로 간주되는 것이 여기에서는 장점으로 바뀌는 거예요.」

필리프 파파다키스는 파리 한 마리를 넋을 잃고 들여다보고 있는 한 아이에게로 다가간다.

「자, 가브리엘, 연주 좀 해보렴.」

기껏해야 여섯 살 정도로 보이는 아이는 피아노 앞에 앉더니 어떤 복잡한 멜로디를 치는데, 그 연주하는 속도가 점점 더 빨라진다.

「요한 제바스티안 바흐인가요?」 김이 묻는다.

「아니. 얘가 직접 작곡한 곡이죠.」

이어 교장은 액자를 해서 걸어 놓은 그림들을 보여 주는데, 그 색채가 놀랍다.

「이 그림들을 그린 아이는 아홉 살 먹은 스테판이에요. 뉴욕의 한 화랑은 그의 나이를 마흔 살로 속이고 이 작품들을 전시할 예정이죠. 왜냐하면 어린아이가 이런 회화적 혁신, 이런 회화적 성숙함을 표현했다고 말하면 아무도 믿지 않을 테니까요.」

「난 완벽함을 추구해요.」 뻗쳐 오른 머리칼이 꼭 구둣솔 같은 당사자가 튀어나와 설명해 준다. 「난 대충 하는 것을 참을 수 없어요. 내 작품들을 어떻게 생각하나요?」

「아름다워!」 김이 대답한다.

「아뇨, 이건 아름다운 게 아니에요. 이건 완벽해요. 난 완벽하지 않은 것은 모두 역겨워요. 난 모든 것에서 첫째가 되고 싶다고요. 아시겠어요? 모든 것에서요! 그러니 교장 선생님, 내게 제대로 된 재료를 마련해 주세요. 여기엔 아마추어용 붓들밖에 없단 말이에요! 만일 내가 가장 위대한 화가가 되기를 바라신다면, 내게 최고의 붓과 최고의 물감을 주시고, 자질구레한 일들로 날 방해하지 말아 주세요!」

꼬마는 이렇게 부르짖건만 교장은 거들떠보지도 않고 두꺼운 안경을 쓴 또 다른 소년을 가리킨다.

「저 꼬마 질은 가장 노련한 수학자들만이 연구할 수 있는 고차 방정식을 해결할 능력이 있지요.」

「그렇다면 저들이 그 〈장점〉을 얻기 위해 치러야 할 대가는 뭐죠?」

「별거 아니에요.」 교장은 한 여자아이를 가리킨다. 아이는 사람들이 무서운 듯 머리를 쿠션들 사이에 처박고 있다. 「이들은 소심해요. 실용적인 의미가 없는 동작이나 행동을 끝없이 반복하죠. 수면 장애도 있어요. 소음, 추위, 혹은 어떤 특정한 이미지들을 견뎌 내지 못하죠. 먹는 음식의 종류는 한정되어 있고, 대부분은 변화에 대해 일종의 알레르기 반응을 보여. 그 이유는 이들의 관심이 어떤 개인적인 주제들에 온통 집중되어 있기 때문이죠. 그래서 그 강박적인 관심 대상들 외에는 신경질적인 반응을 보여요. 이들은 몹시 조급하며, 다른 사람이 자기가 하는 말을 얼른 알아듣지 못하면 참지를 못해요. 하지만 이런 몇 가지 불편한 점들은 이들의 조건이 주는 엄청난 이점들에 비하면 실로 미미한 것이라 할 수 있어요.」

커다란 갈색 눈의 사내아이 하나가 다가와 말한다.

「난 숫자들의 친구예요. 나는 4가 제일 좋아요. 4라는 숫자가 정말 끌려요! 4로 만들 수 있는 걸 다 아신다면! 특히나 귀퉁이들을 뾰족하게 잘 그려 놓으면 말예요.」

교장은 그 꼬마에게도 별로 눈길을 주지 않고 방문객들을 어떤 여자의 초상화 앞으로 데려간다. 소녀는 초상화의 주인공을 즉시 알아본다.

「소피…… 그러니까 양의 어머니는 여기에서 멈추지 않고 더욱 멀리 나갔어요. 그런데 이런 파격적인 실험을 공립 병원에서 보내진 아이들을 대상으로 할 수는 없는 노릇이었으므로, 그녀는 한 가지 결심을 하기에 이르죠. 바로…….」

「자기 자신의 아이들?」 마침내 이해하기 시작한 카산드라가 자신도 모르게 내뱉는다.

「맞아요.」

필리프 파파다키스는 한 게시판 위에서 일련의 이름들이 적혀 있는 목록을 가리킨다.

「먼저, 양의 오빠였어요.」

「실험 23?」 그녀가 되묻는다.

「그래요, 다니엘이었어요. 양의 부모가 LCD이론을 제대로 적용해 본 최초의 아이였죠.」

카산드라는 가슴이 떨려 오는 것을 느낀다.

「양의 부모의 실험 덕분으로, 그의 우뇌는 완벽하게 자유롭고도 효율적으로 기능할 수 있게 되었어요. 이제 모든 것을 설명하고 논리화하려는 좌뇌의 폭정은 중단된 거죠. 그리고 이 자유로운 뇌로 인해 그는 아주 멀리 나아갈 수 있었어요. 아주, 아주 멀리.」

카산드라는 본능적으로 그가 준 확률 시계를 어루만진다.

그래. 나의 오빠 다니엘은 천재지.

「문제는 좌뇌의 지배력이 너무 약해져서 그가 〈정신증 환자〉가 되었다는 점이에요.」

「〈정신증 환자〉가 뭐죠?」 김이 되묻는다.

「정신증 환자들이란, 글쎄 어떻게 설명해야 할까, 두뇌가 너무 잘 돌아가는 사람이라고 할 수 있어요. 그들은 극도로 감수성이 예민하죠. 그들은 다른 사람들이 보지 못하는 것을 봐요. 모든 것을 다각도로 인식하며, 사물의 행간을 꿰뚫어요. 그런데 이러한 정신의 또렷함은 사람들을 안심시켜 주기보다는 오히려 불안하게 만들죠. 세계에 도사리고 있는 진정한 위험들을 선명하게 의식하기 때문이에요. 그래서 모든 것이 그들을 두렵게 만들죠.」

나도 약간 그런 면이 있어.

「그들은 대상을 한 걸음 떨어져서 보지 않고, 해석하지도 않아요. 그들은 모든 것을 직접적으로, 다시 말해서 일차적으로 파악하죠. 만일 누군가가 그들에게 〈어둠이 내린다〉라고 말하면, 그들은 하늘이 곧바로 자기 어깨 위로 내려앉을 거라고 느끼고는 벌벌 떨어요.」

「대략 말해 보자면, 좌뇌가 더 이상 해석 작업을 하지 않기 때문에 그들은 1차적으로 산다는 말이 되겠군.」 김이 교장의 설명을 나름대로 정리해 본다.

「아니, 그들은 1차적이라기보다는 오히려 20차적인 존재라 할 수 있어요. 그들이 말할 때 우리는 그들의 말을 전혀 이해할 수 없어요. 왜냐면 그들은 벌써 우리보다 훨씬 깊은 이해의 차원에 도달해 있으니까요.」

「극단끼리는 서로 통한다더니! 결국 너무 똑똑한 친구는 너무 멍청한 친구처럼 세상을 인식하는 거였어.」 김이 낄낄댄다.

「물론 정신증 환자들은 정상적인 세계에 잘 적응하지 못하죠. 일반적으로 그들은 자신을 제대로 보살피지 않아요. 그들에게 있어서 육체는 아무것도 아니고 정신만이 전부이기 때문이죠.」

카산드라의 머릿속에는 그녀의 부모의 빌라에서 본, 귀신 나올 것처럼 어지럽혀져 있던 오빠의 방 모습이 떠오른다. 또 다듬은 흔적이 거의 없는 긴 더벅머리로 덮인 오빠의 텁수룩한 얼굴도 떠오른다.

「그들은 더러운가요?」 김은 이 점이 몹시 궁금한 모양이다.

「몹시 더럽죠. 때로는 물이 무서워서 씻는 걸 거부하기도 해요. 증상이 심해지면 먹고 자는 것조차 잊어버려요. 모든 사람이 일상적으로 하는 것들을 다 잊어버리죠. 그들에게는 엄청난 카리스마와 날카로운 지성이 있고, 부인할 수 없는 매력도 있어요. 어찌 보면 무시무시하기조차 한 사람들이지만, 동시에 진정한 장애인들이기도 하죠.」

이렇게 말하는 필리프 파파다키스의 어조에서는 그들에 대한 찬탄과 혐오감이 동시에 묻어나고 있다.

「기분이 고조되면 그들은 열에 들뜬 헛소리를 하거나 극도의 행복감을 느껴요. 하지만 이러한 순간들이 지나가 버리는 찰나, 그들은 픽 하고 꺼져 버리죠. 눈에는 희미한 빛조차 남아 있지 않아요. 다시 말해서 외부와의 관계를 완전히 포기해 버렸다는 뜻이죠.」

연결을 〈커트〉하고 싶다는 뜻을 표시하기 위해 코네티컷주의 지도를 그린다는 아이처럼 말이지.

「그들에겐 아무도 영향을 줄 수 없어요. 그들은 고독하죠. 세상에 정신증 환자만큼 고독한 존재도 없을 거예요. 그래서 그들은 세계에 대한 극도의 무관심과 극도의 몰입이 번갈아 오는 일종의 낭만주의에 빠져 있는 듯한 모습을 보여요. 이러한 양면성은 그들을……」

교장의 얼굴에는 진정으로 황홀해하는 빛이 떠오른다.

「……지극히 매혹적인 존재로 만들죠!」

카산드라는 확률 시계가 18%를 표시한 것을 본다. 그녀는 위험도가 5% 증가한 것은 마음이 격동됨으로 인해 심장 박동이 빨라진 탓이라고 추론한다. 저 천재 꼬마들 중의 하나가 지나치게 완벽을 추구하고 〈대충〉을 참아 내지 못한 끝에 위험한 존재가 된 게 아니라면 말이다.

교장은 자신이 만났던 어떤 환자들을 추억하는 것만으로 완전히 압도되어 버린 듯한 표정이다.

「오빠는 정말로 그랬나요?」

「다니엘은 그보다도 훨씬 심했어요. 왜냐면 양의 부모가 〈실험 23〉을 위해 의도적으로 정신증 환자로 만들었기 때문이죠.」

주위에 있는 꼬마들이 다들 이상하게 보인다. 카산드라는 몸서리를 친다.

「대체 오빠에게 무슨 짓을 한 거죠?」

교장은 대꾸하지 않고 말을 잇는다.

「기숙생 중에는 실험 대상이 스물두 명 있었어요. 그들 다음에 다니엘과 카산드라 양이 실험 대상이 된 거죠. 양이 마지막 실험이었어요. 모든 실험 중에서 가장 성공적인 실험, 바로 〈실험 24〉였죠.」

카산드라는 벌떡 일어나 그의 옷깃을 움켜쥔다.

「내 말에 대답 안 했잖아요! 어떻게 한 아이를 의도적으로 자폐아로 만들어 놓을 수 있는 거죠?」 그녀는 거의 울부짖고 있다. 「말해 봐요!」

「미안해요. 양이 알기를 원했잖아요. 양은……」

미쳤다고?

「……양의 어머니의 〈실험〉이었어요.」

「왜? 도대체 왜?」

교장은 그녀를 차갑게 응시하더니, 또박또박 말한다.

「그녀가 카첸버그 양을 자폐아로 만든 것은 양을 통해 양의…… 아버지의 꿈을 이루기 위해서였어요.」

맑고 커다란 회색 눈의 소녀는 자신의 귀를 의심한다.

「……우리 아버지?」

「그래요. 아까 내가 말했죠. 양의 어머니는 아이들을 다뤘고, 양의 아버지는 미래를 다뤘다고요. 양의 아버지는 양이 미래를 보기 원했어요. 그래서 양의 이름이 카산드라인 거죠. 전에도 말했듯이 열쇠는 양의 이름 속에 있어요. 양에게 그 이름을 붙인 것은 이 능력을 얻기 위함이었어요.」

지금 무슨 말을 하고 있는 거지? 그렇다면 내 이름 카산드라는 우연하게 붙여진 게 아니었단 말인가?

필리프 파파다키스는 유감스럽다는 듯한 미소를 지어 보인다. 그는 이제 평소의 위엄을 완전히 되찾고 있다.

「양을 다시 보게 되어 몹시 반가웠어요. 양은 어떻게 생각하고 있을지 모르지만, 난 양을 좋아하고 있어요.」

소녀는 김의 등에 꽂혀 있는 쌍절곤을 빼 들어, 그 사슬로 교장의 목을 조른다.

「어떤 방법으로 나를 자폐아로 만들었죠? 말해요!」

주위에서 아이들이 호기심 어린 눈으로 그들을 관찰한다. 김은 그녀의 팔을 붙잡는다.

「그만해, 공주! 그러다 죽이겠어. 이 사람이 말하기를 원한다면 적어도 숨은 쉬게 해줘야 할 것 아냐?」

필리프 파파다키스는 호흡을 되찾으려 애를 쓴다. 콜록콜록 기침을 하고 숨을 깊게 들이쉬더니, 다시 고개를 천천히 쳐들고는 말한다.

「정말이지 양은 너무 난폭해요.」

「어서 말해요! 아니면 계속하겠어요!」

「양의 오빠…… 부모님이 당신에게 어떤 비밀스러운 방법을 썼는지 아는 사람은 그밖에 없어요. 테러 사건이 일어나고 나서 내가 양을 인계받게 되었을 때, 양은 이미 이런 상태였어요. 우뇌가 머릿속에 온갖 환각을 일으키고, 양을 모든 상식과 이성에서 벗어난 자유로운 존재로 만들어 놓은 상태였죠. 따라서 양의 질문에 대답하자면, 양의 비밀을 이해하기 위해서는 양의 이름과 양의 부모 다음으로 양의 오빠 다니엘이 세번째 대답이 될 거예요.」

「어딜 가야 오빠를 만날 수 있죠? 주소가 어디죠?」

「난 몰라요.」

카산드라는 다시 그를 위협한다.

「몽파르나스 타워 빌딩에서의 사고가 있고 나서, 그는 미래 전망부로 들어갔어요. 이게 내가 아는 전부예요.」

의식하지 못하는 사이에 아이들이 그들 주위를 빙 둘러싸고 있다. 김은 흠칫한다. 그들은 눈 한 번 깜빡이지 않고 날카로운 시선으로 뚫어질 듯 응시하고 있다. 김은 이렇게 강렬한 시선을 가진 사람은 거의 본 적이 없었다. 아이들은 주위에서 일어나는 모든 일에 관심을 갖고, 최대한의 정보를 흡수하여, 어느 하나도 빠뜨림 없이 철저하게 처리하고 있는 듯이 보인다.

116.

그래. 결국 나는 괴물이었어. 정신병자였어. 동료들이 반박하는 자신의 뇌 이론을 입증하기 위해 나 자신의 부모가 만들어 놓은 서커스의 구경거리 동물이었어. 그리고 그 이론이란 또 얼마나 어이없는 것인지! 우뇌로 하여금 좌뇌의 폭정에서 벗어나 자유롭게 기능할 수 있도록 해준다는 거였어.

그래서 내가 이토록 예민해진 거고, 그래서 내 과거도 사라졌을 거고, 그래서 내가 미래를 보는 거야.

난 알아내야 해. 나 자신한테까지 내가 수수께끼로 남아 있을 수는 없어. 아직 카산드라라는 이름도 붙이기 전, 이른바 〈실험 24〉에게 무슨 짓을 했는지 반드시 밝혀내야 해.

『카산드라의 거울』 제2권으로 이어집니다.

옮긴이 **임호경** 서울대학교 불어교육과와 동 대학원 불어불문학과를 졸업했다. 파리 제8대학에서 마르셀 프루스트의 소설에 대한 연구로 문학 박사 학위를 취득했으며 현재 전문 번역가로 활동하고 있다. 옮긴 책으로는 베르나르 베르베르의 『신』(5, 6권), 앙투안 갈랑의 『천일야화』, 알랭 플레셰르의 『도끼와 바이올린』, 로렌스 베누티의 『번역의 윤리』, 롤랑 르 몰레의 『조르조 바사리』, 다니엘 살바토레 시페르의 『움베르토 에코 평전』, 에마누엘 부라생의 『중세의 기사들』, 뱅상 포마레드의 『들라크루아』, 세르주 티스롱의 『작은 물건들의 신화』, 조르주 샤르파크의 『신비의 사기꾼들』 등이 있다.

그린이 **홍작가** 일러스트레이터, 만화가. 애니메이션 「마리 이야기」의 원화를 담당했고, 위메이드 엔터테인먼트 등 게임 회사에서 캐릭터 디자이너로 일하면서 포털 사이트 다음에 「도로시 밴드」를 연재하며 본격적인 만화가의 길로 들어섰다. 2007년 단행본으로 출간된 『도로시 밴드』(전3권)는 2009년 프랑스어판으로 소개되기도 하였다. 그 밖에 단편집 『고양이 장례식』이 있다.

카산드라의 거울 1

| 발행일 | 2010년 11월 25일 초판 1쇄 |
| | 2010년 12월 5일 초판 11쇄 |

지은이	베르나르 베르베르
옮긴이	임호경
그린이	홍작가
발행인	홍지웅
발행처	주식회사 열린책들

경기도 파주시 교하읍 문발리 499-3 파주출판도시
전화 031-955-4000 팩스 031-955-4004
www.openbooks.co.kr

Copyright (C) 열린책들, 2010, *Printed in Korea*.
ISBN 978-89-329-1068-0 04860
ISBN 978-89-329-1067-3 (세트)

이 도서의 국립중앙도서관 출판시도서목록(CIP)은 e-CIP 홈페이지(http://www.nl.go.kr/ecip)에서 이용하실 수 있습니다. (CIP제어번호 : CIP2010004069)